2025^{年版}イチから身につく

宅建士 合格の

トリセツ

厳選 分野別 過去問題集

はじめに

『**2025 年版 宅建士 合格のトリセツ 厳選分野別過去問題集**』を手にとっていただき、ありがとうございます。

　本書は 2018 年 10 月の発刊以来、多くの受験生にご利用いただき、本書を使って多くの方が合格を勝ち取りました。「過去の合格者から『トリセツが良い』と薦められた」というお声をたくさんうかがっております。本当にありがたく思います。

　そして、反響と共に『もっと○○してほしい』というご要望もいただきました。

　そこで、2025 年版は、従来の本書のコンセプトである「カラフルで見やすい、わかりやすく読みやすい、合格仕様のレイアウト」はそのまま、初の大幅リニューアルに踏み切りました。

A　「もっとたくさんの問題を解きたい」
B　「もっと解説を詳しく、わかりやすくしてほしい」
C　「もっと短時間で復習できるようにしてほしい」

　このようなお声に答えるべく、編集方針について議論を重ねて今回のリニューアルになりました。

A→ 量が多くなればそれだけ回転率が下がるので、大幅な増量は避けて、厳選 50 問を増量して全 350 問にしました。さらに、従来収録されていた 300 問についても、最新の試験傾向に沿って入れ替えることで、ベストな問題を選びなおしています！

B→ 解説文を大幅に書き直し、かつ増量しました。また、姉妹書『宅建士合格のトリセツ 頻出一問一答式過去問題集』の「一言解説」が好評なので、復習が必要な問題すべてに一言解説を新たに掲載しています！

C➡ 膨大なデータを分析して、合格者でも正解が難しい選択肢には「難問マーク」を付け、メリハリのある復習ができるようにしました。また、選択肢ごとに基本書『宅建士 合格のトリセツ 基本テキスト』へのリンクを示し、どの単元の復習をすればよいか、わかりやすくしました！

さらに、本書に収録されている問題・解説すべてをアプリで解けるようにして、購入者特典としてお付けしました。どこでも、いつでも、何度でも解き直してほしいという思いを込めています。

本書は、宅建士試験の各分野から計 350 問を厳選して収録しました。ここに収録されている 350 問はすべて習得していただきたい重要問題ばかりです。宅建士試験は近年、「難化している」と言われます。それは事実だと思います。しかし、本試験合格を目指すためには、必ずしも難問に対応しなければならないというわけではなく、基本的な問題を落とさないことこそが大事なのです。

わかりやすく、挫折しにくいとの評価をいただいた本書が、これまでの良いところはそのまま、本格的な分野別過去問題集として一大リニューアルを遂げ、皆さまのお手元で、合格の一助となることを強く願っております。ぜひ、『宅建士 合格のトリセツ』シリーズで、本年度の合格を勝ち取ってください！

2024 年 10 月吉日

友次　正浩
株式会社　東京リーガルマインド
LEC 総合研究所　宅建士試験部

※本書は、2024 年 9 月 1 日時点で施行されている法令、および同日時点で判明している 2025 年 4 月 1 日施行の法改正を基準に作成しました。法令の改正、または宅建士試験の基準・内容・傾向の大幅な変更が試験実施団体より発表された場合は、インターネットで随時、最新情報を提供いたします。なお、アクセス方法につきましては、20 ページの「インターネット情報提供サービス」をご確認ください。

ゴールへ向かって

立派なペンギンを目指して、
宅建士の勉強を頑張るペン太。
テキスト片手に、宅建士マラソンも順調！…と思いきや、
どうやらちょっぴり悩んでいるようです。

4

本書の使い方

本書は『宅建士 合格のトリセツ 基本テキスト』に準拠した問題集です。合格への最短ルートは、問題が解けるようになるまでテキストを読み込むことではありません。テキストに目を通したら、どんどん問題を解きましょう。間違えても大丈夫！ 解説とテキストで復習して知識を深めることが大事です。

学習テーマ・肢別テーマ

何を問われているのか？
どの分野のなんのテーマにチャレンジしているのかを意識して解くことが、学習ポイントの理解に役立ちます。

肢別テーマ

学習テーマ

問題
41 相 続

重要度 **A**
2001年 問11改

被相続人Aの相続人の法定相続分に関する次の記述のうち、民法の規定によれば、正しいものはどれか。

❶ AとBが婚姻中に生まれたAの子Cは、AとBの離婚の際、親権者をBと定められたが、Aがその後再婚して、再婚にかかる配偶者がいる状態で死亡したときは、Cは法定相続分はない。

❷ Aに実子がなく、6人の養子がいる場合、法定相続分を有する養子は2人に限られる。

❸ Aが死亡し、配偶者D及びその2人の子供E、Fで遺産分割及びそれに伴う処分を終えた後、認知の訴えの確定により、さらに嫡出でない子Gが1人いることが判明した。Gの法定相続分は10分の1である。

❹ Aに子が3人おり、Aの死亡の際、2人は存命であったが、1人は既に死亡していた。その死亡した子には2人の嫡出子H、Iがいた。A死亡の際、配偶者もいなかった場合、Hの法定相続分は6分の1である。

重要度

重要度は3段階で示しています。Aランクの問題はすべての選択肢について復習してほしい問題、BランクやCランクの問題は、難しい選択肢はあるけれど正解までたどりついてほしい問題を表しています。

問題文

過去の出題の中で、本年度の試験対策に不可欠な問題だけを厳選し、収録しました。

出題年・問題番号

本書は、実際の過去問を使用しています。出題年、問題番号は、ここで確認できます。「改」とあるのは、法改正などにより、表記等を一部改めたものです。

チェックボックス

最低5回解こう！ 1回問題を解くごとに、日付や結果を記入しましょう。試験前には、2回以上間違えた問題を解くというような使い方もできます。

全問○を
目指そう！

82

1回目	2回目	3回目	4回目	5回目
/	/	/	/	/
手ごたえ	手ごたえ	手ごたえ	手ごたえ	手ごたえ

◎：完全に分かってきた
○：だいたい分かってきた
△：少し分かってきた
×：全く分からなかった

『基本テキスト』へのリンク

出題知識の復習ができるよう、『宅建士 合格のトリセツ 基本テキスト』へのリンクを表示しています。

たとえば、「コース7 ポイント❶❷」は、同じ編（第1編 権利関係）の第7コース、第❶ポイント❷に記載されていることを表しています。

マスターした問題のページの角を、「キリトリ線」に沿って切り取れば、まだマスターしていない問題を簡単に見つけることができます。

「解答かくしシート」で解答・解説を隠そう！

問題を解く前に解答・解説が見えないようにしたい方は、本書にはさみ込まれた「解答かくしシート」をご利用ください。

肢別テーマ テキスト 第1編	❶ 相続 ❷ 相続 ❸ 相続 ❹ 相続	コース7 ポイント❶❷ 該当なし コース7 ポイント❶❷ コース7 ポイント❶❺	正解 4

相続

❶ ○ Cは相続人となる

Cは子なので相続人となります。親権者が誰であるかに関係なく、子である以上は相続人です。

❷ ×

養子の人数に制限はありません。子全員が平等の割合で相続します。

マーク

難解な選択肢です。出題頻度も低く、合否に影響しない知識です。

❸ ○ Gの法定相続分は6分の1

配偶者が2分の1であり、子E・F・Gが残りの2分の1を均等に分けることになるので、Gの法定相続分は6分の1となります。嫡出子であろうが非嫡出子であろうが養子であろうが関係ありません。

一言解説

選択肢の解説には、「問題を解く上でのポイント」が一目で分かるように、まず「一言解説」を示しました。「一言解説」だけで理解できれば、効率のよい学習が可能になります！

❹ ○ すでに死亡→代襲相続

子が3人いるから、3分の1ずつとなります。そして、すでに死亡しているので代襲相続をします。孫が2人いるので、これをさらに半分にして6分の1となります。

大事な部分を強調

解説文で大事な部分は色字で強調しています。間違えた問題は、その範囲だけではなく、その章全体の『基本テキスト』をもう1度読み直しましょう。

図解

問題を解く上でのポイントを、図表やイラストで表し、解き進めやすくしています。解答に至るポイントがスムーズに理解できます。

※見本ページを掲載していますので、実際の書籍とは異なります。

図表まとめ

重要項目は「図表まとめ」としてポイントを集約しています。頭を整理するのにお役立てください。

図表まとめ

● 免許まとめ

① 会社が悪いことをした ➡ 免許取消

（悪いこと：三悪）	**1** 不正手段による免許取得
	2 業務停止処分該当事由で情状が特に重い
	3 業務停止処分違反

➡ 役員も欠格者になる（政令で定める使用人は欠格者とならない！）

② 会社の中［役員／政令で定める使用人］に欠格者がいる

➡ 免許取消

➡ 他の役員や政令で定める使用人は欠格者にならない！

➡ その人を追い出せば、すぐに免許OK！

ちょこっとよりみちトーク

問題文の読み方や解き方、その論点についての補足知識などについて、キャラクターたちが熱心に（？）会話をしています。

ちょこっと よりみちトーク

 仮登記は対抗力がないから比較的簡単な手続きでできるよ。

それでも**3**はダメなんですね…。

 勝手に仮登記が抹消されてしまうとなると、さすがに困るからね…。さすがに承諾はほしいよね。

コーチからのアドバイス

問題を解く際のポイントや攻略法についてアドバイスしています。

アドバイス

この問題の受験者正解率は 45.2%（LEC 調べ）と、半分以下となっています。不動産登記法が苦手な受験生が多いということですね。基本問題をしっかり正解できるようにしておけば合格できますから頑張りましょう！

キャラクター紹介

宅建士の資格をもつ、
立派な大人ペンギン

コーチ

立派なペンギンを
夢見るおとこのこ。
少しお調子ものだけど、
素直でがんばり屋

ペン太

ちょっと意地悪な
ペン太のライバル

ツンツン

お役立ち情報を
伝えてくれる
シロクマ

キャスター

がんばるみんなを
応援する、仲良しの
アザラシたち

あざらし団

どこからともなく
あらわれる、
なぞの妖精（？）たち

アクターズ

給水所で水を配る
アルバイトの
ペンギン

キューベー

持ち運びに便利な「セパレート方式」

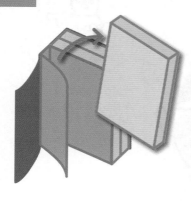

各分冊を取り外して、
手軽に持ち運びできます!

❶各冊子を区切っている、うす紫の厚紙を残し、
色表紙のついた冊子をつまんでください。
❷冊子をしっかりとつかんで手前に引っ張ってく
ださい。

見た目もきれいな「分冊背表紙シール」

背表紙シールを貼ることで、
分冊の背表紙を保護することができ、
見た目もきれいになります。

見た目も
きれい!

❶付録の背表紙シールを、ミシン目にそって切り離してください。
❷赤の破線（…）を、ハサミ等で切り取ってください。
❸切り取ったシールを、グレーの線（―）で山折りに折ってください。
❹分冊の背表紙に、シールを貼ってください。

アプリの利用方法

本書は、デジタルコンテンツ（アプリ）と併せて学習ができます。
パソコン、スマートフォン、タブレット等でも問題演習が可能です。

利用期間

利用開始日　　2024 年 12 月 1 日
登 録 期 限　　2025 年 10 月 18 日
利 用 期 限　　登録から 11 ヶ月間

動作環境 （2024年8月現在）

【スマートフォン・タブレット】
● Android 8 以降
● iOS 10 以降
※ご利用の端末の状況により、動作しない場合があります。OS のバージョン
　アップをされることで正常にご利用いただけるものもあります。
【パソコン】
● Microsoft Windows 10、11
　ブラウザ：Google Chrome、Mozilla Firefox、Microsoft Edge
● Mac OS X
　ブラウザ：Safari

利用方法

1　タブレットまたはスマートフォンをご利用の場合は、Google Play また
　　は App Store で、「ノウン」と検索し、ノウンアプリをダウンロードし
てください。

2 パソコン、タブレット、ス マートフォンの Web ブラウ ザで下記 URL にアクセスして「ア クティベーションコード入力」ペー ジを開きます。次ページ 8 に記載 のアクティベーションコードを入力 して「次へ」ボタンをクリックして ください。

[アクティベーションコード入力 ページ]

https://knoun.jp/activate

3 「次へ」ボタンをクリックす ると「ログイン」ページが 表示されます。ユーザー ID とパス ワードを入力し、「ログイン」ボタ ンをクリックしてください。 ユーザー登録が済んでいない場合 は、「ユーザー登録」ボタンをクリッ クします。

※表紙画像はイメージです。

4 「ユーザー登録」ページで
ユーザー登録を行ってくだ
さい。

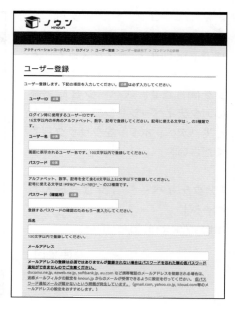

5 ログインまたはユーザー登
録を行うと、コンテンツが表
示されます。

6 「学習開始」ボタンをクリッ
クすると、タブレット及び
スマートフォンの場合はノウンアプ
リが起動し、コンテンツがダウン
ロードされます。パソコンの場合は
Web ブラウザで学習が開始されま
す。

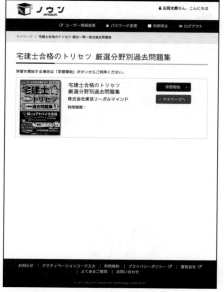

※表紙画像はイメージです。

7 2回目以降は、パソコンをご利用の場合は下記の「ログイン」ページからログインしてご利用ください。タブレット及びスマートフォンをご利用の場合はノウンアプリから直接ご利用ください。

[ログインページ]
https://knoun.jp/login

8 アクティベーションコード（半角英数字で入力してください）

LECt-2025-Tori-XzdY

[ノウンアプリ　お問い合わせ窓口]
ログインやアプリの操作方法のお問い合わせについては、以下の方法にて承ります。
なお、回答は、メールにてお返事させていただきます。
○ノウンアプリのメニュー＜お問い合わせ＞から
○ノウン公式サイト　お問い合わせフォームから
　URL：https://knoun.jp/knounclient/ui/inquiry/regist
○メールから
　お問い合わせ先アドレス：support@knoun.jp
お電話でのお問い合わせはお受けしておりませんので、予めご了承ください。

※「ノウン」はNTTアドバンステクノロジ株式会社の登録商標です。
※記載された会社名及び製品名は、各社の商標または登録商標です。

宅地建物取引士資格試験について

宅建士試験 とは

「宅地建物取引士資格試験」（宅建士試験）は、2023 年度では 28 万 9,096 人の申込みがあり、そのうち 23 万 3,276 人が受験した非常に人気のある資格です。では、なぜ宅建士試験がこれほど多くの人に受験されているのか、その秘密を探ってみましょう。

1 受験しやすい出題形式

宅建士試験は、4 つある選択肢のなかから正しいもの、あるいは誤っているものなどを 1 つ選ぶ「4 肢択一」式の問題が 50 問出題されています。記述式の問題や論述式の問題と違って、時間配分さえ注意すれば、後は正解肢を選択することに専念できますので、比較的受験しやすい出題形式といえます。

2 誰でも受験できる

宅建士試験を受験するにあたっては、学歴や年齢といった制約がありませんので、誰でも受験することができます。たとえば、過去には、最年長で 90 歳、最年少で 10 歳の人が合格を勝ち取っています。

3 就職や転職の武器となる

宅建士試験は、不動産を取引するにあたって必要な基礎知識が身についているかどうかを試す試験です。このような知識は不動産会社のみならず、金融機関や建築関係、また、店舗の取得を必要とする企業など、さまざまな業種で必要とされています。このため、就職や転職にあたって宅建士の資格をもっていることは、自分をアピールするための強い武器となります。

4 科目別出題数

　権利関係、宅建業法、法令上の制限、税・価格の評定、5問免除対象科目の5科目から、4肢択一形式で50問出題されます。各科目の出題数は下記のとおりです。

科目	出題内訳	出題数
権利関係	民法・借地借家法・建物区分所有法・不動産登記法	14問
宅建業法	宅建業法・住宅瑕疵担保履行法	20問
法令上の制限	都市計画法・建築基準法・国土利用計画法・農地法・土地区画整理法・盛土規制法・その他の法令	8問
税・価格の評定	地方税・所得税・その他の国税：2問 不動産鑑定評価基準・地価公示法：1問	3問
5問免除対象科目	独立行政法人住宅金融支援機構法：1問 不当景品類及び不当表示防止法：1問 統計・不動産の需給：1問 土地：1問 建物：1問	5問

試験情報

1 試験概要

〔受験資格〕　年齢、性別、学歴等に関係なく、誰でも受験することができる

〔願書配布〕　7月上旬（予定）

〔願書受付〕　郵送による申込み：7月上旬から7月中旬まで（予定）
　　　　　　　インターネットによる申込み：7月上旬から7月下旬まで（予定）

〔受験手数料〕　8,200円（予定）

〔試験日〕　10月第3日曜日　午後1時～3時（予定）

〔合格発表〕　11月下旬

〔問い合わせ先〕　（一財）不動産適正取引推進機構　試験部
　　　　　　　　〒105-0001　東京都港区虎ノ門3-8-21　第33森ビル3階
　　　　　　　　https://www.retio.or.jp

2 出題形式

（出題数）　50 問 4 肢択一
（解答方法）　マークシート方式
（解答時間）　2 時間（午後 1 時～3 時）
　　　　　　　ただし登録講習修了者は、午後 1 時 10 分～3 時
（出題内容）　以下の 7 つの項目について出題されます
（出題項目）

①土地の形質、地積、地目および種別ならびに建物の形質、構造および種別に関すること（土地・建物）

②土地および建物についての権利および権利の変動に関する法令に関すること
　（民法・借地借家法・建物区分所有法・不動産登記法）

③土地および建物についての法令上の制限に関すること
　（都市計画法・建築基準法・農地法・国土利用計画法・土地区画整理法）

④宅地および建物についての税に関する法令に関すること（固定資産税・不動産取得税・所得税）

⑤宅地および建物の需給に関する法令および実務に関すること
　（統計・需給・独立行政法人住宅金融支援機構法・景品表示法）

⑥宅地および建物の価格の評定に関すること（地価公示法・不動産鑑定評価基準）

⑦宅地建物取引業法および同法の関係法令に関すること（宅建業法・住宅瑕疵担保履行法）

3 受験者数・合格率・合格点

　過去 10 年間の宅建士試験の状況は下記の表のとおりです。

（過去 10 年間の試験状況）

年度	申込者数（人）	受験者数（人）	合格者数（人）	（受験者数中の）合格率	合格点
'14	238,343	192,029	33,670	17.5%	32 点
'15	243,199	194,926	30,028	15.4%	31 点
'16	245,742	198,463	30,589	15.4%	35 点
'17	258,511	209,354	32,644	15.6%	35 点
'18	265,444	213,993	33,360	15.6%	37 点
'19	276,019	220,797	37,481	17.0%	35 点
'20 (10月)	204,163	168,989	29,728	17.6%	38 点
'20 (12月)	55,121	35,261	4,610	13.1%	36 点
'21 (10月)	256,704	209,749	37,579	17.9%	34 点
'21 (12月)	39,814	24,965	3,892	15.6%	34 点
'22	283,856	226,048	38,525	17.0%	36 点
'23	289,096	233,276	40,025	17.2%	36 点

目 次

インターネット情報提供サービス

登録無料

お届けするフォロー内容

法改正情報

宅建 NEWS（統計情報）

アクセスして試験に役立つ最新情報を手にしてください。

登録方法 情報閲覧にはLECのMyページ登録が必要です。

LEC東京リーガルマインドのサイトにアクセス
https://www.lec-jp.com/

⬇

» Myページ ログイン をクリック

⬇

MyページID・会員番号をお持ちの方

Myページお持ちでない方
LEC で初めてお申込みいただく方

Myページログイン

Myページ登録

⬇   ⬇

必須

Myページ内
希望資格として **宅地建物取引士** を選択
して、 **希望資格を追加 ●** をクリックして
ください。

ご選択いただけない場合は、情報提供が受けられません。
また、ご登録情報反映に半日程度時間を要します。しばらく経ってから再度ログインをお願いします（時間は通信環境により異なる可能性がございます）。

※サービス提供方法は変更となる場合がございます。その場合もMyページ上でご案内いたします。
※インターネット環境をお持ちでない方はご利用いただけません。ご了承ください。
※上記の図は、登録の手順を示すものです。Webの実際の画面と異なります。

注目

本書ご購入者のための特典

① **2025 年法改正情報（2025 年8月下旬公開予定）**

② **2025 年「宅建 NEWS（統計情報）」（2025 年5月中旬と8月下旬に公開予定）**

〈注意〉上記情報提供サービスは、2025年宅建士試験前日までとさせていただきます。予めご了承ください。

第1編・権利関係

本試験での出題数：14問　得点目標：9点

難しい問題も多いので、基本的な問題に正解できるようにしておけば大丈夫です。ただし、本書に掲載されている程度の問題は解けるように！

意思表示

Aが、A所有の土地をBに売却する契約を締結した場合に関する次の記述のうち、民法の規定によれば、誤っているものはどれか。

❶ AのBに対する売却の意思表示がCの詐欺によって行われた場合で、BがそのCによる詐欺の事実を知っていたとき、Aは、売却の意思表示を取り消すことができる。

❷ AのBに対する売却の意思表示がBの強迫によって行われた場合、Aは、売却の意思表示を取り消すことができるが、その取消しをもって、Bからその取消し前に当該土地を買い受けた善意のDには対抗できない。

❸ Aが、自分の真意ではないと認識しながらBに対する売却の意思表示を行った場合で、BがそのAの真意ではないことを知っていたとき、Aは、売却の意思表示の無効を主張できる。

❹ AのBに対する売却の意思表示につき法律行為の目的及び取引上の社会通念に照らして重要な錯誤があった場合、Aは、売却の意思表示を取り消すことができるが、Aに重大な過失があったときは、原則として取り消すことができない。

全問◯を
目指そう!

| 1回目 | / | | 2回目 | / | | 3回目 | / | | 4回目 | / | | 5回目 | / | |
| 手応え | | | 手応え | | | 手応え | | | 手応え | | | 手応え | | |

◎：完全に分かってきた
◯：だいたい分かってきた
△：少し分かってきた
×：全く分からなかった

2

意思表示

❶ ○ 相手方が悪意なので取消し可

第三者の詐欺による意思表示は、**相手方が悪意や善意有過失の場合には取り消す**ことができます。今回は、「BがそのCによる詐欺の事実を知っていた」、つまり悪意です。悪意のBと詐欺の被害者であるAでは、Aのほうが保護されます。よって、Aは取消しができます。

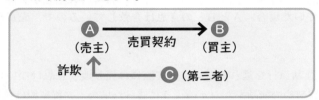

❷ ✕ 強迫の被害者は第三者の善意・悪意を問わずに取消し対抗可

強迫による取消しは、取消し前の第三者に対しても対抗することができます。その際、第三者の善意・悪意を問わず、また、過失の有無も問いません。Dは善意ですが、強迫の被害者は第三者が善意でも悪意でも対抗できます。したがって、AはDに対抗することができます。

❸ ○ 相手方が悪意であれば意思表示は無効

心裡留保は原則として有効です。ただし、相手方がその意思表示が表意者の真意ではないことを知り、又は知ることができたときは、その意思表示は無効とされます。したがって、Bが悪意である以上、Aは、売却の意思表示の無効をBに主張できます。

❹ ○ 重過失があれば原則として取消し不可

錯誤が法律行為の目的及び取引上の社会通念に照らして重要なものであり、表意者に重大な過失がなかったときは、原則として取り消すことができます。今回の場合、重過失があるAは原則として取り消すことができません。

A所有の土地につき、AとBとの間で売買契約を締結し、Bが当該土地につき第三者との間で売買契約を締結していない場合に関する次の記述のうち、民法の規定によれば、正しいものはどれか。

❶ Aの売渡し申込みの意思は真意ではなく、BもAの意思が真意ではないことを知っていた場合、AとBとの意思は合致しているので、売買契約は有効である。

❷ Aが、強制執行を逃れるために、実際には売り渡す意思はないのにBと通謀して売買契約の締結をしたかのように装った場合、売買契約は無効である。

❸ Aが、Cの詐欺によってBとの間で売買契約を締結した場合、Cの詐欺をBが知っているか否かにかかわらず、Aは売買契約を取り消すことはできない。

❹ Aが、Cの強迫によってBとの間で売買契約を締結した場合、Cの強迫をBが知らなければ、Aは売買契約を取り消すことができない。

全問◯を
目指そう！

| 1回目 | ／ | 2回目 | ／ | 3回目 | ／ | 4回目 | ／ | 5回目 | ／ |
| 手応え | | 手応え | | 手応え | | 手応え | | 手応え | |

◎：完全に分かってきた
◯：だいたい分かってきた
△：少し分かってきた
×：全く分からなかった

4

肢別テーマ	❶ 心裡留保	コース 1 ポイント ❺ 1	
テキスト 第1編	❷ 虚偽表示	コース 1 ポイント ❸ 1	正解 2
	❸ 詐欺・強迫	コース 1 ポイント ❷ 4	
	❹ 詐欺・強迫	コース 1 ポイント ❷ 4	

意思表示

❶ **×　相手方が悪意であれば無効**

心裡留保は原則として有効です。ただし、相手方がその意思表示が表意者の真意ではないことを知り、又は知ることができたときは、その意思表示は無効とされます。したがって、Bが悪意である以上、Aの売渡し申込みの意思表示は無効であり、AB間の売買契約は有効に成立しません。

❷ **○　仮装譲渡は無効**

相手方と通じてした虚偽の意思表示（虚偽表示）は無効です。したがって、Aは、AB間の仮装契約について、無効を主張することができます。

❸ **×　相手方が悪意又は善意有過失であれば取消し可**

第三者の詐欺による意思表示は、相手方が悪意や善意有過失の場合には取り消すことができます。

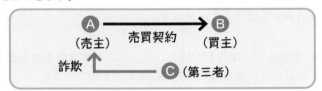

❹ **×　強迫の被害者は取消し可**

第三者の強迫による意思表示は、相手方の善意・悪意にかかわらず取り消すことができます。

図表まとめ

● ＜意思表示のまとめ＞

	当事者間	vs 第三者	
		善意有過失	善意無過失
強迫	取消し	対抗可	対抗可
詐欺	取消し	対抗可	対抗NG
錯誤	取消し	対抗可	対抗NG
虚偽表示	無効	対抗NG	対抗NG
心裡留保	原則有効	対抗NG	対抗NG

5

Aが、その所有地について、債権者Bの差押えを免れるため、Cと通謀して、登記名義をCに移転したところ、Cは、その土地をDに譲渡した。この場合、民法の規定及び判例によれば、次の記述のうち正しいものはどれか。

❶ AC間の契約は無効であるから、Aは、Dが善意であっても、Dに対し所有権を主張することができる。

❷ Dが善意であっても、Bが善意であれば、Bは、Dに対して売買契約の無効を主張することができる。

❸ Dが善意であっても、Dが所有権移転の登記をしていないときは、Aは、Dに対し所有権を主張することができる。

❹ Dがその土地をEに譲渡した場合、Eは、Dの善意悪意にかかわらず、Eが善意であれば、Aに対し所有権を主張することができる。

1回目	2回目	3回目	4回目	5回目
手応え	手応え	手応え	手応え	手応え

◎：完全に分かってきた
○：だいたい分かってきた
△：少し分かってきた
×：全く分からなかった

肢別テーマ テキスト第1編	❶ 虚偽表示	コース 1 ポイント ❸ 1
	❷ 虚偽表示	コース 1 ポイント ❸ 1
	❸ 虚偽表示	コース 1 ポイント ❸ 1
	❹ 虚偽表示	コース 1 ポイント ❸ 2

正解 4

意思表示

仮装譲渡

A ····▶ C ····▶ D ····▶ E

❶ ✕ **仮装譲渡の無効は善意の第三者に対抗不可**

仮装譲渡の無効は善意の第三者には対抗することができません。

❷ ✕

善意の第三者は保護されます。Bが善意であるか悪意であるかは関係ありません。

❸ ✕ **仮装譲渡の無効は善意の第三者に対抗不可**

仮装譲渡の無効は善意の第三者には対抗することができません。そして、ここでいう第三者は過失があっても登記を備えていなくても構いません。

❹ ◯ **善意のEはAに対抗できる**

善意の人は、その前に登場した人が悪意であっても保護されます。今回は、転得者Eが善意なので、Aは対抗することができません。したがって、善意のEはAに対して所有権を主張できます。

ちょこっと よりみちトーク

選択肢2が難しかった

「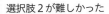」マークのある選択肢は無理しないでね！

他の選択肢をちゃんと学べばよいということですね！

その通り！このテキストは必須の知識かスルーしてよい知識かを明確にしているので、これを参考にしてみてね！

民法第95条第1項柱書は、錯誤に基づくものは取り消すことができると定めている。これに関する次の記述のうち、民法の規定及び判例によれば、誤っているものはどれか。

❶　意思表示をなすに当たり、表意者に重大な過失があったときは、表意者は、原則として自らその取消しを主張することができない。

❷　意思表示をなすにあたり、表意者に錯誤があった場合、表意者が当該意思表示を取り消すことができるときであっても、表意者は、取消しの意思表示がなされるまでに法律上の利害関係をもった善意でかつ過失がない第三者には取消しを対抗することができない。

❸　意思表示をなすについての動機は、表意者が当該意思表示の内容とし、かつ、その旨を相手方に明示的に表示した場合は、取り消すことができる。

❹　意思表示をなすについての動機は、表意者が当該意思表示の内容としたが、その旨を相手方に黙示的に表示したにとどまる場合は、取り消すことができない。

全問◎を
目指そう!

| 1回目 | / | 2回目 | / | 3回目 | / | 4回目 | / | 5回目 | / |
| 手応え | | 手応え | | 手応え | | 手応え | | 手応え | |

◎：完全に分かってきた
○：だいたい分かってきた
△：少し分かってきた
×：全く分からなかった

8

肢別テーマ	❶ 錯誤	コース 1 ポイント ❹ ❷	
テキスト 第1編	❷ 錯誤	コース 1 ポイント ❹ ❹	正解 **4**
	❸ 錯誤	コース 1 ポイント ❹ ❶	
	❹ 錯誤	コース 1 ポイント ❹ ❶	

❶ ○ **重過失があれば原則として取消し不可**

錯誤が法律行為の目的及び取引上の社会通念に照らして重要なものであり、表意者に重大な過失がなかったときは、原則として取り消すことができます。今回の場合、重過失である表意者は原則として取り消すことができません。

❷ ○ **善意無過失の第三者には取消しを対抗できない**

錯誤による意思表示の取消しは、善意でかつ過失がない第三者に対抗することができません。

❸ ○ **動機の錯誤→表示されていれば取消し可能**

動機の錯誤は、その事情が法律行為の基礎とされていることが表示されていたときに限り、取り消すことができます。今回は、動機が表示されているため、取消しが可能です。

❹ × **表示は黙示的でも可**

動機の錯誤もその事情が法律行為の基礎とされていることが表示されていたときには取り消すことができます。その際、その表示は明示的であっても黙示的であっても構いません。

 ちょこっと よりみちトーク

「明示的」「黙示的」って何が違うの？

 簡単に言うと、明示的は、はっきりと言うこと、黙示的は、直接言ってはいないけど、そうであるとわかるように振る舞っているということだよ。

ＡとＢとの間で締結された売買契約に関する次の記述のうち、民法の規定によれば、売買契約締結後、ＡがＢに対し、錯誤による取消しができるものはどれか。

❶ Ａは、自己所有の自動車を100万円で売却するつもりであったが、重大な過失によりＢに対し「10万円で売却する」と言ってしまい、Ｂが過失なく「Ａは本当に10万円で売るつもりだ」と信じて購入を申し込み、ＡＢ間に売買契約が成立した場合

❷ Ａは、自己所有の時価100万円の壺を10万円程度であると思い込み、Ｂに対し「手元にお金がないので、10万円で売却したい」と言ったところ、ＢはＡの言葉を信じ「それなら10万円で購入する」と言って、ＡＢ間に売買契約が成立した場合

❸ Ａは、自己所有の時価100万円の名匠の絵画を贋作だと思い込み、Ｂに対し「贋作であるので、10万円で売却する」と言ったところ、Ｂも同様に贋作だと思い込み「贋作なら10万円で購入する」と言って、ＡＢ間に売買契約が成立した場合

❹ Ａは、自己所有の腕時計を100万円で外国人Ｂに売却する際、当日の正しい為替レート（1ドル100円）を重大な過失により1ドル125円で計算して「8,000ドルで売却する」と言ってしまい、Ａの錯誤について過失なく知らなかったＢが「8,000ドルなら買いたい」と言って、ＡＢ間に売買契約が成立した場合

全問◎を
目指そう！

1回目	2回目	3回目	4回目	5回目
手応え	手応え	手応え	手応え	手応え

◎：完全に分かってきた
○：だいたい分かってきた
△：少し分かってきた
×：全く分からなかった

肢別テーマ	❶ 錯誤	コース 1 ポイント ❹ ❷	
テキスト 第1編	❷ 錯誤	コース 1 ポイント ❹ ❶	正解 3
	❸ 錯誤	コース 1 ポイント ❹ ❷	
	❹ 錯誤	コース 1 ポイント ❹ ❷	

〇：できる　✕：できない

❶　✕　相手方が善意無過失なので取消し不可

錯誤が表意者の重大な過失によるものであった場合には、原則として、錯誤による取消しができません。ただし、**相手方が表意者に錯誤があることを知り又は重大な過失によって知らなかった場合は錯誤による取消しができます。**Aの錯誤は重大な過失によるものであり、BはAの「10万円で売却する」との意思表示を過失なく信じています。したがって、今回は錯誤による取消しができません。

❷　✕　動機の錯誤では原則として取消し不可

動機の錯誤は、その事情が法律行為の基礎とされていることが**表示されていたときに限り、取り消すことができます。**Bは、動機が表示されていないため、取り消すことはできません。

❸　〇　共通錯誤は重過失でも取消し可

錯誤が法律行為の目的及び取引上の社会通念に照らして重要なものであっても、表意者に重大な過失があるときは、原則として取り消すことができません。ただし、相手方が表意者と同一の錯誤に陥っていた場合は、錯誤による取消しができます。今回の場合、BがAと同一の錯誤に陥っているので、錯誤による取消しができます。

❹　✕　相手方が善意無過失なので取消し不可

選択肢1と同様、Aの錯誤は**重大な過失**によるものであり、Bは**善意無過失**です。したがって、今回は錯誤による取消しができません。

ちょこっと **よりみちトーク**

選択肢3が「重大な過失」の有無について書いていないですね

もし重過失がないなら取消し可能ですね。重過失があっても共通錯誤なので取消し可能ですね。今回は重過失があってもなくても取消しできるので、わざわざ問題文で書かれていないのですね。

意思表示

11

Aは、「近く新幹線が開通し、別荘地として最適である」旨のBの虚偽の説明を信じて、Bの所有する原野（時価20万円）を、別荘地として2,000万円で購入する契約を締結した。この場合、民法の規定によれば、次の記述のうち正しいものはどれか。

❶ Aは、当該契約は公序良俗に反するとして、その取消しを主張するとともに、Bの不法行為責任を追及することができる。

❷ Aは、無過失のときに限り、法律行為の要素に錯誤があるとして、その取消しを主張することができる。

❸ Aは、当該契約の締結は詐欺に基づくものであるとして、その取消しを主張することができるが、締結後20年を経過したときは、取り消すことができない。

❹ Aが被保佐人であり、保佐人Cの同意を得ずに当該契約を締結した場合、Cは、当該契約の締結にはCの同意がないとして、その無効を主張することができる。

全問◎を
目指そう！

1回目	／	2回目	／	3回目	／	4回目	／	5回目	／
手応え		手応え		手応え		手応え		手応え	

◎：完全に分かってきた
○：だいたい分かってきた
△：少し分かってきた
×：全く分からなかった

12

肢別テーマ						正解	**3**
テキスト 第1編	❶ 公序良俗に反する契約	コース 1	ポイント 6 1				
	❷ 錯誤	コース 1	ポイント 4 2				
	❸ 詐欺・強迫	コース 1	ポイント 2 1				
	❹ 制限行為能力者	コース 2	ポイント 1 2				

意思表示

❶ ✕ 公序良俗に反する契約は無効

反社会的な契約などは当然のことながら守る必要はありません。そのような公序良俗に反する契約は最初から無効だとされています。無効である以上、取消しはできません。なお、BがAに対して故意に損害を与えたことから、Aは、Bに対して不法行為責任を追及することは可能です。

❷ ✕ 重過失がないなら取消し可

重過失がないなら取消しが可能です。つまり、「重い過失」でなければ良いのであり、「無過失」までは求められておりません。

❸ ○

詐欺によって契約が締結された場合、その契約は取り消すことができます。しかし、取り消すことができるのは、詐欺により契約が締結されてから、20年間に限られています。したがって、契約締結後20年を経過すると取り消すことはできなくなります。

❹ ✕ 無効ではなく取消しができる

被保佐人が保佐人の同意を得ないで行った不動産の売買契約を、保佐人は、取り消すことができます。したがって、Aが被保佐人であり、保佐人Cの同意を得ないでBと土地の売買契約を締結したときには、Cは、その売買契約を取り消すことができます。

選択肢❹は、次のコースの範囲です。まだ学習が進んでいない段階では選択肢❹は気にしないでください。権利関係の学習を一通り終えた人はしっかり復習してください！

意思無能力者又は制限行為能力者に関する次の記述のうち、民法の規定及び判例によれば、正しいものはどれか。

❶ 意思能力を欠いている者が土地を売却する意思表示を行った場合、その親族が当該意思表示を取り消せば、取消しの時点から将来に向かって無効となる。

❷ 未成年者が土地を売却する意思表示を行った場合、その未成年者が成年者であると信じさせるために詐術を用いていたときでも、親権者が当該意思表示を取り消せば、意思表示の時点に遡って無効となる。

❸ 成年被後見人が成年後見人の事前の同意を得て土地を売却する意思表示を行った場合、成年後見人は、当該意思表示を取り消すことができる。

❹ 被保佐人が保佐人の事前の同意を得て土地を売却する意思表示を行った場合、保佐人は、当該意思表示を取り消すことができる。

全問○を
目指そう！

| 1回目 | / | 2回目 | / | 3回目 | / | 4回目 | / | 5回目 | / |
| 手応え | | 手応え | | 手応え | | 手応え | | 手応え | |

◎：完全に分かってきた
○：だいたい分かってきた
△：少し分かってきた
×：全く分からなかった

14

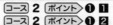

❶	制限行為能力者	コース 2	ポイント ❶ 1	
❷	制限行為能力者	コース 2	ポイント ❶ 2	
❸	制限行為能力者の種類	コース 2	ポイント ❷ 2	
❹	制限行為能力者の種類	コース 2	ポイント ❷ 3	

❶ ✕ **意思無能力者の意思表示は無効**

　法律行為の当事者が意思表示をした時に意思能力を有しなかったときは、その法律行為は最初から無効です。無効である以上、取消しはできません。

❷ ✕ **詐術を用いたら取消し不可**

　制限行為能力者が、行為能力者であるように相手方を信じさせるため、詐術を用いたときは、その行為を取り消すことができなくなります。

❸ ◯ **成年後見人に同意権なし**

　成年被後見人の行った法律行為は、成年後見人の同意があるときでも原則として取り消すことができます。そして、同意をした成年後見人も取り消すことができます。

❹ ✕ **保佐人の同意を得た行為は取消し不可**

　保佐人には同意権があります。そのため、被保佐人が保佐人の同意を得て行った行為については、取り消すことができません。

制限行為能力者

制限行為能力者

制限行為能力者に関する次の記述のうち、民法の規定によれば、正しいものはどれか。

❶ 土地を売却すると、土地の管理義務を免れることになるので、未成年者が土地を売却するに当たっては、その法定代理人の同意は必要ない。

❷ 成年後見人が、成年被後見人に代わって、成年被後見人が居住している建物を売却するためには、家庭裁判所の許可が必要である。

❸ 被保佐人については、不動産を売却する場合だけではなく、日用品を購入する場合も、保佐人の同意が必要である。

❹ 被補助人が法律行為を行うためには、常に補助人の同意が必要である。

全問◎を
目指そう!

| 1回目 | / | 2回目 | / | 3回目 | / | 4回目 | / | 5回目 | / |
| 手応え | | 手応え | | 手応え | | 手応え | | 手応え | |

◎：完全に分かってきた
○：だいたい分かってきた
△：少し分かってきた
×：全く分からなかった

16

肢別テーマ	❶ 制限行為能力者	コース 2 ポイント ❶ 2	
テキスト 第1編	❷ 制限行為能力者の種類	コース 2 ポイント ❷ 2	
	❸ 制限行為能力者の種類	コース 2 ポイント ❷ 3	正解 2
	❹ 制限行為能力者の種類	コース 2 ポイント ❷ 4	

❶ ✕ **法定代理人の同意が必要**

土地を売却すると、土地の所有権を失うため、「単に権利を得、義務を免れる行為」には該当しません。そのため、未成年者が土地の売買契約をする場合、**法定代理人の同意が必要**です。

❷ ○ **家庭裁判所の許可必要**

成年後見人が、成年被後見人に代わって成年被後見人が居住している建物を売却・賃貸・抵当権設定等を行う場合、**家庭裁判所の許可が必要**です。

❸ ✕ **日用品購入で保佐人の同意不要**

保佐人の同意が必要なものは、不動産の売買や不動産の賃貸など、**いくつかの重要な行為のみ**です。日用品を購入する場合には、保佐人の同意は不要です。

❹ ✕ **常に必要ではない**

常に必要となるわけではありません。被補助人が補助人の同意を必要とするものは、被保佐人が保佐人の同意を必要とする事項のうちの一部のみです。

選択肢❸は、「日用品の購入」については成年被後見人でも同意不要なのだから、それよりも程度の軽い被保佐人であれば当然同意は必要ない、と考えることもできますね。

行為能力に関する次の記述のうち、民法の規定によれば、正しいものはどれか。

❶ 成年被後見人が行った法律行為は、事理を弁識する能力がある状態で行われたものであっても、取り消すことができる。ただし、日用品の購入その他日常生活に関する行為については、この限りではない。

❷ 未成年者が、その法定代理人の同意を得ずに行った法律行為は無効である。ただし、単に権利を得、義務を免れる法律行為については、この限りではない。

❸ 精神上の障害により事理を弁識する能力が不十分である者につき、4親等内の親族から補助開始の審判の請求があった場合、家庭裁判所はその事実が認められるときは、本人の同意がないときであっても同審判をすることができる。

❹ 被保佐人が、保佐人の同意又はこれに代わる家庭裁判所の許可を得ないでした土地の売却は、被保佐人が行為能力者であることを相手方に信じさせるため詐術を用いたときであっても、取り消すことができる。

全問◎を
目指そう!

1回目	/	2回目	/	3回目	/	4回目	/	5回目	/
手応え		手応え		手応え		手応え		手応え	

◎：完全に分かってきた
○：だいたい分かってきた
△：少し分かってきた
×：全く分からなかった

肢別テーマ テキスト第1編	❶ 制限行為能力者の種類	コース 2 ポイント❷②
	❷ 制限行為能力者	コース 2 ポイント❷❶
	❸ 制限行為能力者の種類	該当なし
	❹ 制限行為能力者	コース 2 ポイント❶②

正解 1

制限行為能力者

❶ ○ **日用品の購入は取消し不可**

成年被後見人が単独で行った法律行為は、事理を弁識する能力が完全に回復している状態であったとしても取り消すことができます。ただし、日用品の購入等日常生活上の契約は取り消すことができません。

❷ × **無効ではなく取消しができる**

未成年者が法定代理人の同意を得ずに行った法律行為は取消しができます。無効ではありません。

❸ ×

補助開始の審判は、本人、配偶者、4親等内の親族、検察官等の請求によることができます。しかし、本人以外の者の請求により補助開始の審判をするためには、本人の同意が必要となります。

❹ × **詐術を用いたら取消し不可**

土地の売却を行うためには保佐人の同意または家庭裁判所の許可が必要となります。そのため、保佐人の同意を得ずに売却した場合は取消しができます。ただし、制限行為能力者が、行為能力者であるように相手方を信じさせるため、詐術を用いたときは、その行為を取り消すことができなくなります。

制限行為能力者に関する次の記述のうち、民法の規定及び判例によれば、正しいものはどれか。

❶ 古着の仕入販売に関する営業を許された未成年者は、成年者と同一の行為能力を有するので、法定代理人の同意を得ないで、自己が居住するために建物を第三者から購入したとしても、その法定代理人は当該売買契約を取り消すことができない。

❷ 被保佐人が、不動産を売却する場合には、保佐人の同意が必要であるが、贈与の申し出を拒絶する場合には、保佐人の同意は不要である。

❸ 成年後見人が、成年被後見人に代わって、成年被後見人が居住している建物を売却する際、後見監督人がいる場合には、後見監督人の許可があれば足り、家庭裁判所の許可は不要である。

❹ 被補助人が、補助人の同意を得なければならない行為について、同意を得ていないにもかかわらず、詐術を用いて相手方に補助人の同意を得たと信じさせていたときは、被補助人は当該行為を取り消すことができない。

全問◎を
目指そう！

| 1回目 | ／ | 2回目 | ／ | 3回目 | ／ | 4回目 | ／ | 5回目 | ／ |
| 手応え | | 手応え | | 手応え | | 手応え | | 手応え | |

◎：完全に分かってきた
○：だいたい分かってきた
△：少し分かってきた
×：全く分からなかった

肢別テーマ テキスト第1編	❶ 制限行為能力者の種類	コース2 ポイント❷❶	
	❷ 制限行為能力者の種類	コース2 ポイント❷❸	**正解** 4
	❸ 制限行為能力者の種類	コース2 ポイント❷❷	
	❹ 制限行為能力者	コース2 ポイント❶❷	

❶ ✕ 許可を受けた営業に関するものに限って取消し不可

営業を許された未成年者は、その営業に関しては、成年者と同一の行為能力を有します。今回のように、自己が居住するために建物を購入する行為は、古着の仕入販売とは関係がありません。したがって、法定代理人の同意を得なければなりません。

❷ ✕

前半部分は正しいですが、後半部分が誤りです。贈与の申し出を拒絶する場合にも保佐人の同意が必要となります。

❸ ✕ 家庭裁判所の許可必要

成年後見人が、成年被後見人に代わって成年被後見人が居住している建物を売却・賃貸・抵当権設定等を行う場合、家庭裁判所の許可が必要です。これは、後見監督人がいる場合であっても同様です。

❹ ○ 詐術を用いたら取消し不可

制限行為能力者が、行為能力者であるように相手方を信じさせるため、詐術を用いたときは、その行為を取り消すことができなくなります。

ちょこっと **よりみちトーク**

インプット頑張ったはずなのに正解できない（泣）

最初からできる人はいないよ！
何度もチャレンジして、一歩一歩進んでいこう！

制限行為能力者

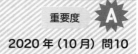
Aが甲土地を所有している場合の時効に関する次の記述のうち、民法の規定及び判例によれば、誤っているものはどれか。

❶ Bが甲土地を所有の意思をもって平穏かつ公然に17年間占有した後、CがBを相続し甲土地を所有の意思をもって平穏かつ公然に3年間占有した場合、Cは甲土地の所有権を時効取得することができる。

❷ Dが、所有者と称するEから、Eが無権利者であることについて善意無過失で甲土地を買い受け、所有の意思をもって平穏かつ公然に3年間占有した後、甲土地がAの所有であることに気付いた場合、そのままさらに7年間甲土地の占有を継続したとしても、Dは、甲土地の所有権を時効取得することはできない。

❸ Dが、所有者と称するEから、Eが無権利者であることについて善意無過失で甲土地を買い受け、所有の意思をもって平穏かつ公然に3年間占有した後、甲土地がAの所有であることを知っているFに売却し、Fが所有の意思をもって平穏かつ公然に甲土地を7年間占有した場合、Fは甲土地の所有権を時効取得することができる。

❹ Aが甲土地を使用しないで20年以上放置していたとしても、Aの有する甲土地の所有権が消滅時効にかかることはない。

全問◎を
目指そう！

1回目 手応え	2回目 手応え	3回目 手応え	4回目 手応え	5回目 手応え
／	／	／	／	／

◎：完全に分かってきた
○：だいたい分かってきた
△：少し分かってきた
×：全く分からなかった

22

肢別テーマ			
テキスト 第1編	❶ 時効制度	コース3 ポイント ❶ ❷	
	❷ 時効制度	コース3 ポイント ❶ ❷	正解 2
	❸ 時効制度	コース3 ポイント ❶ ❷	
	❹ 時効制度	コース3 ポイント ❶ ❸	

❶ ○ **20年で取得時効完成**

前の占有者から相続した場合には、**前主の占有を承継できます**。Bが17年占有した事実をCが引き継いで3年占有したので、Cは20年の取得時効が完成します。

❷ × **途中で悪意になっても10年で時効取得する**

占有開始時に善意無過失であれば10年間で時効取得できます。途中で悪意になっても変わりません。今回は、占有開始時に善意無過失であり、合計10年占有をしたことから、甲土地を時効取得することができます。

❸ ○ **Dの占有開始時に善意無過失→10年で取得時効完成**

前の人の占有を引き継ぐ場合には、善意・悪意の判断は、前の占有者の占有開始時で判断します。今回はDの占有開始時に善意無過失であるため、たとえFが悪意であったとしても、10年で取得時効は完成します。

❹ ○ **所有権は消滅時効にかからない**

所有権は消滅時効にかからないので、何年経過しても消滅しません。

時
効

AがBの所有地を長期間占有している場合の時効取得に関する次の記述のうち、民法の規定及び判例によれば、誤っているものはどれか。

❶ Aが善意無過失で占有を開始し、所有の意思をもって、平穏かつ公然に7年間占有を続けた後、Cに3年間賃貸した場合、Aは、その土地の所有権を時効取得することはできない。

❷ Aが善意無過失で占有を開始し、所有の意思をもって、平穏かつ公然に7年間占有を続けた後、その土地がB所有のものであることを知った場合、Aは、その後3年間占有を続ければ、その土地の所有権を時効取得することができる。

❸ Aが善意無過失で占有を開始し、所有の意思をもって、平穏かつ公然に7年間占有を続けた後、BがDにその土地を売却し、所有権移転登記を完了しても、Aは、その後3年間占有を続ければ、その土地の所有権を時効取得し、Dに対抗することができる。

❹ Aが20年間平穏かつ公然に占有を続けた場合においても、その占有が賃借権に基づくもので所有の意思がないときは、Bが賃料を請求せず、Aが支払っていないとしても、Aは、その土地の所有権を時効取得することができない。

全問◎を
目指そう！

| 1回目 | / | 2回目 | / | 3回目 | / | 4回目 | / | 5回目 | / |

手応え

◎：完全に分かってきた
○：だいたい分かってきた
△：少し分かってきた
×：全く分からなかった

24

❶ ✕ 人に貸している間も占有として扱う

善意無過失で占有開始した場合には、10年経過すれば土地を時効取得できます。人に貸している間も占有しているものとされます。ですので、時効取得することができます。

占有開始 ── 7年 ── Cに賃貸 ── 3年 ── 時効完成

善意無過失 　　　　貸す

A ──→ C

> Cに貸している時点で、AはCを通して占有しているということですよね。

時
効

❷ ○ 途中で悪意になっても10年で時効取得する

占有開始時に善意無過失であれば10年間で時効取得できます。途中で悪意になっても変わりません。

❸ ○ 時効完成前の第三者→時効取得者の勝

占有している土地が売却されても、Aがそのまま占有を続ければ時効取得できます。Aは時効完成前の第三者Dに登記なしで対抗することができます。

❹ ○ 所有の意思が必要

所有権を時効取得するためには、「所有の意思を持って、平穏かつ公然に」占有を継続することが必要です。今回の占有は賃借権に基づくものであり、所有の意思がないので、所有権を時効取得することはできません。

アドバイス

選択肢❸は第8コースの学習内容ですので、まだそこまで学習していない方は気にしなくても大丈夫です！

AがBに対して有する100万円の貸金債権の消滅時効に関する次の記述のうち、民法の規定及び判例によれば、正しいものはどれか。

❶ Aが弁済期を定めないで貸し付けた場合、Aの債権は、いつまでも時効によって消滅することはない。

❷ AB間に裁判上の和解が成立し、Bが1年後に100万円を支払うことになった場合、Aの債権の消滅時効期間は、和解成立の時から10年となる。

❸ Cが自己所有の不動産にAの債権の担保として抵当権を設定（物上保証）している場合、Cは、Aの債権の消滅時効を援用してAに抵当権の抹消を求めることができる。

❹ AがBの不動産に抵当権を有している場合に、Dがこの不動産に対して強制執行の手続を行ったときは、Aがその手続に債権の届出をしただけで、Aの債権の時効は更新する。

全問◯を
目指そう!

1回目	/	2回目	/	3回目	/	4回目	/	5回目	/
手応え		手応え		手応え		手応え		手応え	

◎：完全に分かってきた
◯：だいたい分かってきた
△：少し分かってきた
×：全く分からなかった

26

❶ ✕

弁済期の定めがない場合、相当の期間を定めて「返してくれ」と催告できるので、相当の期間を経過した時から消滅時効は進行します。つまり、いつまでも時効によって消滅することはない、というわけではありません。

❷ ✕ 和解成立の1年後から

和解成立した1年後に払うという約束をしたのであれば、和解成立した1年後から消滅時効は進行します。

❸ ◯ 物上保証人も時効援用可能

時効の援用ができる人は、時効によって直接利益を受ける人のみとされています。物上保証人は時効によって直接利益を受けるので、債権の消滅時効を援用することができます。

❹ ✕

債権の届出をしただけでは時効は更新しません。

時

効

Aは、Bに対し建物を賃貸し、月額10万円の賃料債権を有している。この賃料債権の消滅時効に関する次の記述のうち、民法の規定及び判例によれば、誤っているものはどれか。

❶ Aが、Bに対する賃料債権につき支払督促の申立てをし、さらに期間内に適法に仮執行の宣言の申立てをし、確定判決と同一の効力を有するものによって権利が確定したときは、消滅時効は新たに進行を始める。

❷ Bが、Aとの建物賃貸借契約締結時に、賃料債権につき消滅時効の利益はあらかじめ放棄する旨約定したとしても、その約定に法的効力は認められない。

❸ Aが、Bに対する賃料債権につき内容証明郵便により支払を請求したときは、その請求により消滅時効は新たに進行を始める。

❹ Bが、賃料債権の消滅時効が完成した後にその賃料債権を承認したときは、消滅時効の完成を知らなかったときでも、その完成した消滅時効の援用をすることは許されない。

全問◎を
目指そう！

1回目	/	2回目	/	3回目	/	4回目	/	5回目	/
手応え		手応え		手応え		手応え		手応え	

◎：完全に分かってきた
○：だいたい分かってきた
△：少し分かってきた
×：全く分からなかった

28

	❶ 時効の更新・時効の完成猶予 該当なし	
肢別テーマ	❷ 時効の援用・放棄　　　　コース 3　ポイント ❸ 3	正解 3
テキスト 第1編	❸ 時効の更新・時効の完成猶予　コース 3　ポイント ❷ 2	
	❹ 時効の援用・放棄　　　　コース 3　ポイント ❸ 3	

❶ 〇

裁判所に支払督促の申立てを行うと、その事由が終了するまでの間は、時効の完成が猶予されます。そして、確定判決と同一の効力を有するものによって権利が確定したときは、時効は新たに進行を始めます。

❷ 〇 **時効の利益はあらかじめ放棄できない**

時効の利益は、時効完成前には放棄することができません。したがって、債権者Aと債務者Bとの間で消滅時効の利益をあらかじめ放棄する旨約定したとしても、その約定につき法的効力は認められません。

❸ × **催告→時効の完成猶予**

内容証明郵便等で支払いの請求をすることは、催告にあたります。催告があったときは、その時から6か月を経過するまでの間は、時効は完成しません。したがって、債権者Aが内容証明郵便により支払を請求しただけでは、消滅時効は新たに進行を始めません。

❹ 〇 **時効援用はできない**

時効完成後に債務者が時効の完成を知らずに承認をした場合、時効の援用をすることができません。

時
効

買主Aが、Bの代理人Cとの間でB所有の甲地の売買契約を締結する場合に関する次の記述のうち、民法の規定によれば、正しいものはいくつあるか。

ア CがBの代理人であることをAに告げていなくても、Aがその旨を知っていれば、当該売買契約によりAは甲地を取得することができる。

イ Bが従前Cに与えていた代理権が消滅した後であっても、Aが代理権の消滅について善意無過失であれば、当該売買契約によりAは甲地を取得することができる。

ウ CがBから何らの代理権を与えられていない場合であっても、当該売買契約の締結後に、Bが当該売買契約をAに対して追認すれば、Aは甲地を取得することができる。

❶ 一つ
❷ 二つ
❸ 三つ
❹ なし

1回目	2回目	3回目	4回目	5回目
手応え	手応え	手応え	手応え	手応え

◎:完全に分かってきた
○:だいたい分かってきた
△:少し分かってきた
×:全く分からなかった

肢別テーマ テキスト 第1編	ア　代理制度	コース 4 ポイント ❶ ②
	イ　無権代理	コース 4 ポイント ② ⑥
	ウ　無権代理	コース 4 ポイント ② ❶

正解 3

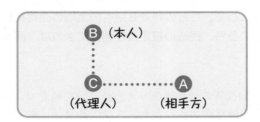

ア　○　顕名なし→悪意であれば有効に代理行為成立

顕名をしなかった場合、売買契約は代理人（C）と相手方（A）との間で成立します。ただし、相手方（A）が、代理人が本人のためにすることを知り（＝悪意）、または、知ることができたとき（＝善意有過失）は、本人に対して直接にその効力を生じるため、売買契約は本人（B）と相手方（A）との間で成立します。

イ　○　消滅後＋相手方の善意無過失＝表見代理

代理権の消滅後に契約を行い、相手方が善意無過失の場合、表見代理が成立します。

ウ　○　無権代理→追認すれば有効

無権代理は基本的には効力を生じませんが、本人が追認すれば有効となります。

以上のことから、全ての選択肢が正しいので、❸が正解となります。

代理

Aが、Bの代理人として、Cとの間でB所有の土地の売買契約を締結した場合に関する次の記述のうち、民法の規定及び判例によれば、誤っているものはどれか。

❶ AがBから土地売買の代理権を与えられていた場合で、所有権移転登記の申請についてCの同意があったとき、Aは、B及びC双方の代理人として登記の申請をすることができる。

❷ AがBから抵当権設定の代理権を与えられ、土地の登記識別情報、実印、印鑑証明書の交付を受けていた場合で、CがBC間の売買契約についてAに代理権ありと過失なく信じたとき、Cは、Bに対して土地の引渡しを求めることができる。

❸ Aが、Bから土地売買の代理権を与えられ、CをだましてBC間の売買契約を締結した場合は、Bが詐欺の事実を知っていたと否とにかかわらず、Cは、Bに対して売買契約を取り消すことができる。

❹ Aが、Bから土地売買の委任状を受領した後、破産手続開始の決定を受けたのに、Cに当該委任状を示して売買契約を締結した場合、Cは、Aが破産手続開始の決定を受けたことを知っていたときでも、Bに対して土地の引渡しを求めることができる。

全問◯を
目指そう!

| 1回目 / | 2回目 / | 3回目 / | 4回目 / | 5回目 / |
| 手応え | 手応え | 手応え | 手応え | 手応え |

◎：完全に分かってきた
◯：だいたい分かってきた
△：少し分かってきた
×：全く分からなかった

32

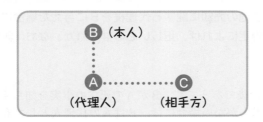

❶ ○ **登記申請のための双方代理は可**

双方代理は原則として無権代理となりますが、登記の申請をするための双方代理は有効となります。

❷ ○ **権限外＋相手方の善意無過失＝表見代理**

抵当権設定の代理権しか与えられていない代理人が、土地の売買契約をしてしまい（＝権限外）、相手方が過失なく信じた（＝善意無過失）ので、表見代理が成立し、ＢＣ間の売買契約は有効となるため、土地の引渡しを求めることができます。

❸ ○ **代理人がだました→本人の善意・悪意関係なく相手方は取消可**

代理人が詐欺や強迫を行った場合、本人の善意・悪意にかかわらず、相手方は取消しができます。

❹ × **相手方が悪意なので表見代理は成立せず**

破産手続開始の決定を受けたので代理権は消滅します。それなのに代理人として売買契約を成立させてしまった（＝消滅後）ときに、表見代理が成立するには相手方は善意無過失でなければなりません。今回、相手方が知っていた（＝悪意）ので、表見代理は成立しません。

代
理

AがA所有の甲土地の売却に関する代理権をBに与えた場合における次の記述のうち、民法の規定によれば、正しいものはどれか。なお、表見代理は成立しないものとする。

❶ Aが死亡した後であっても、BがAの死亡の事実を知らず、かつ、知らないことにつき過失がない場合には、BはAの代理人として有効に甲土地を売却することができる。

❷ Bが死亡しても、Bの相続人はAの代理人として有効に甲土地を売却することができる。

❸ 17歳であるBがAの代理人として甲土地をCに売却した後で、Bが17歳であることをCが知った場合には、CはBが未成年者であることを理由に売買契約を取り消すことができる。

❹ Bが売主Aの代理人であると同時に買主Dの代理人としてAD間で売買契約を締結しても、あらかじめ、A及びDの承諾を受けていれば、この売買契約は有効である。

全問◎を
目指そう！

1回目	2回目	3回目	4回目	5回目
／	／	／	／	／
手応え	手応え	手応え	手応え	手応え

◎：完全に分かってきた
○：だいたい分かってきた
△：少し分かってきた
×：全く分からなかった

肢別テーマ	❶ 代理制度	コース 4 ポイント ❶ 6	
テキスト 第1編	❷ 代理制度	コース 4 ポイント ❶ 6	正解 4
	❸ 代理制度	コース 4 ポイント ❶ 4	
	❹ 無権代理	コース 4 ポイント ❷ 3	

❶ ✕ 本人死亡→代理権消滅

本人の死亡によって、代理権は消滅します。Ｂが善意無過失であるか否かは関係ありません。代理権消滅後に行った行為は無権代理行為となります。したがって、Ｂは、Ａの代理人として有効に甲土地の売却をすることはできません。

❷ ✕ 代理人死亡→代理権消滅

代理人の死亡によって、代理権は消滅します。そのため、代理権は相続しません。したがって、Ｂの相続人は、Ａの代理人として有効に土地の売却をすることはできません。

❸ ✕ 代理人が未成年者でも取消不可・同意も不要

制限行為能力者でも代理人になれます。代理人として売買契約をする場合、法定代理人の同意は不要です。また、制限行為能力者であることを理由に契約を取り消すことはできません。

❹ ◯ 双方代理→無権代理として扱う（承諾あれば可）

双方代理が行われた場合には原則として無権代理として扱います。ただし、本人の許諾があれば有効となります。この場合、ＡとＤの双方の許諾が必要です。

代理

Aの所有する不動産について、Bが無断でAの委任状を作成して、Aの代理人と称して、善意無過失の第三者Cに売却し、所有権移転登記を終えた。この場合、民法の規定によれば、次の記述のうち正しいものはどれか。

❶ Cが善意無過失であるから、AC間の契約は、有効である。

❷ AC間の契約は有効であるが、Bが無断で行った契約であるから、Aは、取り消すことができる。

❸ Cは、AC間の契約を、Aが追認するまでは、取り消すことができる。

❹ AC間の契約は無効であるが、Aが追認をすれば、新たにAC間の契約がなされたものとみなされる。

1回目	/	2回目	/	3回目	/	4回目	/	5回目	/
手応え		手応え		手応え		手応え		手応え	

◎：完全に分かってきた
○：だいたい分かってきた
△：少し分かってきた
×：全く分からなかった

肢別テーマ	❶ 無権代理	コース 4 ポイント ❷ 1	
テキスト 第1編	❷ 無権代理	コース 4 ポイント ❷ 2	正解 3
	❸ 無権代理	コース 4 ポイント ❷ 2	
	❹ 無権代理	コース 4 ポイント ❷ 1	

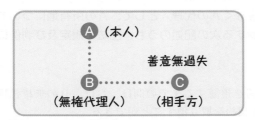

❶ ✕ **相手方の善意無過失だけで表見代理は成立せず**

Bの行為は無権代理行為ですから有効とはなりません。本肢のAは、Bが代理人であると表示していたわけでもなければ、Bに対して代理を頼んでいたわけでもありません。したがって、表見代理の要件を満たしません。Cの善意無過失だけでは表見代理は成立しません。

❷ ✕ **取消しできるのは相手方C**

ＡＣ間の契約は無効となります。相手方Cが善意のときに、Cが取消しをすることができるという規定はありますが、Aに取消権はありません。

❸ ◯ **取消しできるのは本人Aの追認がないとき**

無権代理行為は相手方Cが善意のときに取消しができます。しかし、Aが追認したら取消しはできなくなります。

❹ ✕ **契約時にさかのぼって効力を生ずる**

ＡＣ間の契約は無効ですが、本人Aが追認すれば有効となります。しかし、その場合、契約の時にさかのぼって有効となるのであり、追認時に新しい契約となるのではありません。

 ちょこっと **よりみちトーク**

相手方が善意無過失なのに、表見代理は成立しないの？

表見代理が成立するためには、相手方の善意無過失だけではなく、本人の落ち度（授権表示・権限外・消滅後）も必要だよね。

なるほど！

代理

問題 19　代理

重要度 A
1993年 問2改

Aの子Bが代理権なくAの代理人として、Aの所有地についてCと売買契約を締結した場合に関する次の記述のうち、民法の規定及び判例によれば、正しいものはどれか。

❶　Aが売買契約を追認するまでの間は、Cは、Bの無権代理について悪意であっても、当該契約を取り消すことができる。

❷　Aが売買契約を追認しないときは、Cは、Bが制限行為能力者であっても、Bに対し履行の請求をすることができる。

❸　Cは、Bの無権代理について善意無過失であれば、Aが売買契約を追認しても、当該契約を取り消すことができる。

❹　Aが死亡してBがAを単独で相続した場合、Bは、Aが売買契約を追認していなくても、Cに対して当該土地を引き渡さなければならない。

肢別テーマ	❶ 無権代理	コース 4 ポイント ❷ 2	
テキスト 第1編	❷ 無権代理	コース 4 ポイント ❷ 2	正解 **4**
	❸ 無権代理	コース 4 ポイント ❷ 2	
	❹ 無権代理	コース 4 ポイント ❷ 5	

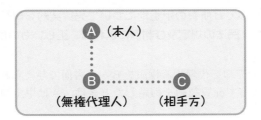

❶ ✕ 取消しは善意のときのみ

相手方は、不安定な立場を逃れるため、取消しを本人に主張することができます。ただし、これは**相手方が善意のときのみ**です。今回は相手方Cが悪意のため、取消しをすることはできません。

❷ ✕ 無権代理人が制限行為能力者の場合は履行請求不可

履行請求ができるのは、原則として、相手方Cが善意無過失の場合です。ただし、**無権代理人が制限行為能力者の場合、履行請求はできません。**

❸ ✕ 本人が追認したら、相手方は取消しできない

相手方Cが善意であれば、取消しができます。ただし、**取消しは本人Aの追認があるまでの間に限られます。**Aの追認とCの取消しは早いもの勝ちです。今回は、Aが追認しているため、取消しをすることができません。

❹ ◯ 本人死亡→追認拒絶不可

本人Aが死亡して、無権代理人Bが本人Aを単独で相続した場合、無権代理行為は当然に有効となり、追認拒絶はできません。だから、土地をCに引き渡さなければなりません。

代
理

AがBの代理人としてB所有の甲土地について売買契約を締結した場合に関する次の記述のうち、民法の規定及び判例によれば、正しいものはどれか。

❶ Aが甲土地の売却を代理する権限をBから書面で与えられている場合、A自らが買主となって売買契約を締結したときは、Aは甲土地の所有権を当然に取得する。

❷ Aが甲土地の売却を代理する権限をBから書面で与えられている場合、AがCの代理人となってBC間の売買契約を締結したときは、Cは甲土地の所有権を当然に取得する。

❸ Aが無権代理人であってDとの間で売買契約を締結した後に、Bの死亡によりAが単独でBを相続した場合、Dは甲土地の所有権を当然に取得する。

❹ Aが無権代理人であってEとの間で売買契約を締結した後に、Aの死亡によりBが単独でAを相続した場合、Eは甲土地の所有権を当然に取得する。

全問◎を
目指そう！

1回目	/	2回目	/	3回目	/	4回目	/	5回目	/
手応え		手応え		手応え		手応え		手応え	

◎：完全に分かってきた
○：だいたい分かってきた
△：少し分かってきた
×：全く分からなかった

	❶ 無権代理	コース 4 ポイント ❷ ❸	
テキスト 第1編	❷ 無権代理	コース 4 ポイント ❷ ❸	
	❸ 無権代理	コース 4 ポイント ❷ ❺	正解 3
	❹ 無権代理	コース 4 ポイント ❷ ❺	

❶ ✕ 自己契約→無権代理として扱う

自己契約が行われた場合には無権代理として扱います。ただし、本人が許諾していた場合は有効となります。

❷ ✕ 双方代理→無権代理として行う（承諾あれば可）

双方代理が行われた場合には無権代理として扱います。ただし、本人の許諾があれば有効となります。この場合、BとCの双方の許諾が必要です。

❸ ◯ 本人死亡→追認拒絶不可

無権代理人が単独で本人を相続した場合には、追認拒絶ができません。本人（B）を単独相続した無権代理人（A）は、当該無権代理行為を拒絶できないため、代理行為は有効となり、相手方（D）は当然に甲土地の所有権を取得します。

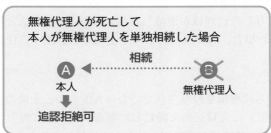

❹ ✕ 無権代理人死亡→追認拒絶可

本人が単独で無権代理人を相続した場合には、追認拒絶をすることができます。無権代理人（A）を単独で相続した本人（B）は、無権代理行為を拒絶することができるため、本人（B）が追認しない限り、相手方（E）は甲土地の所有権を取得することはできません。

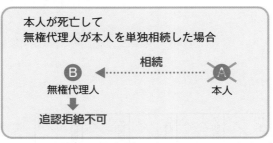

代
理

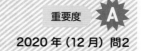
AがBに対して、A所有の甲土地を売却する代理権を令和7年7月1日に授与した場合に関する次の記述のうち、民法の規定及び判例によれば、正しいものはどれか。

❶ Bが自己又は第三者の利益を図る目的で、Aの代理人として甲土地をDに売却した場合、Dがその目的を知り、又は知ることができたときは、Bの代理行為は無権代理とみなされる。

❷ BがCの代理人も引き受け、AC双方の代理人として甲土地に係るAC間の売買契約を締結した場合、Aに損害が発生しなければ、Bの代理行為は無権代理とはみなされない。

❸ AがBに授与した代理権が消滅した後、BがAの代理人と称して、甲土地をEに売却した場合、AがEに対して甲土地を引き渡す責任を負うことはない。

❹ Bが、Aから代理権を授与されていないA所有の乙土地の売却につき、Aの代理人としてFと売買契約を締結した場合、AがFに対して追認の意思表示をすれば、Bの代理行為は追認の時からAに対して効力を生ずる。

1回目	/	2回目	/	3回目	/	4回目	/	5回目	/
手応え		手応え		手応え		手応え		手応え	

◎：完全に分かってきた
○：だいたい分かってきた
△：少し分かってきた
×：全く分からなかった

肢別テーマ テキスト 第1編	❶ 無権代理	コース 4 ポイント ❷ 4
	❷ 無権代理	コース 4 ポイント ❷ 3
	❸ 無権代理	コース 4 ポイント ❷ 6
	❹ 無権代理	コース 4 ポイント ❷ 1

正解 1

❶ ○ 代理権の濫用→無権代理として扱う

代理人が自己または第三者の利益を図る目的で代理権の範囲内の行為をした場合、相手方がその目的を知り（＝悪意）、または知ることができた（＝善意有過失）ときは、無権代理として扱います。

❷ × 双方代理→無権代理として扱う

双方代理が行われた場合には無権代理として扱います。損害が発生したか否かは関係ありません。

❸ × 表見代理が成立する可能性がある

代理権の消滅した後の代理行為は、原則として、無権代理行為となります。しかし、その場合でも、相手方が、代理人に以前と同様に代理権があるものと善意無過失で信頼したときには、表見代理が成立し、契約は有効となります。相手方Ｅが善意無過失であれば表見代理が成立するため、Ａは、Ｅに対して甲土地を引き渡す責任を負う場合があります。

❹ × 契約時にさかのぼって効力を生ずる

ＡＦ間の契約は原則として効力を生じませんが、本人Ａが追認すれば効力を生じます。しかし、その場合、契約の時にさかのぼって効力を生ずるのであり、追認の時から効力を生じるものではありません。

代理

Aが、A所有の1棟の賃貸マンションについてBに貸料の徴収と小修繕の契約の代理をさせていたところ、Bが、そのマンションの1戸をAに無断で、Aの代理人として賃借人Cに売却した。この場合、民法の規定及び判例によれば、次の記述のうち誤っているものはどれか。

❶ Aは、意外に高価に売れたのでCから代金を貰いたいという場合、直接Cに対して追認することができる。

❷ Cは、直接Aに対して追認するかどうか相当の期間内に返事をくれるよう催告をすることができるが、Cがこの催告をするには、代金を用意しておく必要がある。

❸ Aが追認しない場合でも、CがBに代理権があると信じ、そう信じることについて正当な理由があるとき、Cは、直接Aに対して所有権移転登記の請求をすることができる。

❹ Cは、Bの行為が表見代理に該当する場合であっても、Aに対し所有権移転登記の請求をしないで、Bに対しCの受けた損害の賠償を請求できる場合がある。

1回目	2回目	3回目	4回目	5回目
／	／	／	／	／
手応え	手応え	手応え	手応え	手応え

◎：完全に分かってきた
○：だいたい分かってきた
△：少し分かってきた
×：全く分からなかった

❶ ○ 直接相手方に追認しても可

無権代理の場合、本人は、追認をすることができます。無権代理人と相手方のどちらに追認をしてもかまいません。したがって、本人Aは、直接相手方Cに対して追認することができます。

❷ ×

無権代理行為の相手方は、本人に対して、追認をするか否か催告をすることができます。しかし、催告をするにあたり、履行の提供の準備をする必要はありません。したがって、本肢のCが催告をするにあたり、代金を用意する必要はありません。

❸ ○ 権限外＋相手方の善意無過失＝表見代理

貸料の徴収と小修繕の契約の代理権しか与えられていない代理人が、マンションの売買契約をしてしまい（＝権限外）、相手方が過失なく信じた（＝善意無過失）ので、表見代理が成立し、AC間の売買契約は有効となります。したがって、Cは、Aに対して所有権移転登記の請求をすることができることになります。

❹ ○ 無権代理人の責任を追及できる

表見代理が成立する場合でも、無権代理人の責任を追及することは可能です。表見代理を主張するか、無権代理人の責任を追及するかは、相手方が自由に選択できます。したがって、Cは、Bに対し、Cの受けた損害の賠償を請求できる場合があります。

代理

AがA所有の土地の売却に関する代理権をBに与えた場合における次の記述のうち、民法の規定によれば、正しいものはどれか。

❶ Bが自らを「売主Aの代理人B」ではなく、「売主B」と表示して、買主Cとの間で売買契約を締結した場合には、Bは売主Aの代理人として契約しているとCが知っていても、売買契約はBC間に成立する。

❷ Bが自らを「売主Aの代理人B」と表示して買主Dとの間で締結した売買契約について、Bが未成年であったとしても、AはBが未成年であることを理由に取り消すことはできない。

❸ Bは、自らが選任及び監督するのであれば、Aの意向にかかわらず、いつでもEを復代理人として選任して売買契約を締結させることができる。

❹ Bは、Aに損失が発生しないのであれば、Aの意向にかかわらず、買主Fの代理人にもなって、売買契約を締結することができる。

全問◎を
目指そう!

| 1回目 | / | 2回目 | / | 3回目 | / | 4回目 | / | 5回目 | / |
| 手応え | | 手応え | | 手応え | | 手応え | | 手応え | |

◎：完全に分かってきた
◯：だいたい分かってきた
△：少し分かってきた
×：全く分からなかった

46

❶ 代理制度	コース 4 ポイント ❶ ②	
❷ 代理制度	コース 4 ポイント ❶ ④	
❸ 復代理	コース 4 ポイント ❸ ❶	正解 2
❹ 無権代理	コース 4 ポイント ❷ ❸	

❶ ✗ **顕名なし→悪意であれば有効に代理行為成立**

顕名をしなかった場合、売買契約は代理人（B）と相手方（C）との間で成立します。ただし、相手方（C）が、代理人が本人のためにすることを知り（＝悪意）、または、知ることができた（＝善意有過失）ときは、本人に対して直接にその効力を生じるため、売買契約は本人（A）と相手方（C）との間で成立します。

❷ ○ **代理人が未成年者でも取消不可**

制限行為能力者でも代理人になれます。代理人として売買契約をする場合、法定代理人の同意は不要です。また、制限行為能力者であることを理由に契約を取り消すことはできません。

❸ ✗ **本人の許諾 or やむを得ない事情**

任意代理の場合、復代理人の選任には、本人の許諾またはやむを得ない事由が必要となります。したがって、「Aの意向にかかわらず」行うことはできません。

❹ ✗ **双方代理→無権代理として扱う（承諾あれば可）**

双方代理が行われた場合には原則として無権代理として扱います。ただし、本人の許諾があれば有効となります。この場合、AとFの双方の許諾が必要です。したがって、「Aの意向にかかわらず」行うことはできません。

代理

Aは不動産の売却を妻の父であるBに委任し、売却に関する代理権をBに付与した。この場合に関する次の記述のうち、民法の規定によれば、正しいものはどれか。

❶ Bは、やむを得ない事由があるときは、Aの許諾を得なくとも、復代理人を選任することができる。

❷ Bが、Bの友人Cを復代理人として選任することにつき、Aの許諾を得たときは、Bはその選任に関し過失があったとしても、Aに対し責任を負うことはない。

❸ Bが、Aの許諾及び指名に基づき、Dを復代理人として選任したときは、Bは、Aに対する債務不履行につき責めに帰すべき事由はないが、Dの不誠実さを見抜けなかった場合、Aに対し責任を負う。

❹ Bが復代理人Eを適法に選任したときは、EはAに対して、代理人と同一の権利を有し、義務を負うため、Bの代理権は消滅する。

全問◯を
目指そう!

1回目	/	2回目	/	3回目	/	4回目	/	5回目	/
手応え		手応え		手応え		手応え		手応え	

◎：完全に分かってきた
◯：だいたい分かってきた
△：少し分かってきた
×：全く分からなかった

❶ ○ 本人の許諾 or やむを得ない事情

任意代理の場合、復代理人の選任には、本人の許諾またはやむを得ない事由が必要となります。Bは、やむを得ない事情があるので、Aの許諾を得なくとも、復代理人を選任できます。

❷ ×

復代理人を選任した代理人が本人に対して責任を負うか否かは、債務不履行の一般原則に従って判断されます。したがって、復代理人の選任に関してBに過失があり、Bに責めに帰すべき事由が認められる場合は、BはAに対して責任を負います。

❸ ×

復代理人を選任した代理人が本人に対して責任を負うか否かは、債務不履行の一般原則に従って判断されます。したがって、Bは、Dの不誠実さを見抜けなかった場合でも、Aに対する債務不履行につき責めに帰すべき事由がないため、Aに対して責任を負いません。

代理

❹ × 復代理人を選任しても代理人の代理権は消滅しない

復代理人を選任しても、代理人の代理権は消滅しません。復代理人を選任した後でも、Bは引き続きAの代理権を有します。

売主Aは、買主Bとの間で甲土地の売買契約を締結し、代金の3分の2の支払と引換えに所有権移転登記手続と引渡しを行った。その後、Bが残代金を支払わないので、Aは適法に甲土地の売買契約を解除した。この場合に関する次の記述のうち、民法の規定及び判例によれば、正しいものはどれか。

❶ Aの解除前に、BがCに甲土地を売却し、BからCに対する所有権移転登記がなされているときは、BのAに対する代金債務につき不履行があることをCが知っていた場合においても、Aは解除に基づく甲土地の所有権をCに対して主張できない。

❷ Bは、甲土地を現状有姿の状態でAに返還し、かつ、移転登記を抹消すれば、引渡しを受けていた間に甲土地を貸駐車場として収益を上げていたときでも、Aに対してその利益を償還すべき義務はない。

❸ Bは、自らの債務不履行で解除されたので、Bの原状回復義務を先に履行しなければならず、Aの受領済み代金返還義務との同時履行の抗弁権を主張することはできない。

❹ Aは、Bが契約解除後遅滞なく原状回復義務を履行すれば、契約締結後原状回復義務履行時までの間に甲土地の価格が下落して損害を被った場合でも、Bに対して損害賠償を請求することはできない。

全問◎を
目指そう!

1回目	2回目	3回目	4回目	5回目
/	/	/	/	/
手応え	手応え	手応え	手応え	手応え

◎：完全に分かってきた
○：だいたい分かってきた
△：少し分かってきた
×：全く分からなかった

肢別テーマ テキスト第1編	❶ 第三者への対抗	コース 8 ポイント ❸ 3	
	❷ 損害賠償請求と解除	コース 5 ポイント ❷ 4	正解 1
	❸ 損害賠償請求と解除	コース 5 ポイント ❷ 4	
	❹ 債務不履行	コース 5 ポイント ❶ 1	

❶ ○ 解除前の第三者→登記

解除前の第三者が保護されるためには登記が必要です。今回は、Ｃは移転登記を得ていますから、Ｃの勝ちとなります。

❷ × 原状回復→収益をあげている場合は利益も返還

原状回復の結果、最初から何もなかったことになるのだから、当然、Ｂは引渡しを受けていた期間に収益を上げていた場合、その利益も返さなければなりません。土地を買っていないことになる以上、利益も手に入らなかったことになるからです。

❸ × 解除の際の原状回復は同時履行の関係

解除による原状回復義務と代金返還義務は同時履行の関係にあります。したがって、どちらが先ということはありません。相手が履行しない場合には、同時履行の抗弁権を主張することができます。

❹ × 解除と損害賠償請求は両方可

債務不履行解除は解除をしてさらに損害賠償請求もすることができます。そのため、Ａは、契約を解除したとしても、Ｂの債務不履行により損害が発生すれば、Ｂに対して損害賠償を請求することができます。

債務不履行・解除

選択肢❶は第8コースの学習内容ですので、まだそこまで学習していない方は気にしないで大丈夫です！

債務不履行に基づく損害賠償請求権に関する次の記述のうち、民法の規定及び判例によれば、誤っているものはどれか。

❶ AがBと契約を締結する前に、信義則上の説明義務に違反して契約締結の判断に重要な影響を与える情報をBに提供しなかった場合、Bが契約を締結したことにより被った損害につき、Aは、不法行為による賠償責任を負うことはあっても、債務不履行による賠償責任を負うことはない。

❷ AB間の利息付金銭消費貸借契約において、利率に関する定めがない場合、借主Bが債務不履行に陥ったことによりAがBに対して請求することができる遅延損害金は、年3パーセントの利率により算出する。

❸ AB間でB所有の甲不動産の売買契約を締結した後、Bが甲不動産をCに二重譲渡してCが登記を具備した場合、AはBに対して債務不履行に基づく損害賠償請求をすることができる。

❹ AB間の金銭消費貸借契約において、借主Bは当該契約に基づく金銭の返済をCからBに支払われる売掛代金で予定していたが、その入金がなかった（Bの責めに帰すべき事由はない。）ため、返済期限が経過してしまった場合、Bは債務不履行には陥らず、Aに対して遅延損害金の支払義務を負わない。

全問◎を
目指そう！

1回目	/	2回目	/	3回目	/	4回目	/	5回目	/
手応え		手応え		手応え		手応え		手応え	

◎：完全に分かってきた
○：だいたい分かってきた
△：少し分かってきた
×：全く分からなかった

肢別テーマ テキスト 第1編	❶ 債務不履行	コース 5 ポイント ❶ **1**	正解 **4**
	❷ 損害賠償請求と解除	コース 5 ポイント ❷ **2**	
	❸ 対抗問題	コース 8 ポイント ❷ **1**	
	❹ 損害賠償請求と解除	コース 5 ポイント ❷ **2**	

❶ ○ 契約締結前のことなので債務は発生していない

契約締結前の信義則上の説明義務違反は契約内容の違反に該当しません。相手方が契約締結により被った損害について、不法行為責任を負うことはあっても、債務不履行責任を負うことはありません。

❷ ○ 定めがない場合、法定利率3％

金銭債務の損害賠償額は、法定利率（年3％）によるのが原則ですが、それより高い利率の定めがある場合には、それに従います。今回は定めがないので、債権者は年3パーセントの利率で遅延損害金を請求できます。

❸ ○ 履行不能→損害賠償請求

二重譲渡の場合、登記で勝負をつけることになります。今回はＣの勝ちとなり、土地はＣのものとなります。Ａは、Ｂの二重譲渡のため（＝Ｂの責めに帰すべき事由のため）土地を手に入れることができなくなったのだから、履行不能として、Ｂに対して損害賠償請求ができます。

❹ × 金銭債務は不可抗力をもって抗弁とできない

金銭債務は不可抗力をもって抗弁とすることができません。したがって、債務者Ｂは、Ｂの責めに帰すべき事由がなかったとしても、債務不履行に陥るため、Ａに対して遅延損害金の支払義務を負います。

債務不履行・解除

選択肢❸は第8コースの学習内容ですので、まだそこまで学習していない方は気にしなくても大丈夫です！

27 債務不履行・解除

Aが、Bに建物を3,000万円で売却した場合の契約の解除に関する次の記述のうち、民法の規定及び判例によれば、誤っているものはどれか。

❶ Aが定められた履行期に引渡しをしない場合、Bは、3,000万円の提供をしないで、Aに対して履行の催告をしたうえ契約を解除できる。

❷ Bが建物の引渡しを受けて入居したが、2カ月経過後契約が解除された場合、Bは、Aに建物の返還とともに、2カ月分の使用料相当額を支払う必要がある。

❸ Bが代金を支払った後Aが引渡しをしないうちに、Aの過失で建物が焼失した場合、Bは、Aに対し契約を解除して、代金の返還、その利息の支払い、引渡し不能による損害賠償の各請求をすることができる。

❹ 特約でBに留保された解除権の行使に期間の定めのない場合、Aが、Bに対し相当の期間内に解除するかどうか確答すべき旨を催告し、その期間内に解除の通知を受けなかったとき、Bは、契約を解除できなくなる。

全問◎を目指そう!

| 1回目 | / | 2回目 | / | 3回目 | / | 4回目 | / | 5回目 | / |
| 手応え | | 手応え | | 手応え | | 手応え | | 手応え | |

◎:完全に分かってきた
○:だいたい分かってきた
△:少し分かってきた
×:全く分からなかった

54

肢別テーマ		
テキスト第1編	❶ 債務不履行	コース 5 ポイント ❶ ②
	❷ 損害賠償請求と解除	コース 5 ポイント ❷ ④
	❸ 損害賠償請求と解除	コース 5 ポイント ❷ ③
	❹ 損害賠償請求と解除	該当なし

正解 1

---

❶ ✕ 同時履行の抗弁権あり→履行の提供が必要

契約の両当事者には同時履行の抗弁権があります。したがって、Bは、自分が履行の提供をしない限り、Aの履行遅滞を理由とする契約の解除はできません。

❷ ◯ 原状回復＝建物＋使用料

原状回復というのは、戻せばそれでよいというわけではありません。建物の場合、Bが引渡しを受けていた期間にAが住むこともできたし、Aが誰かに貸して収益を得ることもできたはずです。最初から何もなかったことになるのだから、当然、Bが引渡しを受けていた期間に発生していた利益を、Bは手に入れられないことになるはずです。そのため、**受領の時以後の使用料相当額も支払う必要があります。**

❸ ◯ 履行不能→解除・損害賠償請求可能

建物が焼失したため、履行不能となります。その際には直ちに（＝催告をしないで）解除することができます。解除すれば原状回復義務が生じるため、代金の返還請求ができます。また、**代金は金銭であるので代金を受領した時からの利息の支払請求も可能です。**さらに、Aの過失である（＝Aに帰責事由がある）ため、**損害賠償請求も可能です。**

❹ ◯

解除権の行使について期間の定めのない場合、Aは、解除権を有するBに対し、相当の期間内に解除をするか否か確答すべき旨を催告することができ、その期間内に解除の通知を受けなかったとき、Bの解除権は消滅します。

債務不履行・解除

問題 28　債務不履行・解除

重要度　A

1990 年　問 2 改

債務不履行による損害賠償に関する次の記述のうち、民法の規定及び判例によれば、誤っているものはどれか。

❶ 　金銭債務の不履行については、債権者は、損害の証明をすることなく、損害賠償の請求をすることができる。

❷ 　損害賠償額の予定は、契約と同時にしなければならない。

❸ 　損害賠償額の予定は、金銭以外のものをもってすることができる。

❹ 　損害賠償額の予定をした場合、債権者は、実際の損害額が予定額より大きいことを証明しても予定額を超えて請求することはできない。

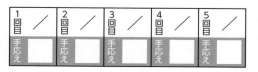

全問◎を
目指そう!

1回目	/	2回目	/	3回目	/	4回目	/	5回目	/
手応え		手応え		手応え		手応え		手応え	

◎：完全に分かってきた
○：だいたい分かってきた
△：少し分かってきた
×：全く分からなかった

	❶ 損害賠償請求と解除	コース 5 ポイント ❷ 2	
肢別テーマ テキスト 第1編	❷ 損害賠償請求と解除	コース 5 ポイント ❷ 1	正解 2
	❸ 損害賠償請求と解除	該当なし	
	❹ 損害賠償請求と解除	コース 5 ポイント ❷ 1	

❶ ○ **金銭債務の場合、損害の証明は不要**

金銭債務の不履行については、債権者は損害の証明をしなくても損害賠償の請求ができます。

❷ ✕ **契約と同時でなくても良い**

損害賠償額の予定については、契約と同時にしなければならないとする規定はありません。

❸ ○ **金銭以外のものでも可**

当事者が金銭でないものを損害の賠償に充てるべき旨を予定した場合についても、損害賠償額の予定とすることができます。

❹ ○ **予定額を増額できない**

損害賠償額の予定をすると、実際の損害額に関係なく、予定額しか請求することができません。なお、裁判をしようとしても、裁判所は原則として当事者間で決めた予定賠償額を増額できません。

債務不履行・解除

Aは、Bから土地建物を購入する契約（代金 5,000 万円、手付 300 万円、違約金 1,000 万円）を、Bと締結し、手付を支払ったが、その後資金計画に支障を来し、残代金を支払うことができなくなった。この場合、民法の規定及び判例によれば、次の記述のうち誤っているものはどれか。

❶　「Aのローンが某日までに成立しないとき、契約は解除される」旨の条項がその契約にあり、ローンがその日までに成立しない場合は、Aが解除の意思表示をしなくても、契約は効力を失う。

❷　Aは、Bが履行に着手する前であれば、中間金を支払っていても、手付を放棄して契約を解除し、中間金の返還を求めることができる。

❸　Aの債務不履行を理由に契約が解除された場合、Aは、Bに対し違約金を支払わなければならないが、手付の返還を求めることはできる。

❹　Aの債務不履行を理由に契約が解除された場合、Aは、実際の損害額が違約金よりも少なければ、これを立証して、違約金の減額を求めることができる。

全問◎を
目指そう！

1回目	/	2回目	/	3回目	/	4回目	/	5回目	/
手応え		手応え		手応え		手応え		手応え	

◎：完全に分かってきた
○：だいたい分かってきた
△：少し分かってきた
×：全く分からなかった

58

肢別テーマ テキスト 第1編	❶ 損害賠償請求と解除	該当なし		
	❷ 手付解除	コース 5 ポイント ❸ ❸		正解 4
	❸ 手付解除	コース 5 ポイント ❸ ❸		
	❹ 損害賠償請求と解除	コース 5 ポイント ❷ ❶		

❶ ○

特約があるので、その特約に従います。ローンが成立しないのであれば、特に何の意思表示をしなくても契約は解除されます。

❷ ○ **手付解除による原状回復で中間金は返還される**

相手方が履行に着手するまでは手付解除ができます。自分が履行に着手しているかどうかは無関係です。解除による原状回復として中間金は返還されます。

❸ ○ **手付金を返還する必要あり**

債務不履行解除と手付解除は別物です。買主の債務不履行により契約が解除されたとはいえ、売主は原状回復として手付を返還する必要があります。買主は別途損害賠償として違約金を支払いますが、当然のことながら、それは手付金とは別物ですから、やはり売主が買主に対して手付金を返還する必要があります。

❹ × **違約金は損害賠償額の予定と推定され原則として減額不可**

違約金は損害賠償額の予定と推定されます。そして、損害賠償額を予定した場合、実際の損害額を立証しても、裁判所は、原則としてその額を増減することはできません。

債務不履行・解除

選択肢❸について。違約金は損害賠償額の予定と推定されるので、AはBに支払わなければなりませんが、債務不履行を理由に解除された場合は、原状回復義務があるので、手付金の返還を求めることはできます。

買主Aと売主Bとの間で建物の売買契約を締結し、AはBに手付を交付したが、その手付は解約手付である旨約定した。この場合、民法の規定及び判例によれば、次の記述のうち正しいものはどれか。

❶ 手付の額が売買代金の額に比べて僅少である場合には、本件約定は、効力を有しない。

❷ Aが、売買代金の一部を支払う等売買契約の履行に着手した場合は、Bが履行に着手していないときでも、Aは、本件約定に基づき手付を放棄して売買契約を解除することができない。

❸ Aが本件約定に基づき売買契約を解除した場合で、Aに債務不履行はなかったが、Bが手付の額を超える額の損害を受けたことを立証できるとき、Bは、その損害全部の賠償を請求することができる。

❹ Bが本件約定に基づき売買契約を解除する場合は、Bは、Aに対して、単に口頭で手付の額の倍額を償還することを告げて受領を催告するだけでは足りず、これを現実に提供しなければならない。

全問◎を
目指そう！

1回目	2回目	3回目	4回目	5回目
／	／	／	／	／
手応え	手応え	手応え	手応え	手応え

◎：完全に分かってきた
○：だいたい分かってきた
△：少し分かってきた
×：全く分からなかった

60

肢別テーマ	❶ 手付解除	コース 5 ポイント ❸ 2	
テキスト 第1編	❷ 手付解除	コース 5 ポイント ❸ 3	正解 **4**
	❸ 手付解除	コース 5 ポイント ❸ 1	
	❹ 手付解除	コース 5 ポイント ❸ 2	

❶ **✕ 手付の金額の制限はない**

手付の金額についての制限はありません。たとえ手付の額が売買代金に比べて僅少であったとしても、それを解約手付とする約定は有効です。

❷ **✕ 相手方が履行に着手するまで**

相手方が履行に着手するまでは手付解除ができます。自分が履行に着手しているかどうかは無関係です。今回は相手方であるBがまだ履行に着手していないので解除可能です。

❸ **✕ 手付解除→別途損害賠償請求は不可**

手付解除は、債務不履行に基づく解除とは異なり、損害賠償請求ができません。

❹ **〇 売主が手付解除→倍額を現実に提供**

売主Bが手付解除をするには、手付の倍額を現実に提供することが必要です。口頭で催告するだけでは足りません。

ちょこっと **よりみちトーク**

手付っていくらでもよいのかな？

お互いが納得さえすればよいんじゃないか？

じゃ、手付金1円払うから、この土地売って！

倍額の2円渡すから、この契約を解除するぜ！

……。

債務不履行・解除

共に宅地建物取引業者であるＡＢ間でＡ所有の土地について、令和7年9月1日に売買代金 3,000 万円（うち、手付金 200 万円は同年9月1日に、残代金は同年 10 月 31 日に支払う。）とする売買契約を締結した場合に関する次の記述のうち、民法の規定及び判例によれば、正しいものはどれか。

❶　本件売買契約に利害関係を有しないＣは、同年 10 月 31 日を経過すれば、原則としてＢの意思に反しても残代金をＡに対して支払うことができる。

❷　同年 10 月 31 日までにＡが契約の履行に着手した場合には、手付が解約手付の性格を有していても、Ｂが履行に着手したかどうかにかかわらず、Ａは、売買契約を解除できなくなる。

❸　Ｂの債務不履行によりＡが売買契約を解除する場合、手付金相当額を損害賠償の予定とする旨を売買契約で定めていた場合には、特約がない限り、Ａの損害が 200 万円を超えていても、Ａは手付金相当額以上に損害賠償請求はできない。

❹　Ａが残代金の受領を拒絶することを明確にしている場合であっても、Ｂは同年 10 月 31 日には 2,800 万円をＡに対して現実に提供しなければ、Ｂも履行遅滞の責任を負わなければならない。

全問◎を
目指そう！

1回目	2回目	3回目	4回目	5回目
手応え	手応え	手応え	手応え	手応え

◎：完全に分かってきた
○：だいたい分かってきた
△：少し分かってきた
×：全く分からなかった

62

❶ 弁済	コース 5 ポイント ❹ ❷
❷ 損害賠償請求と解除	コース 5 ポイント ❸ ❸
❸ 損害賠償請求と解除	コース 5 ポイント ❷ ❶
❹ 債務不履行	コース 5 ポイント ❶ ❶

正解 **3**

❶ ✕ 正当な利益を有しない第三者→債務者の意思に反した弁済不可

弁済をするについて正当な利益を有する者でない第三者は、原則として債務者の意思に反して弁済することはできません。

❷ ✕ 相手方が履行に着手するまで

相手方が履行に着手するまでは手付解除ができます。自分が履行に着手しているかどうかは無関係です。今回は、Bが履行に着手するまでは、Aは手付解除ができます。

❸ 〇 損害賠償額の予定した場合、原則として減額不可

違約金は損害賠償額の予定と推定されます。そして、損害賠償額を予定した場合、実際の損害額を立証しても、原則としてその額を増減することはできません。

❹ ✕ 明確に受領を拒む場合は現実の提供なしで可

債権者が明確に受領を拒んでいるので、Bは現実の提供をしなくても履行遅滞とはなりません。

Ａは、土地所有者Ｂから土地を賃借し、その土地上に建物を所有してＣに賃貸している。ＡのＢに対する借賃の支払債務に関する次の記述のうち、民法の規定及び判例によれば、正しいものはどれか。

❶ Ｃは、借賃の支払債務に関して正当な利益を有しないので、Ａの意思に反して、債務を弁済することはできない。

❷ Ａが、Ｂの代理人と称して借賃の請求をしてきた無権限者に対し債務を弁済した場合、その者に弁済受領権限があるかのような外観があり、Ａがその権限があることについて善意、かつ、無過失であるときは、その弁済は有効である。

❸ Ａが、当該借賃を額面とするＡ振出しに係る小切手（銀行振出しではないもの）をＢに提供した場合、債務の本旨に従った適法な弁済の提供となる。

❹ Ａは、特段の理由がなくても、借賃の支払債務の弁済に代えて、Ｂのために弁済の目的物を供託し、その債務を免れることができる。

1回目	2回目	3回目	4回目	5回目
手応え	手応え	手応え	手応え	手応え

◎：完全に分かってきた
○：だいたい分かってきた
△：少し分かってきた
×：全く分からなかった

肢別テーマ テキスト 第1編	❶ 弁済	コース 5 ポイント ❹ ❷
	❷ 弁済	コース 5 ポイント ❹ ❸
	❸ 弁済	コース 5 ポイント ❹ ❶
	❹ 弁済	コース 5 ポイント ❹ ❻

正解

❶ ✕ **正当な利益を有する第三者→意思に反した弁済可**

弁済をするについて正当な利益を有する者である第三者は債務者の意思に反しても弁済をすることができます。借地上の建物の賃借人は、Aが土地の借賃を払わないと追い出される可能性があるので、弁済をするについて正当な利益を有する者である第三者といえます。

❷ ◯ **受領権者としての外観を有する者に善意無過失で弁済→有効**

受領権者としての外観を有する者に善意無過失でした弁済は有効となります。

❸ ✕ **銀行振出しでない小切手→弁済として扱わない**

銀行振出しでない小切手（＝自己振出しの小切手）の持参は、弁済の提供として扱いません。

> 自己振出しの小切手＝弁済の提供とならない
>
> 銀行振出しの小切手＝弁済の提供となる

❹ ✕ **供託には一定の理由が必要**

弁済の目的物を供託するためには、債権者が受領を拒んだり、債権者が受領できなかったり、債権者が誰であるかがわからないときなど、一定の理由が必要です。それがない場合には供託することはできません。

> 【供託が可能な場合】
>
> ❶ 債権者が受領を拒む場合
>
> ❷ 債権者が受領不可能な場合
>
> ❸ 弁済者に過失なく債権者が誰かがわからない場合

弁
済

宅地建物取引業者でも事業者でもないＡＢ間の不動産売買契約における売主Ａの責任に関する次の記述のうち、民法の規定及び判例によれば、誤っているものはどれか。

❶ 売買契約に、Ａの契約不適合責任を全部免責する旨の特約が規定されていても、Ａが知りながらＢに告げなかった事実については、Ａは契約不適合責任を負わなければならない。

❷ Ｂが不動産に契約不適合があることを発見したところ、当該不適合が売買契約をした目的を達成することができないとまではいえないようなものであっても、Ｂは、Ａに催告することなしに、売買契約を解除することができる。

❸ Ｂが不動産に契約不適合があることを契約時に知っていた場合や、Ｂの過失により不動産に契約不適合があることに気付かず引渡しを受けてから不適合があることを知った場合であっても、当該不適合がＢの責めに帰すべき事由によるものでない限り、Ａは契約不適合責任に基づく修補義務を負う。

❹ 売買契約に、不動産の種類又は品質についての契約不適合責任を追及するための不適合である旨の通知期間について特約を設けていない場合、Ｂが当該通知をするときは、不動産に不適合があることを知ってから１年以内に行わなければならない。

全問◯を
目指そう！

1回目	/	2回目	/	3回目	/	4回目	/	5回目	/
手応え		手応え		手応え		手応え		手応え	

◎：完全に分かってきた
◯：だいたい分かってきた
△：少し分かってきた
×：全く分からなかった

肢別テーマ	❶ 契約不適合	コース 6 ポイント ❶ 5
テキスト 第1編	❷ 契約不適合	コース 6 ポイント ❶ 3
	❸ 契約不適合	コース 6 ポイント ❶ 3
	❹ 契約不適合	コース 6 ポイント ❶ 4

正解 2

❶ ◯ **知りながら告げなかった事実については責任を負う**

契約不適合責任を負わない特約は有効です。しかし、特約をしたとしても、知りながら告げなかった事実についてはその責任を免れることはできません。

❷ ✕ **解除する際には催告が必要**

契約の目的を達成できない場合であれば、無催告で解除することができます。しかし、今回のように「当該不適合が売買契約をした目的を達成することができないとまではいえないようなもの」の場合は、買主が契約解除するためには、売主に対して催告をしなければなりません。

❸ ◯ **買主の責めに帰すべき事由なし→修補請求可**

買主が売主に対して契約不適合責任を追及するためには、目的物が種類・品質・数量に関して契約の内容に適合しないものであればよく、善意無過失である必要はありません。しかし、買主の責めに帰すべき事由による不適合の場合には、買主が目的物の修補による追完請求をすることはできません。

❹ ◯ **知った時から1年以内に通知**

目的物の種類・品質に不適合がある場合、原則として契約不適合があることを知った時から1年以内に通知しなければなりません。

契約不適合

売買契約の解除に関する次の記述のうち、民法の規定及び判例によれば、正しいものはどれか。

❶ 買主が、売主以外の第三者の所有物であることを知りつつ売買契約を締結し、売主が売却した当該目的物の所有権を取得して買主に移転することができない場合には、買主は売買契約の解除はできる。

❷ 売主が、買主の代金不払を理由として売買契約を解除した場合には、売買契約はさかのぼって消滅するので、売主は買主に対して損害賠償請求はできない。

❸ 買主が、抵当権が存在していることを知りつつ不動産の売買契約を締結し、当該抵当権の行使によって買主が所有権を失った場合には、買主は、売買契約の解除はできるが、売主に対して損害賠償請求はできない。

❹ 買主が、売主に対して手付金を支払っていた場合には、売主は、自らが売買契約の履行に着手するまでは、買主が履行に着手していても、手付金の倍額を買主に支払うことによって、売買契約を解除することができる。

全問◎を
目指そう！

1回目	2回目	3回目	4回目	5回目
／	／	／	／	／
手応え	手応え	手応え	手応え	手応え

◎：完全に分かってきた
○：だいたい分かってきた
△：少し分かってきた
×：全く分からなかった

68

肢別テーマ テキスト 第1編	❶ 債務不履行	コース 5 ポイント ❶ 5	
	❷ 損害賠償請求と解除	コース 5 ポイント ❷ 3	正解 1
	❸ 債務不履行	コース 5 ポイント ❶ 6	
	❹ 手付解除	コース 5 ポイント ❸ 3	

❶ ○ 履行不能→解除可

全部他人物売買で権利の全部を移転できない場合、履行不能となるため、買主が悪意の場合であっても解除ができます。

❷ × 解除と損害賠償請求は両方可

債務不履行が生じた場合には解除をしてさらに損害賠償請求もすることができます。

❸ × 抵当権実行→債務不履行

買主の善意・悪意にかかわらず、抵当権が実行されて所有権を失った場合には、債務不履行として契約の解除とともに損害賠償請求ができます。

❹ × 相手方が履行に着手するまで

相手方が履行に着手するまでは手付解除ができます。自分が履行に着手しているかどうかは無関係です。売主は、相手方（＝買主）が履行に着手してしまったので、もう手付による解除はできません。

＜債務不履行と契約不適合＞

● 全部他人物売買（所有権を移転できない場合）

　→債務不履行と考える

● 一部他人物売買（所有権を移転できない場合）

　→契約不適合と考える

● 抵当権付物件売買（抵当権実行により所有権を失った場合）

　→債務不履行と考える

契約不適合

Aは、中古自動車を売却するため、Bに売買の媒介を依頼し、報酬として売買代金の3%を支払うことを約した。Bの媒介によりAは当該自動車をCに100万円で売却した。この場合に関する次の記述のうち、民法の規定及び判例によれば、正しいものはどれか。

❶ Bが報酬を得て売買の媒介を行っているので、CはAから当該自動車の引渡しを受ける前に、100万円をAに支払わなければならない。

❷ 当該自動車が契約の内容に適合しない場合には、CはAに対しても、Bに対しても、契約不適合責任を追及することができる。

❸ 売買契約が締結された際に、Cが解約手付として手付金10万円をAに支払っている場合には、Aはいつでも20万円を現実に提供して売買契約を解除することができる。

❹ 売買契約締結時には当該自動車がAの所有物ではなく、Aの父親の所有物であったとしても、AC間の売買契約は有効に成立する。

全問◎を
目指そう！

1回目	2回目	3回目	4回目	5回目
／	／	／	／	／
手応え	手応え	手応え	手応え	手応え

◎：完全に分かってきた
○：だいたい分かってきた
△：少し分かってきた
×：全く分からなかった

肢別テーマ		
テキスト第1編	❶ 債務不履行	コース5 ポイント ❶ ②
	❷ 契約不適合	コース6 ポイント ❶ ①
	❸ 手付解除	コース5 ポイント ❸ ③
	❹ 債務不履行	コース5 ポイント ❶ ⑤

正解 **4**

❶ **×　代金の支払いと目的物の引渡しは同時履行が原則**

特に取り決めがない場合、代金の支払いと目的物の引渡しは同時履行が原則です。したがって、当該自動車の引渡しと代金支払いは同時履行であり、代金を先に支払う必要はありません。

❷ **×　責任を負うのは売主のみ**

契約不適合責任を負うのは売主です。Bは売主ではなく媒介者なので、契約不適合責任は負いません。したがって、Bに対して契約不適合責任を追及することはできません。

❸ **×　手付解除は相手方が履行に着手するまで**

手付解除は相手方が履行に着手するまでです。Cが履行に着手した後はAは手付解除はできません。したがって、いつでも解除ができるわけではありません。

❹ **○　他人物売買も有効**

他人物売買も有効です。したがって、AC間の契約は有効に成立します。この場合、Aは父親の自動車を取得して、Cに引き渡す義務が生じます。

契約不適合

Aを売主、Bを買主として、A所有の甲自動車を50万円で売却する契約（以下この問において「本件契約」という。）が令和7年7月1日に締結された場合に関する次の記述のうち、民法の規定によれば、誤っているものはどれか。

❶ Bが甲自動車の引渡しを受けたが、甲自動車のエンジンに契約の内容に適合しない欠陥があることが判明した場合、BはAに対して、甲自動車の修理を請求することができる。

❷ Bが甲自動車の引渡しを受けたが、甲自動車に契約の内容に適合しない修理不能な損傷があることが判明した場合、BはAに対して、売買代金の減額を請求することができる。

❸ Bが引渡しを受けた甲自動車が故障を起こしたときは、修理が可能か否かにかかわらず、BはAに対して、修理を請求することなく、本件契約の解除をすることができる。

❹ 甲自動車について、第三者CがA所有ではなくC所有の自動車であると主張しており、Bが所有権を取得できないおそれがある場合、Aが相当の担保を供したときを除き、BはAに対して、売買代金の支払を拒絶することができる。

全問◯を
目指そう！

1回目	2回目	3回目	4回目	5回目
／	／	／	／	／
手応え	手応え	手応え	手応え	手応え

◎：完全に分かってきた
◯：だいたい分かってきた
△：少し分かってきた
×：全く分からなかった

72

肢別テーマ	❶ 契約不適合	コース 6 ポイント ❶ 3	
テキスト第1編	❷ 契約不適合	コース 6 ポイント ❶ 3	正解 3
	❸ 損害賠償請求と解除	コース 5 ポイント ❷ 3	
	❹ 契約不適合	該当なし	

❶ ○ 追完請求できる

引き渡された目的物が種類、品質又は数量に関して契約の内容に適合しないものであるときは、買主は、売主に対して、追完請求をすることができます。

❷ ○ 追完不能→代金減額請求できる

履行の追完が不能であるときは、買主は、その不適合の程度に応じて、代金減額請求をすることができます。

❸ ✕ 修理を請求することなく解除は不可

そもそも選択肢に「契約の内容に適合しない」という記述がありません。すると、Aには契約不適合責任は生じないこととなります。Aに責任が生じないのであれば、Bが解除することはできません。仮に契約の内容に適合しないということを前提として考えたとしても、修理が可能であったらまずは修理（＝履行）の催告をした上で、履行されない場合にはじめて解除することができます。したがって、この場合であっても、原則として修理を請求することなく解除することはできません。なお、修理が不能であれば無催告解除も可能です。

❹ ○

売買の目的物について、権利を主張する者がいて、買主がその買い受けた権利の全部又は一部を取得することができないおそれがあるときは、原則として、買主は代金の支払を拒むことができます。

> 選択肢3を読んだときに、選択肢1・2の流れで勝手に「契約の内容に適合しない」ものだと決めつけて読んでしまった。

> そう読んでしまっても選択肢3は✕になるけどね。

> あはは…
> よく復習しておきます…

OK！

Aが、5,000 万円相当の土地と 5,500 万円の負債を残して死亡した。Aには、弟B、母C、配偶者D及びDとの間の子E・F・G並びにEの子Hがいる。この場合、民法の規定によれば、次の記述のうち正しいものはどれか。

❶ 限定承認をするときは、D・E・F及びGが、共同してしなければならない。

❷ Eが相続放棄をしたときは、Hが、代襲して相続人となる。

❸ E・F及びGが相続放棄をしたときは、B及びCが、Dとともに相続人となる。

❹ E・F及びGが相続放棄をしたときは、Cは、相続開始の時から 3 カ月以内に単純若しくは限定の承認又は放棄をしなければならない。

全問◎を
目指そう!

1回目	2回目	3回目	4回目	5回目
手応え	手応え	手応え	手応え	手応え

◎：完全に分かってきた
○：だいたい分かってきた
△：少し分かってきた
×：全く分からなかった

相続

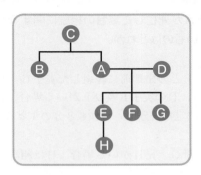

❶ ○ 限定承認→相続人全員で

相続人が複数いる場合、限定承認は相続人全員で共同してする必要があります。なお、誰かが単純承認をしてしまうと、他の共同相続人は限定承認ができなくなります。

❷ × 相続放棄→代襲相続しない

相続放棄の場合、代襲相続はしません。

❸ × 相続人は配偶者と直系尊属

子がいない場合、配偶者と直系尊属が相続人となります。兄弟姉妹であるBは相続人とはなりません。

❹ × 熟慮期間は知った時から3カ月

熟慮期間は相続開始から3カ月ではなく、相続開始を知った時から3カ月以内です。

ちょこっと よりみちトーク

単純承認するよ！

共同相続人

限定承認するぜ！

共同相続人

限定承認は全員共同でないとダメだから、この場合、限定承認はできないよ…。

居住用建物を所有するＡが死亡した場合の相続に関する次の記述のうち、民法の規定によれば、正しいものはどれか。

❶ Ａに、配偶者Ｂ、Ｂとの婚姻前に縁組した養子Ｃ、Ｂとの間の実子Ｄ（Ａの死亡より前に死亡）、Ｄの実子Ｅ及びＦがいる場合、ＢとＣとＥとＦが相続人となり、ＥとＦの法定相続分はいずれも８分の１となる。

❷ Ａに、配偶者Ｂ、母Ｇ、兄Ｈがいる場合、Ｈは相続人とならず、ＢとＧが相続人となり、Ｇの法定相続分は４分の１となる。

❸ Ａに法律上の相続人がない場合で、10年以上Ａと同居して生計を同じくし、Ａの療養看護に努めた内縁の妻Ｉがいるとき、Ｉは、承継の意思表示をすれば当該建物を取得する。

❹ Ａに、その死亡前１年以内に離婚した元配偶者Ｊと、Ｊとの間の未成年の実子Ｋがいる場合、ＪとＫが相続人となり、ＪとＫの法定相続分はいずれも２分の１となる。

肢別テーマ	❶ 相続	コース 7 ポイント ❶ 5
テキスト第1編	❷ 相続	コース 7 ポイント ❶ 3
	❸ 相続	該当なし
	❹ 相続	コース 7 ポイント ❶ 2

正解 1

❶ ○ **すでに死亡→代襲相続**

配偶者であるBと子CとDが相続人となるはずですが、Dはすでに死亡していますので、EとFが代襲相続します。

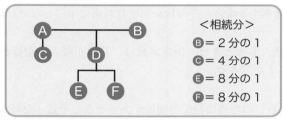

<相続分>
Ⓑ＝2分の1
Ⓒ＝4分の1
Ⓔ＝8分の1
Ⓕ＝8分の1

❷ × **Gの法定相続分は3分の1**

配偶者Bと直系尊属Gが相続人となります。Gの法定相続分は3分の1です。

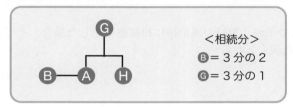

<相続分>
Ⓑ＝3分の2
Ⓖ＝3分の1

❸ ×

内縁の妻は相続人ではありません。例外的に家庭裁判所の審判があれば特別縁故者として財産の分与を受けられますが、承継の意思表示だけで遺産を取得することはできません。

❹ × **元配偶者に法定相続分はない**

元配偶者（J）は配偶者ではないため、法定相続分はありません。今回の場合、子（K）が全部相続します。

相続の承認及び放棄に関する次の記述のうち、民法の規定によれば、誤っているものはどれか。

❶　相続の放棄をする場合、その旨を家庭裁判所に申述しなければならない。

❷　相続人が数人あるときは、限定承認は、共同相続人の全員が共同してのみこれをすることができる。

❸　相続人が、自己のために相続の開始があったことを知った時から3カ月（家庭裁判所が期間の伸長をした場合は当該期間）以内に、限定承認又は放棄をしなかったときは、単純承認をしたものとみなされる。

❹　被相続人の子が、相続の開始後に相続放棄をした場合、その者の子がこれを代襲して相続人となる。

全問◎を
目指そう!

1回目	/	2回目	/	3回目	/	4回目	/	5回目	/
手応え		手応え		手応え		手応え		手応え	

◎：完全に分かってきた
○：だいたい分かってきた
△：少し分かってきた
×：全く分からなかった

肢別テーマ	❶ 相続	コース 7	ポイント ❶ 4	
テキスト 第1編	❷ 相続	コース 7	ポイント ❶ 4	正解 4
	❸ 相続	コース 7	ポイント ❶ 4	
	❹ 相続	コース 7	ポイント ❶ 5	

相
続

❶ ○ **相続放棄→家庭裁判所に申述**

限定承認や相続放棄をするときには家庭裁判所に申述しなければなりません。

❷ ○ **限定承認→相続人全員で**

限定承認は相続人全員で共同してする必要があります。誰かが単純承認をして しまうと、他の共同相続人は限定承認はできなくなります。

❸ ○ **熟慮期間は知った時から3カ月**

知った時から3カ月以内に限定承認も相続の放棄もしなかった場合には単純承 認したものとみなされます。

❹ × **相続放棄→代襲相続しない**

相続放棄の場合、代襲相続はしません。

1億2,000万円の財産を有するAが死亡した。Aには、配偶者はなく、子B、C、Dがおり、Bには子Eが、Cには子Fがいる。Bは相続を放棄した。また、Cは生前のAを強迫して遺言作成を妨害したため、相続人となることができない。この場合における法定相続分に関する次の記述のうち、民法の規定によれば、正しいものはどれか。

❶ Dが4,000万円、Eが4,000万円、Fが4,000万円となる。

❷ Dが1億2,000万円となる。

❸ Dが6,000万円、Fが6,000万円となる。

❹ Dが6,000万円、Eが6,000万円となる。

全問◎を
目指そう!

| 1回目 | / | 2回目 | / | 3回目 | / | 4回目 | / | 5回目 | / |
| 手応え | | 手応え | | 手応え | | 手応え | | 手応え | |

◎：完全に分かってきた
○：だいたい分かってきた
△：少し分かってきた
×：全く分からなかった

80

❶	相続	コース 7　ポイント ❶ ❹	
❷	相続	コース 7　ポイント ❶ ❺	
❸	相続	コース 7　ポイント ❶ ❺	正解 **3**
❹	相続	コース 7　ポイント ❶ ❹	

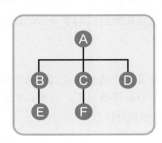

❶ ✕　Eは相続人とはならない

Bは相続放棄をしているため、最初から相続人とはなりません。また、代襲相続もしませんので、Eも相続人とはなりません。

❷ ✕　Fも相続人となる

Cは強迫して遺言作成を妨害した（＝相続欠格）ため、その子Fが代襲相続します。したがって、Fも相続人となります。

❸ 〇　DとFが相続人となる

肢2の解説の通り、DとFが相続人となります。法定相続分は、C（Fが代襲相続）とDが2分の1ずつなので、Dが6,000万円、Fが6,000万円となります。

❹ ✕　Eは相続人とならない

肢1の解説の通り、Eは相続人となりません。また、肢2の解説の通り、Fは相続人となります。

ちょこっと **よりみちトーク**

「強迫して遺言作成を妨害した」という文を見て相続欠格と気づいたかな？

読み飛ばしていました…。

そういう部分までしっかり読んで解いていこうね！

OK！

被相続人Aの相続人の法定相続分に関する次の記述のうち、民法の規定によれば、正しいものはどれか。

❶ AとBが婚姻中に生まれたAの子Cは、AとBの離婚の際、親権者をBと定められたが、Aがその後再婚して、再婚にかかる配偶者がいる状態で死亡したときは、Cは法定相続分はない。

❷ Aに実子がなく、3人の養子がいる場合、法定相続分を有する養子は2人に限られる。

❸ Aが死亡し、配偶者D及びその2人の子供E、Fで遺産分割及びそれに伴う処分を終えた後、認知の訴えの確定により、さらに嫡出でない子Gが1人いることが判明した。Gの法定相続分は10分の1である。

❹ Aに子が3人あり、Aの死亡の際、2人は存命であったが、1人は既に死亡していた。その死亡した子には2人の嫡出子H、Iがいた。A死亡の際、配偶者もいなかった場合、Hの法定相続分は6分の1である。

全問◎を
目指そう!

1回目	2回目	3回目	4回目	5回目
手応え	手応え	手応え	手応え	手応え

◎:完全に分かってきた
○:だいたい分かってきた
△:少し分かってきた
×:全く分からなかった

| 肢別テーマ テキスト第1編 | ❶ 相続 ❷ 相続 ❸ 相続 ❹ 相続 | コース 7 ポイント ❶ ❷ 該当なし コース 7 ポイント ❶ ❷ コース 7 ポイント ❶ ❺ | 正解 4 |

❶ ✕ Cは相続人となる

Cは子なので相続人となります。親権者が誰であるかに関係なく、子である以上は相続人です。

❷ ✕

養子の人数に制限はありません。子全員が平等の割合で相続します。

❸ ✕ Gの法定相続分は6分の1

配偶者が2分の1であり、子EFGが残りの2分の1を均等に分けることになるので、**Gの法定相続分は6分の1**となります。嫡出子であろうが非嫡出子であろうが養子であろうが関係ありません。

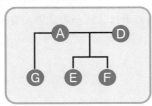

❹ ○ すでに死亡→代襲相続

子が3人いるから、3分の1ずつとなります。そして、すでに死亡しているので代襲相続をします。孫が2人いるので、これをさらに半分にして**6分の1**となります。

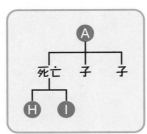

遺言に関する次の記述のうち、民法の規定によれば、正しいものはどれか。

❶　自筆証書遺言は、その内容をワープロ等で印字していても、日付と氏名を自書し、押印すれば、有効な遺言となる。

❷　疾病によって死亡の危急に迫った者が遺言をする場合、代理人が2名以上の証人と一緒に公証人役場に行けば、公正証書遺言を有効に作成することができる。

❸　未成年であっても、15歳に達した者は、有効に遺言をすることができる。

❹　夫婦又は血縁関係がある者は、同一の証書で有効に遺言をすることができる。

全問◎を
目指そう！

1回目	/	2回目	/	3回目	/	4回目	/	5回目	/
手応え		手応え		手応え		手応え		手応え	

◎：完全に分かってきた
○：だいたい分かってきた
△：少し分かってきた
×：全く分からなかった

肢別テーマ
テキスト
第1編

❶ 遺言　　　コース 7　ポイント ❷ ❶
❷ 遺言　　　該当なし
❸ 遺言　　　コース 7　ポイント ❷ ❶
❹ 遺言　　　コース 7　ポイント ❷ ❷

正解 3

❶　✕　自筆証書遺言は原則として全文自筆

自筆証書遺言は遺言者がその全文を自筆で書く必要があります。したがって、ワープロ等で印字した場合、その遺言は無効となります。もっとも、自筆証書遺言と一体のものとして添付する相続財産目録についてはワープロ等で作成してもかまいません。

❷　✕

疾病によって死亡の危急に迫った者であっても、代理人によって遺言することはできません。なお、公正証書遺言による場合は、証人2人以上の立会いが必要となります。

❸　○　遺言→満 15 歳以上

遺言は満 15 歳以上であれば、有効にすることができます。

❹　✕　1 通につき 1 人

遺言は 1 通につき 1 人であり、2 人以上の者が同じ証書で遺言することはできません。

● 遺言の主な種類

	自筆証書遺言	公正証書遺言	秘密証書遺言
作成方法	原則としてすべて自筆 （ワープロ不可）	本人が口述し、公証人が筆記	本人が署名押印した遺言を封印し、住所氏名を記入
家庭裁判所の検認	必要	不要	必要

遺言及び遺留分に関する次の記述のうち、民法の規定によれば、正しいものはどれか。

❶ 自筆証書による遺言をする場合、証人二人以上の立会いが必要である。

❷ 自筆証書による遺言書を保管している者が、相続の開始後、これを家庭裁判所に提出してその検認を経ることを怠り、そのままその遺言が執行された場合、その遺言書の効力は失われる。

❸ 適法な遺言をした者が、その後更に適法な遺言をした場合、前の遺言のうち後の遺言と抵触する部分は、後の遺言により撤回したものとみなされる。

❹ 法定相続人が配偶者Aと子Bだけである場合、Aに全財産を相続させるとの適法な遺言がなされた場合、Bは遺留分権利者とならない。

全問◎を
目指そう!

1回目	/	2回目	/	3回目	/	4回目	/	5回目	/
手応え		手応え		手応え		手応え		手応え	

◎：完全に分かってきた
○：だいたい分かってきた
△：少し分かってきた
×：全く分からなかった

相
続

❶ ×

自筆証書遺言の作成をするときに、証人は不要です。なお、公正証書遺言の作成をする際には、証人2人以上の立会いが必要です。

❷ × **検認なし→無効にはならない**

自筆証書遺言（法務局での自筆証書遺言保管制度を利用している場合は除く）及び秘密証書遺言の場合、相続開始後、遅滞なく家庭裁判所の検認を受ける必要があります。ただし、検認を怠っても、遺言は当然には無効となりません。

❸ ○ **前後2つの遺言の抵触部分→前の遺言の撤回**

前の遺言と後の遺言で内容が抵触する場合、後の遺言で前の遺言を撤回したものとみなされます。

❹ × **子Bは遺留分権利者**

子Bは遺留分権利者です。なお、遺留分の割合は財産の価額の2分の1なので、これにBの法定相続分（＝2分の1）を乗じた4分の1がBの遺留分の割合となります。

 よりみちトーク

「検認」って何？

相続人に遺言の存在や内容を知らせたり、遺言書の偽造などを防止するための手続きのことだよ！

 キリッ！

遺留分に関する次の記述のうち、民法の規定及び判例によれば、誤っているものはどれか。

❶ 被相続人Aの配偶者BとAの弟Cのみが相続人であり、Aが他人Dに遺産全部を遺贈したとき、Bの遺留分は遺産の8分の3、Cの遺留分は遺産の8分の1である。

❷ 遺留分侵害額の請求は、訴えを提起しなくても、内容証明郵便による意思表示だけでもすることができる。

❸ 相続が開始して9年6箇月経過する日に、はじめて相続の開始と遺留分を害する遺贈のあったことを知った遺留分権利者は、6箇月以内であれば、遺留分侵害額の請求をすることができる。

❹ 被相続人Eの生前に、Eの子Fが家庭裁判所の許可を得て遺留分の放棄をした場合でも、Fは、Eが死亡したとき、その遺産を相続する権利を失わない。

全問◎を
目指そう！

| 1回目 | / | 2回目 | / | 3回目 | / | 4回目 | / | 5回目 | / |

手応え 手応え 手応え 手応え 手応え

◎：完全に分かってきた
○：だいたい分かってきた
△：少し分かってきた
×：全く分からなかった

❶ ✕ 兄弟姉妹に遺留分はない

兄弟姉妹であるCには遺留分はありません。なお、Bだけが遺留分を有するので、Bの遺留分は遺産の2分の1となります。

❷ ○ 訴えなしで請求可

遺留分侵害額の請求は訴えを提起する必要はありません。意思表示のみで請求したこととなります。内容証明郵便でも問題ありません。

❸ ○

遺留分侵害額請求権も相続開始の時から10年で時効消滅します。ですので、あと6カ月の間であれば、遺留分侵害額の請求が可能です。

❹ ○ 遺留分放棄と相続放棄は別

遺留分の放棄と相続の放棄は別物です。Fが放棄したのは相続権ではなく遺留分なので、遺産を相続する権利はあります。

Aの所有する土地をBが取得したが、Bはまだ所有権移転登記を受けていない。この場合、民法の規定及び判例によれば、Bが当該土地の所有権を主張できない相手は、次の記述のうちどれか。

❶ Aから当該土地を賃借し、その上に自己名義で保存登記をした建物を所有している者

❷ Bが移転登記を受けていないことに乗じ、Bに高値で売りつけ不当な利益を得る目的でAをそそのかし、Aから当該土地を購入して移転登記を受けた者

❸ 当該土地の不法占拠者

❹ Bが当該土地を取得した後で、移転登記を受ける前に、Aが死亡した場合におけるAの相続人

全問◎を
目指そう!

1回目	2回目	3回目	4回目	5回目
手応え	手応え	手応え	手応え	手応え

◎:完全に分かってきた
○:だいたい分かってきた
△:少し分かってきた
×:全く分からなかった

○：主張できる　✕：主張できない

❶　✕　対抗力がある賃借人には、登記無しで対抗不可

借地上に自己名義の登記ある建物を所有している賃借人は、登記がないことを主張する正当な利益を有するので、「第三者」にあたります。したがって、登記を有しないBは、当該土地の賃借人に対し、土地所有権を主張することができません。

❷　○　背信的悪意者に対して→登記無しで対抗可

高値で売りつけ不当な利益を得る目的があるBは、背信的悪意者に該当します。背信的悪意者に対しては登記なしで対抗できます。

❸　○　不法占拠者に対して→登記無しで対抗可

当該土地の不法占拠者に対しては登記なしで対抗できます。

❹　○　相続人に対して→登記無しで対抗可

相続人は権利や義務をそのまま引き継ぐので、Aと相続人は同じという扱いになり、Bは登記なしでAの相続人に対して所有権の主張をすることができます。

物権変動

Aの所有する土地をBが取得した後、Bが移転登記をする前に、CがAから登記を移転した場合に関する次の記述のうち、民法及び不動産登記法の規定並びに判例によれば、BがCに対して登記がなければ土地の所有権を主張できないものはどれか。

❶ BがAから購入した後、AがCに仮装譲渡し、登記をC名義に移転した場合

❷ BがAから購入した後、CがBを強迫して登記の申請を妨げ、CがAから購入して登記をC名義に移転した場合

❸ BがAから購入し、登記手続きをCに委任したところ、Cが登記をC名義に移転した場合

❹ Bの取得時効が完成した後、AがCに売却し、登記をC名義に移転した場合

全問◎を
目指そう!

| 1 回目 | / | 2 回目 | / | 3 回目 | / | 4 回目 | / | 5 回目 | / |
| 手応え | | 手応え | | 手応え | | 手応え | | 手応え | |

◎：完全に分かってきた
○：だいたい分かってきた
△：少し分かってきた
×：全く分からなかった

肢別テーマ
テキスト
第1編

❶ 対抗問題 ❷ 対抗問題 ❸ 対抗問題 ❹ 第三者への対抗

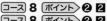
コース 8 ポイント ❷ 2
コース 8 ポイント ❷ 2
コース 8 ポイント ❷ 2
コース 8 ポイント ❸ 2

正解 4

○：主張できる　✕：主張できない

❶ ○　無権利者に対して→登記無しで対抗可

虚偽表示は無効なので、この場合のCは無権利者となります。無権利者に対しては、登記なしで主張できます。

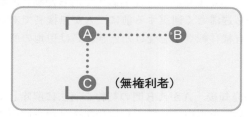

❷ ○　背信的悪意者に対して→登記無しで対抗可

この場合のCは背信的悪意者となります。背信的悪意者に対しては登記なしで主張できます。

❸ ○　背信的悪意者に対して→登記無しで対抗可

この場合のCは背信的悪意者となります。背信的悪意者に対しては登記なしで主張できます。

❹ ✕　時効完成後の第三者→登記があれば対抗可

時効完成後の第三者に対しては、登記がなければ対抗することができません。

まとめ

● **登記がなくても対抗できる相手方（具体例）**

①売主
②売主の相続人
③詐欺や強迫によって第一買主の登記の申請を妨げた第二買主
④第一買主のために登記を申請する義務を負う第二買主
⑤第一買主が登記を備えていないことに乗じ、第一買主に高値で売りつけて不当な利益を得る目的で第二買主となった者
⑥不法占拠者
⑦無権利者（虚偽表示により取得した者など）

物権変動

AからB、BからCに、甲地が、順次売却され、AからBに対する所有権移転登記がなされた。この場合、民法の規定及び判例によれば、次の記述のうち誤っているものはどれか。

❶ Aが甲地につき全く無権利の登記名義人であった場合、真の所有者Dが所有権登記をBから遅滞なく回復する前に、Aが無権利であることにつき善意のCがBから所有権移転登記を受けたとき、Cは甲地の所有権をDに対抗できる。

❷ BからCへの売却後、AがAB間の契約を適法に解除して所有権を取り戻した場合、Aが解除を理由にして所有権登記をBから回復する前に、その解除につき善意のCがBから所有権移転登記を受けたときは、Cは甲地の所有権をAに対抗できる。

❸ BからCへの売却前に、AがAB間の契約を適法に解除して所有権を取り戻した場合、Aが解除を理由にして所有権登記をBから回復する前に、その解除につき善意のCがBから甲地を購入し、かつ、所有権移転登記を受けたときは、Cは甲地の所有権をAに対抗できる。

❹ BからCへの売却前に、取得時効の完成により甲地の所有権を取得したEがいる場合、Eがそれを理由にして所有権登記をBから取得する前に、Eの取得時効につき善意のCがBから甲地を購入し、かつ、所有権移転登記を受けたときは、Cは甲地の所有権をEに対抗できる。

1回目	2回目	3回目	4回目	5回目
手応え	手応え	手応え	手応え	手応え

◎：完全に分かってきた
○：だいたい分かってきた
△：少し分かってきた
×：全く分からなかった

肢別テーマ			
テキスト第1編	❶ 対抗問題	コース 8 ポイント ❷ 2	
	❷ 第三者への対抗	コース 8 ポイント ❸ 3	正解 1
	❸ 第三者への対抗	コース 8 ポイント ❸ 3	
	❹ 第三者への対抗	コース 8 ポイント ❸ 2	

❶ ✕ 無権利者から譲り受ける→無権利者

無権利者から取得した者も無権利者となります。よって、無権利者であるCは、真の所有者であるDに対して対抗することはできません。

❷ ○ 解除前の第三者→登記

解除前の第三者が保護されるためには登記が必要です。

❸ ○ 解除後の第三者→登記

解除後の第三者は登記を有すればAに対抗できます。

❹ ○ 時効完成後の第三者→登記

時効完成後の第三者と時効取得者とでは、先に登記をした者が勝ちます。

 まとめ

● 取消し・解除・時効と登記

場面	結論
①取消し前の第三者	詐欺：善意無過失の第三者に対抗できない
②取消し後の第三者	先に登記した者が勝つ
③解除前の第三者	第三者は登記があれば勝つ
④解除後の第三者	先に登記した者が勝つ
⑤時効完成前の第三者	時効取得した者が勝つ
⑥時効完成後の第三者	先に登記した者が勝つ

物権変動

不動産の物権変動の対抗要件に関する次の記述のうち、民法の規定及び判例によれば、誤っているものはどれか。なお、この問において、第三者とはいわゆる背信的悪意者を含まないものとする。

❶ 不動産売買契約に基づく所有権移転登記がなされた後に、売主が当該契約に係る意思表示を詐欺によるものとして適法に取り消した場合、売主は、その旨の登記をしなければ、当該取消後に当該不動産を買主から取得して所有権移転登記を経た第三者に所有権を対抗できない。

❷ 不動産売買契約に基づく所有権移転登記がなされた後に、売主が当該契約を適法に解除した場合、売主は、その旨の登記をしなければ、当該契約の解除後に当該不動産を買主から取得して所有権移転登記を経た第三者に所有権を対抗できない。

❸ 甲不動産につき兄と弟が各自2分の1の共有持分で共同相続した後に、兄が弟に断ることなく単独で所有権を相続取得した旨の登記をした場合、弟は、その共同相続の登記をしなければ、共同相続後に甲不動産を兄から取得して所有権移転登記を経た第三者に自己の持分権を対抗できない。

❹ 取得時効の完成により乙不動産の所有権を適法に取得した者は、その旨を登記しなければ、時効完成後に乙不動産を旧所有者から取得して所有権移転登記を経た第三者に所有権を対抗できない。

全問◎を
目指そう！

1回目	/		2回目	/		3回目	/		4回目	/		5回目	/	
手応え			手応え			手応え			手応え			手応え		

◎：完全に分かってきた
○：だいたい分かってきた
△：少し分かってきた
×：全く分からなかった

96

	肢別テーマ	❶ 第三者への対抗	コース 8 ポイント ❸ ❶	
テキスト第1編		❷ 第三者への対抗	コース 8 ポイント ❸ ❸	正解
		❸ 第三者への対抗	コース 8 ポイント ❷ ❹	
		❹ 第三者への対抗	コース 8 ポイント ❸ ❷	

❶ ○ 取消後の第三者→登記

取消し後の第三者に対しては、登記がなければ対抗することができません。

❷ ○ 解除後の第三者→登記

解除後の第三者に対しては、登記がなければ対抗することができません。

❸ ✕ 無権利者から譲渡→無権利者

兄は弟の持分に関しては無権利者なので、無権利者から譲渡された第三者も弟の持分に関しては無権利者となります。したがって、弟は登記がなくても第三者に対抗できます。

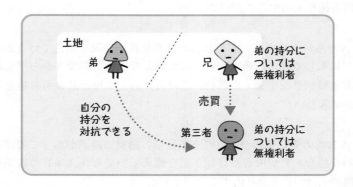

❹ ○ 時効完成後の第三者→登記

時効完成後の第三者に対しては、登記がなければ対抗することができません。

物権変動

AがA所有の甲土地をBに売却した場合に関する次の記述のうち、民法の規定及び判例によれば、正しいものはどれか。

❶ Aが甲土地をBに売却する前にCにも売却していた場合、Cは所有権移転登記を備えていなくても、Bに対して甲土地の所有権を主張することができる。

❷ AがBの詐欺を理由に甲土地の売却の意思表示を取り消しても、取消しより前にBが甲土地をDに売却し、Dが所有権移転登記を備えた場合には、DがBの詐欺の事実を知っていたか否かにかかわらず、AはDに対して甲土地の所有権を主張することができない。

❸ Aから甲土地を購入したBは、所有権移転登記を備えていなかった。Eがこれに乗じてBに高値で売りつけて利益を得る目的でAから甲土地を購入し所有権移転登記を備えた場合、EはBに対して甲土地の所有権を主張することができない。

❹ AB間の売買契約が、Bの意思表示の動機に錯誤があって締結されたものである場合、Bが所有権移転登記を備えていても、AはBの錯誤を理由にAB間の売買契約を取り消すことができる。

全問◎を
目指そう!

1回目	/	2回目	/	3回目	/	4回目	/	5回目	/
手応え		手応え		手応え		手応え		手応え	

◎：完全に分かってきた
○：だいたい分かってきた
△：少し分かってきた
×：全く分からなかった

98

肢別テーマ テキスト 第1編	❶ 対抗問題	コース 8	ポイント ❷ ❶	
	❷ 詐欺・強迫	コース 1	ポイント ❷ ❸	正解 3
	❸ 対抗問題	コース 8	ポイント ❷ ❷	
	❹ 錯誤	コース 1	ポイント ❹ ❸	

❶ ✕ 二重譲渡→登記

二重譲渡の場合、登記で勝負をつけることになります。なお、売買契約の先後は関係ありません。Cが登記を得ていないので、CがBに対して所有権を主張することはできません。

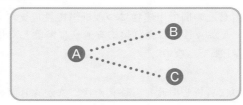

❷ ✕ 取消前の第三者

取消し前の第三者です。詐欺による取消しは、善意無過失の第三者には対抗することができないので、Dが善意無過失なら、AはDに所有権を主張することができません。しかし、Dが悪意又は善意有過失であれば、AはDに所有権を主張することができます。

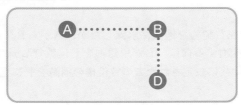

❸ ○ 背信的悪意者は所有権を主張できない

背信的悪意者Eは、Bに対して所有権を主張することはできません。

❹ ✕ 錯誤取消しできるのは表意者

表意者ではない者は取消しを主張できません。表意者（B）ではなく相手方（A）が取消しを主張しているため誤りとなります。

物権変動

AはBに甲建物を売却し、AからBに対する所有権移転登記がなされた。AB間の売買契約の解除と第三者との関係に関する次の記述のうち、民法の規定及び判例によれば、正しいものはどれか。

❶ BがBの債権者Cとの間で甲建物につき抵当権設定契約を締結し、その設定登記をした後、AがAB間の売買契約を適法に解除した場合、Aはその抵当権の消滅をCに主張できない。

❷ Bが甲建物をDに賃貸し引渡しも終えた後、AがAB間の売買契約を適法に解除した場合、Aはこの賃借権の消滅をDに主張できる。

❸ BがBの債権者Eとの間で甲建物につき抵当権設定契約を締結したが、その設定登記をする前に、AがAB間の売買契約を適法に解除し、その旨をEに通知した場合、BE間の抵当権設定契約は無効となり、Eの抵当権は消滅する。

❹ AがAB間の売買契約を適法に解除したが、AからBに対する甲建物の所有権移転登記を抹消する前に、Bが甲建物をFに賃貸し引渡しも終えた場合、Aは、適法な解除後に設定されたこの賃借権の消滅をFに主張できる。

1回目	2回目	3回目	4回目	5回目
手応え	手応え	手応え	手応え	手応え

◎：完全に分かってきた
○：だいたい分かってきた
△：少し分かってきた
×：全く分からなかった

肢別テーマ				
テキスト 第1編	❶ 第三者への対抗	コース 8	ポイント ❸ 3	
	❷ 第三者への対抗	コース 8	ポイント ❸ 3	正解 1
	❸ 抵当権	コース 10	ポイント ❶ 3	
	❹ 第三者への対抗	コース 8	ポイント ❸ 3	

物権変動

❶ ○ Cに対抗力あり→Aは抵当権消滅を主張できない

売買契約が解除された場合でも、第三者は、登記などの対抗要件を備えていれば保護されます。Cは抵当権設定登記がされているため、Cは対抗要件を備えていることとなります。したがって、AはCに対して抵当権の消滅を主張することはできません。

❷ ✕ Dに対抗力あり→Aは賃借権消滅を主張できない

売買契約が解除された場合でも、第三者は、登記などの対抗要件を備えていれば保護されます。建物賃貸借においては、引渡しで対抗要件となる（借地借家法）ため、Dは対抗要件を備えていることとなります。したがって、AはDに対して賃借権の消滅を主張することはできません。

❸ ✕ Eは解除権者Aに対抗できないが、抵当権設定契約が無効にはならない

抵当権の登記を備えていないため、EはAに対して抵当権の設定を対抗することはできません。しかし、抵当権設定契約自体が無効となるわけではありません。

❹ ✕ Fに対抗力あり→Aは賃借権消滅を主張できない

売買契約を解除した者と解除後に権利を取得した第三者とは、対抗関係に立ちます。Aは、Bへの所有権移転登記を抹消して登記を回復する（＝対抗要件を備える）よりも前に甲建物の引渡しを受けた（＝対抗要件を備えた）解除後の賃借人Fに対抗することはできません。したがって、Aは、賃借権の消滅をFに主張することができません。

アドバイス

借地借家法の話も入ってきて、かなり複雑な問題です。1周目はとりあえずこの問題を飛ばして、慣れてからチャレンジするというのもアリです！

不動産の登記に関する次の記述のうち、不動産登記法の規定によれば、誤っているものはどれか。

❶ 新築した建物又は区分建物以外の表題登記がない建物の所有権を取得した者は、その所有権の取得の日から1月以内に、所有権の保存の登記を申請しなければならない。

❷ 登記することができる権利には、抵当権及び賃借権が含まれる。

❸ 建物が滅失したときは、表題部所有者又は所有権の登記名義人は、その滅失の日から1月以内に、当該建物の滅失の登記を申請しなければならない。

❹ 区分建物の所有権の保存の登記は、表題部所有者から所有権を取得した者も、申請することができる。

全問◎を
目指そう!

1回目	/	2回目	/	3回目	/	4回目	/	5回目	/
手応え		手応え		手応え		手応え		手応え	

◎：完全に分かってきた
○：だいたい分かってきた
△：少し分かってきた
×：全く分からなかった

肢別テーマ		コース	ポイント	
❶	登記の仕組み	コース 9	ポイント ❶ ❷	
❷	登記の仕組み	コース 9	ポイント ❶ ❶	
❸	登記の仕組み	コース 9	ポイント ❶ ❷	正解
❹	登記の手続き	コース 9	ポイント ❷ ❷	

❶ ✕ **権利部の登記申請は原則として義務ではない**

所有権保存登記は権利部（甲区）にする登記です。この保存登記は義務ではありませんので、必ず登記しなければいけないものではありません。

❷ ◯ **抵当権や賃借権も登記は可能**

抵当権も賃借権も登記することは可能です。

❸ ◯ **1カ月以内に申請義務**

建物や土地が新しくできたときと滅失したときには、所有者は1カ月以内に表示の登記を申請する義務があります。

❹ ◯ **区分建物のみ可**

区分建物（＝マンションなど）に限り、表題部所有者から所有権を取得した者（マンションの購入者）も申請を認められています。

不動産登記法

アドバイス

この問題の受験者正解率は 45.2%（LEC 調べ）と、半分以下となっています。不動産登記法が苦手な受験生が多いということですね。基本問題をしっかり正解できるようにしておけば合格できますから頑張りましょう！

不動産登記の申請に関する次の記述のうち、誤っているものはどれか。

❶ 登記の申請を共同してしなければならない者の一方に登記手続をすべきことを命ずる確定判決による登記は、当該申請を共同してしなければならない者の他方が単独で申請することができる。

❷ 相続又は法人の合併による権利の移転の登記は、登記権利者が単独で申請することができる。

❸ 登記名義人の氏名若しくは名称又は住所についての変更の登記又は更正の登記は、登記名義人が単独で申請することができる。

❹ 所有権の登記の抹消は、所有権の移転の登記の有無にかかわらず、現在の所有権の登記名義人が単独で申請することができる。

◎：完全に分かってきた
○：だいたい分かってきた
△：少し分かってきた
×：全く分からなかった

肢別テーマ	❶ 登記の手続き	コース 9 ポイント ❷ ❷	
テキスト第1編	❷ 登記の手続き	コース 9 ポイント ❷ ❷	正解 4
	❸ 登記の手続き	コース 9 ポイント ❷ ❷	
	❹ 登記の手続き	該当なし	

❶ ○ **登記手続をすべきことを命ずる確定判決→単独で申請可**

登記の申請を共同してしなければならない者の一方に登記手続をすべきことを命ずる確定判決による登記は、他の一方が単独で申請することができます。

❷ ○ **相続→単独で申請可**

相続又は法人の合併による権利の移転の登記は、登記権利者が単独で申請することができます。

❸ ○ **氏名・住所→単独で申請可**

登記名義人の氏名もしくは名称又は住所についての変更の登記又は更正の登記は、登記名義人が単独で申請することができます。

❹ ×

所有権の登記の抹消は、所有権の移転の登記がない場合（＝所有権の保存の登記の場合）に限り、所有権の登記名義人が単独で申請することができます。したがって、所有権の移転の登記がなされている場合には、当該所有権の登記の抹消は、原則どおり、登記権利者及び登記義務者が共同して申請しなければなりません。

不動産登記法

不動産登記の申請に関する次の記述のうち、誤っているものはどれか。

❶ 権利に関する登記の申請をするときは、申請人又はその代理人が登記所に出頭しなければならないので、郵送により登記申請をすることはできない。

❷ 委任による登記申請の代理権は、本人の死亡によって消滅しない。

❸ 登記の申請は、登記権利者及び登記義務者が共同してするのが原則であるが、相続による登記は、登記権利者のみで申請できる。

❹ 登記権利者及び登記義務者が共同して申請することを要する登記について、登記義務者が申請に協力しない場合には、登記権利者が登記義務者に対し登記手続を求める旨の判決を得れば、その登記義務者の申請は要しない。

全問◎を
目指そう！

1回目	/	2回目	/	3回目	/	4回目	/	5回目	/
手応え		手応え		手応え		手応え		手応え	

◎：完全に分かってきた
○：だいたい分かってきた
△：少し分かってきた
×：全く分からなかった

肢別テーマ テキスト 第1編	❶ 登記の手続き	コース 9 ポイント ❷ ❶	正解 1
	❷ 代理制度	コース 9 ポイント ❷ ❷	
	❸ 登記の手続き	コース 9 ポイント ❷ ❷	
	❹ 登記の手続き	コース 9 ポイント ❷ ❷	

❶ ✕ 郵送でもオンラインでも可

昔は「出頭主義」といって、実際に登記所に行く必要があったのですが、現在は郵送による申請もオンライン申請も可能です。

❷ ◯ 登記申請の代理権は、本人死亡でも消滅しない

普通、代理権は本人の死亡により消滅しますが、委任による登記申請の代理権は、本人が死亡しても消滅しないことになっています。

❸ ◯ 相続による登記は単独申請可

相続による登記は単独申請が認められています。

❹ ◯ 登記手続をすべきことを命ずる確定判決で単独申請可

相手方が共同申請に応じない場合、裁判所から登記手続をすべきことを命ずる確定判決を得ることで、その確定判決に基づき単独申請ができます。

不動産登記法

不動産の仮登記に関する次の記述のうち、誤っているものはどれか。

❶ 仮登記の申請は、仮登記義務者の承諾があるときは、仮登記権利者が単独ですることができる。

❷ 仮登記の申請は、仮登記を命ずる処分があるときは、仮登記権利者が単独ですることができる。

❸ 仮登記の抹消の申請は、その仮登記の登記識別情報を提供して、登記上の利害関係人が単独ですることができる。

❹ 仮登記の抹消の申請は、仮登記名義人の承諾があるときは、登記上の利害関係人が単独ですることができる。

1回目	/	2回目	/	3回目	/	4回目	/	5回目	/
手応え		手応え		手応え		手応え		手応え	

◎：完全に分かってきた
○：だいたい分かってきた
△：少し分かってきた
×：全く分からなかった

肢別テーマ	❶ 仮登記	コース 9 ポイント ❸ 3
テキスト 第1編	❷ 仮登記	コース 9 ポイント ❸ 3
	❸ 仮登記	コース 9 ポイント ❸ 4
	❹ 仮登記	コース 9 ポイント ❸ 4

正解 **3**

不動産登記法

❶ ○　**承諾有→単独申請可**

仮登記の申請は、仮登記義務者の承諾があるときは、仮登記権利者が単独ですることができます。

❷ ○　**仮登記を命ずる処分→単独申請可**

仮登記の申請は、仮登記を命ずる処分があるときは、仮登記権利者が単独ですることができます。

❸ ×　

仮登記名義人であれば、このような方法で仮登記抹消の申請も可能ですが、利害関係人はこのような方法での仮登記抹消はできません。利害関係人が仮登記の抹消をするには、仮登記名義人の承諾情報を提供する必要があります。

❹ ○　**仮登記抹消→単独申請可**

仮登記の抹消は、仮登記の登記名義人が単独ですることができます。また、仮登記の登記名義人の承諾がある場合には、仮登記の登記上の利害関係人も、単独で仮登記の抹消をすることができます。

ちょこっと **よりみちトーク**

仮登記は対抗力がないから比較的簡単な手続きでできるよ。

それでも❸はダメなんですね…。

 勝手に仮登記が抹消されてしまうとなると、さすがに困るからね…。
さすがに承諾はほしいよね。

ぺこり

不動産の登記に関する次の記述のうち、不動産登記法の規定によれば、正しいものはどれか。

❶ 敷地権付き区分建物の表題部所有者から所有権を取得した者は、当該敷地権の登記名義人の承諾を得なければ、当該区分建物に係る所有権の保存の登記を申請することができない。

❷ 所有権に関する仮登記に基づく本登記は、登記上の利害関係を有する第三者がある場合であっても、その承諾を得ることなく、申請することができる。

❸ 債権者Aが債務者Bに代位して所有権の登記名義人CからBへの所有権の移転の登記を申請した場合において、当該登記を完了したときは、登記官は、Aに対し、当該登記に係る登記識別情報を通知しなければならない。

❹ 配偶者居住権は、登記することができる権利に含まれない。

1回目	/	2回目	/	3回目	/	4回目	/	5回目	/
手応え		手応え		手応え		手応え		手応え	

◎：完全に分かってきた
○：だいたい分かってきた
△：少し分かってきた
×：全く分からなかった

肢別テーマ テキスト第1編	❶ 登記の手続き	該当なし			正解	1
	❷ 仮登記	コース 9 ポイント ❸ 3				
	❸ 登記の手続き	該当なし				
	❹ 配偶者居住権	コース 7 ポイント ❹ 1				

❶ ○

区分建物にあっては、表題部所有者から所有権を取得した者も、所有権の保存の登記を申請することができます。この場合、当該建物が敷地権付き区分建物であるときは、当該敷地権の登記名義人の承諾を得なければなりません。

❷ ✕ 所有権に関する仮登記の本登記→第三者の承諾必要

所有権に関する仮登記に基づく本登記をする場合、登記上の利害関係を有する第三者がいるときは、その第三者の承諾があるときに限り申請することができます。

❸ ✕

登記官は、その登記をすることによって申請人自らが登記名義人となる場合において、当該登記を完了したときは、速やかに、当該申請人に対し、当該登記に係る登記識別情報を通知しなければなりません。登記識別情報を通知しなければならないのは、申請人自らが登記名義人となる場合であり、代位して移転登記をした場合、その代位した者に登記識別情報を通知する必要はありません。

❹ ✕ 配偶者居住権は、登記をすることができる

配偶者居住権は、登記することができます。なお、居住建物の所有者は、配偶者居住権を取得した配偶者に対し、配偶者居住権の設定の登記を備えさせる義務を負います。

不動産登記法

AがBに対する債務の担保のためにA所有建物に抵当権を設定し、登記をした場合に関する次の記述のうち、民法の規定及び判例によれば、正しいものはどれか。

❶ Aが通常の利用方法を逸脱して、建物の損傷行為を行う場合、Aの債務の弁済期が到来していないときでも、Bは、抵当権に基づく妨害排除請求をすることができる。

❷ 抵当権の登記に債務の利息に関する定めがあり、他に後順位抵当権者その他の利害関係者がいない場合でも、Bは、Aに対し、満期のきた最後の2年分を超える利息については抵当権を行うことはできない。

❸ 第三者の不法行為により建物が焼失したのでAがその損害賠償金を受領した場合、Bは、Aの受領した損害賠償金に対して物上代位をすることができる。

❹ 抵当権の消滅時効の期間は20年であるから、AのBに対する債務の弁済期から10年が経過し、その債務が消滅しても、Aは、Bに対し抵当権の消滅を主張することができない。

全問○を
目指そう！

| 1回目 | / | 2回目 | / | 3回目 | / | 4回目 | / | 5回目 | / |

手応え

◎：完全に分かってきた
○：だいたい分かってきた
△：少し分かってきた
×：全く分からなかった

肢別テーマ テキスト 第1編	❶ 抵当権	コース 10 ポイント ❶ 5	
	❷ 抵当権の効力	コース 10 ポイント ❸ 2	正解 1
	❸ 抵当権の効力	コース 10 ポイント ❸ 3	
	❹ 抵当権の性質	コース 10 ポイント ❷ 1	

❶ ○ **弁済期到来前でも妨害排除請求可能**

通常の利用方法を逸脱すると、競売にかけたときに安くしか売れなくなる可能性があります。そのため、抵当権者は妨害排除請求をすることができます。当然、弁済期到来以前にもすることはできます。

❷ × **最後の2年分→後順位抵当権者を守るため**

利息を最後の2年分に限定しているのは、後順位抵当権者等の分を確保するためです。ということは、後順位抵当権者等がいないのであれば、最後の2年分に限定する必要もありません。

❸ × **物上代位→抵当権設定者に支払われる前に差押え**

物上代位は、抵当権設定者に金銭が支払われる前に抵当権者が差押えをする必要があります。

❹ × **被担保債権消滅→抵当権消滅**

被担保債権が消滅すれば、その時点で抵当権も消滅します（付従性）。したがって、AはBに対し抵当権の消滅を主張することができます。

抵当権

ちょこっと よりみちトーク

抵当権だけ存在しても
仕方ないもんな。

被担保債権が消滅すれば
抵当権も消滅するんだね。

急ぎます！

AはBから 2,000 万円を借り入れて土地とその上の建物を購入し、Bを抵当権者として当該土地及び建物に 2,000 万円を被担保債権とする抵当権を設定し、登記した。この場合における次の記述のうち、民法の規定及び判例によれば、誤っているものはどれか。

❶ AがBとは別にCから 500 万円を借り入れた場合、Bとの抵当権設定契約がCとの抵当権設定契約より先であっても、Cを抵当権者とする抵当権設定登記の方がBを抵当権者とする抵当権設定登記より先であるときは、Cを抵当権者とする抵当権が第１順位となる。

❷ 当該建物に火災保険が付されていて、当該建物が火災によって焼失してしまった場合、Bの抵当権は、その火災保険契約に基づく損害保険金請求権に対しても行使することができる。

❸ Bの抵当権設定登記後にAがDに対して当該建物を賃貸し、当該建物をDが使用している状態で抵当権が実行され当該建物が競売された場合、Dは競落人に対して直ちに当該建物を明け渡す必要はない。

❹ AがBとは別に事業資金としてEから 500 万円を借り入れる場合、当該土地及び建物の購入代金が 2,000 万円であったときには、Bに対して 500 万円以上の返済をした後でなければ、当該土地及び建物にEのために２番抵当権を設定することはできない。

全問◯を
目指そう！

1回目	/	2回目	/	3回目	/	4回目	/	5回目	/
手応え		手応え		手応え		手応え		手応え	

◎：完全に分かってきた
◯：だいたい分かってきた
△：少し分かってきた
×：全く分からなかった

肢別テーマ	❶ 抵当権	コース 10 ポイント ❶ ❷
テキスト第1編	❷ 抵当権の効力	コース 10 ポイント ❸ ❸
	❸ 第三者との関係	コース 10 ポイント ❹ ❶
	❹ 抵当権	コース 10 ポイント ❶ ❷

正解 **4**

❶ ○ 先に登記をしたほうが優先

抵当権の優先順位は登記の順番となります。つまり、先に登記をしたほうが優先となります。設定契約の前後は関係ありません。

❷ ○ 火災保険金請求権についても物上代位可能

抵当権には物上代位性がありますから、抵当権の目的物の売却、賃貸、滅失又は損傷によって抵当不動産所有者が受けるべき金銭その他の物に対しても行使することができます。したがって、今回のように抵当権の目的物である建物が焼失した場合、火災保険金請求権についても行使することができます。

❸ ○ 6カ月の猶予あり

Dは抵当権設定登記後の賃借人であるため、競落人に賃借権を対抗することができません。ただし、原則としてその建物の競売における買受人の買受けの時から6カ月を経過するまでは、その建物を買受人に明け渡す必要がありません。したがって、6カ月の猶予があるため、「直ちに」明け渡す必要はありません。

❹ × 2番抵当権も設定可能

抵当権は1つしか設定できないわけではありません。1つの土地にいくつでも抵当権を設定することは可能です。BとEの被担保債権の合計金額が2,500万円となり、購入金額を超えてしまいますが、抵当権を設定することは可能です（BとEが債権を回収できるかどうかは別問題ですが）。

抵当権

権利関係も折り返し！
引き続き頑張れ！！

Aは、Bに対する貸付金債権の担保のために、当該貸付金債権額にほぼ見合う評価額を有するB所有の更地である甲土地に抵当権を設定し、その旨の登記をした。その後、Bはこの土地上に乙建物を築造し、自己所有とした。この場合、民法の規定及び判例によれば、次の記述のうち正しいものはどれか。

❶ Aは、Bに対し、乙建物の築造行為は、甲土地に対するAの抵当権を侵害する行為であるとして、乙建物の収去を求めることができる。

❷ Bが、甲土地及び乙建物の双方につき、Cのために抵当権を設定して、その旨の登記をした後（甲土地についてはAの後順位）、Aの抵当権が実行されるとき、乙建物のために法定地上権が成立する。

❸ Bが、乙建物築造後、甲土地についてのみ、Dのために抵当権を設定して、その旨の登記をした場合（甲土地についてはAの後順位）、Aの抵当権及び被担保債権が存続している状態で、Dの抵当権が実行されるとき、乙建物のために法定地上権が成立する。

❹ Aは、乙建物に抵当権を設定していなくても、甲土地とともに乙建物を競売することができるが、優先弁済権は甲土地の代金についてのみ行使できる。

1回目	2回目	3回目	4回目	5回目
手応え	手応え	手応え	手応え	手応え

◎：完全に分かってきた
○：だいたい分かってきた
△：少し分かってきた
×：全く分からなかった

❶ 抵当権	コース 10 ポイント ❶ 5	
❷ 法定地上権と一括競売	コース 10 ポイント 5 1	
❸ 法定地上権と一括競売	コース 10 ポイント 5 1	正解 4
❹ 法定地上権と一括競売	コース 10 ポイント 5 2	

肢別テーマ テキスト 第1編

❶ ✕ **妨害排除請求→通常の利用方法を逸脱している場合**

通常の利用方法を逸脱している場合、抵当権者は妨害排除請求をすることができます。ただし、更地に建物を建てるのは通常の利用方法の範囲内です。よって、抵当権への侵害とはならず妨害排除請求はできません。

❷ ✕ **法定地上権は成立しない**

法定地上権が成立するためには、抵当権設定時に土地と建物が存在することが要件となります。更地に抵当権を設定しても、法定地上権は成立しません。

❸ ✕

１番抵当権設定当時（抵当権者はA）は更地でしたが、２番抵当権設定時（抵当権者はD）には建物が建っています。そして２番抵当権が実行され、競売が行われました。この場合、判例（最判昭47.11.2）によれば、法定地上権は成立しません。

❹ ◯ **一括競売→優先弁済は土地の代価のみ**

更地に抵当権を設定し、その後に建物を築造した場合には、一括競売が可能です。なお、その際、優先弁済を受けられるのは土地の代金のみとなります。

抵当権

根抵当権に関する次の記述のうち、民法の規定によれば、正しいものはどれか。

❶ 根抵当権者は、総額が極度額の範囲内であっても、被担保債権の範囲に属する利息の請求権については、その満期となった最後の2年分についてのみ、その根抵当権を行使することができる。

❷ 元本の確定前に根抵当権者から被担保債権の範囲に属する債権を取得した者は、その債権について根抵当権を行使することはできない。

❸ 根抵当権設定者は、担保すべき元本の確定すべき期日の定めがないときは、一定期間が経過した後であっても、担保すべき元本の確定を請求することはできない。

❹ 根抵当権設定者は、元本の確定後であっても、その根抵当権の極度額を、減額することを請求することはできない。

全問◎を
目指そう!

1回目	/	2回目	/	3回目	/	4回目	/	5回目	/
手応え		手応え		手応え		手応え		手応え	

◎：完全に分かってきた
○：だいたい分かってきた
△：少し分かってきた
×：全く分からなかった

肢別テーマ
テキスト第1編

❶ 根抵当権　コース 10　ポイント ❼ ❷
❷ 根抵当権　コース 10　ポイント ❼ ❷
❸ 根抵当権　コース 10　ポイント ❼ ❸
❹ 根抵当権　コース 10　ポイント ❼ ❹

正解 2

❶ ✕　根抵当権→最後の2年分に限定されない

　　根抵当権の場合、利息は極度額の範囲内であれば、最後の2年分に限定されません。

❷ ○　根抵当権→随伴性なし

　　元本の確定前においては根抵当権には随伴性がないので、被担保債権が譲渡されても根抵当権は移転しません。したがって、元本の確定前に債権を取得した者は、根抵当権を行使することはできません。

❸ ✕　一定期間経過後は可

　　元本確定期日を定めていた場合には期日が到来したら元本が確定します。定めていない場合には、元本確定請求によって確定します。根抵当権設定者は、一定期間（設定から3年）経過後に元本確定請求ができます。

❹ ✕　極度額変更→元本確定後も可

　　極度額の変更は、元本の確定前後にかかわらずすることができます。したがって、本肢のように、元本の確定後に根抵当権設定者による極度額の減額請求を行うことも可能です。

抵当権

ちょこっと よりみちトーク

根抵当権って難しい（泣）

でも、試験に出るポイントは意外に少ないから、しっかりポイントをおさえよう！

債務者Aが所有する甲土地には、債権者Bが一番抵当権（債権額 2,000 万円）、債権者Cが二番抵当権（債権額 2,400 万円）、債権者Dが三番抵当権（債権額 4,000 万円）をそれぞれ有しており、Aにはその他に担保権を有しない債権者E（債権額 2,000 万円）がいる。甲土地の競売に基づく売却代金 5,400 万円を配当する場合に関する次の記述のうち、民法の規定によれば、誤っているものはどれか。

❶ BがEの利益のため、抵当権を譲渡した場合、Bの受ける配当は 0 円である。

❷ BがDの利益のため、抵当権の順位を譲渡した場合、Bの受ける配当は 800 万円である。

❸ BがEの利益のため、抵当権を放棄した場合、Bの受ける配当は 1,000 万円である。

❹ BがDの利益のため、抵当権の順位を放棄した場合、Bの受ける配当は 1,000 万円である。

1回目	/	2回目	/	3回目	/	4回目	/	5回目	/
手応え		手応え		手応え		手応え		手応え	

◎：完全に分かってきた
○：だいたい分かってきた
△：少し分かってきた
×：全く分からなかった

肢別テーマ テキスト 第1編	❶ 抵当権の譲渡・放棄	コース 10 ポイント ❻ ❷		
	❷ 抵当権の譲渡・放棄	コース 10 ポイント ❻ ❷	正解	2
	❸ 抵当権の譲渡・放棄	コース 10 ポイント ❻ ❷		
	❹ 抵当権の譲渡・放棄	コース 10 ポイント ❻ ❷		

まず、債権額と、通常通りに配分される際の配当額を出しておきます。

1　B　債権額 2,000 万　配当額 2,000 万

2　C　債権額 2,400 万　配当額 2,400 万

3　D　債権額 4,000 万　配当額 1,000 万

×　E　債権額 2,000 万　配当額　なし

ここから、次のように考えることとなります。

【譲渡】（例：AがBの利益のために譲渡）

①ABの原則的配当額の合計を出す

②その合計額のなかで、Bが優先で受け取る。残額がA。

【放棄】（例：AがBの利益のために放棄）

①ABの原則的配当額の合計を出す

②その合計額のなかで、債権額の割合により配当する。

---

❶　○　Bの受ける配当は0円となる

　　　BとEの配当額の合計は 2,000 万円、この中でEが優先するので、Eが受け取る配当は 2,000 万円となります。残額がないため、**Bは配当なし**となります。

❷　×　Bの受ける配当は0円となる

　　　BとDの配当額の合計は 3,000 万円、この中でDが優先するので、Dが受け取る配当は 3,000 万円となります。残額がないため、**Bは配当なし**となります。

❸　○　Bの受ける配当は 1,000 万円となる

　　　BとEの配当額の合計は 2,000 万円、これを割合で配分するので、「1：1」となり、1,000 万円ずつとなります。したがって、**Bが受ける配当は 1,000 万円**となります。

❹　○　Bの受ける配当は 1,000 万円となる

　　　BとDの配当額の合計は 3,000 万円、これを割合で配分するので、「1：2」となり、**Bが 1,000 万円、Dが 2,000 万円**となります。

保証債務に関する次の記述で、民法の規定によれば、誤っているものはどれか。

❶ 主たる債務が無効であるときは、保証債務も無効である。

❷ 主たる債務者の債務承認による時効更新の効力は、保証人には及ぶが、連帯保証人には及ばない。

❸ 債務者が保証人を立てる義務を負うときは、その保証人は、行為能力者であり、かつ、弁済の資力のある者でなければならない。

❹ 保証人（ただし、連帯保証人ではない）は、債権者から債務の履行の請求を受けたときは、原則として、まず主たる債務者に催告をするよう請求することができる。

全問◎を
目指そう！

1回目	/	2回目	/	3回目	/	4回目	/	5回目	/
手応え		手応え		手応え		手応え		手応え	

◎：完全に分かってきた
○：だいたい分かってきた
△：少し分かってきた
×：全く分からなかった

122

	❶ 保証債務の性質	コース 11 ポイント ❷ ❶	
肢別テーマ テキスト 第1編	❷ 保証債務の性質	コース 11 ポイント ❷ ❶	正解 2
	❸ 保証債務	コース 11 ポイント ❶ ❷	
	❹ 保証債務の性質	コース 11 ポイント ❷ ❸	

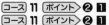

❶ ○ 主たる債務無効→保証債務無効

主たる債務が無効であるときには、保証債務も無効となります（付従性）。

❷ ✕ 保証人にも連帯保証人にも及ぶ

主たる債務者に生じた事由は保証人にも連帯保証人にも及びます。

❸ ○ 行為能力者で弁済の資力がある者

債務者が保証人を立てる義務がある場合には、行為能力者であり、かつ、弁済の資力があることが要求されます。

❹ ○ 催告の抗弁権あり

連帯ではない保証人には催告の抗弁権があります。しかし、主たる債務者が破産手続開始の決定を受けたり、主たる債務者が行方不明などの理由があれば話は別です。

保証・連帯債務

問題 62 保証・連帯債務

保証に関する次の記述のうち、民法の規定及び判例によれば、誤っているものはどれか。

❶ 保証人となるべき者が、主たる債務者と連絡を取らず、同人から委託を受けないまま債権者に対して保証したとしても、その保証契約は有効に成立する。

❷ 保証人となるべき者が、口頭で明確に特定の債務につき保証する旨の意思表示を債権者に対してすれば、その保証契約は有効に成立する。

❸ 連帯保証ではない場合の保証人は、債権者から債務の履行を請求されても、まず主たる債務者に催告すべき旨を債権者に請求できる。ただし、主たる債務者が破産手続開始の決定を受けたとき、又は行方不明であるときは、この限りでない。

❹ 連帯保証人が2人いる場合、連帯保証人間に連帯の特約がなくとも、連帯保証人は各自全額につき保証責任を負う。

全問◎を
目指そう!

1回目 /	2回目 /	3回目 /	4回目 /	5回目 /
手応え	手応え	手応え	手応え	手応え

◎：完全に分かってきた
○：だいたい分かってきた
△：少し分かってきた
×：全く分からなかった

肢別テーマ		
❶ 保証債務	コース 11 ポイント ❶ 1	
❷ 保証債務	コース 11 ポイント ❶ 1	
❸ 保証債務の性質	コース 11 ポイント ❷ 3	正解 2
❹ 連帯保証	コース 11 ポイント ❸ 1	

❶ ○　債権者と保証人との間の契約

保証契約は、債権者と保証人との間の契約ですから、主たる債務者の依頼がなくても、債務者に知らせなくても、債権者と保証人がよければそれで有効に締結することができます。

❷ ✕　保証契約は書面または電磁的記録で行う

保証契約は書面（または電磁的記録）でしなければ効力を生じません。

❸ ○　催告の抗弁権あり

連帯ではない保証人には催告の抗弁権があります。しかし、主たる債務者が破産手続開始の決定を受けたり、主たる債務者が行方不明などの理由があれば話は別です。

❹ ○　連帯保証人→分別の利益なし

連帯ではない保証人には分別の利益がありますが、連帯保証人には分別の利益はありません。特約が無くとも、各自全額につき保証責任を負うこととなります。

保証・連帯債務

令和7年7月1日に下記ケース①及びケース②の保証契約を締結した場合に関する次の1から4までの記述のうち、民法の規定によれば、正しいものはどれか。

（ケース①）　個人Aが金融機関Bから事業資金として1,000万円を借り入れ、CがBとの間で当該債務に係る保証契約を締結した場合

（ケース②）　個人Aが建物所有者Dと居住目的の建物賃貸借契約を締結し、EがDとの間で当該賃貸借契約に基づくAの一切の債務に係る保証契約を締結した場合

❶　ケース①の保証契約は、口頭による合意でも有効であるが、ケース②の保証契約は、書面でしなければ効力を生じない。

❷　ケース①の保証契約は、Cが個人でも法人でも極度額を定める必要はないが、ケース②の保証契約は、Eが個人でも法人でも極度額を定めなければ効力を生じない。

❸　ケース①及びケース②の保証契約がいずれも連帯保証契約である場合、BがCに債務の履行を請求したときはCは催告の抗弁を主張することができるが、DがEに債務の履行を請求したときはEは催告の抗弁を主張することができない。

❹　保証人が保証契約締結の日前1箇月以内に公正証書で保証債務を履行する意思を表示していない場合、ケース①のCがAの事業に関与しない個人であるときはケース①の保証契約は効力を生じないが、ケース②の保証契約は有効である。

全問◎を
目指そう!

1回目	/	2回目	/	3回目	/	4回目	/	5回目	/
手応え		手応え		手応え		手応え		手応え	

◎：完全に分かってきた
○：だいたい分かってきた
△：少し分かってきた
×：全く分からなかった

肢別テーマ	❶ 保証債務	コース 11 ポイント ❶ ❶	
テキスト 第1編	❷ 保証債務の性質	コース 11 ポイント ❷ ❺	正解 4
	❸ 連帯保証	コース 11 ポイント ❸ ❶	
	❹ 保証債務	該当なし	

❶ ✕ 保証契約は書面（電磁的記録）

保証契約は**書面（または電磁的記録）**でしなければ効力を生じません。したがって、ケース①が誤りとなります。ケース②の記述は正しいです。

❷ ✕ 法人の場合は極度額を定める必要はない

ケース②の賃貸借契約の保証契約は根保証契約となります。個人が根保証契約を締結する場合、負担の上限額（極度額）を定めなければ、当該保証契約は無効となります。法人の場合にはこの規制はないため、**法人が保証人となる場合には、極度額を設定する必要はありません**。したがって、ケース①は根保証でないため極度額の設定は必要ないので正しい記述となりますが、ケース②が誤りとなります。

❸ ✕ 連帯保証人には催告の抗弁権がない

連帯保証人には催告の抗弁権がありません。したがって、ケース①において、Cは催告の抗弁を主張することはできません。なお、ケース②において、Eが催告の抗弁を主張できないという記述は正しいです。

❹ ◯

事業のために負担した貸金等債務を主たる債務とする保証契約は、その契約の締結に先立ち、その締結の日前1カ月以内に作成された公正証書で保証人になろうとする個人が保証債務を履行する意思を表示していなければ、その効力を生じません。したがって、ケース①の保証契約は効力を生じません。ケース②の保証契約は個人根保証契約であり、公正証書で保証債務を履行する意思を表示する必要はありません。したがって、ケース②の保証契約は有効です。

保証・連帯債務

AがBに対して負う1,000万円の債務について、C及びDが連帯保証人となった場合（CD間に特約はないものとする。）に関する次の記述のうち、民法の規定及び判例によれば、正しいものはどれか。

❶ Bは、1,000万円の請求を、A・C・Dの3人のうちのいずれに対しても、その全額について行うことができる。

❷ CがBから1,000万円の請求を受けた場合、Cは、Bに対し、Dに500万円を請求するよう求めることができる。

❸ CがBから請求を受けた場合、CがAに執行の容易な財産があることを証明すれば、Bは、まずAに請求しなければならない。

❹ Cが1,000万円をBに弁済した場合、Cは、Aに対して求償することができるが、Dに対して求償することはできない。

全問◎を
目指そう!

1回目	2回目	3回目	4回目	5回目
手応え	手応え	手応え	手応え	手応え

◎：完全に分かってきた
○：だいたい分かってきた
△：少し分かってきた
×：全く分からなかった

128

❶	連帯保証	コース 11 ポイント ❸ 🔟	
❷	連帯保証	コース 11 ポイント ❸ 🔟	正解 ⎯1⎯
❸	連帯保証	コース 11 ポイント ❸ 🔟	
❹	連帯保証	コース 11 ポイント ❸ 🔟	

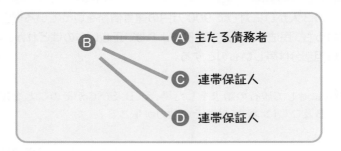

❶ ○ 全員に、全額の請求が可能

連帯保証人には分別の利益がありません。したがって、債権者は、主たる債務者（A）と連帯保証人（C・D）の双方に全額の請求をすることができます。

❷ × 連帯保証人→分別の利益なし

連帯ではない保証人には分別の利益がありますが、連帯保証人には分別の利益はありません。したがって、CもDも、請求を受けた場合は1,000万円支払わなければなりません。

❸ × 連帯保証人→検索の抗弁権なし

連帯保証人に検索の抗弁権はありません。したがって、連帯保証人（C）はAに執行容易な財産があることを証明しても、Bの請求を拒むことはできません。

❹ × 求償できる

Cが全額弁済すると、Cは主たる債務者Aに対しては全額（今回は1,000万円）求償できます。また、他の連帯保証人に対しても負担割合（今回は500万円）での求償ができます。

保証・連帯債務

129

A、B、Cの3人がDに対して900万円の連帯債務を負っている場合に関する次の記述のうち、民法の規定及び判例によれば、正しいものはどれか。なお、A、B、Cの負担部分は等しいものとする。

❶ DがAに対して履行の請求をした場合、B及びCがそのことを知らない場合でも、B及びCについては、その効力が生じる。

❷ Aが、Dに対する債務と、Dに対して有する200万円の債権を対当額で相殺する旨の意思表示をDにした場合、B及びCのDに対する連帯債務も200万円が消滅する。

❸ Bのために時効が完成した場合、A及びCのDに対する連帯債務も時効によって消滅する。

❹ CがDに対して100万円を弁済した場合は、Cの負担部分の範囲内であるから、Cは、A及びBに対して求償することはできない。

1回目	/	2回目	/	3回目	/	4回目	/	5回目	/
手応え		手応え		手応え		手応え		手応え	

◎:完全に分かってきた
○:だいたい分かってきた
△:少し分かってきた
×:全く分からなかった

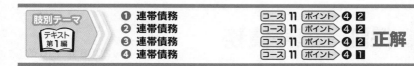

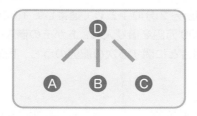

❶ ✕ **他の連帯債務者に影響なし**

連帯債務者の1人に対して履行を請求したとしても、他の連帯債務者に影響を及ぼしません。他の連帯債務者がそのことを知っているかどうかは関係ありません。したがって、Aに請求をしても、B及びCについて効力は生じません。

❷ ○ **相殺→他の連帯債務者に影響あり**

連帯債務者の1人が債権者に対して債権を有する場合において、その連帯債務者が相殺を援用したときは、債権は、すべての連帯債務者の利益のために消滅します。したがって、Aが200万円で相殺すれば、B及びCの債務も200万円について消滅します。

❸ ✕ **他の連帯債務者に影響なし**

連帯債務者の1人について時効が完成したとしても、他の連帯債務者に影響を及ぼしません。したがって、Bのために時効が完成しても、A及びCのDに対する連帯債務は時効によって消滅しません。

❹ ✕ **求償することができる**

連帯債務者の1人が弁済したときは、その連帯債務者は、その免責を得た額が自己の負担部分を超えるかどうかにかかわらず、他の連帯債務者に対して、その免責を得るために支出した財産の額のうち各自の負担部分に応じた額の求償権を有します。したがって、CがDに負担部分の範囲内である100万円を弁済した場合、CはAとBに対し、負担部分の割合に応じ、100万円の3分の1ずつを求償することができるのです。

保証・連帯債務

AからBとCとが負担部分2分の1として連帯して1,000万円を借り入れる場合と、DからEが1,000万円を借り入れ、Fがその借入金返済債務についてEと連帯して保証する場合とに関する次の記述のうち、民法の規定によれば、正しいものはどれか。

❶ Aが、Bに対して債務を免除した場合にはCが、Cに対して債務を免除した場合にはBが、それぞれ500万円分の債務を免れる。Dが、Eに対して債務を免除した場合にはFが、Fに対して債務を免除した場合にはEが、それぞれ全額の債務を免れる。

❷ Aが、Bに対して履行を請求した効果はCに及ばず、Cに対して履行を請求した効果はBに及ばない。Dが、Eに対して履行を請求した効果はFに及ぶが、Fに対して履行を請求した効果はEに及ばない。

❸ Bについて時効が完成した場合にはCが、Cについて時効が完成した場合にはBが、それぞれ500万円分の債務を免れる。Eについて時効が完成した場合にはFが、Fについて時効が完成した場合にはEが、それぞれ全額の債務を免れる。

❹ AB間の契約が無効であった場合にはCが、AC間の契約が無効であった場合にはBが、それぞれ1,000万円の債務を負う。DE間の契約が無効であった場合はFが、DF間の契約が無効であった場合はEが、それぞれ1,000万円の債務を負う。

全問◎を
目指そう!

1回目	/	2回目	/	3回目	/	4回目	/	5回目	/
手応え		手応え		手応え		手応え		手応え	

◎：完全に分かってきた
○：だいたい分かってきた
△：少し分かってきた
×：全く分からなかった

肢別テーマ		❶ 連帯保証・連帯債務	コース 11	ポイント ❸・❹ 2	
テキスト 第1編		❷ 連帯保証・連帯債務	コース 11	ポイント ❸・❹ 2	正解 2
		❸ 連帯保証・連帯債務	コース 11	ポイント ❸・❹ 2	
		❹ 連帯保証・連帯債務	コース 11	ポイント ❸・❹ 2	

```
        Ⓐ                 Ⓓ 債権者 ───── Ⓔ 主たる債務者
       ╱ ╲
  Ⓑ 連帯債務者 Ⓒ                                 ╲
                                                   Ⓕ 連帯保証人
```

❶ ✕ **免除→他の債務者に影響しない**

連帯債務の場合、他の債務者に免除の効力は生じません。連帯保証の場合、主たる債務者（Ｅ）に免除すれば、Ｆの債務も消滅しますが、連帯保証人（Ｆ）に免除しても、Ｅには影響なく、Ｅの債務は消滅しません。

❷ 〇 **請求→他の債務者に影響しない**

連帯債務の場合、請求は他の債務者に影響しません。連帯保証の場合、主たる債務者（Ｅ）に請求すればＦにも請求の効果が及びます。一方で、連帯保証人（Ｆ）に請求しても、Ｅには影響しません。

❸ ✕ **時効完成→他の債務者に影響しない**

連帯債務の場合、他の債務者に時効完成の効力は生じません。連帯保証の場合、主たる債務者（Ｅ）の時効が完成すれば、Ｆの債務も消滅しますが、連帯保証人（Ｆ）の時効が完成しても、Ｅには影響なく、Ｅの債務は消滅しません。

❹ ✕ **主たる債務が無効→保証契約も無効**

ＡＢ間の契約やＡＣ間の契約が無効であった場合でも、他の契約は無効とはなりません。ＤＥ間の契約が無効となった場合、主たる債務が無効なので保証債務も無効となり、Ｆは保証債務を免れます。ＤＦ間の契約が無効であろうと、ＤＥ間の債務は有効に存続します。

連帯保証と連帯債務の比較の問題です。前半（ＡＢＣ）は連帯債務、後半（ＤＥＦ）は連帯保証です。

保証・連帯債務

A・B・Cが、持分を6・2・2の割合とする建物を共有している場合に関する次の記述のうち、民法の規定及び判例によれば、正しいものはどれか。

❶ Aが、B・Cに無断で、この建物を自己の所有としてDに売却した場合は、その売買契約は有効であるが、B・Cの持分については、他人の権利の売買となる。

❷ Bが、その持分に基づいて単独でこの建物全部を使用している場合は、A・Cは、Bに対して、理由を明らかにすることなく当然に、その明渡しを求めることができる。

❸ この建物をEが不法占有している場合には、B・Cは単独でEに明渡しを求めることはできないが、Aなら明渡しを求めることができる。

❹ 裁判による共有物の分割では、Aに建物を取得させ、AからB・Cに対して適正価格で賠償させる方法によることは許されない。

全問○を
目指そう！

| 1回目 | / | 2回目 | / | 3回目 | / | 4回目 | / | 5回目 | / |
| 手応え | | 手応え | | 手応え | | 手応え | | 手応え | |

◎：完全に分かってきた
○：だいたい分かってきた
△：少し分かってきた
×：全く分からなかった

肢別テーマ	❶ 債務不履行	コース 5	ポイント ❶ 5	
テキスト 第1編	❷ 共有	コース 12	ポイント ❶ 1	正解 1
	❸ 共有	コース 12	ポイント ❶ 3	
	❹ 共有	コース 12	ポイント ❶ 5	

❶ ○ 他人物売買も有効

A は、自己の持分については自由に処分することができますが、他の共有者 B・C の持分については、他人物売買となります。建物を売却したということは、A・B・C の持分全てを売却したことになります。ただ、他人物売買も有効なので、B・C の持分を売却することは可能ですが、他人の権利の売買となります。

❷ ✕ 共有者の1人が占有中、他の共有者は明渡請求不可

共有者の1人が占有している場合、他の共有者は当然には明渡請求をすることはできません。今回は、3人とも共有持分を有するので、共有者の誰かが使用しているときに当然に「出て行け」と請求することはできません。

❸ ✕ 不法占拠者へは単独で明渡請求可

不法占有している人に対して「出て行け」と請求するのは保存行為であり、各共有者が単独ですることができます。

❹ ✕ 分割方法として有効

分割の方法として、建物を誰か1人のものとして、残りの人には金銭で支払うという方法は有効です。

ちょこっと よりみちトーク

❷と❸の違いがよくわかりません…。

❷は使う権利のある人が使っているのだから、他の人は文句を言えないよ。でも、❸は不法占有者で、使う権利のない人が使っているのだから、文句を言えるんだ。

共有

A、B及びCが、建物を共有している場合（持分を各3分の1とする。）に関する次の記述のうち、民法の規定によれば、誤っているものはどれか。

❶ Aは、BとCの同意を得なければ、この建物に関するAの共有持分権を売却することはできない。

❷ Aは、BとCの同意を得なければ、この建物にその形状又は効用の著しい変更を伴わないものを除く変更を加えることはできない。

❸ Aが、その共有持分を放棄した場合、この建物は、BとCの共有となり、共有持分は各2分の1となる。

❹ 各共有者は何時でも共有物の分割を請求できるのが原則であるが、5年を超えない期間内であれば分割をしない旨の契約をすることができる。

全問◎を
目指そう!

| 1回目 | / | 2回目 | / | 3回目 | / | 4回目 | / | 5回目 | / |
| 手応え | | 手応え | | 手応え | | 手応え | | 手応え | |

◎：完全に分かってきた
○：だいたい分かってきた
△：少し分かってきた
×：全く分からなかった

136

肢別テーマ テキスト第1編	❶ 共有	コース 12 ポイント ❶ 2
	❷ 共有	コース 12 ポイント ❶ 3
	❸ 共有	コース 12 ポイント ❶ 2
	❹ 共有	コース 12 ポイント ❶ 4

正解 **1**

❶ ✕ 持分処分は単独可

共有者が自己の持分を処分するのは単独ですることができます。つまり、Aが持分を売却する際にも、BやCの同意は不要です。

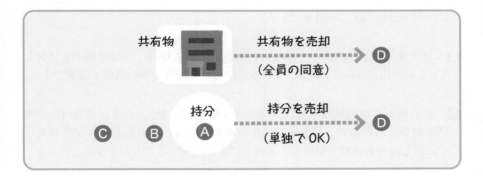

❷ ○ 変更行為→全員の同意が必要

各共有者は、他の共有者の全員の同意がなければ、共有物に変更（その形状又は効用の著しい変更を伴わないものを除く）を加えることはできません。したがって、BとCの同意が必要です。

❸ ○ 放棄した持分は他の共有者に帰属

共有者の1人が相続人なくして死亡した場合、又は持分を放棄した場合には、その持分は他の共有者に帰属します。

❹ ○ 5年を超えない期間内であれば可

いつでも自由に共有関係を解消することができるのが原則です。ただし、5年を超えない期間内なら共有物を分割しないという特約をすることも可能です。特約の更新も可能ですが、それも5年を超えない期間という制限があります。

共
有

137

A、B及びCが、持分を各3分の1として甲土地を共有している場合に関する次の記述のうち、民法の規定及び判例によれば、誤っているものはどれか。

❶ 甲土地全体がDによって不法に占有されている場合、Aは単独でDに対して、甲土地の明渡しを請求できる。

❷ 甲土地全体がEによって不法に占有されている場合、Aは単独でEに対して、Eの不法占有によってA、B及びCに生じた損害全額の賠償を請求できる。

❸ 共有物たる甲土地の分割について共有者間に協議が調わず、裁判所に分割請求がなされた場合、裁判所は、甲土地全体をAの所有とし、AからB及びCに対し持分の価格を賠償させる方法により分割することができる。

❹ Aが死亡し、相続人の不存在が確定した場合、Aの持分は、民法第958条の2の特別縁故者に対する財産分与の対象となるが、当該財産分与がなされない場合はB及びCに帰属する。

1回目	/	2回目	/	3回目	/	4回目	/	5回目	/
手応え		手応え		手応え		手応え		手応え	

◎：完全に分かってきた
○：だいたい分かってきた
△：少し分かってきた
×：全く分からなかった

肢別テーマ	❶ 共有	コース 12 ポイント ❶ ❸	
テキスト 第1編	❷ 共有	コース 12 ポイント ❶ ❸	正解 2
	❸ 共有	コース 12 ポイント ❶ ❺	
	❹ 共有	コース 12 ポイント ❶ ❷	

❶ ○ 不法占拠者へは単独で明渡請求可

不法占有している人に対して「出て行け」と請求するのは保存行為であり、各共有者が単独ですることができます。

❷ × 自分の持分割合のみ請求可

不法占有者へ損害賠償請求する場合には、自分の持分の割合だけしか請求できません。したがって、AはAの持分の割合のみで請求でき、B・Cの持分の割合については請求できません。

❸ ○ 分割方法として有効

分割の方法として、土地全体を誰か1人のものとして、残りの人には金銭で支払うという方法は有効です。

❹ ○ 持分は他の共有者に帰属

共有者の1人が死亡して、相続人がいない場合、特別縁故者への財産分与もなかったとき、その持分は他の共有者のものとなります。

共
有

不動産の共有に関する次の記述のうち、民法の規定によれば、誤っているものはどれか。

❶ 共有物の各共有者の持分が不明な場合、持分は平等と推定される。

❷ 各共有者は、他の共有者の同意を得なければ、共有物にその形状又は効用の著しい変更を加えることができない。

❸ 共有物の保存行為については、各共有者が単独ですることができる。

❹ 共有者の一人が死亡して相続人がないときは、その持分は国庫に帰属する。

◎：完全に分かってきた
○：だいたい分かってきた
△：少し分かってきた
×：全く分からなかった

肢別テーマ			
テキスト第1編	❶ 共有	コース 12 ポイント ❶ ❷	
	❷ 共有	コース 12 ポイント ❶ ❸	正解 4
	❸ 共有	コース 12 ポイント ❶ ❸	
	❹ 共有	コース 12 ポイント ❶ ❷	

❶ ○ 平等と推定

各共有者の持分については、特に決めていない限り、平等であると推定されます。

❷ ○ 重大変更→全員の同意が必要

各共有者は、他の共有者の同意を得なければ、共有物に変更（その形状又は効用の著しい変更を伴わないものを除く。）を加えることができません。なお、軽微変更（＝その形状又は効用の著しい変更を伴わない変更行為）であれば、持分価格の過半数で決することができます。

❸ ○ 保存行為→単独で可

保存行為は、各共有者が単独ですることができます。

❹ ✕ 死亡した共有者の持分は他の共有者に帰属する

共有者の1人が相続人なくして死亡した場合、又は持分を放棄した場合には、その持分は他の共有者に帰属します。国庫に帰属するわけではありません。

共有

建物の区分所有等に関する法律に関する次の記述のうち、正しいものはどれか。

❶ 共用部分の変更（その形状又は効用の著しい変更を伴わないものを除く。）を行うためには、区分所有者及び議決権の各4分の3以上の多数による集会の決議が必要であるが、議決権については規約で過半数まで減ずることができる。

❷ 区分所有建物の一部が滅失し、その滅失した部分が建物の価格の2分の1を超える場合、滅失した共用部分の復旧を集会で決議するためには、区分所有者及び議決権の各4分の3以上の多数が必要であり、規約で別段の定めをすることはできない。

❸ 共用部分の保存行為を行うためには、規約で別段の定めのない場合は、区分所有者及び議決権の各過半数による集会の決議が必要である。

❹ 規約の変更が一部の区分所有者の権利に特別の影響を及ぼす場合で、その区分所有者の承諾を得られないときは、区分所有者及び議決権の各4分の3以上の多数による決議を行うことにより、規約の変更ができる。

1回目	2回目	3回目	4回目	5回目
手応え	手応え	手応え	手応え	手応え

◎：完全に分かってきた
○：だいたい分かってきた
△：少し分かってきた
×：全く分からなかった

肢別テーマ テキスト 第1編	❶ 集会と決議	コース 13 ポイント ❸ 3	正解 2
	❷ 集会と決議	コース 13 ポイント ❸ 5	
	❸ 建物区分所有法	コース 13 ポイント ❶ 4	
	❹ 管理と規約	コース 13 ポイント ❷ 2	

❶ ✕ 過半数にできるのは議決権ではなく区分所有者の定数

重大変更をするには、原則として区分所有者及び議決権の各4分の3以上の賛成が必要です。ただし、区分所有者の定数だけは規約で過半数まで減じることが可能です。議決権を減じることはできません。

❷ ○ 大規模滅失→4分の3以上

大規模（＝建物の価格の2分の1を超える）滅失の復旧の場合、区分所有者及び議決権の各4分の3以上の賛成が必要です。この数字は規約で変更することはできません。

❸ ✕ 保存行為→各区分所有者が単独で可

共用部分の保存行為は原則として各区分所有者が単独でできます。したがって、原則として集会の決議は不要です。なお、規約で集会の決議が必要であると定めることは可能ですが、今回は「規約の定めがない場合」ですので注意してください。

❹ ✕ 特別の影響を受ける区分所有者の承諾が必要

規約の変更には、区分所有者及び議決権の各4分の3以上の賛成が必要です。しかし、規約の設定、変更又は廃止が一部の区分所有者の権利に特別の影響を及ぼすべきときは、その者の承諾を得なければなりません。

 図表まとめ

● ＜民法と建物区分所有法の比較＞

	民法（共有）	建物区分所有法
軽微変更	過半数※1	過半数※2
重大変更	全員	4分の3以上※2

※1　持分価格　　※2　区分所有者及び議決権

建物区分所有法

143

建物の区分所有等に関する法律（以下この問において「区分所有法」という。）に関する次の記述のうち、正しいものはどれか。

❶ 共用部分の保存行為については、各区分所有者は、いかなる場合でも自ら単独で行うことができる。

❷ 建物の価格の3分の1に相当する部分が滅失したときは、規約に別段の定め又は集会の決議がない限り、各区分所有者は、自ら単独で滅失した共用部分の復旧を行うことはできない。

❸ 建物の価格の3分の2に相当する部分が滅失したときは、集会において、区分所有者及び議決権の各4分の3以上の多数で、滅失した共用部分を復旧する旨の決議をすることができる。

❹ 区分所有法第62条第1項に規定する建替え決議は、規約で別段の定めをすれば、区分所有者及び議決権の各4分の3以上の多数により行うことができる。

全問◎を
目指そう！

| 1回目 | / | 2回目 | / | 3回目 | / | 4回目 | / | 5回目 | / |
| 手応え | | 手応え | | 手応え | | 手応え | | 手応え | |

◎：完全に分かってきた
○：だいたい分かってきた
△：少し分かってきた
×：全く分からなかった

❶ ✕ 保存行為→単独可（規約で別段の定めも可）

共用部分の保存行為は原則として単独でできます。しかし、規約で別段の定めがあるのであれば、それに従うので、いかなる場合でも単独でできるわけではありません。

❷ ✕ 小規模滅失→単独で復旧可

小規模（＝建物の価格の2分の1以下）滅失の場合には、各区分所有者が単独で復旧できます。ちなみに、集会で復旧決議をする場合には区分所有者及び議決権の各過半数の賛成が必要です。

❸ ○ 大規模滅失→4分の3以上

大規模（＝建物の価格の2分の1を超える）滅失の復旧の場合、区分所有者及び議決権の各4分の3以上の賛成が必要です。

❹ ✕ 建替え→5分の4以上

建替え決議は区分所有者及び議決権の各5分の4以上の賛成が必要です。これについては規約で別段の定めをすることはできません。

 図表まとめ

● **＜規約で別段の定め＞**
  ● 過半数　　　　　→　ＯＫ
  ● 5分の4以上　→　ＮＧ
  ● 4分の3以上　→　ＮＧ
  （例外：重大変更→区分所有者の定数のみ過半数まで減ずることができる）

建物の区分所有等に関する法律（以下この問において「区分所有法」という。）に関する次の記述のうち、誤っているものはどれか。

❶ 区分所有者の5分の1以上で議決権の5分の1以上を有するものは、管理者に対し、会議の目的たる事項を示して、集会の招集を請求することができるが、この定数は、規約によって減ずることができる。

❷ その形状又は効用の著しい変更を伴わない共用部分の変更については、規約に別段の定めがない場合は、区分所有者及び議決権の各過半数による集会の決議で決することができる。

❸ 占有者は、建物又はその敷地若しくは附属施設の使用方法につき、区分所有者が規約又は集会の決議に基づいて負う義務と同一の義務を負う。

❹ 区分所有法第62条第1項に規定する建替え決議が集会においてなされた場合、決議に反対した区分所有者は、決議に賛成した区分所有者に対し、建物及びその敷地に関する権利を時価で買い取るべきことを請求することができる。

全問◎を
目指そう!

1回目 /	2回目 /	3回目 /	4回目 /	5回目 /
手応え	手応え	手応え	手応え	手応え

◎：完全に分かってきた
〇：だいたい分かってきた
△：少し分かってきた
×：全く分からなかった

146

❶ ○　**規約で減ずることは可**

区分所有者の5分の1以上で、議決権の5分の1以上を有する者は、管理者に対して集会の招集を請求することができます。この定数は規約で減ずることができます（増やすことはできません）。

❷ ○　**軽微変更→過半数**

その形状または効用の著しい変更を伴わない変更（＝軽微変更）については、区分所有者及び議決権の各過半数の賛成で決することができます。

❸ ○　**占有者も同一の義務**

占有者も、区分所有者と同様に、規約や集会の決議に基づいて負う義務と同一の義務を負います。集会の決議や規約は、そこにいる全員が守らなければ意味がありません。占有者であろうが、決まった後に区分所有者になった者であろうが、そこに住む以上は使用方法のルールは守らなければなりません。

❹ ×　

賛成者から反対者に売渡請求ができるのであって、反対者から賛成者に買取請求ができるわけではありません。

建物の区分所有等に関する法律に関する次の記述のうち、誤っているものはどれか。

❶ 規約は、管理者が保管しなければならない。ただし、管理者がないときは、建物を使用している区分所有者又はその代理人で規約又は集会の決議で定めるものが保管しなければならない。

❷ 最初に建物の専有部分の全部を所有する者は、公正証書により、建物の共用部分を定める規約を設定することができる。

❸ 規約を保管する者は、利害関係人の請求があったときは、正当な理由がある場合を除いて、規約の閲覧を拒んではならない。

❹ 規約の保管場所は、各区分所有者に通知するとともに、建物内の見やすい場所に掲示しなければならない。

1 回目	/	2 回目	/	3 回目	/	4 回目	/	5 回目	/
手応え		手応え		手応え		手応え		手応え	

◎：完全に分かってきた
○：だいたい分かってきた
△：少し分かってきた
×：全く分からなかった

肢別テーマ			
❶ 管理と規約	コース 13	ポイント❷❷	
❷ 管理と規約	コース 13	ポイント❷❷	正解 **4**
❸ 管理と規約	コース 13	ポイント❷❷	
❹ 管理と規約	コース 13	ポイント❷❷	

❶　○　規約は原則として管理者が保管

規約は管理者が保管しますが、管理者がない場合には、建物を使用している区分所有者又はその代理人で、規約または集会の決議で定める者が保管します。

❷　○　公正証書→最初に建物の専有部分の全部を所有する者

最初に建物の専有部分の全部を所有する者（＝分譲業者など）は、公正証書によって、建物の共用部分を定める規約を設定することができます。

❸　○　規約の閲覧は拒んではならない

規約を保管する者は、利害関係人の請求があったときは、正当な理由がある場合を除いて、規約の閲覧を拒んではなりません。

❹　✕　保管場所の掲示は必要だが通知の必要はなし

規約の保管場所は建物内の見やすい場所（＝エントランスなど）に掲示しなければなりませんが、規約の保管場所を通知する必要はありません。

建物の区分所有等に関する法律に関する次の記述のうち、正しいものはどれか。

❶ 管理者は、少なくとも毎年2回集会を招集しなければならない。また、区分所有者の5分の1以上で議決権の5分の1以上を有するものは、管理者に対し、集会の招集を請求することができる。

❷ 集会は、区分所有者及び議決権の各4分の3以上の多数の同意があるときは、招集の手続きを経ないで開くことができる。

❸ 区分所有者は、規約に別段の定めがない限り集会の決議によって、管理者を選任し、又は解任することができる。

❹ 規約は、管理者が保管しなければならない。ただし、管理者がないときは、建物を使用している区分所有者又はその代理人で理事会又は集会の決議で定めるものが保管しなければならない。

1回目	/	2回目	/	3回目	/	4回目	/	5回目	/
手応え		手応え		手応え		手応え		手応え	

◎：完全に分かってきた
○：だいたい分かってきた
△：少し分かってきた
×：全く分からなかった

肢別テーマ テキスト 第1編	❶ 集会と決議	コース 13 ポイント ❸ 1
	❷ 集会と決議	コース 13 ポイント ❸ 2
	❸ 管理と規約	コース 13 ポイント ❷ 1
	❹ 管理と規約	該当なし

正解 **3**

❶ **✕ 少なくとも毎年1回、集会を招集**

　管理者は、少なくとも毎年1回、集会を招集しなければなりません。なお、区分所有者の5分の1以上で議決権の5分の1以上を有するものは、管理者に対し、集会の招集を請求することができます。したがって、後半の記述は正しいです。

❷ **✕ 全員の同意があれば招集手続不要**

　区分所有者全員の同意があれば、招集の手続きを経ないで集会を開くことができます。

❸ **◯ 管理者の選任・解任は普通決議**

　管理組合には管理者を置くことができます。管理者は、規約で別段の定めがない限り、集会の決議によって選任・解任をします。なお、選任の際も解任の際も普通決議（＝区分所有者及び議決権の各過半数）で行います。

❹ **✕**

　規約は管理者が保管しますが、管理者がない場合には、建物を使用している区分所有者又はその代理人で、規約または集会の決議で定める者が保管します。理事会で定める者が保管するわけではありません。

建物の区分所有等に関する法律に関する次の記述のうち、誤っているものはどれか。

❶ 区分所有者の承諾を得て専有部分を占有する者は、会議の目的たる事項につき利害関係を有する場合には、集会に出席して議決権を行使することができる。

❷ 区分所有者の請求によって管理者が集会を招集した際、規約に別段の定めがある場合及び別段の決議をした場合を除いて、管理者が集会の議長となる。

❸ 管理者は、集会において、毎年一回一定の時期に、その事務に関する報告をしなければならない。

❹ 一部共用部分は、区分所有者全員の共有に属するのではなく、これを共用すべき区分所有者の共有に属する。

全問◎を
目指そう!

1回目	/	2回目	/	3回目	/	4回目	/	5回目	/
手応え		手応え		手応え		手応え		手応え	

◎：完全に分かってきた
○：だいたい分かってきた
△：少し分かってきた
×：全く分からなかった

❶ **×　議決権はない**

占有者は、会議の目的たる事項につき利害関係を有する場合には、集会に出席して意見を述べることができます。しかし、**議決権はありません**。

❷ ○

規約で別段の定めをした場合などを除いて、管理者が招集した場合には管理者が議長となります。

❸ ○　**管理者は毎年1回事務に関する報告をする**

管理者は、毎年1回一定の時期に、事務に関する報告をしなければなりません。

❹ ○

「一部共用部分」とは、一部の人しか使わない共用部分のことです。たとえば、1階が店舗で2階と3階が住居になっているような建物の場合、住居の部分のエントランスやエレベーターは、住居に住む人間しか使わず、店舗の所有者は使用しません。一部共用部分は、一部共用部分を共用すべき区分所有者の共有に属します。区分所有者全員の共有ではありません。なお、一部共用部分であっても、区分所有者全員の規約に定めることはできます。

建物の区分所有等に関する法律に関する次の記述のうち、誤っているものはどれか。

❶ 規約の設定、変更又は廃止を行う場合は、区分所有者の過半数による集会の決議によってなされなければならない。

❷ 規約を保管する者は、利害関係人の請求があったときは、正当な理由がある場合を除いて、規約の閲覧を拒んではならず、閲覧を拒絶した場合は20万円以下の過料に処される。

❸ 規約の保管場所は、建物内の見やすい場所に掲示しなければならない。

❹ 占有者は、建物又はその敷地若しくは附属施設の使用方法につき、区分所有者が規約又は集会の決議に基づいて負う義務と同一の義務を負う。

全問◎を
目指そう!

| 1回目 | / | 2回目 | / | 3回目 | / | 4回目 | / | 5回目 | / |
| 手応え | | 手応え | | 手応え | | 手応え | | 手応え | |

◎：完全に分かってきた
○：だいたい分かってきた
△：少し分かってきた
×：全く分からなかった

154

肢別テーマ テキスト第1編	❶ 管理と規約	コース 13 ポイント ❷ ❷	正解 1
	❷ 管理と規約	コース 13 ポイント ❷ ❷	
	❸ 管理と規約	コース 13 ポイント ❷ ❷	
	❹ 管理と規約	コース 13 ポイント ❷ ❷	

❶　✕　区分所有者及び議決権の各4分の3以上

規約の設定・変更・廃止は、区分所有者及び議決権の各4分の3以上の多数の集会の決議によって行います。

❷　○　規約の閲覧は拒んではならない

規約を保管する者は、利害関係人の請求があったときは、正当な理由がある場合を除いて、規約の閲覧を拒んではなりません。これに違反した場合には、20万円以下の過料に処せられます。

❸　○　建物内の見やすい場所に掲示

規約の保管場所は、建物内の見やすい場所に掲示しなければなりません。

❹　○　占有者も使用方法について同一の義務

占有者も、建物またはその敷地もしくは附属施設の使用方法について区分所有者と同様に、規約や集会の決議に基づいて負う義務と同一の義務を負います。

ちょこっと よりみちトーク

「過半数」とか「4分の3」とかいろいろあって混乱する！

過半数以外のものを覚えて、その他はすべて過半数と考えるとよいよ！

なるほど！

ＯＫ！

Aを貸主、Bを借主として甲建物の賃貸借契約が令和7年7月1日に締結された場合の甲建物の修繕に関する次の記述のうち、民法の規定によれば、誤っているものはどれか。

❶ 甲建物の修繕が必要であることを、Aが知ったにもかかわらず、Aが相当の期間内に必要な修繕をしないときは、Bは甲建物の修繕をすることができる。

❷ 甲建物の修繕が必要である場合において、BがAに修繕が必要である旨を通知したにもかかわらず、Aが必要な修繕を直ちにしないときは、Bは甲建物の修繕をすることができる。

❸ Bの責めに帰すべき事由によって甲建物の修繕が必要となった場合は、Aは甲建物を修繕する義務を負わない。

❹ 甲建物の修繕が必要である場合において、急迫の事情があるときは、Bは甲建物の修繕をすることができる。

全問◎を
目指そう!

1回目	/	2回目	/	3回目	/	4回目	/	5回目	/
手応え		手応え		手応え		手応え		手応え	

◎：完全に分かってきた
○：だいたい分かってきた
△：少し分かってきた
×：全く分からなかった

肢別テーマ テキスト 第1編	❶ 賃貸借契約のしくみ	コース 14 ポイント ❶ ❸	正解 2
	❷ 賃貸借契約のしくみ	コース 14 ポイント ❶ ❸	
	❸ 賃貸借契約のしくみ	該当なし	
	❹ 賃貸借契約のしくみ	コース 14 ポイント ❶ ❸	

賃貸借

❶ ○ 貸主が修繕しない場合は可

賃借物である甲建物の修繕が必要である場合において、賃貸人であるAがその旨を知ったにもかかわらず、Aが相当の期間内に必要な修繕をしないとき、賃借人であるBは、甲建物の修繕をすることができます。

❷ ✕ 直ちにではなく、相当期間経過後

甲建物の修繕が必要である場合において、BがAに修繕が必要である旨を通知したにもかかわらず、Aが相当の期間内に必要な修繕をしないとき、Bは、甲建物の修繕をすることができます。したがって、Bが甲建物の修繕をすることができるのは「直ちにしないとき」ではなく「相当の期間内にしないとき」です。

❸ ○ 借主の責めに帰すべき事由→貸主は修繕義務を負わない

賃貸人は、賃貸物の使用及び収益に必要な修繕をする義務を負います。ただし、賃借人の責めに帰すべき事由によってその修繕が必要となったときは、この限りではありません。したがって、Bの責めに帰すべき事由によってその修繕が必要となった場合は、Aは、修繕をする義務を負いません。

❹ ○ 急迫の事情がある場合は可

甲建物の修繕が必要である場合において、急迫の事情があるときは、Bは、甲建物の修繕をすることができます。

建物の賃貸借契約が期間満了により終了した場合における次の記述のうち、民法の規定によれば、正しいものはどれか。なお、原状回復義務について特段の合意はないものとする。

❶ 賃借人は、賃借物を受け取った後にこれに生じた損傷がある場合、通常の使用及び収益によって生じた損耗も含めてその損傷を原状に復する義務を負う。

❷ 賃借人は、賃借物を受け取った後にこれに生じた損傷がある場合、賃借人の帰責事由の有無にかかわらず、その損傷を原状に復する義務を負う。

❸ 賃借人から敷金の返還請求を受けた賃貸人は、賃貸物の返還を受けるまでは、これを拒むことができる。

❹ 賃借人は、未払賃料債務がある場合、賃貸人に対し、敷金をその債務の弁済に充てるよう請求することができる。

全問◎を
目指そう!

1回目 /	2回目 /	3回目 /	4回目 /	5回目 /
手応え	手応え	手応え	手応え	手応え

◎：完全に分かってきた
○：だいたい分かってきた
△：少し分かってきた
×：全く分からなかった

158

肢別テーマ
テキスト
第1編

❶ 賃貸借契約のしくみ 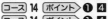 コース 14 ポイント ❶ 4
❷ 賃貸借契約のしくみ コース 14 ポイント ❶ 4
❸ 敷金 コース 14 ポイント ❸ 2
❹ 敷金 コース 14 ポイント ❸ 1

正解 3

賃貸借

❶ ✕ **通常損耗については原状回復義務を負わない**

賃借人は、原則として、賃貸借が終了したときは、その損傷を原状に復する義務を負います。しかし、通常の使用及び収益によって生じた賃借物の損耗（＝通常損耗）並びに賃借物の経年変化はこの対象となっていません。

❷ ✕ **賃借人に帰責事由がない場合、原状回復義務を負わない**

賃借人は、原則として、賃貸借が終了したときは、その損傷を原状に復する義務を負います。しかし、その損傷が賃借人の責めに帰することができない事由によるものであるときは、この義務を負いません。

❸ ◯ **敷金の返還債務と目的物の明渡しは同時履行ではい**

敷金の返還債務と目的物の明渡しは、同時履行ではなく、明渡しが先となります。そのため、建物の返還を受けるまでは、敷金を返還する必要はありません。したがって、賃貸物の返還を受けるまでは、これを拒むことができます。

❹ ✕ **賃借人からの主張は不可**

賃貸人のほうから敷金から充当することを主張することは可能ですが、賃借人から主張することはできません。

 図表まとめ

● ＜原状回復義務を負わないもの＞

1 通常の使用収益により生じた損耗（通常損耗）

2 経年劣化によるもの

3 賃借人に帰責事由のない損耗（第三者による損耗）

借主Aは、B所有の建物について貸主Bとの間で賃貸借契約を締結し、敷金として賃料2カ月分に相当する金額をBに対して支払ったが、当該敷金についてBによる賃料債権への充当はされていない。この場合、民法の規定及び判例によれば、次の記述のうち正しいものはどれか。

❶ 賃貸借契約が終了した場合、建物明渡しと敷金返還とは同時履行の関係に立たず、Aの建物明渡しはBから敷金の返還された後に行えばよい。

❷ 賃貸借契約期間中にBが建物をCに譲渡した場合で、Cが賃貸人の地位を承継したとき、敷金に関する権利義務は当然にCに承継される。

❸ 賃貸借契約期間中にAがDに対して賃借権を譲渡した場合で、Bがこの賃借権譲渡を承諾したとき、敷金に関する権利義務は当然にDに承継される。

❹ 賃貸借契約が終了した後、Aが建物を明け渡す前に、Bが建物をEに譲渡した場合で、BE間でEに敷金を承継させる旨を合意したとき、敷金に関する権利義務は当然にEに承継される。

全問◎を
目指そう!

1回目	/	2回目	/	3回目	/	4回目	/	5回目	/
手応え		手応え		手応え		手応え		手応え	

◎:完全に分かってきた
○:だいたい分かってきた
△:少し分かってきた
×:全く分からなかった

❶ × **明渡しが先履行**

敷金の返還債務と目的物の明渡しは、同時履行ではなく、明渡しが先となります。そのため、前半の記述は正しいですが、建物の明渡し後に敷金を返還すればよいため、後半が誤りとなります。

❷ 〇 **賃貸人変更→敷金承継可**

賃貸借契約期間中に賃貸人が変わった（＝オーナーチェンジ）場合には、敷金は承継されます。

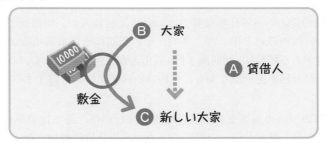

❸ × **賃借人変更→敷金承継不可**

賃貸借契約期間中に賃借人が変わった場合には、敷金は承継されません。

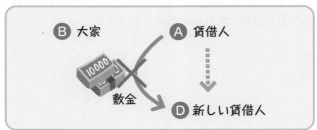

❹ ×

建物賃貸借契約が終了した後、建物の明渡し前に、建物の所有権が移転した場合、敷金に関する権利義務は、旧所有者と新所有者の合意のみによっては、新所有者に承継されません。

建物賃貸借契約（以下この問において「契約」という。）の終了に関する次の記述のうち、借地借家法の規定によれば、正しいものはどれか。

❶ 期間の定めのある建物賃貸借において、賃貸人が、期間満了の1年前から6月前までの間に、更新しない旨の通知を出すのを失念したときは、賃貸人に借地借家法第28条に定める正当事由がある場合でも、契約は期間満了により終了しない。

❷ 期間の定めのある建物賃貸借において、賃貸人が、期間満了の10月前に更新しない旨の通知を出したときで、その通知に借地借家法第28条に定める正当事由がある場合は、期間満了後、賃借人が使用を継続していることについて、賃貸人が異議を述べなくても、契約は期間満了により終了する。

❸ 期間の定めのある契約が法定更新された場合、その後の契約は従前と同一条件となり、従前と同一の期間の定めのある賃貸借契約となる。

❹ 期間の定めのない契約において、賃貸人が、解約の申入れをしたときで、その通知に借地借家法第28条に定める正当事由がある場合は、解約の申入れの日から3月を経過した日に、契約は終了する。

1回目	/	2回目	/	3回目	/	4回目	/	5回目	/
手応え		手応え		手応え		手応え		手応え	

◎：完全に分かってきた
○：だいたい分かってきた
△：少し分かってきた
×：全く分からなかった

肢別テーマ	❶ 借地借家法（借家）	コース 15 ポイント ❶ ❸	
テキスト 第1編	❷ 借地借家法（借家）	コース 15 ポイント ❶ ❸	正解 1
	❸ 借地借家法（借家）	コース 15 ポイント ❶ ❸	
	❹ 借地借家法（借家）	コース 15 ポイント ❶ ❸	

❶ ○ 通知していないため法定更新

期間満了の1年前から6カ月前までの間に、賃貸人が更新拒絶の通知をしないと、自動的に更新することになります。正当事由があっても、通知していない限り、更新はされてしまいます。

❷ ✕ 賃借人使用継続＋賃貸人異議なし＝更新

更新拒絶の通知をしたとしても、期間満了後、賃借人が使用を続け、賃貸人が異議を述べない場合は更新となってしまいます。

❸ ✕ 法定更新→期間は定めのないものとなる

法定更新の場合、従前の契約と同一内容で更新されますが、期間だけは期間の定めのない契約となります。

❹ ✕ 賃貸人からの解約申入れ→6カ月

期間の定めのない場合、賃貸人から正当事由ある解約申入れが行われると、それから6カ月経過したときに契約は終了します。3カ月経過ではありません。

AはBに対し甲建物を月 20 万円で賃貸し、Bは、Aの承諾を得たうえで、甲建物の一部をCに対し月 10 万円で転貸している。この場合、民法及び借地借家法の規定並びに判例によれば、誤っているものはどれか。

❶ 転借人Cは、賃貸人Aに対しても、月 10 万円の範囲で、賃料支払債務を直接に負担する。

❷ 賃貸人Aは、AB間の賃貸借契約が期間の満了によって終了するときは、転借人Cに対しその旨の通知をしなければ、賃貸借契約の終了をCに対し対抗することができない。

❸ AB間で賃貸借契約を合意解除しても、転借人Cに不信な行為があるなどの特段の事情がない限り、賃貸人Aは、転借人Cに対し明渡しを請求することはできない。

❹ 賃貸人AがAB間の賃貸借契約を賃料不払いを理由に解除する場合は、転借人Cに通知等をして賃料をBに代わって支払う機会を与えなければならない。

全問○を
目指そう!

1回目	2回目	3回目	4回目	5回目
手応え	手応え	手応え	手応え	手応え

◎：完全に分かってきた
○：だいたい分かってきた
△：少し分かってきた
×：全く分からなかった

肢別テーマ テキスト第1編	❶ 転貸・賃借権の譲渡	コース 14 ポイント ❷ 3		
	❷ 借地借家法（借家）	コース 15 ポイント ❶ 7		
	❸ 借地借家法（借家）	コース 15 ポイント ❶ 7	正解	4
	❹ 借地借家法（借家）	コース 15 ポイント ❶ 7		

❶ ○ 安い方を請求可

賃貸人は、賃借料と転借料のうち、**安いほうの金額**の支払いを転借人に請求することができます。転借料のほうが安い（10万円）のでその額までとなります。

転借人には安いほうの10万円を請求することができます。

❷ ○ 期間満了→通知＋6カ月

賃貸借契約が期間の満了により終了した場合、賃貸人は転借人に通知をしなければ賃貸借契約の終了を転借人に対抗することはできません。

❸ ○ 合意解除→転借人に対抗不可

賃貸借契約が合意解除された場合、賃貸人は、その解除を転借人に対抗することはできません。

❹ ✕ 賃料支払いの機会を与える必要なし

賃貸借契約が債務不履行解除の場合、賃貸人の転借人に対する明渡請求によって転貸借も終了します。その際に、転借人に賃料支払いの機会を与える必要はありません。

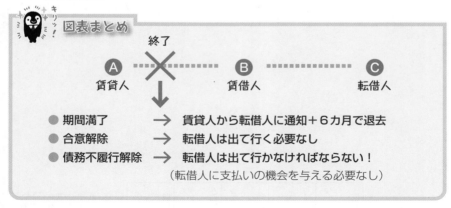

図表まとめ

● 期間満了　→　賃貸人から転借人に通知＋6カ月で退去
● 合意解除　→　転借人は出て行く必要なし
● 債務不履行解除　→　転借人は出て行かなければならない！
（転借人に支払いの機会を与える必要なし）

借地借家法（借家）

Aは、A所有の甲建物につき、Bとの間で期間を10年とする借地借家法第38条第1項の定期建物賃貸借契約を締結し、Bは甲建物をさらにCに賃貸（転貸）した。この場合に関する次の記述のうち、民法及び借地借家法の規定並びに判例によれば、正しいものはどれか。

❶　BがAに無断で甲建物をCに転貸した場合には、転貸の事情のいかんにかかわらず、AはAB間の賃貸借契約を解除することができる。

❷　Bの債務不履行を理由にAが賃貸借契約を解除したために当該賃貸借契約が終了した場合であっても、BがAの承諾を得て甲建物をCに転貸していたときには、AはCに対して甲建物の明渡しを請求することができない。

❸　AB間の賃貸借契約が期間満了で終了する場合であっても、BがAの承諾を得て甲建物をCに転貸しているときには、BのCに対する解約の申入れについて正当な事由がない限り、AはCに対して甲建物の明渡しを請求することができない。

❹　AB間の賃貸借契約に賃料の改定について特約がある場合には、経済事情の変動によってBのAに対する賃料が不相当となっても、BはAに対して借地借家法第32条第1項に基づく賃料の減額請求をすることはできない。

1回目	/	2回目	/	3回目	/	4回目	/	5回目	/
手応え		手応え		手応え		手応え		手応え	

◎：完全に分かってきた
○：だいたい分かってきた
△：少し分かってきた
×：全く分からなかった

 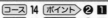

❶ **✕ 背信的行為と認めるに足りない特段の事情があるとき→解除不可**

賃借人が賃貸人に無断で賃借物を転貸した場合、賃貸人は契約を解除できます。しかし、賃貸人に対する背信的行為と認めるに足りない特段の事情があるとき（＝要するに裏切りとまでは言えない場合）は解除できません。したがって、転貸の事情のいかんにかかわらず解除できるわけではありません。

❷ **✕ 債務不履行解除→転貸借も終了**

賃貸借契約が債務不履行解除の場合、賃貸人の転借人に対する明渡請求によって転貸借も終了します。

❸ **✕ 期間満了→通知＋6カ月**

期間満了による終了の場合、転借人へ通知すれば対抗することができ、明渡しを請求することができます。その際、Bに正当事由は必要ありません。

❹ **〇 定期借家→減額しない特約も有効**

定期建物賃貸借契約では、借賃増減請求の特約は、増額しない特約も減額しない特約もそのまま有効となります。賃料の改定について特約がある以上、賃料が不相当となっても減額請求をすることができません。

 **図表まとめ**

● 借賃増減請求

	増額しない特約	減額しない特約
通常の賃貸借	有効	無効
定期建物賃貸借	有効	有効

借地借家法（借家）

問題 84　借地借家法（借家）

重要度 A
2011年 問12 改

Aが所有する甲建物をBに対して賃貸する場合の賃貸借契約の条項に関する次の記述のうち、民法及び借地借家法の規定によれば、誤っているものはどれか。

❶　AB間の賃貸借契約が借地借家法第38条に規定する定期建物賃貸借契約であるか否かにかかわらず、Bの造作買取請求権をあらかじめ放棄する旨の特約は有効に定めることができる。

❷　AB間で公正証書等の書面によって借地借家法第38条に規定する定期建物賃貸借契約を契約期間を2年として締結する場合、契約の更新がなく期間満了により終了することを書面を交付し又は電磁的方法により提供してあらかじめBに説明すれば、期間満了前にAがBに改めて通知しなくても契約が終了する旨の特約を有効に定めることができる。

❸　法令によって甲建物を2年後には取り壊すことが明らかである場合、取り壊し事由を記載した書面又は記録した電磁的記録によって契約を締結するのであれば、建物を取り壊すこととなる2年後には更新なく賃貸借契約が終了する旨の特約を有効に定めることができる。

❹　AB間の賃貸借契約が一時使用目的の賃貸借契約であって、賃貸借契約の期間を定めた場合には、Bが賃貸借契約を期間内に解約することができる旨の特約を定めていなければ、Bは賃貸借契約を中途解約することはできない。

1回目	2回目	3回目	4回目	5回目
手応え	手応え	手応え	手応え	手応え

◎：完全に分かってきた
○：だいたい分かってきた
△：少し分かってきた
×：全く分からなかった

肢別テーマ	❶ 借地借家法（借家）	コース 15	ポイント ❶ 5	正解	2
テキスト 第1編	❷ 定期建物賃貸借	コース 15	ポイント ❷ 1		
	❸ 定期建物賃貸借	コース 15	ポイント ❷ 2		
	❹ 賃貸借契約のしくみ	コース 14	ポイント ❶ 5		

❶ ○ **造作買取請求権を認めない特約は有効**

造作買取請求権を認めないとする特約は有効となります。この特約は、建物賃貸借契約が定期建物賃貸借契約であるか否かを問わず、有効に定めることができます。

❷ ✕ **1年前から6カ月前までの間に通知**

1年以上の定期建物賃貸借契約の場合は、**期間満了の1年前から6カ月前までの間に**、期間満了で終了するという通知をしなければなりません。この通知を忘れると、賃貸人は、賃借人に対して、定期建物賃貸借契約期間満了の時に当該賃貸借契約が終了したことを対抗できません。そして、これに反する特約で建物の賃借人に不利なものは、無効とされます。

❸ ○ **取壊し予定の建物賃貸借→書面（電磁的記録）**

取壊し予定建物については、**建物を取り壊すべき事由を記載した書面又は記録した電磁的記録によれば**、建物を取り壊すこととなる時に賃貸借契約が終了する旨の特約を定めることができます。

❹ ○ **期間を定めたら原則として中途解約は不可**

期間を定めた場合、原則として中途解約はできません。したがって、民法では、期間を定めた賃貸借契約については、期間内に解約する権利を留保しなければ（＝中途解約が可能であるという特約を設定しなければ）、各当事者は解約の申入れをすることができません。

 ちょこっと **よりみちトーク**

中途解約ってできないの？

期間も含めて約束だからね。もちろん、中途解約OKの特約がある場合などは中途解約できるよ！

たしかに「2年間この家を借りるね！」と言いながらすぐに退去してしまったら、家賃が手に入らなくなるから大家さんも困ってしまうよね。

借地借家法（借家）

Aは、B所有の甲建物につき、居住を目的として、期間2年、賃料月額10万円と定めた賃貸借契約（以下この問において「本件契約」という。）をBと締結して建物の引渡しを受けた。この場合における次の記述のうち、民法及び借地借家法の規定並びに判例によれば、誤っているものはどれか。

❶ 本件契約期間中にBが甲建物をCに売却した場合、Aは甲建物に賃借権の登記をしていなくても、Cに対して甲建物の賃借権があることを主張することができる。

❷ AがBとの間の信頼関係を破壊し、本件契約の継続を著しく困難にした場合であっても、Bが本件契約を解除するためには、民法第541条所定の催告が必要である。

❸ 本件契約が借地借家法第38条の定期建物賃貸借契約であって、造作買取請求権を排除する特約がない場合、Bの同意を得てAが甲建物に付加した造作については、期間満了で本件契約が終了するときに、Aは造作買取請求権を行使できる。

❹ 本件契約が借地借家法第38条の定期建物賃貸借契約であって、賃料の改定に関する特約がない場合、契約期間中に賃料が不相当になったと考えたA又はBは、賃料の増減額請求権を行使できる。

全問◎を
目指そう！

1回目 /	2回目 /	3回目 /	4回目 /	5回目 /
手応え	手応え	手応え	手応え	手応え

◎：完全に分かってきた
○：だいたい分かってきた
△：少し分かってきた
×：全く分からなかった

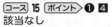

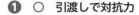

肢別テーマ	❶ 借地借家法（借家）	コース 15 ポイント ❶ ❹
テキスト第1編	❷ 賃貸借契約のしくみ	該当なし
	❸ 定期建物賃貸借	該当なし
	❹ 定期建物賃貸借	コース 15 ポイント ❷ ❶

正解 **2**

借地借家法（借家）

❶ ○ 引渡しで対抗力

建物の賃貸借は、その登記がなくても、建物の引渡しがあったときは、その後その建物について物権を取得した者に対し、その効力を生じます。したがって、AはBから甲建物の引渡しを受けていることから、Aは甲建物に賃借権の登記をしていなくても、甲建物を売買により取得したCに対して賃借権があることを主張することができます。

❷ ✕ 信頼関係の破壊がある場合には催告不要

賃借人が賃貸人との間の信頼関係を破壊し、賃貸借契約の継続を著しく困難にした場合は、賃貸人は、催告をせずに、将来に向かって賃貸借契約を解除することができます。

❸ ○ 定期借家でも造作買取請求権の行使は可

造作買取請求権は、普通の借家契約でも、定期借家契約でも、行使することが可能です。造作買取請求権を認めない特約は有効ですが、今回は「造作買取請求権を排除する特約がない」ため、造作買取請求権を行使することが可能です。

❹ ○ 定期借家でも賃料増減額請求権の行使は可

定期建物賃貸借において、借賃の改定に係る特約がある場合には、賃料増減額請求権の規定は適用されません。つまり、増額しない特約や減額されない特約がある場合には、それに従います。今回は「賃料の改定に関する特約がない」ため、借賃増減請求権を行使することが可能です。

ちょこっと よりみちトーク

定期建物賃貸借って増減請求できないんじゃなかったっけ？問83でそう言っていたような…。

それは増減請求できない特約がある場合の話。特約がないなら、定期建物賃貸借でも増減請求できるよ！

171

令和7年10月に新規に締結しようとしている、契約期間が2年で、更新がないこととする旨を定める建物賃貸借契約（以下この問において「定期借家契約」という。）に関する次の記述のうち、借地借家法の規定によれば、正しいものはどれか。

❶ 事業用ではなく居住の用に供する建物の賃貸借においては、定期借家契約とすることはできない。

❷ 定期借家契約は、公正証書によってしなければ、効力を生じない。

❸ 定期借家契約を締結しようとするときは、賃貸人は、あらかじめ賃借人に対し、契約の更新がなく、期間満了により賃貸借が終了することについて、その旨を記載した書面を交付し、又は賃借人の承諾を得て電磁的方法によって提供して説明しなければならない。

❹ 定期借家契約を適法に締結した場合、賃貸人は、期間満了日1カ月前までに期間満了により契約が終了する旨通知すれば、その終了を賃借人に対抗できる。

1回目	/	2回目	/	3回目	/	4回目	/	5回目	/
手応え		手応え		手応え		手応え		手応え	

◎：完全に分かってきた
○：だいたい分かってきた
△：少し分かってきた
×：全く分からなかった

肢別テーマ テキスト 第1編	❶ 定期建物賃貸借	コース 15 ポイント ❷ ❶	
	❷ 定期建物賃貸借	コース 15 ポイント ❷ ❶	
	❸ 定期建物賃貸借	コース 15 ポイント ❷ ❶	正解 3
	❹ 定期建物賃貸借	コース 15 ポイント ❷ ❶	

❶ **✕ 定期借家→用途は限定されていない**

定期借家契約は事業用に限られません。居住用でも契約することはできます。

❷ **✕ 定期借家→書面（電磁的記録）**

定期借家契約は書面または電磁的記録でしなければなりませんが、公正証書による必要はありません。

❸ **○ 定期借家→契約前に賃貸人から説明必要**

定期借家契約は更新がありません。そして、その旨につき書面を交付する等して説明しなければなりません。

❹ **✕ 1年前から6カ月前までの間に通知**

1年以上の定期借家契約の場合は、期間満了の1年前から6カ月前までの間に、期間満了で終了するという通知をしなければなりません。この通知を忘れると、賃貸人は、賃借人に対して、定期借家契約期間満了の時に当該賃貸借契約が終了したことを対抗できません。

借地借家法（借家）

ちょこっと よりみちトーク

定期借家契約って居住用でも大丈夫なんですか？

問題ないよ。居住用がダメなのは事業用定期借地権なんだ。混乱しないようにね！

ありがとう

借地借家法第38条の定期建物賃貸借（以下この問において「定期建物賃貸借」という。）と同法第40条の一時使用目的の建物の賃貸借（以下この問において「一時使用賃貸借」という。）に関する次の記述のうち、民法及び借地借家法の規定によれば、正しいものはどれか。

❶ 定期建物賃貸借契約は書面または電磁的記録によって契約を締結しなければ有効とはならないが、一時使用賃貸借契約は書面ではなく口頭で契約しても有効となる。

❷ 定期建物賃貸借契約は契約期間を1年以上とすることができるが、一時使用賃貸借契約は契約期間を1年以上とすることができない。

❸ 定期建物賃貸借契約は契約期間中は賃借人から中途解約を申し入れることはできないが、一時使用賃貸借契約は契約期間中はいつでも賃借人から中途解約を申し入れることができる。

❹ 賃借人が賃借権の登記もなく建物の引渡しも受けていないうちに建物が売却されて所有者が変更すると、定期建物賃貸借契約の借主は賃借権を所有者に主張できないが、一時使用賃貸借の借主は賃借権を所有者に主張できる。

全問◎を
目指そう！

1回目	/	2回目	/	3回目	/	4回目	/	5回目	/
手応え		手応え		手応え		手応え		手応え	

◎：完全に分かってきた
○：だいたい分かってきた
△：少し分かってきた
×：全く分からなかった

肢別テーマ	❶ 定期建物賃貸借	コース 15 ポイント ❷ 1	
テキスト 第1編	❷ 定期建物賃貸借	コース 15 ポイント ❷ 1	正解 1
	❸ 定期建物賃貸借	コース 15 ポイント ❷ 1	
	❹ 借地借家法（借家）	コース 15 ポイント ❶ 4	

❶ ○ 定期借家→書面（電磁的記録）

定期建物賃貸借契約は書面または電磁的記録で契約する必要があります。一時使用賃貸借契約は口頭でも契約は成立します。

❷ ✕ どちらも契約期間を1年以上可

どちらも期間を1年以上とすることは問題ありません。

❸ ✕ 定期借家→中途解約も可

定期建物賃貸借契約では、床面積 200㎡ 未満の居住用建物であるなど一定の条件のもとで賃借人から中途解約することができます。しかし、一時使用賃貸借契約は特約がない限り中途解約をすることはできません。

❹ ✕ 対抗力なし→所有者に賃借権を主張不可

定期建物賃貸借契約では、借地借家法が適用されるので、引渡しも対抗力となります。しかし、今回は引渡しを受けていないため、対抗力はありません。一時使用賃貸借契約では民法が適用されるので、賃借権の登記がなければ対抗力とはなりません。今回は賃借権の登記がないため、対抗力はありません。したがって、どちらも所有者に賃借権を主張することはできません。

借地借家法（借家）

借地借家法第38条の定期建物賃貸借（以下この問において「定期建物賃貸借」という。）に関する次の記述のうち、借地借家法の規定及び判例によれば、誤っているものはどれか。

❶ 定期建物賃貸借契約を締結するには、公正証書等の書面又は電磁的記録によらなければならない。

❷ 定期建物賃貸借契約を締結するときは、期間を1年未満としても、期間の定めがない建物の賃貸借契約とはみなされない。

❸ 定期建物賃貸借契約を締結するには、当該契約に係る賃貸借は契約の更新がなく、期間の満了によって終了することを書面によって説明する場合、当該契約書に記載しておけば足りる。

❹ 定期建物賃貸借契約を締結しようとする場合、賃貸人が、当該契約に係る賃貸借は契約の更新がなく、期間の満了によって終了することを説明しなかったときは、契約の更新がない旨の定めは無効となる。

全問◎を
目指そう!

| 1回目 | / | 2回目 | / | 3回目 | / | 4回目 | / | 5回目 | / |
| 手応え | | 手応え | | 手応え | | 手応え | | 手応え | |

◎：完全に分かってきた
○：だいたい分かってきた
△：少し分かってきた
×：全く分からなかった

| 肢別テーマ
テキスト
第1編 | ❶ 定期建物賃貸借
❷ 定期建物賃貸借
❸ 定期建物賃貸借
❹ 定期建物賃貸借 | コース 15 ポイント ❷ ❶
コース 15 ポイント ❷ ❶
コース 15 ポイント ❷ ❶
コース 15 ポイント ❷ ❶ | 正解 3 |

❶ ○ 定期借家→書面（電磁的記録）

定期建物賃貸借契約は書面または電磁的記録でしなければなりません。「公正証書等の書面」とは、公正証書でも構いませんが、そうでなくても書面であればよいということです。

❷ ○ 定期借家→1年未満も可

定期建物賃貸借契約の場合、期間の制限はありません。1年未満の期間であってもそのまま適用しますので、期間の定めのない賃貸借契約とはみなされません。

❸ ✕ 別の書面であることが必要

契約の更新がない旨などにつき書面を交付して説明する場合、この書面は契約書とは別の書面であることが要求されます。

❹ ○ 普通の借家契約となる

定期建物賃貸借契約において、更新がない旨などを説明しなかった場合には、更新がない旨の定めは無効となり、普通の借家契約となります。

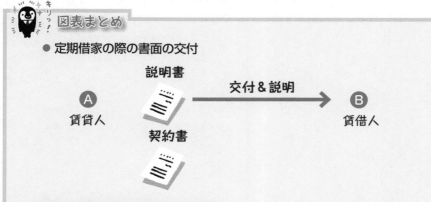

図表まとめ

● **定期借家の際の書面の交付**

説明書

交付＆説明

A 賃貸人 → B 賃借人

契約書

※説明書と契約書は別の書面である。

※上記とは別に宅建業者による重要事項説明でも、定期借家である旨を説明しなければならない（詳細は宅建業法で学びます）。

借地借家法（借家）

賃貸借契約に関する次の記述のうち、民法及び借地借家法の規定並びに判例によれば、誤っているものはどれか。

❶ 建物の所有を目的とする土地の賃貸借契約において、借地権の登記がなくても、その土地上の建物に借地人が自己を所有者と記載した表示の登記をしていれば、借地権を第三者に対抗することができる。

❷ 建物の所有を目的とする土地の賃貸借契約において、建物が全焼した場合でも、借地権者は、その土地上に滅失建物を特定するために必要な事項等を掲示すれば、借地権を第三者に対抗することができる場合がある。

❸ 建物の所有を目的とする土地の適法な転借人は、自ら対抗力を備えていなくても、賃借人が対抗力のある建物を所有しているときは、転貸人たる賃借人の賃借権を援用して転借権を第三者に対抗することができる。

❹ 仮設建物を建築するために土地を一時使用として1年間賃借し、借地権の存続期間が満了した場合には、借地権者は、借地権設定者に対し、建物を時価で買い取るように請求することができる。

全問◎を
目指そう!

1回目	/	2回目	/	3回目	/	4回目	/	5回目	/
手応え		手応え		手応え		手応え		手応え	

◎：完全に分かってきた
○：だいたい分かってきた
△：少し分かってきた
×：全く分からなかった

肢別テーマ テキスト第1編	❶ 借地借家法（借地）	コース 16 ポイント ❶ 3	
	❷ 借地借家法（借地）	コース 16 ポイント ❶ 3	
	❸ 借地借家法（借地）	該当なし	正解 4
	❹ 借地借家法（借地）	コース 16 ポイント ❶ 1	

❶ ○ 対抗力→土地上の建物の借地人名義の登記

借地権の登記がなくても、その土地の上にある建物の借地権者名義の登記で、第三者に対抗することができます。この登記は表示の登記で足ります。

❷ ○ 掲示で2年経過するまでは対抗可

借地上の登記された建物が滅失した場合、借地権者が建物特定に必要な事項等を当該土地上の見やすい場所に掲示することにより、建物滅失日から2年経過するまで、対抗力を保持することができるため、借地権を第三者に対抗することができます。

❸ ○

借地権の登記がなくても、その土地の上にある建物の借地権者名義の登記で、第三者に対抗することができます。また、転借人は、この対抗力を援用することによって、転借権を第三者に対抗することができます。

❹ × 建物買取請求不可

一時使用目的の場合、借地権の存続期間や更新の規定は適用されません。また、建物買取請求もできません。

● ＜民法と借地借家法＞

	民法上の賃貸借	借地借家法（借家）	借地借家法（借地）
期間（最短）	制限なし	制限なし（1年未満の場合、期間の定めのないものとみなされる）	30年
期間（最長）	50年	制限なし	制限なし
対抗要件	賃借権の登記	建物の引渡しでよい	借地上の建物の借地権者名義の登記でもよい

借地借家法（借地）

Aは、令和7年8月、その所有地について、Bに対し、建物の所有を目的とし存続期間30年の約定で賃借権（その他の特約はないものとする。）を設定した。この場合、借地借家法の規定によれば、次の記述のうち正しいものはどれか。

❶ Bが、当初の存続期間満了前に、現存する建物を取り壊し、残存期間を超えて存続すべき建物を新たに築造した場合で、Aにその旨を事前に通知しなかったとき、Aは、無断築造を理由として、契約を解除することができる。

❷ 当初の存続期間満了時に建物が存在しており、Bが契約の更新を請求した場合で、Aがこれに対し遅滞なく異議を述べたが、その異議に正当の事由がないとき、契約は更新したものとみなされ、更新後の存続期間は30年となる。

❸ Bが、契約の更新後に、現存する建物を取り壊し、残存期間を超えて存続すべき建物を新たに築造した場合で、Aの承諾もそれに代わる裁判所の許可もないとき、Aは、土地の賃貸借の解約の申入れをすることができる。

❹ 存続期間が満了し、契約の更新がない場合で、Bの建物が存続期間満了前にAの承諾を得ないで残存期間を超えて存続すべきものとして新たに築造されたものであるとき、Bは、Aに対し当該建物を買い取るべきことを請求することはできない。

1回目	2回目	3回目	4回目	5回目
手応え	手応え	手応え	手応え	手応え

◎：完全に分かってきた
○：だいたい分かってきた
△：少し分かってきた
×：全く分からなかった

肢別テーマ テキスト第1編	❶ 借地借家法（借地） ❷ 借地借家法（借地） ❸ 借地借家法（借地） ❹ 借地借家法（借地）	コース 16 ポイント ❶ ⑥ コース 16 ポイント ❶ ② コース 16 ポイント ❶ ⑥ コース 16 ポイント ❶ ④	正解 3

❶ **✕ 解除不可**

承諾を得ていないので 20 年延長することはありませんが、当初の存続期間中なので、通知せずに築造したとしても、延長しないだけで契約期間は当初のままとなります。したがって、契約解除はできません。

❷ **✕ 最初の更新は 20 年、2 度目以降は 10 年**

借地権設定者（＝賃貸人）から更新拒絶の場合は正当事由が必要です。今回は正当事由がないので、更新拒絶をすることはできず、更新します。しかし、更新する場合の存続期間は、30 年ではなく、**最初の更新のときは最低 20 年**、その次からは**最低 10 年**となります。

❸ **○ 更新後であれば解約申入れ可**

承諾なく再築した場合、更新後であれば土地の賃貸借の解約の申入れをすることができます。

❹ **✕ 承諾なしの築造でも建物買取請求できる**

建物が存続期間満了前に承諾なく築造された場合にも、契約の更新がない場合には建物買取請求権を行使することは可能です。

 図表まとめ

● **借地上の建物の滅失**

建物滅失の時期	借地権設定者の再築承諾	存続期間の延長
当初の存続期間中 （借地権は消滅しない）	あり	延長する*1
	なし	延長しない
更新後 （借地権者は解約申入れが可能）	あり	延長する*1
	なし	築造不可*2

*1 承諾日と築造日のうち、早いほうから 20 年間延長する
*2 無断築造すると、借地権設定者から解約申入れができる

借地借家法（借地）

Aが所有している甲土地を平置きの駐車場用地として利用しようとするBに貸す場合と、一時使用目的ではなく建物所有目的を有するCに貸す場合とに関する次の記述のうち、民法及び借地借家法の規定によれば、正しいものはどれか。

❶　AB間の土地賃貸借契約の期間は、AB間で60年と合意すればそのとおり有効であるのに対して、AC間の土地賃貸借契約の期間は、50年が上限である。

❷　土地賃貸借契約の期間満了後に、Bが甲土地の使用を継続していてもAB間の賃貸借契約が更新したものと推定されることはないのに対し、期間満了後にCが甲土地の使用を継続した場合には、AC間の賃貸借契約が更新されたものとみなされることがある。

❸　土地賃貸借契約の期間を定めなかった場合、Aは、Bに対しては、賃貸借契約開始から1年が経過すればいつでも解約の申入れをすることができるのに対し、Cに対しては、賃貸借契約開始から30年が経過しなければ解約の申入れをすることができない。

❹　AB間の土地賃貸借契約を書面で行っても、Bが賃借権の登記をしないままAが甲土地をDに売却してしまえばBはDに対して賃借権を対抗できないのに対し、AC間の土地賃貸借契約を口頭で行っても、Cが甲土地上にC所有の登記を行った建物を有していれば、Aが甲土地をDに売却してもCはDに対して賃借権を対抗できる。

全問◎を
目指そう！

1回目	/	2回目	/	3回目	/	4回目	/	5回目	/
手応え		手応え		手応え		手応え		手応え	

◎：完全に分かってきた
○：だいたい分かってきた
△：少し分かってきた
×：全く分からなかった

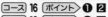

❶ ✕ AB間とAC間の記述が逆

ＡＢ間は民法が適用されるので50年が上限ですが、ＡＣ間は借地借家法が適用されるので上限はありません。

❷ ✕ AB間も更新したものと推定される

AB間（民法）でも更新したものと推定されますし、AC間（借地借家法）でも借地上に建物があれば更新したものとみなします。

❸ ✕ 期間を定めない借地権→30年となる

ＡＢ間（民法）では、期間を定めなかった場合にはいつでも解約申入れができ、申入れから1年で賃貸借は終了します。契約開始から1年経過しないと解約申入れができないわけではありません。ＡＣ間（借地借家法）では、期間を定めなかった場合は30年となります。更新請求時に借地権設定者が遅滞なく正当事由ある異議を述べれば契約が終了となります。

❹ ○ 対抗力を有していれば第三者に対抗可

ＡＢ間（民法）ではＢが第三者に対抗するには賃借権の登記が必要となります。ＡＣ間（借地借家法）ではＣは借地上の建物の本人名義の建物登記で第三者に対抗することができます。

借地借家法（借地）

借地借家法上、期間の定めのない借地権は存在しません。したがって、期間を定めなかったとしても30年となり、期間が定まります。

Aは、建物の所有を目的としてBから土地を賃借し、建物を建築して所有しているが、その土地の借地権については登記をしていない。この場合において、その土地の所有権がBからCに移転され、所有権移転登記がなされたときに関する次の記述のうち、借地借家法の規定及び判例によれば、正しいものはどれか。

❶ Aが、Aの名義ではなく、Aと氏を同じくするAの長男名義で、本件建物につき保存登記をしている場合、Aは、借地権をCに対抗することができる。

❷ Aが自己の名義で本件建物につき保存登記をしている場合で、BからCへの土地の所有権の移転が、当該保存登記後の差押えに基づく強制競売によるものであるとき、Aは、借地権をCに対抗することができる。

❸ 本件建物が火事により滅失した場合、建物を新たに築造する旨を本件土地の上の見やすい場所に掲示していれば、Aは、本件建物について登記していなかったときでも、借地権をCに対抗することができる。

❹ 借地権が借地借家法第22条に規定する定期借地権である場合、公正証書によって借地契約を締結していれば、Aは、本件建物について登記していなかったときでも、借地権をCに対抗することができる。

1回目	/	2回目	/	3回目	/	4回目	/	5回目	/
手応え		手応え		手応え		手応え		手応え	

◎：完全に分かってきた
○：だいたい分かってきた
△：少し分かってきた
×：全く分からなかった

  肢別テーマ テキスト 第1編

❶ 借地借家法（借地）  コース 16 ポイント ❶ ❸
❷ 借地借家法（借地） コース 16 ポイント ❶ ❸
❸ 借地借家法（借地） コース 16 ポイント ❶ ❸
❹ 借地借家法（借地） コース 16 ポイント ❶ ❸

正解 2

❶ ✕ **対抗力→土地上の建物の借地権者名義の登記**

借地権を対抗するには、借地上の建物に借地権者名義の登記が必要です。今回は長男名義ですので、対抗力はありません。

❷ ○ **対抗力を有しているので第三者に対抗可**

借地権を対抗するには、借地上の建物に借地権者名義の登記が必要です。今回は借地権者名義で登記しているので、第三者に対抗することができます。強制競売の取得者も第三者です。

❸ ✕ **対抗力のない建物が滅失した場合は不可**

借地上の建物が滅失した場合、掲示をしておけば滅失から2年経過するまで対抗力があります。しかし、これはあくまで対抗力のある建物が滅失した場合の話であって、もとの建物に対抗力がないのであれば、その建物が滅失して掲示をしてもやはり対抗力はありません。

❹ ✕ **対抗力を有していなければ第三者に対抗不可**

公正証書で定期借地権の契約を締結したとしても、対抗要件を備えていないため、第三者に対抗することはできません。

借地借家法（借地）

自らが所有している甲土地を有効利用したいAと、同土地上で事業を行いたいBとの間の契約に関する次の記述のうち、民法及び借地借家法の規定によれば、誤っているものはどれか。

❶ 甲土地につき、Bが建物を所有して小売業を行う目的で公正証書によらずに存続期間を 35 年とする土地の賃貸借契約を締結する場合、約定の期間、当該契約は存続する。しかし、Bが建物を建築せず駐車場用地として利用する目的で存続期間を 35 年として土地の賃貸借契約を締結する場合には、期間は定めなかったものとみなされる。

❷ 甲土地につき、Bが 1 年間の期間限定の催し物会場としての建物を建築して一時使用する目的で土地の賃貸借契約を締結する場合には、当該契約の更新をしない特約は有効である。しかし、Bが居住用賃貸マンションを所有して全室を賃貸事業に供する目的で土地の賃貸借契約を締結する場合には、公正証書により存続期間を 15 年としても、更新しない特約は無効である。

❸ 甲土地につき、小売業を行うというBの計画に対し、借地借家法が定める要件に従えば、甲土地の賃貸借契約締結によっても、又は、甲土地上にAが建物を建築しその建物についてAB間で賃貸借契約を締結することによっても、Aは 20 年後に賃貸借契約を更新させずに終了させることができる。

❹ 甲土地につき、Bが建物を所有して小売業を行う目的で存続期間を 30 年とする土地の賃貸借契約を締結している期間の途中で、Aが甲土地をCに売却してCが所有権移転登記を備えた場合、当該契約が公正証書でなされていても、BはCに対して賃借権を対抗することができない場合がある。

全問◎を
目指そう！

1回目	/	2回目	/	3回目	/	4回目	/	5回目	/
手応え		手応え		手応え		手応え		手応え	

◎：完全に分かってきた
○：だいたい分かってきた
△：少し分かってきた
×：全く分からなかった

❶ ✕ 期間を定めなかったものとはならない

建物所有の場合は借地借家法が適用されるので35年と設定したらそれに従います。したがって、前半は正しいです。また、青空駐車場の場合は民法が適用されるので35年と設定したらそれに従います。**期間の定めのないものとはなりません**。したがって、後半は誤っています。

❷ ◯ 居住用では事業用定期借地権の設定は不可

一時使用目的の場合、借地権の存続期間や更新の規定は適用されません。居住用賃貸マンションの場合、公正証書で契約をしても事業用定期借地権を設定することはできませんので、通常の借地契約となります。ですので、契約を更新しないという特約は無効となります。

❸ ◯ 事業用定期借地権・定期借家でOK

前半のように、Ａ所有の土地を借りて建物を建てる計画については、ＡＢ間で存続期間を20年とする事業用定期借地権を結べば20年で更新しないで終了できます。後半のように、Ａ所有の建物を借りて事業を行う計画については、存続期間を20年とする定期建物賃貸借契約を結べば20年で更新しないで終了できます。

❹ ◯ 対抗力がない場合は第三者に対抗できない

土地の賃借権の登記もしくは借地上の建物の登記がなければ、賃借権を第三者に対抗することはできません。

アドバイス

❸は借家の知識も要求されていますね。ぜひ見抜いてほしかった選択肢ではありますが、わからなくても、選択肢❶の誤りにすぐに気づいてほしいですね。

借地借家法（借地）

Aが居住用の甲建物を所有する目的で、期間30年と定めてBから乙土地を賃借した場合に関する次の記述のうち、借地借家法の規定及び判例によれば、正しいものはどれか。なお、Aは借地権登記を備えていないものとする。

❶ Aが甲建物を所有していても、建物保存登記をAの子C名義で備えている場合には、Bから乙土地を購入して所有権移転登記を備えたDに対して、Aは借地権を対抗することができない。

❷ Aが甲建物を所有していても、登記上の建物の所在地番、床面積等が少しでも実際のものと相違している場合には、建物の同一性が否定されるようなものでなくても、Bから乙土地を購入して所有権移転登記を備えたEに対して、Aは借地権を対抗することができない。

❸ AB間の賃貸借契約を公正証書で行えば、当該契約の更新がなく期間満了により終了し、終了時にはAが甲建物を収去すべき旨を有効に規定することができる。

❹ Aが地代を支払わなかったことを理由としてBが乙土地の賃貸借契約を解除した場合、契約に特段の定めがないときは、Bは甲建物を時価で買い取らなければならない。

1回目	/	2回目	/	3回目	/	4回目	/	5回目	/
手応え		手応え		手応え		手応え		手応え	

◎：完全に分かってきた
○：だいたい分かってきた
△：少し分かってきた
×：全く分からなかった

肢別テーマ			
テキスト第1編	❶ 借地借家法（借地）	コース 16 ポイント ❶ ❸	
	❷ 借地借家法（借地）	該当なし	正解 **1**
	❸ 定期借地権等	コース 16 ポイント ❷ ❶	
	❹ 借地借家法（借地）	コース 16 ポイント ❶ ❹	

❶ ○ 対抗力→土地上の建物の借地権者名義の登記

借地権を対抗するには、借地上の建物に本人名義の登記が必要です。今回は子供名義ですので、対抗力はありません。

❷ ✕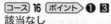

多少違いがあっても、その建物だと認識できる程度の違い（＝些細な違い）であれば、対抗力に影響はありません。

❸ ✕ 定期借地・事業用定期借地ともに不可

定期借地権を設定しようとすれば50年以上必要なので30年では設定できません。事業用定期借地権を設定しようとしても居住用では設定できません。このようなことから、本肢の内容を有効に規定することはできません。

❹ ✕ 債務不履行解除→建物買取請求不可

債務不履行による契約解除の場合には、建物買取請求権は認められません。

借地借家法（借地）

ＡとＢとの間で、Ａ所有の甲土地につき建物所有目的で賃貸借契約（以下この問において「本件契約」という。）を締結する場合に関する次の記述のうち、民法及び借地借家法の規定並びに判例によれば、正しいものはどれか。

❶ 本件契約が専ら事業の用に供する建物の所有を目的とする場合には、公正証書によらなければ無効となる。

❷ 本件契約が居住用の建物の所有を目的とする場合には、借地権の存続期間を 20 年とし、かつ、契約の更新請求をしない旨を定めても、これらの規定は無効となる。

❸ 本件契約において借地権の存続期間を 60 年と定めても、公正証書によらなければ、その期間は 30 年となる。

❹ Ｂは、甲土地につき借地権登記を備えなくても、Ｂと同姓でかつ同居している未成年の長男名義で保存登記をした建物を甲土地上に所有していれば、甲土地の所有者が替わっても、甲土地の新所有者に対し借地権を対抗することができる。

全問◎を
目指そう！

1回目	/	2回目	/	3回目	/	4回目	/	5回目	/
手応え		手応え		手応え		手応え		手応え	

◎：完全に分かってきた
○：だいたい分かってきた
△：少し分かってきた
×：全く分からなかった

❶ 借地借家法（借地）	コース 16	ポイント ❶ ❶	
❷ 定期借地権等	コース 16	ポイント ❷ ❷	正解 2
❸ 借地借家法（借地）	コース 16	ポイント ❶ ❷	
❹ 借地借家法（借地）	コース 16	ポイント ❶ ❸	

❶ ✕ **事業用が全て事業用定期借地権ではない**

事業用として使う場合であっても、「事業用定期借地権」での契約でないならば、公正証書でする必要はありません。

❷ ○ **契約更新請求をしない旨を定めることはできない**

契約更新請求をしない旨を定めるには、定期借地権か事業用定期借地権で契約する必要があります。しかし、定期借地権は 50 年以上でなければなりません。また、事業用定期借地権は居住用では設定できません。したがって、契約更新請求をしない旨を定めることはできないため、これらの規定は無効となります。

❸ ✕ **最低 30 年**

最初に借地権設定契約をするとき、借地権の存続期間は最低 30 年となります。30 年未満の期間を設定した場合も 30 年となります。他方、60 年と定めた場合は 30 年より長い期間なので 60 年となります。また、公正証書である必要はありません。

❹ ✕ **対抗力→土地上の建物の借地権者名義の登記**

借地権の登記を備えていない場合に、借地権を第三者に対抗するには、借地上の建物に本人名義の登記が必要です。今回は長男名義ですので、対抗力はありません。したがって、土地の新所有者に対抗することはできません。

借地借家法（借地）

借地借家法に関する次の記述のうち、誤っているものはどれか。

❶ 建物の用途を制限する旨の借地条件がある場合において、法令による土地利用の規制の変更その他の事情の変更により、現に借地権を設定するにおいてはその借地条件と異なる建物の所有を目的とすることが相当であるにもかかわらず、借地条件の変更につき当事者間に協議が調わないときは、裁判所は、当事者の申立てにより、その借地条件を変更することができる。

❷ 賃貸借契約の更新の後において、借地権者が残存期間を超えて残存すべき建物を新たに築造することにつきやむを得ない事情があるにもかかわらず、借地権設定者がその建物の築造を承諾しないときは、借地権設定者が土地の賃貸借の解約の申入れをすることができない旨を定めた場合を除き、裁判所は、借地権者の申立てにより、借地権設定者の承諾に代わる許可を与えることができる。

❸ 借地権者が賃借権の目的である土地の上の建物を第三者に譲渡しようとする場合において、その第三者が賃借権を取得しても借地権設定者に不利となるおそれがないにもかかわらず、借地権設定者がその賃借権の譲渡を承諾しないときは、裁判所は、その第三者の申立てにより、借地権設定者の承諾に代わる許可を与えることができる。

❹ 第三者が賃借権の目的である土地の上の建物を競売により取得した場合において、その第三者が賃借権を取得しても借地権設定者に不利となるおそれがないにもかかわらず、借地権設定者がその賃借権の譲渡を承諾しないときは、裁判所は、その第三者の申立てにより、借地権設定者の承諾に代わる許可を与えることができる。

1回目	2回目	3回目	4回目	5回目
手応え	手応え	手応え	手応え	手応え

全問◎を目指そう！

◎：完全に分かってきた
○：だいたい分かってきた
△：少し分かってきた
×：全く分からなかった

❶ 借地借家法（借地）　該当なし
❷ 借地借家法（借地）　該当なし
❸ 借地借家法（借地）　コース 16 ポイント ❶ 5
❹ 借地借家法（借地）　コース 16 ポイント ❶ 5

正解 3

❶ ○

建物の種類、構造、規模又は用途を制限する旨の借地条件がある場合において、法令による土地利用の規制の変更、付近の土地の利用状況の変化その他の事情の変更により現に借地権を設定するにおいてはその借地条件と異なる建物の所有を目的とすることが相当であるにもかかわらず、借地条件の変更につき当事者間に協議が調わないときは、裁判所は、当事者の申立てにより、その借地条件を変更することができます。

❷ ○

借地契約の更新の後において、借地権者が残存期間を超えて存続すべき建物を新たに築造することにつきやむを得ない事情があるにもかかわらず、借地権設定者がその建物の築造を承諾しないときは、借地権設定者が地上権の消滅の請求又は土地の賃貸借の解約の申入れをすることができない旨を定めた場合を除き、裁判所は、借地権者の申立てにより、借地権設定者の承諾に代わる許可を与えることができます。

❸ × **譲渡→借地権者（売主）が申立て**

借地権設定者（賃貸人）の承諾がない場合であっても、借地権者（賃借人）は、裁判所から承諾に代わる許可をもらえば、承諾のある借地権の譲渡や転貸となります。そして裁判所に申し立てるのは、**譲渡や転貸のときは建物の売主である借地権者**です。

❹ ○ **競落→競落人が申立て**

借地権設定者（賃貸人）の承諾がない場合であっても、借地権者（賃借人）は、裁判所から承諾に代わる許可をもらえば、承諾のある借地権の譲渡となります。そして裁判所に申し立てるのは、**競売のときは建物の取得者である競落人**です。

借地借家法（借地）

借地借家法第23条の借地権（以下この問において「事業用定期借地権」という。）に関する次の記述のうち、借地借家法の規定によれば、正しいものはどれか。

❶ 事業の用に供する建物の所有を目的とする場合であれば、従業員の社宅として従業員の居住の用に供するときであっても、事業用定期借地権を設定することができる。

❷ 存続期間を10年以上20年未満とする短期の事業用定期借地権の設定を目的とする契約は、公正証書によらなくとも、書面又は電磁的記録によって適法に締結することができる。

❸ 事業用定期借地権が設定された借地上にある建物につき賃貸借契約を締結する場合、建物を取り壊すこととなるときに建物賃貸借契約が終了する旨を定めることができるが、その特約は公正証書によってしなければならない。

❹ 事業用定期借地権の存続期間の満了によって、その借地上の建物の賃借人が土地を明け渡さなければならないときでも、建物の賃借人がその満了をその1年前までに知らなかったときは、建物の賃借人は土地の明渡しにつき相当の期限を裁判所から許与される場合がある。

全問◎を
目指そう！

1回目	/	2回目	/	3回目	/	4回目	/	5回目	/
手応え		手応え		手応え		手応え		手応え	

◎：完全に分かってきた
○：だいたい分かってきた
△：少し分かってきた
×：全く分からなかった

 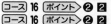

肢別テーマ	❶ 定期借地権等	コース 16	ポイント ❷ 2	
テキスト第1編	❷ 定期借地権等	コース 16	ポイント ❷ 2	正解 4
	❸ 定期建物賃貸借	コース 15	ポイント ❷ 2	
	❹ 借地借家法（借家）	コース 15	ポイント ❶ 9	

❶　✕　事業用定期借地権→居住用不可

事業用定期借地権は、居住用建物の所有を目的とする契約を行うことは一切ダメです。「居住用建物賃貸事業のため」とあってもダメです。

❷　✕　事業用定期借地権→公正証書

事業用定期借地権とは、専ら事業の用に供する建物（事業用建築物）の所有を目的とし、存続期間を10年以上50年未満とする借地権です。事業用定期借地権は、公正証書によらなければ契約をすることができません。

❸　✕　取壊し予定の建物賃貸借→書面（電磁的記録）

取壊し予定建物については、建物を取り壊すべき事由を記載した書面又は記録した電磁的記録によれば、建物を取り壊すこととなる時に賃貸借契約が終了する旨の特約を定めることができます。したがって、公正証書による必要はありません。

❹　○　1年を限度として猶予が与えられる

借地権の期間が満了した場合、借地上の建物の賃借人は土地を明け渡さなければなりません。ただし、建物の賃借人が、1年前までに借地権の期間満了による終了を知らなかった場合、1年を限度として猶予が裁判所から与えられることがあります。

借地借家法（借地）

Ａが故意又は過失によりＢの権利を侵害し、これによってＢに損害が生じた場合に関する次の記述のうち、民法の規定及び判例によれば、正しいものはどれか。

❶ 　Ａの加害行為によりＢが即死した場合には、ＢにはＡに対する慰謝料請求権が発生したと考える余地はないので、Ｂに相続人がいても、その相続人がＢの慰謝料請求権を相続することはない。

❷ 　Ａの加害行為がＢからの不法行為に対して自らの利益を防衛するためにやむを得ず行ったものであっても、Ａは不法行為責任を負わなければならないが、Ｂからの損害賠償請求に対しては過失相殺をすることができる。

❸ 　ＡがＣに雇用されており、ＡがＣの事業の執行につきＢに加害行為を行った場合には、ＣがＢに対する損害賠償責任を負うのであって、ＣはＡに対して求償することもできない。

❹ 　Ａの加害行為が名誉毀損で、Ｂが法人であった場合、法人であるＢには精神的損害は発生しないとしても、金銭評価が可能な無形の損害が発生した場合には、ＢはＡに対して損害賠償請求をすることができる。

全問◎を
目指そう！

1回目	/	2回目	/	3回目	/	4回目	/	5回目	/
手応え		手応え		手応え		手応え		手応え	

◎：完全に分かってきた
○：だいたい分かってきた
△：少し分かってきた
×：全く分からなかった

肢別テーマ	❶ 不法行為	コース 17 ポイント ❶ ❶	
テキスト 第1編	❷ 不法行為	コース 17 ポイント ❶ ❶	正解 **4**
	❸ 不法行為	コース 17 ポイント ❶ ❷	
	❹ 不法行為	該当なし	

❶ **✕** **即死でも慰謝料請求権は発生**

即死の場合でも、慰謝料請求権は発生し、それが相続されます。

❷ **✕** **正当防衛は不法行為として扱わない**

他人からの不法行為に対して、自らの利益を防衛するためやむを得ず行なった もの（正当防衛）であれば、不法行為責任を負いません。したがって、過失相 殺もされません。

❸ **✕** **Ａも損害賠償責任を負うし、Ａに求償することも可能**

使用者責任が生じる場合、使用者（Ｃ）と被用者である加害者（Ａ）とは、連 帯債務とほぼ同様の関係となります。したがって、ＡもＣも損害賠償責任を負 います。また、ＣがＢに損害を賠償した場合、信義則上相当と認められる限度 でＡに求償することも可能です。

❹ **○**

精神的損害が発生しなかったとしても、金銭的評価が可能な無形の損害が発生 していれば損害賠償請求は可能です。

不法行為

権利関係もあと少し！ ラストスパートだ！！

ファイト！

Ａが、その過失によってＢ所有の建物を取り壊し、Ｂに対して不法行為による
損害賠償債務を負担した場合に関する次の記述のうち、民法の規定及び判例に
よれば、正しいものはどれか。

❶ Ａの不法行為に関し、Ｂにも過失があった場合でも、Ａから過失相殺の主
張がなければ、裁判所は、賠償額の算定に当たって、賠償金額を減額するこ
とができない。

❷ 不法行為がＡの過失とＣの過失による共同不法行為であった場合、Ａの過
失がＣより軽微なときでも、Ｂは、Ａに対して損害の全額について賠償を請
求することができる。

❸ Ｂが、不法行為による損害と加害者を知った時から１年間、損害賠償請求
権を行使しなければ、当該請求権は消滅時効により消滅する。

❹ Ａの損害賠償債務は、Ｂからへ履行の請求があった時から履行遅滞とな
り、Ｂは、その時以後の遅延損害金を請求することができる。

全問◎を
目指そう！

| 1回目 | / | 2回目 | / | 3回目 | / | 4回目 | / | 5回目 | / |
| 手応え | | 手応え | | 手応え | | 手応え | | 手応え | |

◎：完全に分かってきた
○：だいたい分かってきた
△：少し分かってきた
×：全く分からなかった

198

❶ ✕

被害者にも落ち度がある場合、賠償額を減らすことができます。それを過失相殺といいます。これは、加害者の主張がなくてもすることができます。

❷ ○ **共同不法行為→連帯債務とほぼ同じ扱い**

共同不法行為の場合、**加害者のAとCは連帯債務と同様の扱い**となります。したがって、Bは、AとCの全員に、全額の請求が可能です。

❸ ✕ **3年・5年・20年**

損害賠償請求権は被害者又はその法定代理人が損害及び加害者を知った時から**3年間**（人の生命又は身体を害する不法行為の場合は**5年間**）の不行使で時効により消滅します。また、不法行為の時から**20年間**の不行使で時効により消滅します。

❹ ✕ **損害発生時から遅滞**

加害者が負う損害賠償債務の履行遅滞は**不法行為（損害発生）**の時から始まります。

不法行為

Aは、所有する家屋を囲う塀の設置工事を業者Bに請け負わせたが、Bの工事によりこの塀は瑕疵がある状態となった。Aがその後この塀を含む家屋全部をCに賃貸し、Cが占有使用しているときに、この瑕疵により塀が崩れ、脇に駐車中のD所有の車を破損させた。A、B及びCは、この瑕疵があることを過失なく知らない。この場合に関する次の記述のうち、民法の規定によれば、誤っているものはどれか。

❶ Aは、損害の発生を防止するのに必要な注意をしていれば、Dに対する損害賠償責任を免れることができる。

❷ Bは、瑕疵を作り出したことに故意又は過失がなければ、Dに対する損害賠償責任を免れることができる。

❸ Cは、損害の発生を防止するのに必要な注意をしていれば、Dに対する損害賠償責任を免れることができる。

❹ Dが、車の破損による損害賠償請求権を、損害及び加害者を知った時から3年間行使しなかったときは、この請求権は時効により消滅する。

全問◯を
目指そう!

1回目	/	2回目	/	3回目	/	4回目	/	5回目	/
手応え		手応え		手応え		手応え		手応え	

◎：完全に分かってきた
◯：だいたい分かってきた
△：少し分かってきた
×：全く分からなかった

肢別テーマ	❶ 不法行為	コース 17 ポイント ❶ 4	
テキスト 第1編	❷ 不法行為	コース 17 ポイント ❶ 1	正解 **1**
	❸ 不法行為	コース 17 ポイント ❶ 4	
	❹ 不法行為	コース 17 ポイント ❶ 1	

❶ **✕ 所有者→無過失責任**

所有者Aは無過失責任なので、必要な注意を払っていたとしても損害賠償責任を免れることができません。

❷ **○ 不法行為成立には故意又は過失が必要**

Bの不法行為が成立するためには、瑕疵を作り出したことについて、Bに故意又は過失が必要です。

❸ **○ 占有者→損害発生の防止に必要な注意を払っていれば免責**

占有者Cは、損害発生の防止に必要な注意を払っていれば損害賠償責任を免れます。

❹ **○ 3年・5年・20年**

損害賠償請求権は被害者又はその法定代理人が損害及び加害者を知った時から3年間（人の生命又は身体を害する不法行為の場合は5年間）の不行使で時効により消滅します。また、不法行為の時から20年間の不行使で時効により消滅します。したがって、被害者Dが損害及び加害者を知った時から3年間行使しなかったときは、この請求権は時効により消滅します。

不法行為

アドバイス

この問題は、合格者の正解率が74.5%に対して、不合格者の正解率は32.9%となっています（LEC調べ）。このような、合格者は正解できているけれど不合格者が正解できない問題を「差のつく問題」といいます。

事業者Ａが雇用している従業員Ｂが行った不法行為に関する次の記述のうち、民法の規定及び判例によれば、正しいものはどれか。

❶ Ｂの不法行為がＡの事業の執行につき行われたものであり、Ａに使用者としての損害賠償責任が発生する場合、Ｂには被害者に対する不法行為に基づく損害賠償責任は発生しない。

❷ Ｂが営業時間中にＡ所有の自動車を運転して取引先に行く途中に前方不注意で人身事故を発生させても、Ａに無断で自動車を運転していた場合、Ａに使用者としての損害賠償責任は発生しない。

❸ Ｂの不法行為がＡの事業の執行につき行われたものであり、Ａに使用者としての損害賠償責任が発生する場合、Ａが被害者に対して売買代金債権を有していれば、被害者は不法行為に基づく損害賠償債権で売買代金債務を相殺することができる。

❹ Ｂの不法行為がＡの事業の執行につき行われたものであり、Ａが使用者としての損害賠償責任を負担した場合、Ａ自身は不法行為を行っていない以上、Ａは負担した損害額の２分の１をＢに対して求償できる。

1回目	/	2回目	/	3回目	/	4回目	/	5回目	/
手応え		手応え		手応え		手応え		手応え	

◎：完全に分かってきた
○：だいたい分かってきた
△：少し分かってきた
×：全く分からなかった

❶ ✕　Bにも損害賠償責任は発生する

従業員（B）が事業の執行について第三者に損害を与えた場合、使用者責任として損害賠償責任が発生します。**使用者責任は一種の連帯債務となるため、被害者はAにもBにも損害賠償請求が可能となります。**

❷ ✕　Aに使用者責任が発生する

BがAに無断で自動車を運転していた場合であっても、営業時間中に取引先に行く途中で発生した人身事故であり、外形から客観的に観察して「事業の執行について」といえるため、Aには使用者としての損害賠償責任が発生します。Aに無断であったか否かは関係ありません。

❸ ◯　被害者からの相殺主張は可

悪意による不法行為に基づく損害賠償債務の債務者（加害者）は、相殺をもって債権者に対抗することができませんが、**被害者は不法行為に基づく損害賠償債権で売買代金債務を相殺することができます。**

❹ ✕　信義則上相当と認められる限度で求償可

使用者が損害を賠償した場合、被用者に対して、信義則上相当と認められる限度で、求償権を行使できます。損害額の2分の1を限度としているわけではありません。

不法行為

Aに雇用されているBが、勤務中にA所有の乗用車を運転し、営業活動のため顧客Cを同乗させている途中で、Dが運転していたD所有の乗用車と正面衝突した（なお、事故についてはBとDに過失がある。）場合における次の記述のうち、民法の規定及び判例によれば、正しいものはどれか。

❶ Aは、Cに対して事故によって受けたCの損害の全額を賠償した。この場合、Aは、BとDの過失割合に従って、Dに対して求償権を行使することができる。

❷ Aは、Dに対して事故によって受けたDの損害の全額を賠償した。この場合、Aは、被用者であるBに対して求償権を行使することはできない。

❸ 事故によって損害を受けたCは、AとBに対して損害賠償を請求することはできるが、Dに対して損害賠償を請求することはできない。

❹ 事故によって損害を受けたDは、Aに対して損害賠償を請求することはできるが、Bに対して損害賠償を請求することはできない。

1回目	/	2回目	/	3回目	/	4回目	/	5回目	/
手応え		手応え		手応え		手応え		手応え	

◎：完全に分かってきた
○：だいたい分かってきた
△：少し分かってきた
×：全く分からなかった

| 肢別テーマ テキスト第1編 | ❶ 不法行為 ❷ 不法行為 ❸ 不法行為 ❹ 不法行為 | コース 17 ポイント ❶ ❸ コース 17 ポイント ❶ ❷ コース 17 ポイント ❶ ❸ コース 17 ポイント ❶ ❷ | 正解 | 1 |

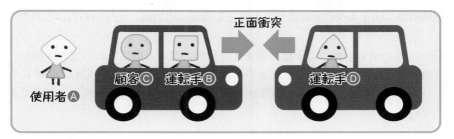

❶ ○ Dに対して求償可能

Cはどちらの車からも被害を受けていると考えることができるため、BとDは共同不法行為者となります。また、AはBの使用者であるため、使用者責任を負います。そこで、Aが全額の賠償をしたということは、BとDが負担すべき額を全て支払ったということとなるため、**Dに対して求償権を有します**。その際、Dの負担部分については、BとDの過失割合に従うこととなります。

❷ × 使用者責任→Bに求償可

Aに雇用されているBが勤務中に運転する車から、Dが被害を受けていますので、Aが使用者責任により賠償したということです。したがって、Aは、**Bに求償できます**。

❸ × Dに対して損害賠償請求可能

Cはどちらの車からも被害を受けていると考えることができます。したがって、Bにも（その使用者Aにも）**Dにも損害賠償請求することができます**。

❹ × 使用者責任が成立する場合でもBに請求可

不法行為はBが起こしたので、当然のことながらDはBに損害賠償請求できます。また、使用者責任としてAもDに対して損害賠償責任を負います。したがって、**DはAにもBにも損害賠償を請求することができます**。

顧客Cは、Bの運転による被害者でもあり、Dの運転による被害者でもあります。

不法行為

相隣関係に関する次の記述のうち、民法の規定によれば、正しいものはどれか。

❶ 土地の所有者は、境界標の調査又は境界に関する測量等の一定の目的のために必要な範囲内で隣地を使用することができる場合であっても、住家については、その家の居住者の承諾がなければ、当該住家に立ち入ることはできない。

❷ 土地の所有者は、隣地の竹木の枝が境界線を越える場合、その竹木の所有者にその枝を切除させることができるが、その枝を切除するよう催告したにもかかわらず相当の期間内に切除しなかったときであっても、自らその枝を切り取ることはできない。

❸ 相隣者の一人は、相隣者間で共有する障壁の高さを増すときは、他方の相隣者の承諾を得なければならない。

❹ 他の土地に囲まれて公道に通じない土地の所有者は、公道に出るためにその土地を囲んでいる他の土地を自由に選んで通行することができる。

全問◎を
目指そう!

1回目	/	2回目	/	3回目	/	4回目	/	5回目	/
手応え		手応え		手応え		手応え		手応え	

◎：完全に分かってきた
○：だいたい分かってきた
△：少し分かってきた
×：全く分からなかった

肢別テーマ	❶ 相隣関係	該当なし	
テキスト 第1編	❷ 相隣関係	コース 17 ポイント ❷ ❸	正解 1
	❸ 相隣関係	該当なし	
	❹ 相隣関係	コース 17 ポイント ❷ ❷	

❶ ○ **隣地の使用をすることができる**

土地の所有者は、境界標の調査又は境界に関する測量等の目的のため必要な範囲内で、隣地を使用することができます。ただし、住家については、その居住者の承諾がなければ、立ち入ることはできません。

❷ × **相当の期間内に切除しなかった場合は可**

隣地の竹木の枝が境界線を越えた場合、竹木の所有者にその枝を切らせることができます。土地の所有者は原則として隣地の竹木の枝を自分で切ることはできません。ただし、竹木所有者に枝の切除を催告したにもかかわらず相当期間内に切除しないときは、土地の所有者は自ら枝を切除することができます。

❸ ×

相隣者の一人は、共有の障壁の高さを増すことができます。その際、他方の相隣者の承諾を得る必要はありません。

❹ × **自由に選んで通行することはできない**

他の土地に囲まれて公道に通じていない土地の所有者は、公道に出る目的でその土地を囲んでいる他の土地を通行できます。自由に選んで通行してもよいというのではなく、最も損害の少ない場所と方法で通行しなければなりません。

相隣関係

売買代金債権（以下この問において「債権」という。）の譲渡（令和7年7月1日に譲渡契約が行われたもの）に関する次の記述のうち、民法の規定によれば、誤っているものはどれか。

❶ 譲渡制限の意思表示がされた債権が譲渡された場合、当該債権譲渡の効力は妨げられないが、債務者は、その債権の全額に相当する金銭を供託することができる。

❷ 債権が譲渡された場合、その意思表示の時に債権が現に発生していないときは、譲受人は、その後に発生した債権を取得できない。

❸ 譲渡制限の意思表示がされた債権の譲受人が、その意思表示がされていたことを知っていたときは、債務者は、その債務の履行を拒むことができ、かつ、譲渡人に対する弁済その他の債務を消滅させる事由をもって譲受人に対抗することができる。

❹ 債権の譲渡は、譲渡人が債務者に通知し、又は債務者が承諾をしなければ、債務者その他の第三者に対抗することができず、その譲渡の通知又は承諾は、確定日付のある証書によってしなければ、債務者以外の第三者に対抗することができない。

全問◎を
目指そう！

1回目	／	2回目	／	3回目	／	4回目	／	5回目	／
手応え		手応え		手応え		手応え		手応え	

◎：完全に分かってきた
○：だいたい分かってきた
△：少し分かってきた
×：全く分からなかった

❶ ○ 譲渡制限のある債権でも譲渡可能

譲渡制限のある債権であっても、債権の譲渡はその効力を妨げられません。供託所への供託も可能です。

❷ ✕

譲渡の意思表示の時に現に発生していない債権も譲渡可能で、譲受人は発生した債権を取得できます。

❸ ○ 履行拒絶も可能、譲受人に対抗も可能

譲渡制限の意思表示がされたことを知り、または重大な過失によって知らなかった譲受人に対して、債務者は、その債務の履行を拒むことができます。さらに、譲渡人に対する弁済その他の債務を消滅させる事由をもって譲受人に対抗することもできます。

❹ ○ 確定日付のある証書で行う必要あり

債権の譲渡は、譲渡人が債務者に通知をし、または債務者が承諾をしなければ、債務者その他の第三者に対抗することができません。その通知や承諾については、確定日付のある証書によってしなければ、債務者以外の第三者に対抗することはできません。

債権譲渡

Aは、Bに対して貸付金債権を有しており、Aはこの貸付金債権をCに対して譲渡した。この場合、民法の規定及び判例によれば、次の記述のうち誤っているものはどれか。

❶ 貸付金債権に譲渡禁止特約が付いている場合で、Cが譲渡禁止特約の存在を重大な過失なく知らないとき、BはCに対して債務の履行を拒むことができない。

❷ Bが債権譲渡を承諾しない場合、CがBに対して債権譲渡を通知するだけでは、CはBに対して自分が債権者であることを主張することができない。

❸ Aが貸付金債権をDに対しても譲渡し、Cへは確定日付のない証書、Dへは確定日付のある証書によってBに通知した場合で、いずれの通知もBによる弁済前に到達したとき、Bへの通知の到達の先後にかかわらず、DがCに優先して権利を行使することができる。

❹ Aが貸付金債権をEに対しても譲渡し、Cへは令和7年10月10日付、Eへは同月9日付のそれぞれ確定日付のある証書によってBに通知した場合で、いずれの通知もBによる弁済前に到達したとき、Bへの通知の到達の先後にかかわらず、EがCに優先して権利を行使することができる。

1回目	2回目	3回目	4回目	5回目
手応え	手応え	手応え	手応え	手応え

◎：完全に分かってきた
○：だいたい分かってきた
△：少し分かってきた
×：全く分からなかった

テキスト
第1編

❶ 債権譲渡　　　コース 17 ポイント ❸ ❹
❷ 債権譲渡　　　コース 17 ポイント ❸ ❷
❸ 債権譲渡　　　コース 17 ポイント ❸ ❸
❹ 債権譲渡　　　コース 17 ポイント ❸ ❸

正解 | 4 |

❶ ○　**重過失なく知らない→債務の履行を拒めない**

譲渡禁止の特約があっても譲渡は有効です。しかし、譲受人その他の第三者が譲渡禁止の特約について悪意又は重過失のある場合には、債務者は譲受人等からの債務の履行を拒むことができます。よって、譲受人等に重過失のない場合は、債務者は譲受人等からの債務の履行を拒むことはできません。

❷ ○　**譲受人ではなく譲渡人からの通知が必要**

債権譲渡を債務者に対抗するには、譲渡人から債務者への通知か、債務者の承諾が必要となります。しかし、今回は譲受人から債務者に通知しています。これでは自分が債権者であると主張はできません。

❸ ○　**確定日付のある証書が優先**

確定日付のある証書と確定日付のない証書では、確定日付のある証書が優先します。

❹ ✕　**通知の到達が早いほう**

両方の債権譲渡ともに確定日付のある通知があった場合は、その通知の到達が早いほうを優先します。確定日付の先後ではないので注意しましょう。

債権譲渡

Aを注文者、Bを請負人とする請負契約（以下「本件契約」という。）が締結された場合における次の記述のうち、民法の規定及び判例によれば、誤っているものはどれか。

❶ 本件契約の目的物たる建物が、その品質において契約の内容に適合しないためこれを建て替えざるを得ない場合には、AはBに対して当該建物の建替えに要する費用相当額の損害賠償を請求することができる。

❷ 本件契約の目的物たる事務所の用に供するコンクリート造の建物が、その品質において契約の内容に適合しない場合、Aは、建物の引渡しの時から1年以内にその旨をBに通知しないときは、契約不適合責任を追及できなくなる。

❸ 本件契約の目的が建物の増築である場合、Aの失火により当該建物が焼失し増築できなくなったときは、Bは本件契約に基づく未履行部分の仕事完成債務を免れる。

❹ Bが仕事を完成しない間は、AはいつでもBに対して損害を賠償して本件契約を解除することができる。

全問◎を
目指そう!

1回目	/	2回目	/	3回目	/	4回目	/	5回目	/
手応え		手応え		手応え		手応え		手応え	

◎：完全に分かってきた
○：だいたい分かってきた
△：少し分かってきた
×：全く分からなかった

肢別テーマ ❶ 請負	コース 17 ポイント ❹ 2		
テキスト 第1編 ❷ 請負	コース 17 ポイント ❹ 2	正解	2
❸ 請負	該当なし		
❹ 請負	コース 17 ポイント ❹ 3		

❶ ○ **損害賠償請求は可能**

契約内容に不適合があるため建て替えなければならない場合、建替えに要する費用相当額の損害賠償請求は可能です。

❷ ✕ **引渡しの時ではなく知った時から**

請負人の契約不適合責任の通知期間は、注文者が不適合を知った時から1年以内です。

❸ ○ **未履行部分の仕事完成債務を免れる**

注文者の責めに帰すべき事由で完成できなくなった場合、請負人は残りの債務を免れます。

❹ ○ **仕事の完成前はいつでも解除可**

注文者は、仕事の完成前であれば、いつでも請負人が受ける損害を賠償して、請負契約を解除することができます。

Aを注文者、Bを請負人として、A所有の建物に対して独立性を有さずその構成部分となる増築部分の工事請負契約を締結し、Bは3か月間で増築工事を終了させた。この場合に関する次の記述のうち、民法の規定及び判例によれば、誤っているものはどれか。なお、この問において「契約不適合」とは品質に関して契約の内容に適合しないことをいい、当該請負契約には契約不適合責任に関する特約は定められていなかったものとする。

❶　AがBに請負代金を支払っていなくても、Aは増築部分の所有権を取得する。

❷　Bが材料を提供して増築した部分に契約不適合がある場合、Aは工事が終了した日から1年以内にその旨をBに通知しなければ、契約不適合を理由とした修補をBに対して請求することはできない。

❸　Bが材料を提供して増築した部分に契約不適合があり、Bは不適合があることを知りながらそのことをAに告げずに工事を終了し、Aが工事終了日から3年後に契約不適合を知った場合、AはBに対して、消滅時効が完成するまでは契約不適合を理由とした修補を請求することができる。

❹　増築した部分にAが提供した材料の性質によって契約不適合が生じ、Bが材料が不適当であることを知らずに工事を終了した場合、AはBに対して、Aが提供した材料によって生じた契約不適合を理由とした修補を請求することはできない。

全問◎を
目指そう!

| 1回目 | / | 2回目 | / | 3回目 | / | 4回目 | / | 5回目 | / |
| 手応え | | 手応え | | 手応え | | 手応え | | 手応え | |

◎：完全に分かってきた
○：だいたい分かってきた
△：少し分かってきた
×：全く分からなかった

❶ ○

増築部分が建物の構造の一部をなし、独立性を失った場合、不動産所有者（A）が当該増築部分の所有権を取得します。

❷ ✕ **知った時から1年以内**

注文者がその不適合を知った時から1年以内にその旨を請負人に通知しなければ、契約不適合を理由とした修補を請求することはできません。知った時から1年以内であり、工事が終了した日から1年以内ではありません。

❸ ○

仕事の目的物を注文者に引き渡した時（引渡しを要しない場合にあっては仕事が終了した時）に請負人が当該不適合を知り、又は重大な過失によって知らなかった場合は、注文者は不適合である旨の通知をする必要はありません。したがって、今回は知った時から1年以内に通知をするという制約はなく、消滅時効が完成するまでの間は修補請求ができます。

❹ ○ **請負人は契約不適合責任を負わない**

契約不適合が、注文者の提供した材料の性質や、注文者の指図により生じた場合、原則として請負人は契約不適合責任を負いません。したがって、AがBに対して修補請求をすることはできません。

委 任

Aは、その所有する土地について、第三者の立入り防止等の土地の管理を、当該管理を業としていないBに対して委託した。この場合、民法の規定によれば、次の記述のうち誤っているものはどれか。

❶ Bが無償で本件管理を受託している場合は、「善良な管理者の注意」ではなく、「自己の財産におけると同一の注意」をもって事務を処理すれば足りる。

❷ Bが無償で本件管理を受託している場合は、Bだけでなく、Aも、いつでも本件管理委託契約を解除することができる。

❸ Bが有償で本件管理を受託している場合で、Aの帰責事由によらず委任事務の履行をすることができなくなった場合又は委任が中途で終了した場合に、Bは、既にした履行の割合に応じて報酬を請求することができる。

❹ Bが有償で本件管理を受託している場合で、Bが死亡したときは、本件管理委託契約は終了し、Bの相続人は、当該契約の受託者たる地位を承継しない。

全問◎を
目指そう！

1回目	/	2回目	/	3回目	/	4回目	/	5回目	/
手応え		手応え		手応え		手応え		手応え	

◎：完全に分かってきた
○：だいたい分かってきた
△：少し分かってきた
×：全く分からなかった

肢別テーマ	❶ 委任	コース 17 ポイント ❺ ❷		正解	1
テキスト 第1編	❷ 委任	コース 17 ポイント ❺ ❹			
	❸ 委任	該当なし			
	❹ 委任	コース 17 ポイント ❺ ❸			

委 任

❶ × 善管注意義務がある

受任者には善良な管理者としての注意義務（善管注意義務）があります。これは、自己に対するものと同一の注意ではないということに注意してください。より重い注意義務をもって行うことが求められます。たとえ無償の場合であっても、善管注意義務を負います。

❷ ○ 委任契約はいつでも解除可

委任者・受任者のいずれも、特別の理由なくとも自由に解除することができます。ただし、相手方に不利な時期に解除したときは、原則として、解除した者は相手方に対して損害賠償義務を負います。

❸ ○

委任者の帰責事由によらず委任事務の履行をすることができなくなった場合又は委任が中途で終了した場合に、受任者は、既にした履行の割合に応じて報酬を請求することができます。

❹ ○ 受任者死亡→委任契約終了

委任契約は委任者又は受任者の死亡によって終了します。

Aが、A所有の不動産の売買をBに対して委任する場合に関する次の記述のうち、民法の規定によれば、正しいものはどれか。なお、A及びBは宅地建物取引業者ではないものとする。

❶　不動産のような高価な財産の売買を委任する場合には、AはBに対して委任状を交付しないと、委任契約は成立しない。

❷　Bは、委任契約をする際、有償の合意をしない限り、報酬の請求をすることができないが、委任事務のために使った費用とその利息は、Aに請求することができる。

❸　Bが当該物件の価格の調査など善良な管理者の注意義務を怠ったため、不動産売買についてAに損害が生じたとしても、報酬の合意をしていない以上、AはBに対して賠償の請求をすることができない。

❹　委任はいつでも解除することができるから、有償の合意があり、売買契約成立寸前にAが理由なく解除してBに不利益を与えたときでも、BはAに対して損害賠償を請求することはできない。

全問○を
目指そう！

1回目	2回目	3回目	4回目	5回目
手応え	手応え	手応え	手応え	手応え

◎：完全に分かってきた
○：だいたい分かってきた
△：少し分かってきた
×：全く分からなかった

肢別テーマ テキスト第1編	❶ 委任	コース 17 ポイント ❺ ❶
	❷ 委任	コース 17 ポイント ❺ ❷
	❸ 委任	コース 17 ポイント ❺ ❷
	❹ 委任	コース 17 ポイント ❺ ❹

正解 **2**

❶ ✕ 委任状の交付は不要

委任契約は当事者の合意があれば成立します。委任状の交付は必要ありません。

❷ ○ 民法上は無償が原則

報酬については、民法上は無償が原則で、報酬を請求するためにはその旨の特約をする必要があります。報酬とは異なり、委任事務を処理するのに必要な費用を支出したとき、その必要な費用とその利息は請求可能です。

❸ ✕ 善管注意義務がある

受任者には善良な管理者としての注意義務（善管注意義務）があります。有償・無償は関係ありませんので、報酬の合意をしていなかったとしても、受任者が善管注意義務に違反し、委任者に損害が発生した場合には損害賠償請求ができます。

❹ ✕ 解除しても損害賠償責任を負うことがある

委任者・受任者のいずれも、特別の理由なくとも自由に解除することができます。ただし、相手方に不利な時期に解除したときは、原則として、解除した者は相手方に対して損害賠償義務を負います。今回はBに不利益を与えているため、損害賠償請求が可能です。

図表まとめ

● **＜契約に書面が必要なもの＞**

民法	保証契約
借地借家法	定期建物賃貸借契約
	取壊し予定の建物賃貸借
	定期借地権
	事業用定期借地権（公正証書のみ）
宅建業法	媒介契約書面（売買・交換）
	37条書面

※宅建業法は分冊②で学習します。

ＡＢ間で、Ａを貸主、Ｂを借主として、Ａ所有の甲建物につき、①賃貸借契約を締結した場合と、②使用貸借契約を締結した場合に関する次の記述のうち、民法の規定によれば、誤っているものはどれか。

❶　Ｂが死亡した場合、①では契約は終了しないが、②では契約が終了する。

❷　Ｂは、①では、甲建物のＡの負担に属する必要費を支出したときは、Ａに対しその償還を請求することができるが、②では、甲建物の通常の必要費を負担しなければならない。

❸　ＡＢ間の契約は、①では諾成契約であり、②では要物契約である。

❹　ＡはＢに対して、甲建物の契約内容の不適合について、①では契約不適合責任を負う場合があるが、②では原則として契約不適合責任を負わない。

1回目	2回目	3回目	4回目	5回目
／	／	／	／	／
手応え	手応え	手応え	手応え	手応え

◎：完全に分かってきた
○：だいたい分かってきた
△：少し分かってきた
×：全く分からなかった

肢別テーマ	❶ 使用貸借	コース 17 ポイント ❻ ❷	正解 **3**
テキスト 第1編	❷ 使用貸借	コース 17 ポイント ❻ ❷	
	❸ 使用貸借	コース 17 ポイント ❻ ❶	
	❹ 使用貸借	コース 17 ポイント ❻ ❷	

❶ ○ **借主死亡→使用貸借では相続しない**

賃貸借契約は賃借人が死亡しても賃貸借契約は終了せず、相続されます。しかし、使用貸借契約では、借主が死亡すると相続はされずにそのまま終了となります。

❷ ○ **使用貸借→借主が通常の必要費を負担**

賃貸借契約では、賃借人が必要費を支出した場合、直ちに償還請求できます。しかし、使用貸借契約では、通常の必要費は借主負担となるので、貸主に請求することができません。

❸ × **賃貸借も使用貸借も諾成契約**

賃貸借契約も使用貸借契約も諾成契約（＝両者の意思表示の合致で成立する）です。

❹ ○ **使用貸借→原則として契約不適合責任を負わない**

賃貸借契約では、契約不適合責任を負います。しかし、使用貸借契約では、基本的には契約不適合責任を負いません。

図表まとめ

● **＜賃貸借と使用貸借＞**

	賃貸借	使用貸借
金銭	有償	無償
第三者に対抗	賃借権の登記	対抗不可
必要費	償還請求可能	借主は通常の必要費を負担
契約不適合責任	売主と同様の責任を負う	原則負わない※
賃貸人死亡	相続する	相続する
賃借人死亡	相続する	相続しない

※負担付使用貸借の場合、その負担の限度で売主と同様の責任を負う

使用貸借

Aは、自己所有の甲不動産を3か月以内に、1,500万円以上で第三者に売却でき、その代金全額を受領することを停止条件として、Bとの間でB所有の乙不動産を2,000万円で購入する売買契約を締結した。条件成就に関する特段の定めはしなかった。この場合に関する次の記述のうち、民法の規定によれば、正しいものはどれか。

❶ 乙不動産が値上がりしたために、Aに乙不動産を契約どおり売却したくなくなったBが、甲不動産の売却を故意に妨げたときは、Aは停止条件が成就したものとみなしてBにAB間の売買契約の履行を求めることができる。

❷ 停止条件付法律行為は、停止条件が成就した時から効力が生ずるだけで、停止条件の成否が未定である間は、相続することはできない。

❸ 停止条件の成否が未定である間に、Bが乙不動産を第三者に売却し移転登記を行い、Aに対する売主としての債務を履行不能とした場合でも、停止条件が成就する前の時点の行為であれば、BはAに対し損害賠償責任を負わない。

❹ 停止条件が成就しなかった場合で、かつ、そのことにつきAの責に帰すべき事由がないときでも、AはBに対し売買契約に基づき買主としての債務不履行に基づく損害賠償責任を負う。

1回目	/	2回目	/	3回目	/	4回目	/	5回目	/
手応え		手応え		手応え		手応え		手応え	

◎：完全に分かってきた
○：だいたい分かってきた
△：少し分かってきた
×：全く分からなかった

肢別テーマ
テキスト
第1編

❶ 該当なし
❷ 該当なし
❸ 該当なし
❹ 該当なし

正解 1

❶ ○ 成就したものとみなされる

条件成就によって不利益を受ける者が、故意に条件成就を妨げた場合、相手方は条件が成就したものとみなすことができます。したがって、AはBに対して売買契約の履行を求めることができます。

❷ ✕ 条件成否未定の間でも相続可

条件の成否が未定である間であっても、当事者の権利義務は、一般の規定に従い、処分、相続、保存ができ、担保の目的とすることもできます。したがって、停止条件付法律行為は、停止条件の成否が未定である間でも、相続することができます。

❸ ✕ 条件成就した場合の利益を害することができない

条件の成否が未定である間であっても、相手方による利益の侵害は禁じられています。条件付法律行為の目的物を滅失・毀損・処分した場合、その者は、不法行為に基づく損害賠償責任を負うこととなります。したがって、Bは、目的物である乙不動産を処分することによって、Aに対する債務を履行不能としているので、損害賠償責任を負うこととなります。

❹ ✕ 帰責事由がない場合は損害賠償責任を負わない

債務不履行責任を追及するためには、債務者の責めに帰すべき事由が必要です。本肢では、停止条件が成就しなかったとしても、そのことにAの責めに帰すべき事由がないので、Aは債務不履行に基づく損害賠償責任を負いません。

条件・期限

ＡとＢとの間で、５カ月後に実施される試験（以下この問において「本件試験」という。）にＢが合格したときにはＡ所有の甲建物をＢに贈与する旨を書面で約した（以下この問において「本件約定」という。）。この場合における次の記述のうち、民法の規定及び判例によれば、誤っているものはどれか。

❶ 本件約定は、停止条件付贈与契約である。

❷ 本件約定の後、Ａの放火により甲建物が滅失し、その後にＢが本件試験に合格した場合、ＡはＢに対して損害賠償責任を負う。

❸ Ｂは、本件試験に合格したときは、本件約定の時点にさかのぼって甲建物の所有権を取得する。

❹ 本件約定の時点でＡに意思能力がなかった場合、Ｂは、本件試験に合格しても、本件約定に基づき甲建物の所有権を取得することはできない。

全問◎を
目指そう!

1回目	/	2回目	/	3回目	/	4回目	/	5回目	/
手応え		手応え		手応え		手応え		手応え	

◎：完全に分かってきた
○：だいたい分かってきた
△：少し分かってきた
×：全く分からなかった

❶ ○ 停止条件付の贈与契約である

停止条件とは、法律行為（契約）の効力の発生が将来発生するか否か不確実な事実にかかっている条件のことをいいます。よって、本件約定は停止条件付の贈与契約です。

❷ ○ 相手方の利益を害しているので損害賠償責任を負う

条件付き法律行為（契約）の各当事者は、条件の成否が未定である間は、条件が成就した場合にその法律行為（契約）から生ずべき相手方の利益を害することができません。今回、贈与しなければならない A が放火によって甲建物を滅失させたので、相手方の利益を害しています。したがって、A は損害賠償責任を負うこととなります。

❸ ✕ 約定時からではなく停止条件が成就した時から

停止条件付法律行為は、停止条件が成就した時からその効力を生じます。したがって、約定時点にさかのぼるのではなく、試験合格時から所有権を取得します。

❹ ○ 意思無能力者のした契約は無効

意思能力を欠いている者のした契約は無効となります。したがって、B は本件試験に合格しても、所有権を取得することはできません。

民法総合

相続に関する次の記述のうち、民法の規定及び判例によれば、誤っているものはどれか。

❶ 無権代理人が本人に無断で本人の不動産を売却した後に、単独で本人を相続した場合、本人が自ら当該不動産を売却したのと同様な法律上の効果が生じる。

❷ 相続財産に属する不動産について、遺産分割前に単独の所有権移転登記をした共同相続人から移転登記を受けた第三取得者に対し、他の共同相続人は、自己の持分を登記なくして対抗することができる。

❸ 連帯債務者の一人が死亡し、その相続人が数人ある場合、相続人らは被相続人の債務の分割されたものを承継し、各自その承継した範囲において、本来の債務者とともに連帯債務者となる。

❹ 共同相続に基づく共有物の持分価格が過半数を超える相続人は、協議なくして単独で共有物を占有する他の相続人に対して、当然にその共有物の明渡しを請求することができる。

全問◎を
目指そう!

1回目	2回目	3回目	4回目	5回目
手応え	手応え	手応え	手応え	手応え

◎：完全に分かってきた
○：だいたい分かってきた
△：少し分かってきた
×：全く分からなかった

肢別テーマ	❶ 無権代理	コース 4 ポイント ❷ 5	
テキスト 第1編	❷ 第三者への対抗	コース 8 ポイント ❸ 4	正解 4
	❸ 連帯債務	該当なし	
	❹ 共有	コース 12 ポイント ❶ 1	

❶ ○ 本人死亡→追認拒絶不可

無権代理人が単独で本人を相続した場合には、その契約は当然に有効となります。追認拒絶はできません。

❷ ○ 無権利者から譲渡→無権利者

遺産分割前に、共同相続人の1人が、他の共同相続人（共有者）の同意なく自己名義の所有権移転登記をしても、他の共同相続人の持分について無権利者となります。これを第三者に譲渡した場合、無権利者から譲渡された第三取得者も、他の共同相続人の持分に関しては無権利者なので、他の共同相続人は、自己の持分を登記なしで第三者に対抗することができます。

❸ ○

相続分に応じて分割された債務を承継し、各自その範囲において、連帯債務者となります。

❹ ✕ 共有者の1人が占有中、他の共有者は明渡請求不可

共有者の1人が占有している場合、他の共有者は当然には明渡請求をすることはできません。相続人は共有関係となるので、持分価格が過半数を超える相続人であっても、当然に「出て行け」と占有している相続人に対して請求することはできません。

民法総合

契約の解除に関する次の1から4までの記述のうち、民法の規定及び下記判決文によれば、誤っているものはどれか。

> 同一当事者間の債権債務関係がその形式は甲契約及び乙契約といった2個以上の契約から成る場合であっても、それらの目的とするところが相互に密接に関連付けられていて、社会通念上、甲契約又は乙契約のいずれかが履行されるだけでは契約を締結した目的が全体としては達成されないと認められる場合には、甲契約上の債務の不履行を理由に、その債権者が法定解除権の行使として甲契約と併せて乙契約をも解除することができる。

❶ 同一当事者間で甲契約と乙契約がなされても、それらの契約の目的が相互に密接に関連付けられていないのであれば、甲契約上の債務の不履行を理由に甲契約と併せて乙契約をも解除できるわけではない。

❷ 同一当事者間で甲契約と乙契約がなされた場合、甲契約の債務が履行されることが乙契約の目的の達成に必須であると乙契約の契約書に表示されていたときに限り、甲契約上の債務の不履行を理由に甲契約と併せて乙契約をも解除することができる。

❸ 同一当事者間で甲契約と乙契約がなされ、それらの契約の目的が相互に密接に関連付けられていても、そもそも甲契約を解除することができないような付随的義務の不履行があるだけでは、乙契約も解除することはできない。

❹ 同一当事者間で甲契約（スポーツクラブ会員権契約）と同時の乙契約（リゾートマンションの区分所有権の売買契約）が締結された場合に、甲契約の内容たる屋内プールの完成及び供用に遅延があると、この履行遅延を理由として乙契約を民法第541条により解除できる場合がある。

1回目	2回目	3回目	4回目	5回目
/	/	/	/	/
手応え	手応え	手応え	手応え	手応え

全問◎を
目指そう！

◎：完全に分かってきた
○：だいたい分かってきた
△：少し分かってきた
×：全く分からなかった

難しい内容ですが、要点は以下の通りです。

> 甲契約と乙契約があって、この2つが密接に関連付けられていれば、甲契約が履行されなかった場合、甲契約を解除するのに併せて、乙契約も解除できる。

この程度を読み取ることができれば大丈夫です。
選択肢❹の例で考えてみると、

> ある人が、スポーツクラブ会員権契約（甲契約）とリゾートマンションの区分所有権契約（乙契約）を結んだ。しかし、いつまでたってもスポーツクラブ内の屋内プールが完成しなかった場合、当然のことながらスポーツクラブ会員権契約（甲契約）は解除できるし、リゾートマンションの区分所有契約（乙契約）も解除できる。

ということですね。

❶ ○ **判決文と同内容**
    甲契約と乙契約が関連付けられていれば併せて解除できるということは、「関連付けられていないのであれば…併せて解除はできない」ということです。

❷ × **「契約書に表示されていたときに限り」という記述なし**
    「契約書に表示されていたときに限り」という記述は判決文のどこにも書いていません。

❸ ○ **判決文と同内容**
    甲契約を解除するのに併せて乙契約も解除できるということは、「甲契約を解除できない程度の不履行があるだけでは乙契約も解除できない」ということです。

❹ ○ **判決文と同内容**
    甲契約と乙契約が関連付けられていれば解除できるということは、「解除できる場合がある」ということです。

判決文問題

229

判決文問題

次の1から4までの記述のうち、民法の規定及び下記判決文によれば、誤っているものはどれか。

> 賃借人は、賃貸借契約が終了した場合には、賃借物件を原状に回復して賃貸人に返還する義務があるところ、賃貸借契約は、賃借人による賃借物件の使用とその対価としての賃料の支払を内容とするものであり、賃借物件の損耗の発生は、賃貸借という契約の本質上当然に予定されているものである。それゆえ、建物の賃貸借においては、賃借人が社会通念上通常の使用をした場合に生ずる賃借物件の劣化又は価値の減少を意味する通常損耗に係る投下資本の減価の回収は、通常、減価償却費や修繕費等の必要経費分を賃料の中に含ませてその支払を受けることにより行われている。そうすると、建物の賃借人にその賃貸借において生ずる通常損耗についての原状回復義務を負わせるのは、賃借人に予期しない特別の負担を課すことになるから、賃借人に同義務が認められるためには、(中略) その旨の特約（以下「通常損耗補修特約」という。）が明確に合意されていることが必要であると解するのが相当である。

❶　賃借物件を賃借人がどのように使用しても、賃借物件に発生する損耗による減価の回収は、賃貸人が全て賃料に含ませてその支払を受けることにより行っている。

❷　通常損耗とは、賃借人が社会通念上通常の使用をした場合に生ずる賃借物件の劣化又は価値の減少を意味する。

❸　賃借人が負担する通常損耗の範囲が賃貸借契約書に明記されておらず口頭での説明等もない場合に賃借人に通常損耗についての原状回復義務を負わせるのは、賃借人に予期しない特別の負担を課すことになる。

❹　賃貸借契約に賃借人が原状回復義務を負う旨が定められていても、それをもって、賃借人が賃料とは別に通常損耗の補修費を支払う義務があるとはいえない。

全問◎を
目指そう！

1回目	／	2回目	／	3回目	／	4回目	／	5回目	／
手応え		手応え		手応え		手応え		手応え	

◎：完全に分かってきた
○：だいたい分かってきた
△：少し分かってきた
×：全く分からなかった

判決文を解釈すると、おおよそ次のような内容となります。

> **原状回復が当然だが、賃貸借であれば損耗は想定内ですよね**
>
> **↓（それゆえ）**
>
> **通常損耗は基本的には家賃に含まれています。**
>
> **↓（そうすると）**
>
> **通常損耗の分も借主負担と言うなら、特約設定して明確に合意が必要**

❶ × **「どのように使用しても」というわけではない**

判決文では「通常損耗」の話をしています。選択肢のように「どのように使用しても」というわけではありません。

❷ ○ **判決文と一致する**

判決文「賃借人が社会通念上通常の使用をした場合に生ずる賃借物件の劣化又は価値の減少を意味する通常損耗」と一致します。

❸ ○ **明確に合意とはいえない**

契約書に明記もされておらず、口頭での説明もないのであれば、明確に合意されているとは言えません。

❹ ○ **明確な合意とは判断できない**

「賃借人が原状回復義務を負う」という部分を「明確な合意」と判断するには無理があります。賃貸人が勝手に定めただけであり、賃借人は賛成していないかもしれないからです。

判決文問題

権利関係
クリアできました！

ゴ～ル

お疲れ様！
ややこしいのを、
よくやりきったね！

第2編●宅建業法

本試験での出題数：20問　得点目標：18点

高得点が要求される分野です。宅建業法はぜひ得意になってほしい分野です。何度も解いてしっかり得点できるようにしておきましょう！

論　点	問題番号
宅建業の意味	問題1〜問題6
事務所	問題7〜問題11
免許	問題12〜問題20
事務所以外の場所	問題21〜問題24
宅地建物取引士	問題25〜問題33
営業保証金	問題34〜問題41
弁済業務保証金	問題42〜問題49
媒介・代理	問題50〜問題57
広告等の規制	問題58〜問題62
重要事項説明	問題63〜問題73
37条書面	問題74〜問題80
業務上の規制	問題81〜問題84
自ら売主制限	問題85〜問題100
住宅瑕疵担保履行法	問題101〜問題104
報酬額の制限	問題105〜問題109
監督・罰則	問題110〜問題115

次の記述のうち、宅地建物取引業法の免許を受ける必要のないものはどれか。

❶ 建設業法による建設業の許可を受けているAが、建築請負契約に付帯して取り決めた約束を履行するため、建築した共同住宅の売買のあっせんを反復継続して行う場合

❷ 地主Bが、都市計画法の用途地域内の所有地を、駐車場用地2区画、資材置場1区画、園芸用地3区画に分割したうえで、これらを別々に売却する場合

❸ 地主Cが、その所有地に自らマンションを建設した後、それを入居希望者に賃貸し、そのマンションの管理をCが行う場合

❹ 農家Dが、その所有する農地を宅地に転用し、全体を25区画に造成した後、宅地建物取引業者Eに販売代理を依頼して分譲する場合

全問◎を
目指そう!

| 1回目 | / | 2回目 | / | 3回目 | / | 4回目 | / | 5回目 | / |
| 手応え | | 手応え | | 手応え | | 手応え | | 手応え | |

◎：完全に分かってきた
○：だいたい分かってきた
△：少し分かってきた
×：全く分からなかった

2

肢別テーマ テキスト第2編	❶ 宅建業の意味	コース 1 ポイント ❶ 2	
	❷ 宅建業の意味	コース 1 ポイント ❶ 2	
	❸ 宅建業の意味	コース 1 ポイント ❶ 5	正解 3
	❹ 宅建業の意味	コース 1 ポイント ❶ 2	

宅建業の意味

○：必要　✕：不要

❶　○　建設業者Aは免許が必要

共同住宅（＝建物）を、反復継続して（＝業）売買のあっせん（＝取引）をするのだから宅建業の免許が必要です。建設業の許可と宅建業の免許は全く別物ですので念のため。

❷　○　地主Bは免許が必要

用途地域内の所有地（＝宅地）を、別々に（＝業）売却（＝取引）するのだから免許が必要です。

❸　✕　自ら貸借は取引ではない

自ら貸借は取引ではありませんので免許は不要です。自ら転貸の場合も同様です。また、建設や管理も取引ではありません。

❹　○　農家Dも免許が必要

宅地の所有者が、宅建業者の代理により宅地を分譲する場合、その効果は依頼主である宅地の所有者に帰属します。よって、農家Dも売主として宅建業の免許が必要です。

 ちょこっと **よりみちトーク**

「宅地建物」の「取引」を「業」として行うには免許が必要です。

どれか1つでも違ったら免許はいらないんだよね？

その通り！だから、1つ1つ当てはまるかどうか、しっかり確認しましょう！

宅地建物取引業の免許（以下この問において「免許」という。）に関する次の記述のうち、宅地建物取引業法の規定によれば、正しいものはどれか。

❶ 建設会社Aが、所有宅地を10区画に分割し、宅地建物取引業者Bの代理により、不特定多数に継続して販売する場合、Aは免許を受ける必要はない。

❷ 農業協同組合Cが所有宅地を10区画に分割し、倉庫の用に供する目的で不特定多数に継続して販売する場合、Cは免許を受ける必要はない。

❸ 甲県住宅供給公社Dが、住宅を不特定多数に継続して販売する場合、Dは免許を受ける必要はない。

❹ 宅地建物取引士Eが、E名義で賃貸物件の媒介を反復継続して行う場合、Eが宅地建物取引業者Fに勤務していれば、Eは免許を受ける必要はない。

全問◎を
目指そう！

1回目	2回目	3回目	4回目	5回目
／	／	／	／	／
手応え	手応え	手応え	手応え	手応え

◎：完全に分かってきた
○：だいたい分かってきた
△：少し分かってきた
×：全く分からなかった

肢別テーマ テキスト第2編	❶ 宅建業の意味	コース 1 ポイント ❶ 2	
	❷ 宅建業の意味	コース 1 ポイント ❶ 2	
	❸ 免許不要	コース 1 ポイント ❷ 2	正解 3
	❹ 宅建業の意味	コース 1 ポイント ❶ 2	

宅建業の意味

❶ ✕ Aも免許必要

宅地の所有者が、宅建業者の代理により宅地を分譲する場合、その効果は依頼主である宅地の所有者に帰属します。Aは宅地を、不特定多数の者に反復継続して（＝業）、販売（＝取引）していることとなるので、Aも売主として宅建業の免許が必要です。

❷ ✕ Cは免許必要

宅地を不特定多数に継続して（＝業）販売（＝取引）をしようとしているのだから免許が必要です。農業協同組合は国や地方公共団体ではありませんので注意しましょう。

❸ ◯ Dは免許不要

住宅供給公社は地方公共団体とみなされるので、宅建業を行う場合でも免許不要です。

❹ ✕ Eは免許が必要

Eが宅建業者に勤務していようと、Eが個人的に（＝E名義で）行うのであれば、E自身に免許が必要となります。

 ちょこっと よりみちトーク

❹の選択肢が謎すぎますね…。

NO…

❹は、「銀行に勤めている銀行員であれば、個人的に勝手に通帳を発行して銀行業務をしてもよい」と言っているようなもの。そんなこと、いいわけないよね。

宅地建物取引業の免許（以下この問において「免許」という。）に関する次の記述のうち、正しいものはどれか。

❶ 農地所有者が、その所有する農地を宅地に転用して売却しようとするときに、その販売代理の依頼を受ける農業協同組合は、これを業として営む場合であっても、免許を必要としない。

❷ 他人の所有する複数の建物を借り上げ、その建物を自ら貸主として不特定多数の者に反復継続して転貸する場合は、免許が必要となるが、自ら所有する建物を貸借する場合は、免許を必要としない。

❸ 破産管財人が、破産財団の換価のために自ら売主となり、宅地又は建物の売却を反復継続して行う場合において、その媒介を業として営む者は、免許を必要としない。

❹ 信託業法第3条の免許を受けた信託会社が宅地建物取引業を営もうとする場合、免許を取得する必要はないが、その旨を国土交通大臣に届け出ることが必要である。

1回目	2回目	3回目	4回目	5回目
/	/	/	/	/
手応え	手応え	手応え	手応え	手応え

◎：完全に分かってきた
○：だいたい分かってきた
△：少し分かってきた
×：全く分からなかった

❶ **✕　農業協同組合→国や地方公共団体ではない**

宅地を業として売却の代理（＝取引）をしようとしているのだから**免許が必要**です。農業協同組合は国や地方公共団体ではありませんので注意しましょう。

❷ **✕　自ら貸借は取引ではない**

自ら貸借は取引ではありませんので免許は不要です。自ら転貸の場合も同様ですので、前半部の記述が誤りとなります。後半部の記述は正しいです。

❸ **✕　宅建業の免許が必要**

破産管財人が、破産財団の換価のために自ら売主となり、宅地又は建物の売却を反復継続して行う場合、当該破産管財人は免許が不要です。しかし、破産管財人から依頼を受けている者については、免許不要ではありません。今回、依頼を受けた者は、宅地建物の売却の媒介（＝取引）を反復継続して（＝業）行っているので、**宅建業の免許が必要**となります。

❹ **〇　信託会社→免許不要**

信託会社や信託銀行が宅建業を行う場合には、宅建業の免許は不要です。しかし、その他の宅建業法のルールは適用されます。なお、一定事項を国土交通大臣に届け出なければなりません。

　アドバイス

たとえ国や地方公共団体が依頼者だったとしても、裁判所に選任された破産管財人だったとしても、依頼を受けた者は免許が必要です。

宅地建物取引業の免許（以下この問において「免許」という。）に関する次の記述のうち、正しいものはどれか。

❶ Aが、その所有する農地を区画割りして宅地に転用したうえで、一括して宅地建物取引業者Bに媒介を依頼して、不特定多数の者に対して売却する場合、Aは免許を必要としない。

❷ Cが、その所有地にマンションを建築したうえで、自ら賃借人を募集して賃貸し、その管理のみをDに委託する場合、C及びDは、免許を必要としない。

❸ Eが、その所有する都市計画法の用途地域内の農地を区画割りして、公益法人のみに対して反復継続して売却する場合、Eは、免許を必要としない。

❹ Fが、甲県からその所有する宅地の販売の代理を依頼され、不特定多数の者に対して売却する場合は、Fは、免許を必要としない。

1回目	2回目	3回目	4回目	5回目
／	／	／	／	／
手応え	手応え	手応え	手応え	手応え

◎：完全に分かってきた
○：だいたい分かってきた
△：少し分かってきた
×：全く分からなかった

肢別テーマ テキスト第2編	❶ 宅建業の意味	コース 1 ポイント ❶ ❷	
	❷ 宅建業の意味	コース 1 ポイント ❶ ❷	
	❸ 宅建業の意味	コース 1 ポイント ❶ ❷	正解 2
	❹ 宅建業の意味	コース 1 ポイント ❶ ❷	

宅建業の意味

❶ ✕ Aは免許が必要

一括して依頼したとはいえ、媒介しか依頼されていないBは契約締結をせずに、そのたびにAが契約を行うのだから、Aは何度も（＝業）契約を行うこととなります。よって、Aも宅地の取引を業として行う扱いとなりますので、**免許が必要**です。

❷ ○ Cは自ら貸借、Dは管理業のため免許不要

Cは**自ら貸借**なので取引にはあたらず**免許は不要**です。また、Dは管理を委託されただけであり、宅建業を行うわけではないので**免許は不要**です。

❸ ✕ Eは免許が必要

用途地域内の土地（＝宅地）を売却する（＝取引）ので、宅地建物の取引を行っています。「公益法人のみ」とはいっていますが、日本に公益法人は1万弱あるといわれており、さすがに「特定」とするのは難しいので、不特定多数扱いをします。よって、業を行っていると判断できるため、**免許は必要**です。

❹ ✕ Fは免許が必要

甲県（＝地方公共団体）は免許不要ですが、そこから依頼を受けたFは、宅建業を行うので**免許が必要**です。

宅地、建物に関する次の記述のうち、宅地建物取引業法の規定によれば、正しいものはどれか。

❶ 宅地とは、建物の敷地に供せられる土地をいい、道路、公園、河川、広場及び水路に供せられているものは宅地には当たらない。

❷ 建物の一部の売買の代理を業として行う行為は、宅地建物取引業に当たらない。

❸ 建物とは、土地に定着する工作物のうち、屋根及び柱若しくは壁を有するものをいうが、学校、病院、官公庁施設等の公共的な施設は建物には当たらない。

❹ 宅地とは、現に建物の敷地に供せられている土地をいい、その地目、現況によって宅地に当たるか否かを判断する。

全問◎を
目指そう!

1回目	2回目	3回目	4回目	5回目
/	/	/	/	/
手応え	手応え	手応え	手応え	手応え

◎:完全に分かってきた
○:だいたい分かってきた
△:少し分かってきた
×:全く分からなかった

10

肢別テーマ	❶ 宅建業の意味	コース 1 ポイント ❶ ❸	
テキスト 第2編	❷ 宅建業の意味	コース 1 ポイント ❶ ❹	正解 1
	❸ 宅建業の意味	コース 1 ポイント ❶ ❹	
	❹ 宅建業の意味	コース 1 ポイント ❶ ❸	

宅建業の意味

❶ ○ **用途地域内でも道路・公園・河川・広場・水路は宅地ではない**
宅地とは、建物の敷地に供せられる土地をいいます。道路、公園、河川、広場及び水路の用に供せられている土地は、建物の敷地に供せられている土地ではありません。

❷ ✕ **宅地建物取引業に該当する**
建物の一部も建物として扱います。したがって、建物の売買の代理（＝取引）を業として行うことは宅地建物取引業にあたります。

❸ ✕ **公共的な施設も建物に該当する**
学校、病院、官公庁施設等の公共的な施設も建物にあたります。

❹ ✕ **「現に建物の敷地に供せられている土地」だけではない**
現に建物の敷地に供せられている土地に限らず、広く建物の敷地に供せられる土地をいいます。

宅地建物取引業の免許（以下この問において「免許」という。）に関する次の記述のうち、正しいものはどれか。

❶ Aの所有するオフィスビルを賃借しているBが、不特定多数の者に反復継続して転貸する場合、AとBは免許を受ける必要はない。

❷ 建設業の許可を受けているCが、建築請負契約に付随して、不特定多数の者に建物の敷地の売買を反復継続してあっせんする場合、Cは免許を受ける必要はない。

❸ Dが共有会員制のリゾートクラブ会員権（宿泊施設等のリゾート施設の全部又は一部の所有権を会員が共有するもの）の売買の媒介を不特定多数の者に反復継続して行う場合、Dは免許を受ける必要はない。

❹ 宅地建物取引業者であるE（個人）が死亡し、その相続人FがEの所有していた土地を20区画に区画割りし、不特定多数の者に宅地として分譲する場合、Fは免許を受ける必要はない。

全問◎を
目指そう!

1回目	2回目	3回目	4回目	5回目
/	/	/	/	/
手応え	手応え	手応え	手応え	手応え

◎：完全に分かってきた
○：だいたい分かってきた
△：少し分かってきた
×：全く分からなかった

肢別テーマ	❶ 宅建業の意味	コース 1	ポイント ❶ 5
テキスト第2編	❷ 宅建業の意味	コース 1	ポイント ❶ 2
	❸ 宅建業の意味	コース 1	ポイント ❶ 4
	❹ 宅建業の意味	コース 1	ポイント ❶ 2

正解 1

宅建業の意味

❶ ○ 自ら貸借は取引ではない

Aは、自ら貸借なので取引にはあたらず、**免許は不要です**。Bも、自ら転貸をしているので**免許は不要です**。

❷ ✕ 建設業者Cは免許が必要

建物の敷地（＝宅地）を、不特定多数の者に反復継続して（＝業）売買のあっせん（＝取引）をするので**免許が必要です**。建設業と宅建業は別です。

❸ ✕ リゾートクラブ会員権は建物として扱う

リゾートクラブ会員権（宿泊施設等のリゾート施設の全部又は一部の所有権を会員が共有するもの）は、建物として扱います。したがって、建物の取引を業として行っているため、**免許が必要となります**。

❹ ✕ Fは免許が必要

相続した土地を宅地として、不特定多数の者に（＝業）分譲（＝取引）するのだから、Fは免許が必要です。**宅建業の免許は相続しませんので**、業者の相続人であったとしても、新たに免許を受ける必要があります。

ちょこっと **よりみちトーク**

宅建業の免許って相続しないんですね。

考えてごらん。医師の親が亡くなって、自動的にその子供が医師になれるとしたら？

え？　ちゃんと知識のある人でないと不安ですよ…。

宅建業の免許も同じだよ。ちゃんとした人に免許をあげたいから、相続はできないんだよ。

宅地建物取引業法第3条第1項に規定する事務所（以下この問において「事務所」という。）に関する次の記述のうち、正しいものはどれか。

❶ 事務所とは、契約締結権限を有する者を置き、継続的に業務を行うことができる施設を有する場所を指すものであるが、商業登記簿に登載されていない営業所又は支店は事務所には該当しない。

❷ 宅地建物取引業を営まず他の兼業業務のみを営んでいる支店は、事務所には該当しない。

❸ 宅地建物取引業者は、主たる事務所については、免許証、標識及び国土交通大臣が定めた報酬の額を掲げ、従業者名簿及び帳簿を備え付ける義務を負う。

❹ 宅地建物取引業者は、その事務所ごとに一定の数の成年者である専任の宅地建物取引士を置かなければならないが、既存の事務所がこれを満たさなくなった場合は、30日以内に必要な措置を執らなければならない。

全問○を
目指そう！

| 1回目 | / | 2回目 | / | 3回目 | / | 4回目 | / | 5回目 | / |
| 手応え | | 手応え | | 手応え | | 手応え | | 手応え | |

◎：完全に分かってきた
○：だいたい分かってきた
△：少し分かってきた
×：全く分からなかった

	❶ 事務所	コース 2 ポイント ❶ ❶	
肢別テーマ テキスト 第2編	❷ 事務所	コース 2 ポイント ❶ ❶	正解 2
	❸ 事務所	コース 2 ポイント ❶ ❷	
	❹ 事務所	コース 2 ポイント ❶ ❷	

❶ ✕

事務所とは、①本店、②支店、③継続的に業務を行うことができる施設を有する場所で、宅建業に係る契約を締結する権限を有する使用人を置くものをいいます。①と②については原則として商業登記簿に搭載されているものが該当しますが、商業登記簿に登載されていなくても③に該当すれば事務所となります。

❷ ◯ **支店→宅建業を営んでいる場合のみ事務所に該当する**

本店はそこで宅建業を営んでいなくても支店で宅建業を営んでいる場合に事務所として扱うのに対し、**支店は宅建業を営んでいる場合のみ事務所として扱います。**

❸ ✕ **免許証は掲示義務なし**

宅地建物取引業者は、事務所ごとに、標識及び国土交通大臣が定めた報酬の額を掲げ、従業者名簿及び帳簿を備え付ける義務を負います。しかし、**免許証の掲示義務はありません。**

❹ ✕ **「30日以内」→「2週間以内」**

成年者である専任の宅地建物取引士の設置要件を欠くに至ったときは、**2週間以内**に補充などの措置をとらなければなりません。

次の記述のうち、宅地建物取引業法の規定によれば、正しいものはどれか。

❶ 宅地建物取引業者は、その業務に関する各事務所の帳簿を一括して主たる事務所に、従業者名簿を各事務所ごとに備えなければならない。

❷ 宅地建物取引業者は、その業務に関する帳簿を、各事業年度の末日をもって閉鎖し、閉鎖後 5 年間（当該宅地建物取引業者が自ら売主となる新築住宅に係るものにあっては 10 年間）当該帳簿を保存しなければならない。

❸ 宅地建物取引業者は、その業務に従事する者であっても、アルバイトとして一時的に事務の補助をする者については、従業者名簿に記載する必要はない。

❹ 宅地建物取引業者は、宅地建物取引業法第 49 条の規定に違反して業務に関する帳簿を備え付けなかったときでも、罰金の刑に処せられることはない。

1回目	/	2回目	/	3回目	/	4回目	/	5回目	/
手応え		手応え		手応え		手応え		手応え	

◎：完全に分かってきた
○：だいたい分かってきた
△：少し分かってきた
×：全く分からなかった

肢別テーマ		
テキスト 第2編	❶ 事務所	コース 2　ポイント ❶ 2
	❷ 事務所	コース 2　ポイント ❶ 2
	❸ 事務所	コース 2　ポイント ❶ 2
	❹ 事務所	コース 2　ポイント ❶ 2

正解 **2**

❶　✕　**帳簿も従業者名簿も事務所ごとに設置**

帳簿も従業者名簿も事務所ごとに設置する必要があります。主たる事務所に一括ではありません。

❷　○　**帳簿→原則として5年間保存**

帳簿は閉鎖後5年間（当該宅建業者が自ら売主となる新築住宅に係るものにあっては10年間）保存しなければなりません。

❸　✕　**アルバイトも記載**

アルバイトであっても従業者であるので、従業者名簿に記載しなければなりません。

❹　✕　**5点セット違反は罰則あり**

帳簿は備え付けなければならないものなので、備え付けていない場合には罰則があります。

事務所

次の記述のうち、宅地建物取引業法の規定によれば、正しいものはどれか。

❶ 宅地建物取引業者の従業者である宅地建物取引士は、取引の関係者から事務所で従業者証明書の提示を求められたときは、この証明書に代えて従業者名簿又は宅地建物取引士証を提示することで足りる。

❷ 宅地建物取引業者がその事務所ごとに備える従業者名簿には、従業者の氏名、生年月日、当該事務所の従業者となった年月日及び当該事務所の従業者でなくなった年月日を記載することで足りる。

❸ 宅地建物取引業者は、一団の宅地の分譲を案内所を設置して行う場合、業務を開始する日の 10 日前までに、その旨を免許を受けた国土交通大臣又は都道府県知事及び案内所の所在地を管轄する都道府県知事に届け出なければならない。

❹ 宅地建物取引業者は、その事務所ごとに、その業務に関する帳簿を備え、宅地建物取引業に関し取引のあった月の翌月 10 日までに、一定の事項を記載しなければならない。

全問◎を
目指そう！

1回目	/	2回目	/	3回目	/	4回目	/	5回目	/
手応え		手応え		手応え		手応え		手応え	

◎：完全に分かってきた
○：だいたい分かってきた
△：少し分かってきた
×：全く分からなかった

18

❶ ✕ 従業者証明書と宅地建物取引士証は別物

従業者証明書と宅地建物取引士証は別物ですので、**代用することはできません。**

❷ ✕ 宅地建物取引士か否か等も記載

従業者名簿には、従業者の氏名、従業者証明書番号、生年月日、主たる職務内容、**宅地建物取引士であるか否かの別**、事務所の従業者となった年月日、事務所の従業者でなくなったときはその年月日を記載しなければなりません。

❸ ◯ 10日前までに届出

契約の締結または契約の申込みを受ける案内所を設置する場合には、**業務開始10日前までに、免許権者と案内所の所在地を管轄する都道府県知事に届出**をしなければなりません。

❹ ✕ 帳簿→取引のあった都度記載

取引のあった都度記載する必要があります。取引のあった翌月10日までではありません。

事務所

選択肢❸は第4コースの学習内容ですので、まだそこまで学習していない方は気にしなくても大丈夫です！

次の記述のうち、宅地建物取引業法の規定によれば、正しいものはどれか。

❶ 宅地建物取引業者は、従業者名簿の閲覧の請求があったときは、取引の関係者か否かを問わず、請求した者の閲覧に供しなければならない。

❷ 宅地建物取引業者は、その業務に従事させる者に従業者証明書を携帯させなければならず、その者が宅地建物取引士であり、宅地建物取引士証を携帯していても、従業者証明書を携帯させなければならない。

❸ 宅地建物取引業者は、その事務所ごとに従業者名簿を備えなければならないが、退職した従業者に関する事項は、個人情報保護の観点から従業者名簿から消去しなければならない。

❹ 宅地建物取引業者は、その業務に従事させる者に従業者証明書を携帯させなければならないが、その者が非常勤の役員や単に一時的に事務の補助をする者である場合には携帯させなくてもよい。

全問◯を目指そう!

| 1回目 | / | 2回目 | / | 3回目 | / | 4回目 | / | 5回目 | / |
| 手応え | | 手応え | | 手応え | | 手応え | | 手応え | |

◎：完全に分かってきた
◯：だいたい分かってきた
△：少し分かってきた
×：全く分からなかった

20

肢別テーマ	❶ 事務所	コース 2 ポイント ❶ ❷	
テキスト 第2編	❷ 事務所	コース 2 ポイント ❶ ❸	**正解** 2
	❸ 事務所	コース 2 ポイント ❶ ❷	
	❹ 事務所	コース 2 ポイント ❶ ❸	

❶ ✕ 閲覧→取引の関係者から請求があったとき

宅建業者は、**取引の関係者から請求があったとき**は、従業者名簿をその者の閲覧に供しなければなりません。したがって、「取引の関係者か否かを問わず」ではありません。

❷ ○ 従業者証明書と宅地建物取引士証は別

宅建業者は、従業者に、その従業者であることを証する証明書を携帯させなければ、その者をその業務に従事させてはなりません。**従業者証明書と宅地建物取引士証は別**なので、宅地建物取引士証を携帯していても、それとは別に従業者証明書を携帯させなければなりません。

❸ ✕ 従業者でなくなった年月日を記載しなければならない

宅建業者は、その事務所ごとに、従業者名簿を備え、従業者の氏名、従業者証明書の番号、生年月日、主たる職務内容、宅地建物取引士であるか否かの別、当該事務所の従業者となった年月日、**当該事務所の従業者でなくなったときは、その年月日**を記載しなければなりません。そして、宅建業者は、従業者名簿を最終の記載をした日から10年間保存しなければなりません。以上のことから、退職しても消去せず保存することが求められます。

❹ ✕ 業務に従事する者には従業者証明書を携帯させる

宅建業者は、業務に従事する者には従業者証明書を携帯させなければなりません。非常勤の役員であっても携帯させる必要があります。また、**アルバイトなど一時的に業務補助をする者であっても携帯させる必要があります**。なお、取引の関係者から請求があったときは従業者証明書を提示する必要があります。

事務所

次の記述のうち、宅地建物取引業法の規定によれば、正しいものはどれか。

❶ 宅地建物取引業者は、非常勤役員には従業者であることを証する証明書を携帯させる必要はない。

❷ 宅地建物取引業者は、その事務所ごとに従業者名簿を備えなければならないが、取引の関係者から閲覧の請求があった場合であっても、宅地建物取引業法第45条に規定する秘密を守る義務を理由に、閲覧を拒むことができる。

❸ 宅地建物取引業者の従業者は、宅地の買受けの申込みをした者から請求があった場合には、その者が宅地建物取引業者であっても、その者に従業者であることを証する証明書を提示する必要がある。

❹ 宅地建物取引業者は、従業者名簿を最終の記載をした日から5年間保存しなければならない。

全問◎を
目指そう！

1回目	/	2回目	/	3回目	/	4回目	/	5回目	/
手応え		手応え		手応え		手応え		手応え	

◎：完全に分かってきた
○：だいたい分かってきた
△：少し分かってきた
×：全く分からなかった

肢別テーマ	❶ 事務所	コース 2 ポイント ❶ ❸	
テキスト 第2編	❷ 事務所	コース 2 ポイント ❶ ❷	正解 3
	❸ 事務所	コース 2 ポイント ❶ ❸	
	❹ 事務所	コース 2 ポイント ❶ ❷	

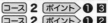

❶ **✕ 非常勤役員にも従業者証明書を携帯させる**

非常勤の役員や、単に一時的に事務の補助をする者（アルバイト）であっても、従業者証明書を携帯させる必要があります。

❷ **✕ 従業者名簿を閲覧に供しなければならない**

宅建業者は、取引の関係者から請求があったときは、従業者名簿をその者の閲覧に供しなければなりません。したがって、閲覧請求を拒むことはできません。なお、宅建業者は、事務所ごとに、従業者名簿を備えなければならないとする部分は正しいです。

❸ **◯ 従業者証明書を提示しなければならない**

従業者は、取引の関係者の請求があったときは、従業者証明書を提示しなければなりません。それは、取引の相手方が宅地建物取引業者であっても同様です。

❹ **✕ 従業者名簿→ 10 年間保存しなければならない**

宅建業者は、従業者名簿を最終の記載をした日から 10 年間保存しなければなりません。

事務所

宅地建物取引業の免許（以下この問において「免許」という。）に関する次の記述のうち、正しいものはどれか。

❶ 法人Aの役員のうちに、破産手続開始の決定がなされた後、復権を得てから5年を経過しない者がいる場合、Aは、免許を受けることができない。

❷ 法人Bの役員のうち、宅地建物取引業法の規定に違反したことにより、罰金の刑に処せられ、その刑の執行が終わった日から5年を経過しない者がいる場合、Bは、免許を受けることができない。

❸ 法人Cの役員のうちに、刑法第204条（傷害）の罪を犯し懲役1年の刑に処せられ、その刑の全部の執行猶予期間を経過したが、その経過の日から5年を経過しない者がいる場合、Cは免許を受けることができない。

❹ 法人Dの役員のうち、道路交通法の規定に違反したことにより、科料に処せられ、その刑の執行が終わった日から5年を経過しない者がいる場合、Dは、免許を受けることができない。

全問◎を
目指そう!

1回目 /	2回目 /	3回目 /	4回目 /	5回目 /
手応え	手応え	手応え	手応え	手応え

◎：完全に分かってきた
○：だいたい分かってきた
△：少し分かってきた
×：全く分からなかった

24

❶ ✕ **復権すれば免許可**

破産手続開始の決定を受けた者であっても、**復権すれば欠格者ではありません。**よって、法人Aは免許を受けることができます。

❷ ◯ **役員に欠格者→免許不可**

宅建業法違反で罰金刑に処せられた者は、刑の執行が終わった日から5年間は欠格者となります。よって、**役員の中に欠格者がいる法人Bは免許を受けることができません。**

❸ ✕ **執行猶予期間が満了すれば免許可**

懲役刑に処せられて執行猶予期間中の者は欠格者となりますが、**刑の全部の執行猶予期間が満了すれば役員は欠格者ではありませんから、法人Cは免許を受けることができます。**

❹ ✕ **科料・拘留は免許可能**

科料に処せられても役員は欠格者とはなりません。よって、法人Dは免許を受けることができます。

● **免許まとめ**

① 会社が悪いことをした ➡ 免許取消

（悪いこと：三悪）	**1** 不正手段による免許取得
	2 業務停止処分該当事由で情状が特に重い
	3 業務停止処分違反

➡ 役員も欠格者になる（政令で定める使用人は欠格者とならない！）

② 会社の中［役員／政令で定める使用人］に欠格者がいる

➡ 免許取消

➡ 他の役員や政令で定める使用人は欠格者にならない！

➡ その人を追い出せば、すぐに免許OK！

宅地建物取引業の免許（以下この問において「免許」という。）に関する次の記述のうち、宅地建物取引業法の規定によれば、正しいものはどれか。

❶ A社の取締役が、刑法第211条（業務上過失致死傷等）の罪を犯し、懲役1年刑の全部の執行猶予2年の刑に処せられ、執行猶予期間は満了した。その満了の日から5年を経過していない場合、A社は免許を受けることができない。

❷ B社は不正の手段により免許を取得したとして甲県知事から免許を取り消されたが、B社の取締役Cは、当該取消に係る聴聞の期日及び場所の公示の日の30日前にB社の取締役を退任した。B社の免許取消の日から5年を経過していない場合、Cは免許を受けることができない。

❸ D社の取締役が、刑法第159条（私文書偽造）の罪を犯し、地方裁判所で懲役2年の判決を言い渡されたが、この判決に対して高等裁判所に控訴して現在裁判が係属中である。この場合、D社は免許を受けることができない。

❹ E社は乙県知事から業務停止処分についての聴聞の期日及び場所を公示されたが、その公示後聴聞が行われる前に、相当の理由なく宅地建物取引業を廃止した旨の届出をした。その届出の日から5年を経過していない場合、E社は免許を受けることができない。

1回目	／	2回目	／	3回目	／	4回目	／	5回目	／
手応え		手応え		手応え		手応え		手応え	

◎：完全に分かってきた
○：だいたい分かってきた
△：少し分かってきた
×：全く分からなかった

肢別テーマ	❶ 免許	コース 3 ポイント ❷ ❶
テキスト 第2編	❷ 免許	コース 3 ポイント ❷ ❶
	❸ 免許	コース 3 ポイント ❷ ❶
	❹ 免許	コース 3 ポイント ❷ ❶

正解 **2**

❶ ✕ **執行猶予期間が満了すれば免許可**

会社の役員が欠格者である場合、免許は受けられません。懲役刑に処せられて執行猶予期間中の者は欠格者となりますが、**刑の全部の執行猶予期間が満了すれば役員は欠格者ではありませんから**、A 社は免許を受けることができます。

❷ ◯ **会社が悪いことして免許取消し→役員も5年不可**

不正手段で免許を取得したことを理由に免許を取り消された場合、その聴聞の公示日前 60 日以内に役員であった者も欠格者となります。公示日の 30 日前まで役員であった C は欠格者となるため、免許を受けることはできません。

❸ ✕ **控訴・上告中は免許可**

控訴・上告中は免許を受けることができます。

❹ ✕ **免許取消しではなく業務停止なのでセーフ**

免許取消しではなく業務停止とある点に気をつけましょう。三悪による免許取消処分であれば欠格者となってしまいますが、今回は**業務停止処分のため欠格者とはなりません**。

免
許

 ちょこっと **よりみちトーク**

選択肢❹、「業務停止処分」を「免許取消処分」だと思って解いてしまった。

ひっかけ問題に気をつけようね！

宅地建物取引業の免許（以下この問において「免許」という。）に関する次の記述のうち、宅地建物取引業法の規定によれば、正しいものはどれか。

❶ A社の政令で定める使用人は、刑法第247条（背任）の罪を犯し、罰金の刑に処せられたが、その執行を終えてから3年を経過しているので、A社は免許を受けることができる。

❷ B社の取締役が、刑法第204条（傷害）の罪で懲役1年刑の全部の執行猶予2年の刑に処せられ、猶予期間を満了したが、その満了の日から5年を経過していないので、B社は免許を受けることができない。

❸ 個人Cは、かつて免許を受けていたとき、自己の名義をもって他人に宅地建物取引業を営ませ、その情状が特に重いとして免許を取り消されたが、免許取消しの日から5年を経過していないので、Cは免許を受けることができない。

❹ 個人Dは、かつて破産手続開始の決定を受け、現在は復権を得ているが、復権を得た日から5年を経過していないので、Dは免許を受けることができない。

全問◎を
目指そう！

1回目	/	2回目	/	3回目	/	4回目	/	5回目	/
手応え		手応え		手応え		手応え		手応え	

◎：完全に分かってきた
○：だいたい分かってきた
△：少し分かってきた
×：全く分からなかった

28

❶ 免許	コース 3 ポイント ❷ 1	
❷ 免許	コース 3 ポイント ❷ 1	正解 3
❸ 免許	コース 3 ポイント ❷ 1	
❹ 免許	コース 3 ポイント ❷ 1	

❶ ✕ **政令で定める使用人が欠格者→免許不可**

罰金刑の場合であっても、背任罪であれば、刑の執行後5年間は欠格者となります。会社の役員や政令で定める使用人に欠格者がいる場合、免許を受けることはできません。

❷ ✕ **執行猶予期間を満了すれば免許可**

刑の全部の執行猶予がついている場合、**執行猶予期間が満了すれば取締役は欠格者ではなくなります**。よって、B社は免許を受けることができます。

❸ ◯ **悪いことをしたら5年間免許不可**

「自己の名義をもって他人に宅地建物取引業を営ませ」（＝業務停止処分対象行為）で、情状が特に重いとして免許が取り消された場合、**免許取消しから5年間は欠格者となります**。よって、Cは免許を受けることができません。

❹ ✕ **復権すれば免許可**

破産手続開始の決定を受けた者であっても、**復権すれば欠格者ではありません**。したがって、Dは免許を受けることができます。

免
許

宅地建物取引業の免許（以下この問において「免許」という。）に関する次の記述のうち、正しいものはいくつあるか。

ア 破産手続開始の決定を受けた個人Aは、復権を得てから5年を経過しなければ、免許を受けることができない。

イ 宅地建物取引業法の規定に違反したことにより罰金の刑に処せられた取締役がいる法人Bは、その刑の執行が終わった日から5年を経過しなければ、免許を受けることができない。

ウ 宅地建物取引業者Cは、業務停止処分の聴聞の期日及び場所が公示された日から当該処分をする日又は当該処分をしないことを決定する日までの間に、相当の理由なく廃業の届出を行った。この場合、Cは、当該届出の日から5年を経過しなければ、免許を受けることができない。

エ 宅地建物取引業に係る営業に関し成年者と同一の行為能力を有する未成年者Dは、その法定代理人が禁錮以上の刑に処せられ、その刑の執行が終わった日から5年を経過しなければ、免許を受けることができない。

❶ 一つ
❷ 二つ
❸ 三つ
❹ 四つ

1回目	/	2回目	/	3回目	/	4回目	/	5回目	/
手応え		手応え		手応え	・	手応え		手応え	

◎：完全に分かってきた
○：だいたい分かってきた
△：少し分かってきた
×：全く分からなかった

肢別テーマ	ア 免許	コース 3 ポイント ❷ ■	
テキスト 第2編	イ 免許	コース 3 ポイント ❷ ■	正解 1
	ウ 免許	コース 3 ポイント ❷ ■	
	エ 免許	コース 3 ポイント ❷ ■	

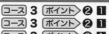

ア ✕ 復権すれば免許可

破産手続開始の決定を受けた者であっても、**復権すれば欠格者ではありません。**
したがって、Aは免許を受けることができます。

イ ◯ 役員が欠格者→免許不可

宅建業法に違反したことにより罰金の刑に処せられ、その刑の執行を終わった
日から5年を経過しない取締役がいる法人Bは、**免許を受けることができませ
ん。**

ウ ✕ 免許取消しではなく業務停止なのでセーフ

免許取消しではなく業務停止とある点に気をつけましょう。三悪による免許取
消処分であれば欠格者となってしまいますが、**今回は業務停止処分のため欠格
者とはなりません。**

エ ✕ 成年者と同一の行為能力を有する未成年者→免許可

営業に関して成年者と同一の行為能力を**有する**未成年者に関しては、成年者と
して扱うため、法定代理人について、欠格事由をみる必要はありません。なお、
成年者と同一の行為能力を**有しない**未成年者であれば、法定代理人が欠格者で
はないかをみる必要があります。

以上のことから、正しい選択肢は**イ**のみなので、**❶**が正解となります。

次の記述のうち、宅地建物取引業法の規定によれば、正しいものはどれか。

❶ 本店及び支店１か所を有する法人Aが、甲県内の本店では建設業のみを営み、乙県内の支店では宅地建物取引業のみを営む場合、Aは乙県知事の免許を受けなければならない。

❷ 免許の更新を受けようとする宅地建物取引業者Bは、免許の有効期間満了の日の２週間前までに、免許申請書を提出しなければならない。

❸ 宅地建物取引業者Cが、免許の更新の申請をしたにもかかわらず、従前の免許の有効期間満了の日までに、その申請について処分がなされないときは、従前の免許は、有効期間の満了後もその処分がなされるまでの間は、なお効力を有する。

❹ 宅地建物取引業者D（丙県知事免許）は、丁県内で一団の建物の分譲を行う案内所を設置し、当該案内所において建物の売買契約を締結する場合、国土交通大臣へ免許換えの申請をしなければならない。

全問◎を
目指そう!

1回目	/	2回目	/	3回目	/	4回目	/	5回目	/
手応え		手応え		手応え		手応え		手応え	

◎：完全に分かってきた
○：だいたい分かってきた
△：少し分かってきた
×：全く分からなかった

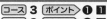

❶ ✕ 国土交通大臣免許が必要

支店で宅建業を行う場合、本店も自動的に宅建業の事務所とみなされます。つまり、今回は甲県と乙県に事務所を設置して宅建業を営むことになるので、国土交通大臣免許を受ける必要があります。

❷ ✕ 更新申請→ 90 日前から 30 日前まで

更新申請は有効期間満了の 90 日前から 30 日前までにしなければなりません。

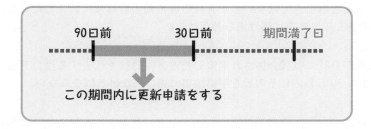

❸ ○ 従前の免許が効力を有する

宅建業者は規定通り手続きをしたので、何の落ち度もありません。新しい免許がなされるまで、従前の免許もなお効力を有します。

❹ ✕ 案内所は事務所ではない

案内所は事務所ではありません。よって、案内所を設置したところで、事務所が増えたわけではありませんので、免許換えは不要です。

免
許

宅地建物取引業者A社（甲県知事免許）に関する次の記述のうち、宅地建物取引業法の規定によれば、正しいものはどれか。

❶　A社の唯一の専任の宅地建物取引士であるBが退職したとき、A社は2週間以内に新たな成年者である専任の宅地建物取引士を設置し、設置後30日以内にその旨を甲県知事に届け出なければならない。

❷　宅地建物取引士ではないCがA社の非常勤の取締役に就任したとき、A社はその旨を甲県知事に届け出る必要はない。

❸　A社がD社に吸収合併され消滅したとき、D社を代表する役員Eは、合併の日から30日以内にその旨を甲県知事に届け出なければならない。

❹　A社について、破産手続開始の決定があったとき、A社の免許は当然にその効力を失うため、A社の破産管財人Fは、その旨を甲県知事に届け出る必要はない。

1回目	/	2回目	/	3回目	/	4回目	/	5回目	/
手応え		手応え		手応え		手応え		手応え	

◎：完全に分かってきた
○：だいたい分かってきた
△：少し分かってきた
×：全く分からなかった

肢別テーマ	❶ 免許	コース 3 ポイント ❸ 4
	❷ 免許	コース 3 ポイント ❸ 4
テキスト 第2編	❸ 免許	コース 3 ポイント ❸ 5
	❹ 免許	コース 3 ポイント ❸ 5

正解 1

❶ ○ 2週間以内に補充→ 30 日以内に変更の届出

専任の宅地建物取引士に欠員が生じたら2週間以内に補充しなければなりません。そして、補充した場合には専任の宅地建物取引士の名前が変更になるので、30 日以内に変更の届出も必要となります。

❷ × 役員の氏名が変更→変更の届出が必要

役員の氏名に変更があったのですから、変更の届出が必要となります。

❸ × 消滅会社の代表役員であった者が届出

合併により消滅した場合、消滅会社（＝Ａ社）の代表役員であった者が届出をする必要があります。

❹ × 破産管財人が届出

破産手続開始の決定があったら、破産管財人は 30 日以内に届け出なければなりません。この届出の時に免許が失効します。

免許

次の記述のうち、宅地建物取引業法の規定によれば、誤っているものはどれか。

❶ 宅地建物取引業の免許の有効期間は5年であり、免許の更新の申請は、有効期間満了の日の90日前から30日前までの間に行わなければならない。

❷ 宅地建物取引業者から免許の更新の申請があった場合において、有効期間の満了の日までにその申請について処分がなされないときは、従前の免許は、有効期間の満了後もその処分がなされるまでの間は、なお効力を有する。

❸ 個人である宅地建物取引業者A（甲県知事免許）が死亡した場合、Aの相続人は、Aの死亡の日から30日以内に、その旨を甲県知事に届け出なければならない。

❹ 法人である宅地建物取引業者B（乙県知事免許）が合併により消滅した場合、Bを代表する役員であった者は、その日から30日以内に、その旨を乙県知事に届け出なければならない。

1回目 /	2回目 /	3回目 /	4回目 /	5回目 /
手応え	手応え	手応え	手応え	手応え

◎：完全に分かってきた
○：だいたい分かってきた
△：少し分かってきた
×：全く分からなかった

	❶ 免許	コース 3 ポイント ❸ 2	
肢別テーマ テキスト 第2編	❷ 免許	コース 3 ポイント ❸ 2	正解 3
	❸ 免許	コース 3 ポイント ❸ 5	
	❹ 免許	コース 3 ポイント ❸ 5	

❶ ○ **90日前から30日前までに届出**

免許の有効期間は5年です。そして、免許の更新を受けようとする者は、免許の有効期間満了の日の**90日前から30日前**までの間に免許申請書を提出しなければなりません。

❷ ○ **従前の免許が効力を有する**

免許の更新の申請があった場合において、免許の有効期間の満了の日までにその申請について処分がなされないときは、従前の免許は、有効期間の満了後もその処分がなされるまでの間は、**なお効力を有します**。

❸ ✕ **死亡を知った日から30日以内**

個人である宅建業者が死亡した場合、その相続人は、**死亡を知った日から30日以内**に免許権者に届け出なければなりません。

❹ ○ **消滅会社の代表役員であった者が届出**

法人が合併により消滅した場合、消滅会社（＝B）の代表役員であった者は、その日から30日以内に、その旨を免許権者に届け出なければなりません。

免

許

宅地建物取引業者Aが事務所の廃止、新設等を行う場合に関する次の記述のうち、宅地建物取引業法の規定によれば、誤っているものはどれか。

❶ 甲県知事の免許を受けているA（事務所数1）が、甲県の事務所を廃止し、乙県に事務所を新設して、引き続き宅地建物取引業を営もうとする場合、Aは、甲県知事を経由して、乙県知事に免許換えの申請をしなければならない。

❷ 甲県知事の免許を受けているA（事務所数1）が、事務所を廃止し、又は甲県内で増設した場合、Aは、甲県知事に、それぞれ、廃業の届出又は変更の届出をしなければならない。

❸ 国土交通大臣の免許を受けているA（事務所数2）が、甲県の従たる事務所を廃止し、乙県の主たる事務所だけにした場合、Aは、乙県知事に、直接免許換えの申請をしなければならない。

❹ 国土交通大臣の免許を受けているA（事務所数2）が、甲県の主たる事務所を従たる事務所に、乙県の従たる事務所を主たる事務所に、変更した場合、Aは、国土交通大臣に変更の届出をしなければならない。

全問◎を
目指そう！

| 1回目 | / | 2回目 | / | 3回目 | / | 4回目 | / | 5回目 | / |
| 手応え | | 手応え | | 手応え | | 手応え | | 手応え | |

◎：完全に分かってきた
○：だいたい分かってきた
△：少し分かってきた
×：全く分からなかった

38

 肢別テーマ テキスト 第2編

❶ 免許 ❷ 免許 ❸ 免許 ❹ 免許

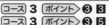 
コース 3 ポイント ❸ 3
コース 3 ポイント ❸ 5
コース 3 ポイント ❸ 3
コース 3 ポイント ❸ 4

 正解 1

❶ ✕ **免許換えは乙県知事に直接申請**

乙県内のみに事務所を設けて宅建業を行うことになるので、乙県知事免許に免許換えをしなければなりません。その際は、**乙県知事に直接申請する**のであって、甲県知事を経由するわけではありません。

❷ 〇 **事務所の名称・所在地が変更→変更の届出が必要**

事務所を廃止する場合、唯一の事務所がなくなるわけですから宅建業を廃業することとなり、廃業の届出が必要です。また、増設する場合、甲県内で増設するので甲県知事免許のままで平気ですが、増設した事務所の名称と所在地について、**変更の届出が必要**です。

❸ 〇 **乙県知事に直接免許換えの申請**

この場合、国土交通大臣免許から乙県知事免許に免許換えをしなければなりません。この場合には、**乙県知事に直接申請**します。

❹ 〇 **事務所の名称・所在地が変更→変更の届出が必要**

主たる事務所を従たる事務所に変更し、従たる事務所を主たる事務所に変更するのだから、事務所の名称と所在地について**変更の届出**をしなければなりません。

免許

宅地建物取引業法 (以下この問において「法」という。) に関する次の記述のうち、正しいものはどれか。

❶ 契約締結権限を有する者を置き、継続的に業務を行う場所であっても、商業登記簿に登載されていない事務所は、法第3条第1項に規定する事務所には該当しない。

❷ 国土交通大臣又は都道府県知事は、免許に条件を付すことができるが、免許の更新に当たっても条件を付すことができる。

❸ 法人である宅地建物取引業者が株主総会の決議により解散することとなった場合、その法人を代表する役員であった者は、その旨を当該解散の日から30日以内に免許を受けた国土交通大臣又は都道府県知事に届け出なければならない。

❹ 免許申請中である者が、宅地建物取引業を営む目的をもって宅地の売買に関する新聞広告を行った場合であっても、当該宅地の売買契約の締結を免許を受けた後に行うのであれば、法第12条に違反しない。

全問◎を
目指そう!

1回目	/	2回目	/	3回目	/	4回目	/	5回目	/
手応え		手応え		手応え		手応え		手応え	

◎：完全に分かってきた
○：だいたい分かってきた
△：少し分かってきた
×：全く分からなかった

40

❶ ✕

事務所とは、①本店、②支店、③継続的に業務を行うことができる施設を有する場所で、宅建業に係る契約を締結する権限を有する使用人を置くものをいいます。①と②については原則として商業登記簿に搭載されているものが該当しますが、商業登記簿に登載されていなくても③に該当すれば事務所となります。

❷ ○　**免許に条件を付けることは可能**

国土交通大臣又は都道府県知事は、免許に条件を付し、及びこれを変更することができます。更新の場合についても同様です。

❸ ✕　**清算人が届出**

法人である宅建業者が合併及び破産手続開始の決定以外の理由により解散した場合、その清算人が、解散の日から 30 日以内に、その旨をその免許を受けた国土交通大臣又は都道府県知事に届け出なければなりません。したがって、代表役員ではなく清算人が届け出なければなりません。

❹ ✕　**免許申請中→まだ免許は下りていない**

免許を受けていない者は、宅地建物取引業を営む旨の表示をし、又は宅地建物取引業を営む目的をもって、広告をしてはなりません。免許の申請中ということは、まだ免許は下りていません。

免
許

宅地建物取引業者 A 社（国土交通大臣免許）が行う宅地建物取引業者 B 社（甲県知事免許）を売主とする分譲マンション（100 戸）に係る販売代理について、A 社が単独で当該マンションの所在する場所の隣地に案内所を設けて売買契約の締結をしようとする場合における次の記述のうち、宅地建物取引業法（以下この問において「法」という。）の規定によれば、正しいものの組合せはどれか。なお、当該マンション及び案内所は甲県内に所在するものとする。

ア　A 社は、マンションの所在する場所に法第 50 条第 1 項の規定に基づく標識を掲げなければならないが、B 社は、その必要がない。

イ　A 社が設置した案内所について、売主である B 社が法第 50 条第 2 項の規定に基づく届出を行う場合、A 社は当該届出をする必要がないが、B 社による届出書については、A 社の商号又は名称及び免許証番号も記載しなければならない。

ウ　A 社は、成年者である専任の宅地建物取引士を当該案内所に置かなければならないが、B 社は、当該案内所に成年者である専任の宅地建物取引士を置く必要がない。

エ　A 社は、当該案内所に法第 50 条第 1 項の規定に基づく標識を掲げなければならないが、当該標識へは、B 社の商号又は名称及び免許証番号も記載しなければならない。

❶　ア・イ
❷　イ・ウ
❸　ウ・エ
❹　ア・エ

全問◎を
目指そう！

1回目	2回目	3回目	4回目	5回目
手応え	手応え	手応え	手応え	手応え

◎：完全に分かってきた
○：だいたい分かってきた
△：少し分かってきた
×：全く分からなかった

42

肢別テーマ	ア 事務所以外の場所	コース 4 ポイント ❶ ❷	
テキスト 第2編	イ 事務所以外の場所	コース 4 ポイント ❶ ❸	正解 **3**
	ウ 事務所以外の場所	コース 4 ポイント ❶ ❷	
	エ 事務所以外の場所	コース 4 ポイント ❶ ❷	

ア ✕ 現地→売主（B社）の標識が必要

現地には売主（＝B社）の標識が必要です。A社の標識は必要ありません。

イ ✕ 案内所→設置した業者（A社）の届出が必要

案内所を設置したのはA社なので、A社が届出をしなければなりません。

ウ ◯ 設置した業者（A社）が宅建士を設置

案内所を設置したのはA社なので、A社が成年者である専任の宅地建物取引士を置かなければなりません。

エ ◯ 売主の業者名・免許証番号を代理・媒介業者の標識に記載

案内所には設置した代理・媒介業者（＝A社）の標識が必要です。そして、その標識には売主の業者名と免許証番号も記載しなければなりません。

以上のことから、正しい選択肢は**ウ**と**エ**なので、**❸**が正解となります。

アが違うとわかれば、答えは**❷**か**❸**に絞られる。この瞬間、ウは絶対に正しいとわかります（**❷**にも**❸**にも選択肢にあるので）。組み合わせ問題の場合、このように選択肢を絞りこむことができます。

事務所以外の場所

宅地建物取引業者A（甲県知事免許）が乙県内に所在するマンション（100戸）を分譲する場合における次の記述のうち、宅地建物取引業法（以下この問において「法」という。）の規定によれば、正しいものはどれか。

❶ Aが宅地建物取引業者Bに販売の代理を依頼し、Bが乙県内に案内所を設置する場合、Aは、その案内所に、法第50条第1項の規定に基づく標識を掲げなければならない。

❷ Aが案内所を設置して分譲を行う場合において、契約の締結又は契約の申込みの受付を行うか否かにかかわらず、その案内所に法第50条第1項の規定に基づく標識を掲げなければならない。

❸ Aが宅地建物取引業者Cに販売の代理を依頼し、Cが乙県内に案内所を設置して契約の締結業務を行う場合、A又はCが専任の宅地建物取引士を置けばよいが、法第50条第2項の規定に基づく届出はCがしなければならない。

❹ Aが甲県内に案内所を設置して分譲を行う場合において、Aは甲県知事及び乙県知事に、業務を開始する日の10日前までに法第50条第2項の規定に基づく届出をしなければならない。

1回目	2回目	3回目	4回目	5回目
／	／	／	／	／
手応え	手応え	手応え	手応え	手応え

◎：完全に分かってきた
○：だいたい分かってきた
△：少し分かってきた
×：全く分からなかった

 肢別テーマ
テキスト
第2編

❶ 事務所以外の場所　コース 4　ポイント ❶ ❷
❷ 事務所以外の場所　コース 4　ポイント ❶ ❷
❸ 事務所以外の場所　コース 4　ポイント ❶ ❷
❹ 事務所以外の場所　コース 4　ポイント ❶ ❸

 正解 2

❶ ✕ 案内所→設置した業者（B）の標識が必要
案内所には案内所を設置するBの標識が必要です。Aの標識は必要ありません。

❷ ◯ 案内所には売主の標識を設置
案内所には標識を設置する必要があります。

❸ ✕ 案内所を設置したCが専任の宅地建物取引士を設置
案内所を設置したのはCなので、Cが専任の宅地建物取引士を置かなければなりません。なお、Cが届出をしなければならないという点は正しいです。

❹ ✕ 届出は甲県知事のみでよい
案内所で契約の締結または契約の申込みを受ける場合には、業務開始10日前までに、免許権者と案内所を管轄する知事に届出をしなければなりません。今回、甲県知事免許のAは甲県内に案内所を設置するので、甲県知事にのみ届出をすればよいということになります。

事務所以外の場所

次の記述のうち、宅地建物取引業法の規定によれば、正しいものはどれか。なお、この問において、契約行為等とは、宅地若しくは建物の売買若しくは交換の契約（予約を含む。）若しくは宅地若しくは建物の売買、交換若しくは貸借の代理若しくは媒介の契約を締結し、又はこれらの契約の申込みを受けることをいう。

❶ 宅地建物取引業者が一団の宅地の分譲を行う案内所において契約行為等を行う場合、当該案内所には国土交通大臣が定めた報酬の額を掲示しなければならない。

❷ 他の宅地建物取引業者が行う一団の建物の分譲の媒介を行うために、案内所を設置する宅地建物取引業者は、当該案内所に、売主の商号又は名称、免許証番号等を記載した国土交通省令で定める標識を掲示しなければならない。

❸ 宅地建物取引業者は、事務所以外の継続的に業務を行うことができる施設を有する場所においては、契約行為等を行わない場合であっても、専任の取引士を1人以上置くとともに国土交通省令で定める標識を掲示しなければならない。

❹ 宅地建物取引業者は、業務に関して展示会を実施し、当該展示会場において契約行為等を行おうとする場合、当該展示会場の従業者数5人に対して1人以上の割合となる数の専任の取引士を置かなければならない。

1回目	2回目	3回目	4回目	5回目
／	／	／	／	／
手応え	手応え	手応え	手応え	手応え

◎：完全に分かってきた
○：だいたい分かってきた
△：少し分かってきた
×：全く分からなかった

肢別テーマ	❶ 事務所以外の場所	コース 4 ポイント ❶ ❷	
テキスト 第2編	❷ 事務所以外の場所	コース 4 ポイント ❶ ❷	正解 2
	❸ 事務所以外の場所	コース 4 ポイント ❶ ❷	
	❹ 事務所以外の場所	コース 4 ポイント ❶ ❷	

❶ ✕ **案内所に報酬額の掲示は不要**

案内所に報酬額の掲示の義務はありません。報酬額の掲示をしなければならないのは事務所のみです。

❷ ◯ **売主の業者名・免許証番号を代理・媒介業者の標識に記載**

案内所には案内所を設置する代理・媒介業者の標識が必要です。また、そこには売主の商号または名称と免許証番号を記載しなければなりません。

❸ ✕ **専任の宅地建物取引士は必要ない**

契約を締結し、又は申込みを受けない案内所であれば、標識を掲示する義務はありますが、専任の宅地建物取引士の設置義務はありません。なお、事務所以外の継続的に業務を行うことができる施設を有する場は案内所等の一種です。

❹ ✕ **専任の宅地建物取引士は1人でよい**

契約行為等を行う案内所等であれば、最低1人の成年者である専任の宅地建物取引士を設置しなければなりません。5人に1人ではありません。なお、展示会は案内所等の一種です。

事務所以外の場所

問題 24 事務所以外の場所

重要度 **A**

2014年 問28

宅地建物取引業者Ａ（甲県知事免許）が乙県内に建設したマンション（100戸）の販売について、宅地建物取引業者Ｂ（国土交通大臣免許）及び宅地建物取引業者Ｃ（甲県知事免許）に媒介を依頼し、Ｂが当該マンションの所在する場所の隣接地（乙県内）に、Ｃが甲県内にそれぞれ案内所を設置し、売買契約の申込みを受ける業務を行う場合における次の記述のうち、宅地建物取引業法（以下この問において「法」という。）の規定によれば、誤っているものはどれか。

❶ Ｂは国土交通大臣及び乙県知事に、Ｃは甲県知事に、業務を開始する日の10日前までに法第50条第2項に定める届出をしなければならない。

❷ Ａは、法第50条第2項に定める届出を甲県知事及び乙県知事へ届け出る必要はないが、当該マンションの所在する場所に法第50条第1項で定める標識を掲示しなければならない。

❸ Ｂは、その設置した案内所の業務に従事する者の数5人に対して1人以上の割合となる数の専任の宅地建物取引士を当該案内所に置かなければならない。

❹ Ａは、Ｃが設置した案内所においてＣと共同して契約を締結する業務を行うこととなった。この場合、Ａが当該案内所に専任の宅地建物取引士を設置すれば、Ｃは専任の宅地建物取引士を設置する必要はない。

全問◎を
目指そう！

◎：完全に分かってきた
○：だいたい分かってきた
△：少し分かってきた
×：全く分からなかった

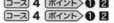
❶ ○　免許権者と案内所を管轄する知事に届出

案内所で契約の締結または契約の申込みを受ける場合には、業務開始 10 日前までに、免許権者と案内所を管轄する知事に届出をしなければなりません。今回、B は免許権者である国土交通大臣と、案内所を管轄する知事である乙県知事に、C は免許権者も案内所を管轄する知事も甲県知事であるので**甲県知事のみ**に、届出をしなければなりません。

❷ ○　現地→売主の標識

売主（＝分譲業者）である A は、案内所を設置しているわけではないので案内所等の届出をする必要はありません。しかし、マンションの所在する場所に**標識を掲示する必要があります**。

❸ ✕　専任の宅地建物取引士は 1 人でよい

契約行為等を行う案内所等であれば、**最低 1 人**の成年者である専任の宅地建物取引士を設置しなければなりません。5 人に 1 人ではありません。

❹ ○　いずれかの業者が宅地建物取引士を設置すればよい

複数の宅建業者が設置する案内所について、同一の物件について売主である宅建業者と媒介又は代理を行う宅建業者が、同一の場所において業務を行うときは、**いずれかの宅建業者**が専任の宅地建物取引士を 1 人以上置けば構いません。

事務所以外の場所

次の者のうち、宅地建物取引士資格登録（以下「登録」という。）を受けることができないものはどれか。

❶ 宅地建物取引業に係る営業に関し、成年者と同一の行為能力を有しない未成年者で、その法定代理人甲が3年前に建設業法違反で過料に処せられている。

❷ 3年前に乙社が不正の手段により宅地建物取引業の免許を受けたとしてその免許を取り消されたとき、乙社の政令で定める使用人であった。

❸ 6月前に丙社が宅地建物取引業法に違反したとして1年間の業務停止処分を受けたが、その丙社の取締役であった。

❹ 3年前に丁社が引き続き1年以上宅地建物取引業を休止したとしてその免許を取り消されたとき、その聴聞の期日及び場所の公示の日の30日前に、丁社の取締役を退任した。

全問◎を
目指そう！

| 1回目 / 手応え □ | 2回目 / 手応え □ | 3回目 / 手応え □ | 4回目 / 手応え □ | 5回目 / 手応え □ |

◎：完全に分かってきた
○：だいたい分かってきた
△：少し分かってきた
×：全く分からなかった

肢別テーマ	❶ 宅地建物取引士	コース 5 ポイント ❶ 5	正解 1
テキスト 第2編	❷ 宅地建物取引士	コース 5 ポイント ❶ 5	
	❸ 宅地建物取引士	コース 5 ポイント ❶ 5	
	❹ 宅地建物取引士	コース 5 ポイント ❶ 5	

○：受けることができる　✕：受けることができない

❶　✕　**成年者と同一の行為能力を有しない未成年者は登録不可**
　　成年者と同一の行為能力を有しない未成年者は一切登録することができません。
　　法定代理人も関係ありません。

❷　○　**3悪で取消し→政令で定める使用人は欠格者にはならない**
　　乙社の政令で定める使用人であったので欠格者にはなりません。

❸　○　**欠格者とはならない**
　　業務停止処分を受けたときに役員であったとしても、**欠格者とはなりません**。

❹　○　**欠格事由に該当しないため欠格者とはならない**
　　「引き続き1年以上宅地建物取引業を休止した」ことによる免許取消しは欠格事
　　由に該当しません。

図表まとめ

● **未成年者と登録**

	宅建業免許	宅建士登録
成年者と同一の行為能力を有する未成年者	○	○
成年者と同一の行為能力を有しない未成年者	△*	✕

○：可　✕：不可　△：条件つきで可
＊未成年者本人と法定代理人がともに欠格事由にあたらないこと

宅地建物取引士資格登録（以下この問において「登録」という。）に関する次の記述のうち、宅地建物取引業法の規定によれば、正しいものはどれか。

❶ 甲県知事の登録を受けているAは、甲県知事に対して宅地建物取引士証の交付を申請することができるが、Aの登録及び宅地建物取引士証の有効期間は、5年である。

❷ 宅地建物取引士Bが、宅地建物取引士として行う事務に関し不正な行為をし、令和7年5月1日から6月間の事務の禁止の処分を受け、同年6月1日に登録の消除の申請をして消除された場合、Bは、同年12月1日以降でなければ登録を受けることができない。

❸ 宅地建物取引業者C（法人）が、不正の手段により免許を受けたとして免許を取り消された場合、当該取消しに係る聴聞の期日及び場所の公示の前日にCの役員であったDは、取消しの日から5年を経過しなければ、登録を受けることができない。

❹ 甲県知事の登録を受けているEが、不正の手段により登録を受けたことにより登録の消除の処分を受けた場合でも、当該処分の1年後、転居先の乙県で宅地建物取引士資格試験に合格したときは、Eは、いつでも乙県知事の登録を受けることができる。

全問◯を
目指そう！

| 1回目 | / | 2回目 | / | 3回目 | / | 4回目 | / | 5回目 | / |
| 手応え | | 手応え | | 手応え | | 手応え | | 手応え | |

◎：完全に分かってきた
◯：だいたい分かってきた
△：少し分かってきた
×：全く分からなかった

52

肢別テーマ	❶ 宅地建物取引士	コース 5	ポイント ❶ 4	
テキスト第2編	❷ 宅地建物取引士	コース 5	ポイント ❶ 5	正解 3
	❸ 宅地建物取引士	コース 5	ポイント ❶ 5	
	❹ 宅地建物取引士	コース 5	ポイント ❶ 5	

❶ ✕ 登録は一生有効

　　宅地建物取引士証の有効期間は5年ですが、登録は一生有効です。

❷ ✕ 事務禁止期間満了までは登録不可

　　事務禁止処分中に登録を消除した場合、その事務禁止期間が満了するまでの間は登録を受けることができません。事務禁止期間は5月1日から6カ月間（＝10月31日まで）なので、11月1日以降は登録を受けることができます。

❸ ◯ Dは欠格者のため登録不可

　　不正手段で免許取得を行い、免許取消処分になった場合、聴聞の公示日前60日以内に役員であった者も欠格者となります。よって、Cの免許取消処分後5年間Dは欠格者となり、登録を受けることができません。

❹ ✕ 不正手段で登録→登録消除から5年間は不可

　　不正手段で登録をした場合、登録を消除されてから5年間は登録を受けることができません。別の都道府県で試験に合格しても関係ありません。

宅地建物取引士

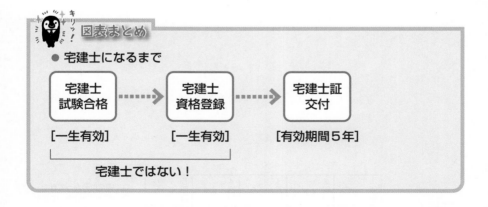

図表まとめ

● 宅建士になるまで

宅建士試験合格	┈┈➤	宅建士資格登録	┈┈➤	宅建士証交付
[一生有効]		[一生有効]		[有効期間5年]

宅建士ではない！

Aが、甲県知事の宅地建物取引士資格登録（以下この問において「登録」という。）を受けている場合に関する次の記述のうち、正しいものはどれか。なお、B社及びC社は、いずれも宅地建物取引業者である。

❶ Aが、乙県に自宅を購入し、甲県から住所を移転した場合、Aは、遅滞なく、甲県知事を経由して乙県知事に登録の移転を申請しなければならない。

❷ Aが、乙県に自宅を購入し、甲県から住所を移転した場合、Aは、30日以内に、甲県知事に変更の登録を申請しなければならない。

❸ Aが、甲県に所在するB社の事務所に従事していたが、転職して乙県に所在するC社の事務所で業務に従事した場合、Aは、30日以内に、甲県知事を経由して乙県知事に登録の移転を申請しなければならない。

❹ Aが、甲県に所在するB社の事務所に従事していたが、転職して乙県に所在するC社の事務所で業務に従事した場合、Aは、遅滞なく、甲県知事に変更の登録を申請しなければならない。

全問◎を
目指そう!

1回目	2回目	3回目	4回目	5回目
/	/	/	/	/
手応え	手応え	手応え	手応え	手応え

◎：完全に分かってきた
○：だいたい分かってきた
△：少し分かってきた
×：全く分からなかった

54

肢別テーマ	❶ 登録と届出	コース5 ポイント❷2	正解 4
テキスト第2編	❷ 登録と届出	コース5 ポイント❷1	
	❸ 登録と届出	コース5 ポイント❷2	
	❹ 登録と届出	コース5 ポイント❷1	

❶ ✕ **住所変更では不可＆登録の移転は義務ではない**

勤務先が移転した場合に登録の移転が可能であって、**住所の移転では登録の移転はできません**。また、**登録の移転は義務ではありません**ので「登録の移転を申請しなければならない」ということもありません。なお、住所を変更した際には遅滞なく「変更の登録」をしなければなりません。

❷ ✕ **30日以内→遅滞なく**

住所を変更した際には、**遅滞なく変更の登録**を申請しなければなりません。

❸ ✕ **登録の移転は義務ではない**

登録の移転は義務ではありませんので「登録の移転を申請しなければならない」ということはありません。また、義務ではないので「30日以内」という期間の制限も存在しません。

❹ 〇 **勤務先の変更→変更の登録**

勤務先が変更になった場合には**変更の登録**を申請しなければなりません。

●＜業者と宅建士＞

	移る	変わる	やめる
宅建業者	免許換え （義務）	変更の届出 （義務／30日以内）	廃業等の届出 （義務／30日以内）
宅建士	登録の移転 （任意）	変更の登録 （義務／遅滞なく）	死亡等の届出 （義務／30日以内）

宅地建物取引士に関する次の記述のうち、宅地建物取引業法の規定によれば、正しいものはいくつあるか。

ア 宅地建物取引士資格試験は未成年者でも受験することができるが、宅地建物取引士の登録は成年に達するまでいかなる場合にも受けることができない。

イ 甲県知事登録の宅地建物取引士が、宅地建物取引業者（乙県知事免許）の専任の宅地建物取引士に就任するためには、宅地建物取引士の登録を乙県に移転しなければならない。

ウ 丙県知事登録の宅地建物取引士が、事務の禁止の処分を受けた場合、丁県に所在する宅地建物取引業者の事務所の業務に従事しようとするときでも、その禁止の期間が満了するまで、宅地建物取引士の登録の移転を丁県知事に申請することができない。

エ 戊県知事登録の宅地建物取引士が、己県へ登録の移転の申請とともに宅地建物取引士証の交付を申請した場合、己県知事が宅地建物取引士証を交付するときは、戊県で交付された宅地建物取引士証の有効期間が経過するまでの期間を有効期間とする宅地建物取引士証を交付しなければならない。

❶ 一つ
❷ 二つ
❸ 三つ
❹ 四つ

全問◎を
目指そう！

1回目	2回目	3回目	4回目	5回目
手応え	手応え	手応え	手応え	手応え

◎：完全に分かってきた
○：だいたい分かってきた
△：少し分かってきた
×：全く分からなかった

	ア 宅地建物取引士	コース 5 ポイント ❶ 5	
テキスト第2編	イ 登録と届出	コース 5 ポイント ❷ 2	正解 2
	ウ 登録と届出	コース 5 ポイント ❷ 2	
	エ 登録と届出	コース 5 ポイント ❷ 2	

ア ✕ 成年者と同一の行為能力を有する未成年者→登録可

宅建業に係る営業に関し成年者と同一の行為能力を有する未成年者であれば登録を受けることができます。なお、「成年者と同一の行為能力を有する未成年者」とは、宅建業に係る営業を許された未成年者のことをいいます。

イ ✕ 登録の移転は義務ではない

宅地建物取引士の登録は全国で有効なので、乙県知事以外の都道府県知事に登録していても乙県で勤務することは可能です。また、登録の移転は義務ではありません。

ウ 〇 事務禁止期間中は登録の移転の申請はできない

事務禁止期間中は、登録の移転の申請をすることができません。

エ 〇 前の宅建士証の有効期間

登録の移転とともに宅建士証の交付を受ける際、新しい宅地建物取引士証の有効期間は、前の宅地建物取引士証の有効期間となります。新たに5年ではありません。

以上のことから、正しい選択肢は**ウ**と**エ**の2つなので、**❷**が正解となります。

 図表まとめ

- **＜有効期間＞**
（例）2020年に交付を受け、2023年に
 1 宅建業者が免許換えをした場合
  →新免許証は新たに5年（2028年まで）
 2 宅地建物取引士が登録の移転をした場合
  →新宅建士証は前の宅建士証の有効期間（2025年まで）

宅地建物取引士

次の記述のうち、宅地建物取引業法（以下この問において「法」という。）の規定によれば、正しいものはどれか。

❶ 禁錮以上の刑に処せられた宅地建物取引士は、登録を受けている都道府県知事から登録の消除の処分を受け、その処分の日から5年を経過するまで、宅地建物取引士の登録をすることはできない。

❷ 宅地建物取引士資格試験に合格した者で、宅地建物の取引に関し2年以上の実務経験を有するもの、又は都道府県知事がその実務経験を有するものと同等以上の能力を有すると認めたものは、法第18条第1項の登録を受けることができる。

❸ 甲県知事から宅地建物取引士証の交付を受けている宅地建物取引士は、その住所を変更したときは、遅滞なく、変更の登録の申請をするとともに、宅地建物取引士証の書換え交付の申請を甲県知事に対してしなければならない。

❹ 宅地建物取引士が心身の故障により宅地建物取引士の事務を適正に行うことができない者として国土交通省令で定めるものに該当することになったときは、その日から30日以内にその旨を登録している都道府県知事に本人が届け出なければならない。

1回目	2回目	3回目	4回目	5回目
／	／	／	／	／
手応え	手応え	手応え	手応え	手応え

◎：完全に分かってきた
○：だいたい分かってきた
△：少し分かってきた
×：全く分からなかった

肢別テーマ	❶ 宅地建物取引士	コース 5 ポイント ❶ 5	
テキスト第2編	❷ 宅地建物取引士	コース 5 ポイント ❶ 4	正解 3
	❸ 宅地建物取引士証	コース 5 ポイント ❸ 3	
	❹ 登録と届出	コース 5 ポイント ❷ 3	

❶ ✕ 「処分の日から」ではない

禁錮以上の刑に処せられた場合、刑の執行を終わり、もしくは執行を受けることがなくなった日から5年間は登録できません。登録消除処分の日から5年ではありません。

❷ ✕ 都道府県知事→国土交通大臣

都道府県知事ではなくて、国土交通大臣が実務経験を有する者と同等以上の能力を有すると認めたものが登録を受けることができます。

❸ ○ 変更の登録と宅建士証の書換え交付が必要

宅地建物取引士証に記載されている事項（＝氏名・住所）が変更となったときには、変更の登録とともに宅地建物取引士証の書換え交付の申請をしなければなりません。

❹ ✕ 届出は、本人・法定代理人・同居の親族が行う

宅地建物取引士が心身の故障により宅地建物取引士の事務を適正に行うことができない者として国土交通省令で定めるものになったときは、本人またはその法定代理人もしくは同居の親族が届出をします。

図表まとめ

● 廃業等の届出と死亡等の届出

	廃業等の届出（業者）	死亡等の届出（宅建士）
時期	30日以内 （死亡の場合のみ、相続人が知った日から30日以内）	
届出先	免許権者	登録先の都道府県知事
内容	①死亡（相続人） ②合併による消滅 　（消滅会社の代表社員） ③破産（破産管財人） ④解散（清算人） ⑤廃業（代表役員）	①死亡（相続人） ②心身故障 　（本人／法定代理人／同居の親族） ③破産（本人） ④その他（本人）

宅地建物取引士

宅地建物取引士資格登録（以下この問において「登録」という。）又は宅地建物取引士に関する次の記述のうち、宅地建物取引業法の規定によれば、正しいものはいくつあるか。

ア 宅地建物取引士（甲県知事登録）が、乙県で宅地建物取引業に従事することとなったため乙県知事に登録の移転の申請をしたときは、移転後新たに5年を有効期間とする宅地建物取引士証の交付を受けることができる。

イ 宅地建物取引士は、取引の関係者から宅地建物取引士証の提示を求められたときは、宅地建物取引士証を提示しなければならないが、従業者証明書の提示を求められたときは、宅地建物取引業者の代表取締役である宅地建物取引士は、当該証明書がないので提示をしなくてよい。

ウ 宅地建物取引士が心身の故障により宅地建物取引士の事務を適正に行うことができない者として国土交通省令で定めるものとなったときは、本人又はその法定代理人若しくは同居の親族は、3月以内に、その旨を登録をしている都道府県知事に届け出なければならない。

エ 宅地建物取引士の氏名等が登載されている宅地建物取引士資格登録簿は一般の閲覧に供されることはないが、専任の宅地建物取引士は、その氏名が宅地建物取引業者名簿に登載され、当該名簿が一般の閲覧に供される。

❶ 一つ
❷ 二つ
❸ 三つ
❹ なし

全問◎を
目指そう！

1回目	2回目	3回目	4回目	5回目
/	/	/	/	/
手応え	手応え	手応え	手応え	手応え

◎：完全に分かってきた
○：だいたい分かってきた
△：少し分かってきた
×：全く分からなかった

肢別テーマ	ア 登録と届出	コース 5 ポイント ❷ 2	
テキスト第2編	イ 事務所	コース 2 ポイント ❶ 3	正解 1
	ウ 登録と届出	コース 5 ポイント ❷ 3	
	エ 免許の効力	コース 3 ポイント ❸ 1	

ア ✕ 前の宅建士証の有効期間

　登録の移転とともに宅建士証の交付を受ける際、新しい宅地建物取引士証の有効期間は、**前の宅地建物取引士証の有効期間**となります。新たに5年ではありません。

イ ✕ 従業者証明書を携帯し、提示が必要

　従業者証明書は、取引の関係者から請求があったときには見せなければなりません。代表取締役も従業者であり、**従業者証明書を携帯して業務に従事します。**

ウ ✕ 3カ月以内→30日以内

　心身の故障により宅地建物取引士の事務を適正に行うことができない者として国土交通省令で定めるものとなった場合、本人又はその法定代理人もしくは同居の親族は、**30日以内**に、登録をしている都道府県知事に届け出なければなりません。

エ 〇 業者名簿には専任の宅建士の氏名の項目あり

　宅地建物取引士資格登録簿は一般の閲覧に供されませんが、宅地建物取引業者名簿は一般の閲覧に供され、その中に**専任の宅地建物取引士の氏名**の項目があります。

以上のことから、正しい選択肢は**エ**のみなので、**❶**が正解となります。

● 免許換えと登録の移転

	免許換え（業者）	登録の移転（宅建士）
場合	事務所の新設・廃止・移転により、現在の免許が不適当になる場合	登録先以外の都道府県で業務に従事する場合
方法	新しい免許権者に直接	現在の登録先の都道府県知事経由
義務/任意	義務	任意

宅地建物取引士

61

宅地建物取引業法（以下この問において「法」という。）に規定する宅地建物取引士に関する次の記述のうち、正しいものはどれか。

❶ 都道府県知事は、宅地建物取引士資格試験を不正の手段で受験したため合格決定が取り消された者について、同試験の受験を以後5年間禁止する措置をすることができる。

❷ 宅地建物取引士資格試験に合格した者でも、3年間以上の実務経験を有しなければ、法第18条第1項の登録を受けることができない。

❸ 甲県内に所在する事務所の専任の宅地建物取引士は、甲県知事による法第18条第1項の登録を受けている者でなければならない。

❹ 宅地建物取引士証を滅失した宅地建物取引士は、宅地建物取引士証の再交付を受けるまで、法第35条の規定による重要事項の説明をすることができない。

全問○を
目指そう!

| 1回目 | / | 2回目 | / | 3回目 | / | 4回目 | / | 5回目 | / |

手応え

◎：完全に分かってきた
○：だいたい分かってきた
△：少し分かってきた
×：全く分からなかった

62

❶ 宅地建物取引士	コース 5 ポイント ❶ ▮	
❷ 宅地建物取引士	コース 5 ポイント ❶ ▮	正解 4
❸ 宅地建物取引士	コース 5 ポイント ❶ ▮	
❹ 宅地建物取引士証	コース 5 ポイント ❸ ▮	

❶ ✕ 　5年→3年

　　受験禁止は5年間ではなくて3年以内の期間です。

❷ ✕ 　2年以上の実務経験

　　実務経験は3年以上ではなく2年以上です。また、実務経験がなくても、国土交通大臣の登録実務講習を受講し修了すれば登録を受けることができます。

❸ ✕ 　登録の効力は全国で有効

　　宅地建物取引士の登録は全国で有効なので、甲県知事以外の都道府県知事に登録していても甲県で専任の宅地建物取引士として勤務することは可能です。

❹ 〇 　宅建士証を提示しなければ重説不可

　　宅地建物取引士証を提示しなければ、重要事項説明はできません。宅地建物取引士証を滅失した場合、提示することができないため、重要事項の説明はできません。

宅地建物取引士

宅地建物取引士資格登録（以下この問において「登録」という。）及び宅地建物取引士証に関する次の記述のうち、宅地建物取引業法の規定によれば、正しいものはどれか。

❶ 甲県知事の登録を受けて、甲県に所在する宅地建物取引業者Aの事務所の業務に従事する者が、乙県に所在するAの事務所の業務に従事することとなったときは、速やかに、甲県知事を経由して、乙県知事に対して登録の移転の申請をしなければならない。

❷ 登録を受けている者で宅地建物取引士証の交付を受けていない者が重要事項説明を行い、その情状が特に重いと認められる場合は、当該登録の消除の処分を受け、その処分の日から5年を経過するまでは、再び登録を受けることができない。

❸ 丙県知事から宅地建物取引士証の交付を受けている宅地建物取引士が、宅地建物取引士証の有効期間の更新を受けようとするときは、丙県知事に申請し、その申請前6月以内に行われる国土交通大臣の指定する講習を受講しなければならない。

❹ 丁県知事から宅地建物取引士証の交付を受けている宅地建物取引士が、宅地建物取引士証の亡失によりその再交付を受けた後において、亡失した宅地建物取引士証を発見したときは、速やかに、再交付された宅地建物取引士証をその交付を受けた丁県知事に返納しなければならない。

		コース 5 ポイント ❷ 2	
肢別テーマ	❶ 登録と届出		
テキスト 第2編	❷ 宅地建物取引士	コース 5 ポイント ❶ 4	正解 2
	❸ 宅地建物取引士証	コース 5 ポイント ❸ 1	
	❹ 宅地建物取引士証	コース 5 ポイント ❸ 2	

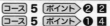

❶ ✕ 登録の移転は義務ではない

登録の移転の申請は義務ではありませんので「登録の移転を申請しなければならない」ということはありません。

❷ ◯ 宅建士証の交付を受けていなければ重説不可

宅地建物取引士証の交付を受けていないのであれば宅地建物取引士ではありません（登録だけでは宅地建物取引士ではありません）。当然のことながら宅地建物取引士でない以上、重要事項説明はできないので、情状が特に重いと認められる場合は登録消除処分となります。

❸ ✕ 国土交通大臣→都道府県知事

宅地建物取引士証の交付を受けるためには、都道府県知事の指定する講習を受ける必要があります。国土交通大臣の指定する講習ではありません。

❹ ✕ 古い宅地建物取引士証を返納

宅地建物取引士証を亡失して再交付を受け、古い宅地建物取引士証が発見された場合、古い宅地建物取引士証を、交付を受けた都道府県知事に返納します。

宅地建物取引士

宅地建物取引士Ａが、甲県知事の宅地建物取引士資格登録（以下「登録」という。）及び宅地建物取引士証の交付を受けている場合に関する次の記述のうち、正しいものはどれか。

❶ Ａが、甲県知事から宅地建物取引士証の交付を受けた際に付された条件に違反したときは、甲県知事は、Ａの登録を消除しなければならない。

❷ Ａは、宅地建物取引士証の有効期間の更新を受けなかったときは、宅地建物取引士証を甲県知事に返納しなければならず、甲県知事は、Ａの登録を消除しなければならない。

❸ Ａは、その住所を変更したときは、遅滞なく、変更の登録の申請とあわせて、宅地建物取引士証の書換え交付を甲県知事に申請しなければならない。

❹ Ａが、乙県知事に登録の移転の申請とともに、宅地建物取引士証の交付の申請をした場合における宅地建物取引士証の交付は、Ａが現に有する宅地建物取引士証に、新たな登録番号その他必要な記載事項を記入する方法で行わなければならない。

全問◎を
目指そう！

1回目 /	2回目 /	3回目 /	4回目 /	5回目 /
手応え	手応え	手応え	手応え	手応え

◎：完全に分かってきた
○：だいたい分かってきた
△：少し分かってきた
×：全く分からなかった

66

❶ 宅地建物取引士証	コース 5 ポイント ❸ ∎
❷ 宅地建物取引士証	コース 5 ポイント ❸ ❷
❸ 宅地建物取引士証	コース 5 ポイント ❸ ❸
❹ 宅地建物取引士証	コース 5 ポイント ❸ ∎

  正解 **3**

❶ ✕ **宅建士証交付に条件を付することは不可**

都道府県知事が宅地建物取引士証の交付の際に条件を付することはできません。なお、免許権者は、宅建業者の免許について条件を付することはできます。

❷ ✕ **登録は消除されない**

宅地建物取引士は、宅地建物取引士証の有効期間の更新を受けなかったときは、宅地建物取引士証をその交付を受けた都道府県知事に返納しなければなりません。しかし、宅地建物取引士証の有効期間の更新を受けなかったとしても、登録を消除されることはありません。

❸ ◯ **変更の登録の申請と宅建士証の書換え交付の申請が必要**

宅地建物取引士証に記載されている事項（＝氏名・住所）が変更となったときには、変更の登録の申請とともに宅地建物取引士証の書換え交付の申請をしなければなりません。

❹ ✕ **前の宅建士証と引換えに行われる**

宅地建物取引士に登録の移転があったときは、現に有する宅地建物取引士証は、その効力を失います。そして、登録の移転に伴う新たな宅地建物取引士証の交付は、現に有する宅地建物取引士証と引換えに行われます。

宅地建物取引士

宅地建物取引業法に規定する営業保証金に関する次の記述のうち、正しいものはどれか。

❶ 新たに宅地建物取引業を営もうとする者は、営業保証金を金銭又は国土交通省令で定める有価証券により、主たる事務所の最寄りの供託所に供託した後に、国土交通大臣又は都道府県知事の免許を受けなければならない。

❷ 宅地建物取引業者は、既に供託した額面金額1,000万円の国債証券と変換するため1,000万円の金銭を新たに供託した場合、遅滞なく、その旨を免許を受けた国土交通大臣又は都道府県知事に届け出なければならない。

❸ 宅地建物取引業者は、事業の開始後新たに従たる事務所を設置したときは、その従たる事務所の最寄りの供託所に政令で定める額を供託し、その旨を免許を受けた国土交通大臣又は都道府県知事に届け出なければならない。

❹ 宅地建物取引業者が、営業保証金を金銭及び有価証券をもって供託している場合で、主たる事務所を移転したためその最寄りの供託所が変更したときは、金銭の部分に限り、移転後の主たる事務所の最寄りの供託所への営業保証金の保管替えを請求することができる。

全問◯を
目指そう！

1回目	/		2回目	/		3回目	/		4回目	/		5回目	/	
手応え			手応え			手応え			手応え			手応え		

◎：完全に分かってきた
◯：だいたい分かってきた
△：少し分かってきた
×：全く分からなかった

68

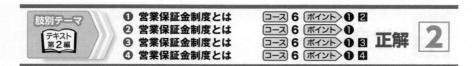

肢別テーマ			
テキスト第2編	❶ 営業保証金制度とは	コース 6 ポイント ❶ ❷	
	❷ 営業保証金制度とは	コース 6 ポイント ❶	
	❸ 営業保証金制度とは	コース 6 ポイント ❶ ❸	正解 2
	❹ 営業保証金制度とは	コース 6 ポイント ❶ ❹	

❶ ✕ 「免許→供託→届出→事業開始」の順番

「免許→供託→届出→事業開始」の順番です。供託した後に免許を受けるのではありません。

❷ ◯ 免許権者への届出が必要

営業保証金の供託方法を変える（例：国債から金銭に変える）場合には、遅滞なく、免許権者にその旨を届け出なければなりません。

❸ ✕ 主たる事務所の最寄りの供託所

営業保証金は主たる事務所の最寄りの供託所にまとめて供託します。従たる事務所の最寄りの供託所ではありません。

❹ ✕ 有価証券が含まれていれば保管替え請求不可

保管替え請求ができるのは、全額を金銭のみで供託している場合のみです。有価証券が少しでも含まれている場合、保管替えの請求はできません。

営業保証金

宅地建物取引業者A（甲県知事免許）の営業保証金に関する次の記述のうち、正しいものはどれか。

❶ Aが有価証券を営業保証金に充てるときは、国債証券についてはその額面金額を、地方債証券又はそれら以外の債券についてはその額面金額の百分の九十を有価証券の価額としなければならない。

❷ Aは、取引の相手方の権利の実行により営業保証金の額が政令で定める額に不足することとなったときは、甲県知事から不足額を供託すべき旨の通知書の送付を受けた日から2週間以内にその不足額を供託しなければならない。

❸ Aが販売する宅地建物についての販売広告を受託した者は、その広告代金債権に関し、Aが供託した営業保証金について弁済を受ける権利を有する。

❹ Aが、営業保証金を金銭と有価証券で供託している場合で、本店を移転したためもよりの供託所が変更したとき、Aは、金銭の部分に限り、移転後の本店のもよりの供託所への営業保証金の保管替えを請求することができる。

全問◎を
目指そう!

| 1回目 | / | 2回目 | / | 3回目 | / | 4回目 | / | 5回目 | / |

手応え

◎：完全に分かってきた
○：だいたい分かってきた
△：少し分かってきた
×：全く分からなかった

肢別テーマ
テキスト
第2編

❶ 営業保証金制度とは
❷ 営業保証金制度とは
❸ 営業保証金制度とは
❹ 営業保証金制度とは

コース 6 ポイント ❶ 1
コース 6 ポイント ❶ 5
コース 6 ポイント ❶ 5
コース 6 ポイント ❶ 4

正解 2

❶ ✕ 国債・地方債以外の債券は 100 分の 80

営業保証金に充てることができる有価証券のうち、国債証券は 100 分の 100(= 額面通り)、地方債証券は 100 分の 90、それら以外の債券については **100 分 の 80** となります。

❷ ◯ 不足の通知を受けた日から 2 週間以内

不足の通知を受けた日から 2 週間以内に不足額を供託する必要があります。

❸ ✕ 宅建業の取引によって生じた債権のみ

営業保証金から還付を受けることができるのは、宅建業の取引によって生じた 債権(=つまりお客様)に限られます。広告代金債権は還付対象外です。

❹ ✕ 有価証券が含まれていれば保管替え請求不可

有価証券が少しでも含まれている場合、保管替えの請求はできません。

宅地建物取引業者A（甲県知事免許）が本店と2つの支店を有する場合、Aの営業保証金に関する次の記述のうち、宅地建物取引業法の規定によれば、正しいものはどれか。

❶ Aは新たに2つの支店を設置し、同時に1つの支店を廃止したときは、500万円の営業保証金を本店のもよりの供託所に供託し、業務を開始した後、遅滞なくその旨を甲県知事に届け出なければならない。

❷ Aが2つの支店を廃止し、その旨の届出をしたときは、営業保証金の額が政令で定める額を超えることとなるので、その超過額1,000万円について公告をせずに直ちに取り戻すことができる。

❸ Aが営業保証金を取り戻すために公告をしたときは、2週間以内にその旨を甲県知事に届け出なければならず、所定の期間内に債権の申出がなければその旨の証明書の交付を甲県知事に請求できる。

❹ Aは営業保証金の還付がなされ、甲県知事から政令で定める額に不足が生じた旨の通知を受け、その不足額を供託したときは、2週間以内にその旨を甲県知事に届け出なければならない。

1回目	2回目	3回目	4回目	5回目
／	／	／	／	／
手応え	手応え	手応え	手応え	手応え

◎：完全に分かってきた
○：だいたい分かってきた
△：少し分かってきた
×：全く分からなかった

 肢別テーマ
テキスト
第2編

❶ 営業保証金制度とは 　コース 6 ポイント ❶ ❸
❷ 営業保証金制度とは 　コース 6 ポイント ❶ ❻
❸ 営業保証金制度とは 　コース 6 ポイント ❶
❹ 営業保証金制度とは 　コース 6 ポイント ❶ ❺

 正解 4

❶ ✕ 「免許→供託→届出→事業開始」の順番

順番は「免許→供託→届出→事業開始」です。業務開始後に届け出るのではありません。

❷ ✕ 公告が必要

支店の廃止をする場合、超過額を取り戻すには6カ月以上の期間を定めて公告をしなければなりません。

❸ ✕ 免許権者への公告の届出は遅滞なく必要

業者が公告した場合には、遅滞なく、その旨を免許権者に届け出なければなりません。

❹ ○ 供託をした日から2週間以内に免許権者に届出

不足分の供託をした場合、その日から2週間以内に免許権者に届出をしなければなりません。

営業保証金

宅地建物取引業者A社（甲県知事免許）の営業保証金に関する次の記述のうち、宅地建物取引業法の規定によれば、正しいものはどれか。

❶ A社は、甲県の区域内に新たに支店を設置し宅地建物取引業を営もうとする場合、甲県知事にその旨の届出を行うことにより事業を開始することができるが、当該支店を設置してから3月以内に、営業保証金を供託した旨を甲県知事に届け出なければならない。

❷ 甲県知事は、A社が宅地建物取引業の免許を受けた日から3月以内に営業保証金を供託した旨の届出をしないときは、その届出をすべき旨の催告をしなければならず、その催告が到達した日から1月以内にA社が届出をしないときは、A社の免許を取り消すことができる。

❸ A社は、宅地建物取引業の廃業により営業保証金を取り戻すときは、営業保証金の還付を請求する権利を有する者（以下この問において「還付請求権者」という。）に対して公告しなければならないが、支店の廃止により営業保証金を取り戻すときは、還付請求権者に対して公告する必要はない。

❹ A社は、宅地建物取引業の廃業によりその免許が効力を失い、その後に自らを売主とする取引が結了した場合、廃業の日から10年経過していれば、還付請求権者に対して公告することなく営業保証金を取り戻すことができる。

全問◎を
目指そう！

1回目	/		2回目	/		3回目	/		4回目	/		5回目	/
手応え			手応え			手応え			手応え			手応え		

◎：完全に分かってきた
○：だいたい分かってきた
△：少し分かってきた
×：全く分からなかった

74

❶ 営業保証金制度とは	コース 6 ポイント ❶ 3	
❷ 営業保証金制度とは	コース 6 ポイント ❶ 2	正解 2
❸ 営業保証金制度とは	コース 6 ポイント ❶ 6	
❹ 営業保証金制度とは	コース 6 ポイント ❶ 6	

❶ ✕ **営業保証金を供託した者の届出の期間に制限はない**

支店を新設した場合、営業保証金を供託した者の届出の期間に制限はありません。ただし、供託してその旨を届け出た後でないとその事務所で業務が開始できません。

❷ ○ **3カ月で催告→1カ月で免許取消し可**

免許権者は、免許を与えた日から3カ月以内に営業保証金を供託した旨の届出がない場合には、催告をしなければなりません。また、その催告の到達後1カ月経過しても届出がない場合、免許を取り消すことができます。

❸ ✕ **公告が必要**

支店の廃止をした場合、6カ月以上の期間を定めて公告をしなければなりません。

❹ ✕ **取戻しの原因が生じて10年経過した場合**

取戻しの原因が生じて10年経過した場合には、公告をすることなく取戻しをすることができます。廃業の日は取戻しの原因が生じた日ではありません。

営業保証金

宅地建物取引業法に規定する営業保証金に関する次の記述のうち、正しいものはどれか。

❶ 国土交通大臣又は都道府県知事は、免許をした日から1月以内に営業保証金を供託した旨の届出がない場合、当該免許を受けた宅地建物取引業者に対して届出をすべき旨の催告をしなければならない。

❷ 宅地建物取引業者（事務所数1）がその事業を開始するため営業保証金として金銭及び地方債証券を供託する場合で、地方債証券の額面金額が1,000万円であるときは、金銭の額は、100万円でなければならない。

❸ 宅地建物取引業者は、事業開始後支店を1つ新設した場合には、当該支店のもよりの供託所に営業保証金500万円を供託しなければならない。

❹ 宅地建物取引業者は、営業保証金が還付されたためその額に不足を生じた場合、不足が生じた日から2週間以内に、その不足額を供託しなければならない。

1回目	/	2回目	/	3回目	/	4回目	/	5回目	/
手応え		手応え		手応え		手応え		手応え	

◎：完全に分かってきた
○：だいたい分かってきた
△：少し分かってきた
×：全く分からなかった

肢別テーマ テキスト第2編	❶ 営業保証金制度とは	コース 6 ポイント ❶ ❷	
	❷ 営業保証金制度とは	コース 6 ポイント ❶ ❶	正解 2
	❸ 営業保証金制度とは	コース 6 ポイント ❶ ❸	
	❹ 営業保証金制度とは	コース 6 ポイント ❶ ❺	

❶ ✕ 3カ月で催告→1カ月で免許取消し可

免許権者は、免許を与えた日から**3カ月**以内に営業保証金を供託した旨の届出がない場合には、**催告**をしなければなりません。また、その催告後**1カ月**経過しても届出がない場合、免許を**取り消す**ことができます。

❷ ○ 地方債証券は100分の90

地方債は評価額が**100分の90**となるので、額面金額が1,000万円であれば900万円として扱います。本店のみで事業開始するためには営業保証金が1,000万円必要なので、金銭を追加する際には**100万円**でなければなりません。

❸ ✕ 主たる事務所の最寄りの供託所

営業保証金は**主たる事務所**の最寄りの供託所にまとめて供託します。支店の最寄りの供託所ではありません。

❹ ✕ 不足の通知を受けた日から2週間以内

不足の通知を受けた日から**2週間**以内に不足額を供託する必要があります。不足が生じた日からではありません。

ちょこっと よりみちトーク

選択肢❹って正しい内容ではないの？

「不足が生じた日」ではなく「不足の通知を受けた日」ですね。

営業保証金

宅地建物取引業者Ａ（甲県知事免許）の営業保証金に関する次の記述のうち、宅地建物取引業法の規定によれば、誤っているものはどれか。なお、Ａは、甲県内に本店と一つの支店を設置して事業を営んでいるものとする。

❶ Ａが販売する新築分譲マンションの広告を受託した広告代理店は、その広告代金債権に関し、Ａが供託した営業保証金からその債権の弁済を受ける権利を有しない。

❷ Ａは、免許の有効期間の満了に伴い、営業保証金の取戻しをするための公告をしたときは、遅滞なく、その旨を甲県知事に届け出なければならない。

❸ Ａは、マンション３棟を分譲するための現地出張所を甲県内に設置した場合、営業保証金を追加して供託しなければ、当該出張所でマンションの売買契約を締結することはできない。

❹ Ａの支店でＡと宅地建物取引業に関する取引をした者（宅地建物取引業者を除く）は、その取引により生じた債権に関し、1,500万円を限度として、Ａが供託した営業保証金からその債権の弁済を受ける権利を有する。

1回目	2回目	3回目	4回目	5回目
手応え	手応え	手応え	手応え	手応え

◎：完全に分かってきた
○：だいたい分かってきた
△：少し分かってきた
×：全く分からなかった

肢別テーマ	❶ 営業保証金制度とは	コース 6 ポイント ❶ 5	
テキスト 第2編	❷ 営業保証金制度とは	コース 6 ポイント ❶	正解 3
	❸ 営業保証金制度とは	コース 6 ポイント ❶ ■	
	❹ 営業保証金制度とは	コース 6 ポイント ❶ 5	

❶ ○ **宅建業の取引により生じた債権のみ**

営業保証金から還付を受けることができるのは、**宅建業の取引によって生じた債権**（＝つまり宅建業の取引に関するお客様）に限られます。広告代金債権（＝つまり広告代理店）は還付対象外です。

❷ ○ **免許権者への届出が必要**

業者が公告した場合には、遅滞なく、その旨を**免許権者に届け出なければなりません**。

❸ × **事務所ではないので追加供託不要**

現地出張所は事務所ではありません。よって、営業保証金の追加供託も必要ありません。

❹ ○ **還付の金額の上限は供託している営業保証金の額**

宅建業者Ａは本店と支店1つを設置しているので、営業保証金は1,500万円供託しています。還付は**供託している営業保証金の額**までなので、1,500万円まで弁済を受けることができます。

営業保証金

宅地建物取引業法に規定する営業保証金に関する次の記述のうち、誤っているものはどれか。

❶ 宅地建物取引業者は、主たる事務所を移転したことにより、その最寄りの供託所が変更となった場合において、金銭のみをもって営業保証金を供託しているときは、従前の供託所から営業保証金を取り戻した後、移転後の最寄りの供託所に供託しなければならない。

❷ 宅地建物取引業者は、事業の開始後新たに事務所を設置するため営業保証金を供託したときは、供託物受入れの記載のある供託書の写しを添附して、その旨を免許を受けた国土交通大臣又は都道府県知事に届け出なければならない。

❸ 宅地建物取引業者は、一部の事務所を廃止し営業保証金を取り戻そうとする場合には、供託した営業保証金につき還付を請求する権利を有する者に対し、6月以上の期間を定めて申し出るべき旨の公告をしなければならない。

❹ 宅地建物取引業者は、営業保証金の還付があったために営業保証金に不足が生じたときは、国土交通大臣又は都道府県知事から不足額を供託すべき旨の通知書の送付を受けた日から2週間以内に、不足額を供託しなければならない。

全問◎を
目指そう！

1回目	/	2回目	/	3回目	/	4回目	/	5回目	/
手応え		手応え		手応え		手応え		手応え	

◎：完全に分かってきた
○：だいたい分かってきた
△：少し分かってきた
×：全く分からなかった

肢別テーマ			
	❶ 営業保証金制度とは	コース 6 ポイント ❶ 4	
テキスト 第2編	❷ 営業保証金制度とは	コース 6 ポイント ❶ 3	
	❸ 営業保証金制度とは	コース 6 ポイント ❶ 6	正解 **1**
	❹ 営業保証金制度とは	コース 6 ポイント ❶ 5	

❶ **✕　金銭のみ→保管替え請求**

金銭のみで供託所に供託している場合には保管替えを請求しなければなりません。有価証券が含まれている場合には、移転後の主たる事務所の最寄りの供託所に新たに供託をしますが、その場合でも、「新供託所に供託→旧供託所から取戻し」の順番であって、「旧供託所から取戻し→新供託所へ供託」の順番ではありません。

❷ **〇　「免許→供託→届出→事業開始」の順番**

難しい言い回しになっていますが、結局は「供託→届出」の順番で手続きを行うことがわかっていれば大丈夫です。

❸ **〇　公告が必要**

一部の支店の廃止をした場合、超過額を取り戻すには6カ月以上の期間を定めて公告をしなければなりません。

❹ **〇　不足の通知を受けた日から2週間以内**

不足の通知を受けた日から2週間以内に、不足額を供託しなければなりません。

宅地建物取引業者の営業保証金に関する次の記述のうち、宅地建物取引業法の規定によれば、誤っているものはどれか。なお、この問において、「還付請求権者」とは、同法第27条第1項の規定に基づき、営業保証金の還付を請求する権利を有する者をいう。

❶ 宅地建物取引業者は、宅地建物取引業に関し不正な行為をし、情状が特に重いとして免許を取り消されたときであっても、営業保証金を取り戻すことができる場合がある。

❷ 宅地建物取引業者は、免許の有効期間満了に伴い営業保証金を取り戻す場合は、還付請求権者に対する公告をすることなく、営業保証金を取り戻すことができる。

❸ 宅地建物取引業者は、一部の支店を廃止したことにより、営業保証金の額が政令で定める額を超えた場合は、還付請求権者に対し所定の期間内に申し出るべき旨を公告し、その期間内にその申出がなかったときに、その超過額を取り戻すことができる。

❹ 宅地建物取引業者は、宅地建物取引業保証協会の社員となった後において、社員となる前に供託していた営業保証金を取り戻す場合は、還付請求権者に対する公告をすることなく、営業保証金を取り戻すことができる。

1回目	/	2回目	/	3回目	/	4回目	/	5回目	/
手応え		手応え		手応え		手応え		手応え	

◎：完全に分かってきた
○：だいたい分かってきた
△：少し分かってきた
×：全く分からなかった

肢別テーマ	❶ 営業保証金制度とは	コース 6 ポイント ❶ 6
テキスト第2編	❷ 営業保証金制度とは	コース 6 ポイント ❶ 6
	❸ 営業保証金制度とは	コース 6 ポイント ❶ 6
	❹ 営業保証金制度とは	コース 6 ポイント ❶ 6

正解 2

❶ ○ 取戻しは可能

営業保証金を供託する必要がなくなった場合、取戻しをすることができます。免許取消しの場合、宅建業をしなくなるのだから取戻しは可能です。

❷ × 公告が必要

免許の有効期間満了に伴う営業保証金の取戻しの場合、6カ月以上の期間を定めて公告をしなければなりません。

❸ ○ 公告が必要

一部の支店を廃止した場合、超過額を取り戻すには6カ月以上の期間を定めて公告をしなければなりません。

❹ ○ 公告なしで取戻し可

保証協会の社員となった場合、公告をすることなく営業保証金の取戻しが可能です。

宅地建物取引業保証協会（以下「保証協会」という。）に関する次の記述のうち、宅地建物取引業法の規定によれば、正しいものはどれか。

❶ 保証協会の社員は、宅地建物取引業者に限られる。

❷ 保証協会は、一般財団法人でなければならない。

❸ 一の保証協会の社員が、同時に他の保証協会の社員となっても差し支えない。

❹ 保証協会は、弁済業務保証金分担金の納付を受けたときは、その日から２週間以内に弁済業務保証金を供託しなければならない。

全問◎を
目指そう!

1回目	／	2回目	／	3回目	／	4回目	／	5回目	／
手応え		手応え		手応え		手応え		手応え	

◎：完全に分かってきた
○：だいたい分かってきた
△：少し分かってきた
×：全く分からなかった

❶	弁済業務保証金制度とは	コース 7	ポイント ❶ 1	
❷	弁済業務保証金制度とは	コース 7	ポイント ❶ 1	
❸	弁済業務保証金制度とは	コース 7	ポイント ❶ 1	正解 1
❹	弁済業務保証金制度とは	コース 7	ポイント ❶ 1	

❶ ○ 保証協会は宅建業者のみが加入可能

保証協会は宅地建物取引業者のみを社員とします。

❷ ✕ 「一般財団法人」→「一般社団法人」

保証協会は宅地建物取引業者のみが加入できる一般社団法人です。

❸ ✕ 同時に2つの保証協会に加入することはできない

宅地建物取引業者は同時に2つの保証協会に加入することはできません。

❹ ✕ 1週間以内に供託

宅地建物取引業者が弁済業務保証金分担金を保証協会に納付したら、保証協会は1週間以内に弁済業務保証金を供託所に供託しなければなりません。

宅地建物取引業保証協会（以下この問において「保証協会」という。）に関する次の記述のうち、宅地建物取引業法の規定によれば、正しいものはどれか。

❶ 保証協会に加入することは宅地建物取引業者の任意であるが、一の保証協会の社員となった後に、重ねて他の保証協会の社員となることはできない。

❷ 宅地建物取引業者で保証協会に加入しようとする者は、その加入の日から2週間以内に、弁済業務保証金分担金を保証協会に納付しなければならない。

❸ 宅地建物取引業者で保証協会に加入しようとする者は、その加入に際して、加入前の宅地建物取引業に関する取引により生じたその者の債務に関し、保証協会から担保の提供を求められることはない。

❹ 保証協会に加入した宅地建物取引業者は、直ちに、その旨を免許を受けた国土交通大臣又は都道府県知事に報告しなければならない。

全問◎を
目指そう!

1回目	/	2回目	/	3回目	/	4回目	/	5回目	/
手応え		手応え		手応え		手応え		手応え	

◎：完全に分かってきた
○：だいたい分かってきた
△：少し分かってきた
×：全く分からなかった

肢別テーマ	❶ 弁済業務保証金制度とは	コース 7	ポイント ❶ 🔳		
テキスト 第2編	❷ 弁済業務保証金制度とは	コース 7	ポイント ❶ 🔳		
	❸ 弁済業務保証金制度とは	コース 7	ポイント ❶ 🔳	正解	1
	❹ 弁済業務保証金制度とは	コース 7	ポイント ❶		

❶ ○　保証協会への加入は任意

保証協会への加入は義務ではなく任意であり、加入せずに営業保証金を供託して開業することも可能です。また、保証協会の社員になった場合、重ねて他の保証協会に加入することはできません。

❷ ×　加入しようとする日まで

宅建業者は、保証協会に加入しようとする日までに、弁済業務保証金分担金を保証協会に納付しなければなりません。

❸ ×　担保の提供を求められることがある

宅建業者が保証協会の社員となる前に行った取引による債権も還付対象です。また、保証協会から担保の提供を求められることもあります。

❹ ×　保証協会が行う

宅建業者ではなく保証協会が報告を行います。

選択肢❸で迷った。
「担保の提供」って何？

たとえば、自分の持っている不動産に抵当権を設定したり、保証人をたてたりすることだよ。

弁済業務保証金

宅地建物取引業保証協会（以下この問において「保証協会」という。）に関する次の記述のうち、宅地建物取引業法の規定によれば、誤っているものはどれか。

❶ 保証協会は、弁済業務保証金分担金の納付を受けたときは、その納付を受けた額に相当する額の弁済業務保証金を供託しなければならない。

❷ 保証協会は、弁済業務保証金の還付があったときは、当該還付額に相当する額の弁済業務保証金を供託しなければならない。

❸ 保証協会の社員との宅地建物取引業に関する取引により生じた債権を有する者（宅地建物取引業者を除く）は、当該社員が納付した弁済業務保証金分担金の額に相当する額の範囲内で、弁済を受ける権利を有する。

❹ 保証協会の社員との宅地建物取引業に関する取引により生じた債権を有する者（宅地建物取引業者を除く）は、弁済を受ける権利を実行しようとする場合、弁済を受けることができる額について保証協会の認証を受けなければならない。

1回目	/	2回目	/	3回目	/	4回目	/	5回目	/
手応え		手応え		手応え		手応え		手応え	

◎：完全に分かってきた
○：だいたい分かってきた
△：少し分かってきた
×：全く分からなかった

❶	弁済業務保証金制度とは	コース 7	ポイント ❶ ❶	
❷	弁済業務保証金制度とは	コース 7	ポイント ❶ ❹	
❸	弁済業務保証金制度とは	コース 7	ポイント ❶ ❸	正解 3
❹	弁済業務保証金制度とは	コース 7	ポイント ❶ ❸	

❶ ○ 1週間以内に供託

宅建業者が弁済業務保証金分担金を保証協会に納付したら、保証協会は納付から1週間以内に弁済業務保証金を供託所に供託しなければなりません。

❷ ○ 保証協会がとりあえず供託する

還付により弁済業務保証金に不足が生じた場合は、保証協会は、還付された額に相当する額の弁済業務保証金を供託しなければなりません。

❸ ✕ 「弁済業務保証金相当額の範囲内」→「営業保証金相当額の範囲内」

弁済業務保証金分担金の額ではなく、その業者が保証協会の社員でなかった場合に供託すべき営業保証金の額に相当する額までとなります。つまり、弁済業務保証金分担金を90万円納付している業者であれば、本店1つと支店1つであるから、1,500万円まで弁済を受けることができます。

❹ ○ 保証協会の認証が必要

還付を受ける者（宅建業者を除く）は、保証協会の認証を受けてから、供託所に還付請求をします。

甲県知事の免許を受けている宅地建物取引業者Aが、宅地建物取引業保証協会
（以下この問において「保証協会」という。）の社員となった場合に関する次の
記述のうち、宅地建物取引業法の規定によれば、正しいものはどれか。

❶　Aは、社員となった日から2週間以内に、保証協会に対して弁済業務保証
金分担金を納付しなければならず、この期間内に納付しないときは社員とし
ての地位を失う。

❷　Aと宅地建物取引業に関し取引をした者（宅地建物取引業者に該当する者
を除く）は、Aが保証協会の社員になる前に取引をした者を除き、その取引
により生じた債権について、保証協会に対し弁済業務保証金の還付を請求す
ることができる。

❸　Aが保証協会の社員としての地位を失ったときは、その地位を失った日か
ら1週間以内に営業保証金を供託しなければならず、この期間内に供託しな
いときは甲県知事から業務停止処分を受けることがある。

❹　Aが保証協会の社員としての地位を失ったため営業保証金を供託したとき
は、保証協会は、弁済業務保証金の還付請求権者に対する公告を行うことな
く、Aに対し弁済業務保証金分担金を返還することができる。

1回目	2回目	3回目	4回目	5回目
／	／	／	／	／
手応え	手応え	手応え	手応え	手応え

◎：完全に分かってきた
○：だいたい分かってきた
△：少し分かってきた
×：全く分からなかった

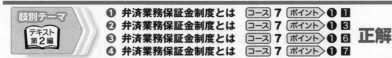

肢別テーマ
テキスト第2編

❶ 弁済業務保証金制度とは コース 7 ポイント ❶ 1
❷ 弁済業務保証金制度とは コース 7 ポイント ❶ 3
❸ 弁済業務保証金制度とは コース 7 ポイント ❶ 6
❹ 弁済業務保証金制度とは コース 7 ポイント ❶ 7

正解 3

❶ ✕ 加入しようとする日まで

宅建業者は、保証協会に加入しようとする日までに、弁済業務保証金分担金を納付しなければなりません。

❷ ✕ 社員となる前に行った取引も対象

宅建業者が保証協会の社員となる前に行った取引による債権も還付対象です。

❸ ◯ 1週間以内に営業保証金を供託

宅建業者は、社員の地位を失った場合、1週間以内に営業保証金を供託しなければなりません。違反した場合には業務停止処分を受けることがあります。

❹ ✕ 公告が必要

社員の地位を失った場合、保証協会は、弁済業務保証金を取り戻して、社員であった者に弁済業務保証金分担金を返還しますが、この際にも公告が必要となります。営業保証金を供託したとしても、公告を免れるわけではありません。

宅地建物取引業者A（事務所数1）が、宅地建物取引業保証協会（以下この問において「保証協会」という。）に加入しようとし、又は加入した場合に関する次の記述のうち、正しいものはどれか。

❶ Aは、保証協会に加入するため弁済業務保証金分担金を納付する場合、国債証券、地方債証券その他一定の有価証券をもってこれに充てることができ、国債証券を充てるときは、その額面金額は60万円である。

❷ Aが保証協会に加入した後、新たに支店を1ヵ所設置した場合、Aは、その日から2週間以内に、弁済業務保証金分担金30万円を供託所に供託しなければならない。

❸ Aは、保証協会から還付充当金を納付すべき旨の通知を受けた場合、その日から2週間以内に、当該還付充当金を納付しなければ社員の地位を失う。

❹ Aが保証協会の社員の地位を失い、弁済業務保証金分担金の返還を受けようとする場合、Aは、一定期間以内に保証協会の認証を受けるため申し出るべき旨の公告をしなければならない。

全問◎を
目指そう！

1回目	2回目	3回目	4回目	5回目
／	／	／	／	／
手応え	手応え	手応え	手応え	手応え

◎：完全に分かってきた
○：だいたい分かってきた
△：少し分かってきた
×：全く分からなかった

92

肢別テーマ	❶ 弁済業務保証金制度とは	コース 7	ポイント ❶ 1	
テキスト 第2編	❷ 弁済業務保証金制度とは	コース 7	ポイント ❶ 2	正解 3
	❸ 弁済業務保証金制度とは	コース 7	ポイント ❶ 4	
	❹ 弁済業務保証金制度とは	コース 7	ポイント ❶ 7	

❶ ✕ 弁済業務保証金分担金→金銭のみ

弁済業務保証金分担金は**必ず金銭**で納付しなければなりません。

❷ ✕ 供託所に供託→保証協会に納付

宅建業者が直接供託所に供託するのではなく、業者は**保証協会に追加の弁済業務保証金分担金を納付**します。そして、納付された後、保証協会が弁済業務保証金を供託所に供託します。

❸ ○ 通知を受けた日から2週間以内

保証協会から還付充当金の納付の**通知を受けた日から2週間以内**に納付しなければなりません。

❹ ✕ 公告は保証協会

弁済業務保証金分担金の返還にあたって公告を行うのは宅建業者Aではなく**保証協会**です。

ちょこっと よりみちトーク

弁済業務保証金では、業者と供託所の直接のやり取りは基本的にありません。保証協会を介して行うのが原則です。

業者が保証協会に納付し、保証協会が供託所に供託するということですね！

弁済業務保証金

宅地建物取引業保証協会（以下この問において「保証協会」という。）に関する次の記述のうち、宅地建物取引業法（以下この問において「法」という。）の規定によれば、正しいものはどれか。

❶ 宅地建物取引業者が保証協会に加入しようとするときは、当該保証協会に弁済業務保証金分担金を金銭又は有価証券で納付することができるが、保証協会が弁済業務保証金を供託所に供託するときは、金銭でしなければならない。

❷ 保証協会は、宅地建物取引業の業務に従事し、又は、従事しようとする者に対する研修を行わなければならないが、宅地建物取引士については、法第22条の2の規定に基づき都道府県知事が指定する講習をもって代えることができる。

❸ 保証協会に加入している宅地建物取引業者（甲県知事免許）は、甲県の区域内に新たに支店を設置する場合、その日までに当該保証協会に追加の弁済業務保証金分担金を納付しないときは、社員の地位を失う。

❹ 保証協会は、弁済業務保証金から生ずる利息又は配当金、及び、弁済業務保証金準備金を弁済業務保証金の供託に充てた後に社員から納付された還付充当金は、いずれも弁済業務保証金準備金に繰り入れなければならない。

全問◎を
目指そう！

1回目	/	2回目	/	3回目	/	4回目	/	5回目	/
手応え		手応え		手応え		手応え		手応え	

◎：完全に分かってきた
○：だいたい分かってきた
△：少し分かってきた
×：全く分からなかった

94

	❶ 弁済業務保証金制度とは	コース 7 ポイント ❶ 1
	❷ 弁済業務保証金制度とは	コース 7 ポイント ❶ 3
	❸ 弁済業務保証金制度とは	コース 7 ポイント ❶ 2
	❹ 弁済業務保証金制度とは	コース 7 ポイント ❶ 5

正解 4

❶ ✕ **弁済業務保証金分担金の納付は有価証券不可**

逆です。弁済業務保証金分担金（宅建業者→保証協会）は金銭のみ、弁済業務保証金（保証協会→供託所）は金銭でも有価証券でも構いません。

❷ ✕ **他の研修で代用不可**

保証協会は、宅建業の業務に従事している者やこれから宅建業の業務に従事しようとする者に対する研修を行わなければなりません。この研修は他の研修で代用することはできません。

❸ ✕ **支店設置から2週間以内**

支店を新設した場合、設置した日から2週間以内に弁済業務保証金分担金を納付しなければなりません。

❹ 〇 **弁済業務保証金準備金に繰り入れる**

保証協会は、いざという時のために、弁済業務保証金準備金を用意しておかなければなりません。そのお金は利息、配当金および還付充当金を用いて積み立てることとなります。

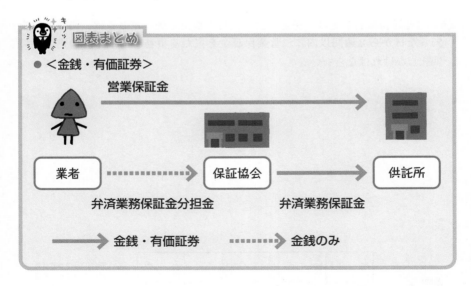

図表まとめ

● ＜金銭・有価証券＞

営業保証金

業者 ┄┄┄┄┄➤ 保証協会 ────➤ 供託所

弁済業務保証金分担金　　弁済業務保証金

────➤ 金銭・有価証券　　┄┄┄┄➤ 金銭のみ

弁済業務保証金

宅地建物取引業保証協会（以下この問において「保証協会」という。）又はその社員に関する次の記述のうち、正しいものはどれか。

❶ 300万円の弁済業務保証金分担金を保証協会に納付して当該保証協会の社員となった者と宅地建物取引業に関し取引をした者（宅地建物取引業者を除く）は、その取引により生じた債権に関し、6,000万円を限度として、当該保証協会が供託した弁済業務保証金から弁済を受ける権利を有する。

❷ 保証協会は、弁済業務保証金の還付があったときは、当該還付に係る社員又は社員であった者に対し、当該還付額に相当する額の還付充当金を主たる事務所の最寄りの供託所に供託すべきことを通知しなければならない。

❸ 保証協会の社員は、保証協会から特別弁済業務保証金分担金を納付すべき旨の通知を受けた場合で、その通知を受けた日から1か月以内にその通知された額の特別弁済業務保証金分担金を保証協会に納付しないときは、当該保証協会の社員の地位を失う。

❹ 宅地建物取引業者は、保証協会の社員の地位を失ったときは、当該地位を失った日から2週間以内に、営業保証金を主たる事務所の最寄りの供託所に供託しなければならない。

全問○を
目指そう！

| 1回目 | / | 2回目 | / | 3回目 | / | 4回目 | / | 5回目 | / |
| 手応え | | 手応え | | 手応え | | 手応え | | 手応え | |

◎：完全に分かってきた
○：だいたい分かってきた
△：少し分かってきた
×：全く分からなかった

96

肢別テーマ	❶ 弁済業務保証金制度とは	コース 7	ポイント ❶ ❸	
テキスト 第2編	❷ 弁済業務保証金制度とは	コース 7	ポイント ❶ ❹	
	❸ 弁済業務保証金制度とは	コース 7	ポイント ❶ ❺	正解 3
	❹ 弁済業務保証金制度とは	コース 7	ポイント ❶ ❻	

❶ ✗　6,000万円ではなく5,000万円

300万円の弁済業務保証金分担金を納付していたということは、**本店の他に支店を8つ有している**こととなります。還付金額はその業者が保証協会の社員でなかった場合に供託すべき営業保証金の額に相当する額までとなります。ということは、この業者は**5,000万円**までとなります。

❷ ✗　供託所に供託→保証協会に納付

保証協会は、還付充当金に相当する額を保証協会に納付すべきことを通知しなければなりません。宅建業者が直接供託所に供託するのではなく、宅建業者は**保証協会に還付充当金を納付**します。

❸ ○　特別弁済業務保証金分担金は1カ月以内に納付

保証協会の社員である宅建業者は、保証協会から特別弁済業務保証金分担金を納付すべき通知を受けた場合、**1カ月以内に納付**しないときは社員の地位を失います。

❹ ✗　1週間以内に営業保証金を供託

宅建業者は、社員の地位を失った場合、**1週間以内に営業保証金を供託**しなければなりません。違反した場合には業務停止処分を受けることがあります。

弁済業務保証金

宅地建物取引業保証協会（以下この問において「保証協会」という。）に関する次の記述のうち、正しいものはどれか。

❶ 宅地建物取引業者が保証協会の社員となる前に、当該宅地建物取引業者と宅地建物取引業に関し取引をした者（宅地建物取引業者に該当する者を除く）は、その取引により生じた債権に関し、弁済業務保証金について弁済を受ける権利を有する。

❷ 保証協会の社員である宅地建物取引業者と宅地建物取引業に関し取引をした者（宅地建物取引業者に該当する者を除く）が、その取引により生じた債権に関し、弁済業務保証金について弁済を受ける権利を実行するときは、当該保証協会の認証を受けるとともに、当該保証協会に対し、還付請求をしなければならない。

❸ 保証協会から還付充当金を納付すべきことの通知を受けた社員は、その通知を受けた日から1月以内に、その通知された額の還付充当金を当該保証協会に納付しなければならない。

❹ 保証協会は、新たに宅地建物取引業者がその社員として加入しようとするときは、あらかじめ、その旨を宅地建物取引業者が免許を受けた国土交通大臣又は都道府県知事に報告しなければならない。

1回目	/	2回目	/	3回目	/	4回目	/	5回目	/
手応え		手応え		手応え		手応え		手応え	

◎：完全に分かってきた
○：だいたい分かってきた
△：少し分かってきた
×：全く分からなかった

肢別テーマ
テキスト
第2編

❶ 弁済業務保証金制度とは　コース 7　ポイント ❶ 🄱
❷ 弁済業務保証金制度とは　コース 7　ポイント ❶ 🄱
❸ 弁済業務保証金制度とは　コース 7　ポイント ❶ 🄴
❹ 弁済業務保証金制度とは　コース 7　ポイント ❶

正解 1

❶　○　社員となる前に行った取引も対象

宅建業者が保証協会の社員となる前に行った取引による債権も還付対象です。

❷　✕　保証協会の認証を受け、供託所に還付請求

保証協会の認証を受けたうえで、供託所に対して還付請求をします。保証協会に還付請求をするのではありません。

❸　✕　通知を受けた日から2週間以内

保証協会から還付充当金の納付の通知を受けた日から2週間以内に納付しなければなりません。

❹　✕　あらかじめではなく加入後直ちに報告

保証協会は、新しい業者が加入したら、直ちにその旨をその業者の免許権者に報告しなければなりません。あらかじめではなく、加入後直ちに報告します。

宅地建物取引業者Ａが、Ｂ所有の宅地の売却の媒介の依頼を受け、Ｂと専任媒介契約（以下この問において「媒介契約」という。）を締結した場合に関する次の記述のうち、宅地建物取引業法の規定によれば、正しいものはどれか。

❶ Ａは、媒介により、売買契約を成立させたが、Ｂから媒介報酬を受領するまでは、指定流通機構への当該契約成立の通知をしなくてもよい。

❷ Ｂから指定流通機構には登録しなくてもよい旨の承諾を得ていれば、Ａは当該宅地に関する所定の事項について、指定流通機構に登録しなくてもよい。

❸ Ａは契約の相手方を探索するため、当該宅地に関する所定の事項を媒介契約締結日から７日（休業日を含む）以内に指定流通機構に登録する必要がある。

❹ 媒介契約の有効期間の満了に際して、ＢからＡに更新の申出があった場合（その後の更新についても同様）、３月を限度として更新することができる。

全問◎を
目指そう！

1回目	/	2回目	/	3回目	/	4回目	/	5回目	/
手応え		手応え		手応え		手応え		手応え	

◎：完全に分かってきた
○：だいたい分かってきた
△：少し分かってきた
×：全く分からなかった

肢別テーマ	❶ 媒介と代理	コース 8 ポイント ❶ 5	
テキスト第2編	❷ 媒介と代理	コース 8 ポイント ❶ 5	正解 **4**
	❸ 媒介と代理	コース 8 ポイント ❶ 5	
	❹ 媒介と代理	コース 8 ポイント ❶ 3	

❶ ✕ 遅滞なく登録番号・取引価格・契約成立年月日を通知

契約が成立した場合、遅滞なく、登録番号・取引価格・契約成立年月日を通知しなければなりません。

❷ ✕ 義務なので登録必要

専任媒介契約の場合、指定流通機構への登録は義務ですのでしなければなりません。依頼者から登録しなくてもよい旨の承諾を得ていても、義務である以上は登録しなければなりません。

❸ ✕ 休業日は除く

専任媒介契約の場合、指定流通機構への登録は7日以内ですが、休業日は除くこととなっています。

❹ ◯ 有効期間は最大3カ月

専任媒介契約は有効期間が最大3カ月となります。依頼者からの申出により更新が可能ですが、その際にも有効期間は最大3カ月となります。

 ちょこっと **よりみちトーク**

 なんで登録番号まで知らせるんですか？

登録番号を言ってくれないと、担当者が物件を検索するのに時間がかかっちゃうんだ。スムーズに検索をするために、登録番号は必要なんだよ。

 ちら

宅地建物取引業者Aが、Bの所有する宅地の売却の依頼を受け、Bと媒介契約を締結した場合に関する次の記述のうち、宅地建物取引業法の規定によれば、正しいものはどれか。

❶ 媒介契約が専任媒介契約以外の一般媒介契約である場合、Aは、媒介契約を締結したときにBに対し交付すべき書面に、当該宅地の指定流通機構への登録に関する事項を記載する必要はない。

❷ 媒介契約が専任媒介契約（専属専任媒介契約を除く。）である場合、Aは、契約の相手方を探索するため、契約締結の日から5日（休業日を除く。）以内に、当該宅地につき所定の事項を指定流通機構に登録しなければならない。

❸ 媒介契約が専任媒介契約である場合で、指定流通機構への登録後当該宅地の売買の契約が成立したとき、Aは、遅滞なく、登録番号、宅地の取引価格及び売買の契約の成立した年月日を当該指定流通機構に通知しなければならない。

❹ 媒介契約が専属専任媒介契約である場合で、当該契約に「Aは、Bに対し業務の処理状況を10日ごとに報告しなければならない」旨の特約を定めたとき、その特約は有効である。

全問◎を
目指そう！

1回目	2回目	3回目	4回目	5回目
/	/	/	/	/
手応え	手応え	手応え	手応え	手応え

◎：完全に分かってきた
○：だいたい分かってきた
△：少し分かってきた
×：全く分からなかった

肢別テーマ	❶ 媒介契約書面	コース 8 ポイント ❷ 2	
テキスト第2編	❷ 媒介と代理	コース 8 ポイント ❶ 5	正解 3
	❸ 媒介と代理	コース 8 ポイント ❶ 5	
	❹ 媒介と代理	コース 8 ポイント ❶ 4	

❶ ✕ 省略不可

　指定流通機構への登録に関する事項については、媒介契約書面への記載事項のため、**省略はできません**。一般媒介契約の場合、指定流通機構への登録は義務ではありませんが、それでも記載の省略は不可です。

❷ ✕ 専任媒介契約→7日以内

　専任媒介契約の場合、指定流通機構への登録は**7日以内**です。

❸ ◯ 遅滞なく登録番号・取引価格・契約成立年月日を通知

　契約が成立した場合、遅滞なく、**登録番号・取引価格・契約成立年月日**を通知しなければなりません。

❹ ✕ 依頼者に不利な特約は無効

　特約を定める場合、依頼者に不利な特約は無効、依頼者に有利な特約は有効というのが原則です。本来であれば、業務処理状況は専属専任媒介契約の場合1週間に1回以上報告しなければならないのに、10日ごとでは**依頼者に不利と**なってしまいますので、この特約は**無効**となります。

宅地建物取引業者Aが、BからB所有の宅地の売却を依頼され、Bと専属専任媒介契約（以下この問において「本件媒介契約」という。）を締結した場合に関する次の記述のうち、宅地建物取引業法の規定によれば、正しいものはどれか。なお、電磁的方法により提供する場合を考慮しないものとする。

❶　AはBに対して、契約の相手方を探索するために行った措置など本件媒介契約に係る業務の処理状況を2週間に1回以上報告しなければならない。

❷　AがBに対し当該宅地の価額又は評価額について意見を述べるときは、その根拠を明らかにしなければならないが、根拠の明示は口頭でも書面を用いてもどちらでもよい。

❸　本件媒介契約の有効期間について、あらかじめBからの書面による申出があるときは、3か月を超える期間を定めることができる。

❹　Aは所定の事項を指定流通機構に登録した場合、Bから引渡しの依頼がなければ、その登録を証する書面をBに引き渡さなくてもよい。

全問◎を
目指そう！

1回目	2回目	3回目	4回目	5回目
手応え	手応え	手応え	手応え	手応え

◎：完全に分かってきた
○：だいたい分かってきた
△：少し分かってきた
×：全く分からなかった

肢別テーマ	❶ 媒介と代理	コース 8 ポイント ❶ 4	
テキスト 第2編	❷ 媒介契約書面	コース 8 ポイント ❷ 2	正解 2
	❸ 媒介と代理	コース 8 ポイント ❶ 3	
	❹ 媒介と代理	コース 8 ポイント ❶ 5	

媒介・代理

❶ ✕ 2週間に1回以上→1週間に1回以上

専属専任媒介契約を締結した場合には、1週間に1回以上、依頼者に対して業務処理状況を報告しなければなりません。

❷ ○ 根拠を明らかにする（口頭でも可）

宅建業者は、目的物の価額又は評価額について意見を述べるときは、その根拠を明らかにしなければなりません。ただし、根拠を述べる方法に制約はなく、口頭であっても書面であっても構いません。

❸ ✕ 最長で3カ月（3カ月超の場合は3カ月に短縮）

専属専任媒介契約は有効期間が最大3カ月となります。それより長い期間を設定しても3カ月に短縮されます。たとえ依頼者から書面による申出があっても同様です。

❹ ✕ 登録済証を引き渡さなければならない

依頼を受けた宅建業者は、登録が完了したら、指定流通機構から交付される登録済証を、遅滞なく、書面または依頼者の承諾を得て電磁的方法により提供して依頼者に引き渡さなければなりません。依頼者からの依頼がなくても引き渡さなければなりません。

ちょこっと **よりみちトーク**

「根拠は何？」と聞かれて「長年の勘」と言われても、納得できないですよね。

根拠はしっかり示してほしいね。

だから、価額や評価額に対して意見を述べるときには根拠が必要なのです。

宅地建物取引業者Aが、B所有の宅地の売却の媒介依頼を受け、Bと専任媒介契約を締結した場合に関する次の記述のうち、宅地建物取引業法の規定によれば、正しいものはどれか。

❶ AがBに交付した媒介契約書が国土交通大臣が定めた標準媒介契約約款に基づかない書面である場合、その旨の表示をしなければ、Aは業務停止処分を受けることがある。

❷ 媒介契約の有効期間の満了に際し、BからAに更新の申出があった場合、Aは更新を拒むことはできない。

❸ AがBに宅地の価額について意見を述べる際に、Bからその根拠を明らかにする旨の請求がなければ、Aはその根拠を明らかにする必要はない。

❹ 媒介契約の締結にあたって、業務処理状況を5日に1回報告するという特約は無効である。

1回目	/	2回目	/	3回目	/	4回目	/	5回目	/
手応え		手応え		手応え		手応え		手応え	

◎：完全に分かってきた
○：だいたい分かってきた
△：少し分かってきた
×：全く分からなかった

肢別テーマ	❶ 媒介契約書面
テキスト 第2編	❷ 媒介と代理
	❸ 媒介契約書面
	❹ 媒介と代理

コース 8 ポイント ❷ 2
コース 8 ポイント ❶ 3
コース 8 ポイント ❷ 2
コース 8 ポイント ❶ 4

正解 **1**

媒介・代理

❶ ○ 省略不可（記載しなかった場合には処分あり）

国土交通大臣が定める標準媒介契約約款に基づくか否かは記載必須です。基づかないのであれば「基づかない」という旨を記載しなければなりません。記載しなかった場合には業務停止処分を受けることがあります。

❷ ✕ 更新の申出に対して拒絶することも可

更新には依頼者からの申出が必要です。また、依頼者から申出があったとしても、業者はそれを断ることができます。

❸ ✕ 根拠を明らかにする（口頭でも可）

宅建業者は、目的物の価額又は評価額について意見を述べるときは、相手から請求がなくてもその根拠を明らかにしなければなりません。ただし、根拠を述べる方法に制約はなく、口頭であっても構いません。

❹ ✕ 依頼者に有利な特約は有効

特約を定める場合、宅建業法の規定に反する特約は無効となるが、依頼者に有利な特約は有効というのが原則です。本来であれば、業務処理状況は専任媒介契約の場合2週間に1回以上報告しなければならないのに、5日ごとであれば依頼者が有利となりますので、この特約は有効となります。

宅地建物取引業者Aが行う業務に関する次の記述のうち、宅地建物取引業法（以下この問において「法」という。）の規定によれば、正しいものはいくつあるか。

ア Aは、Bが所有する甲宅地の売却に係る媒介の依頼を受け、Bと専任媒介契約を締結した。このとき、Aは、法第34条の2第1項に規定する書面を作成するのであれば、当該書面に記名押印し、Bに交付のうえ、宅地建物取引士をしてその内容を説明させなければならない。

イ Aは、Cが所有する乙アパートの売却に係る媒介の依頼を受け、Cと専任媒介契約を締結した。このとき、Aは、乙アパートの所在、規模、形質、売買すべき価額、依頼者の氏名、都市計画法その他の法令に基づく制限で主要なものを指定流通機構に登録しなければならない。

ウ Aは、Dが所有する丙宅地の貸借に係る媒介の依頼を受け、Dと専任媒介契約を締結した。このとき、Aは、Dに法第34条の2第1項に規定する書面を交付するか、又はDの承諾を得て当該書面に記載すべき事項について電磁的方法によって提供しなければならない。

❶ 一つ
❷ 二つ
❸ 三つ
❹ なし

| 1回目 | / | 2回目 | / | 3回目 | / | 4回目 | / | 5回目 | / |
| 手応え | | 手応え | | 手応え | | 手応え | | 手応え | |

◎：完全に分かってきた
○：だいたい分かってきた
△：少し分かってきた
×：全く分からなかった

全問◎を
目指そう！

108

  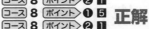

媒介・代理

ア ✕　媒介契約書の説明は不要

　媒介契約書面の交付の際には、**特に説明を必要としていません**。宅建業者の記名押印をして、その書面を依頼者に渡すことで足ります。その内容を宅地建物取引士に説明させる必要はありません。

イ ✕　依頼者の氏名は登録事項ではない

　専任媒介契約なので指定流通機構への登録はしなければなりません。その際、宅地または建物の所在・規模・形質・売買すべき価格や法令上の制限などの一定事項については登録をしなければなりませんが、**依頼者の氏名は登録事項ではありません**。

ウ ✕　貸借の媒介で媒介契約書は不要

　貸借の媒介の場合、媒介契約書の作成（又は電磁的方法による提供）は不要です。

　以上のことから、正しい選択肢は１つもないので、❹が正解となります。

「法第 34 条の 2 第 1 項に規定する書面」って何ですか？

媒介契約書面のことだよ。

宅地建物取引業者Aは、BからB所有の宅地の売却について媒介の依頼を受けた。この場合における次の記述のうち、宅地建物取引業法（以下この問において「法」という。）の規定によれば、誤っているものはいくつあるか。

ア AがBとの間で専任媒介契約を締結し、Bから「売却を秘密にしておきたいので指定流通機構への登録をしないでほしい」旨の申出があった場合、Aは、そのことを理由に登録をしなかったとしても法に違反しない。

イ AがBとの間で媒介契約を締結した場合、AはBに対して遅滞なく法第34条の2第1項の規定に基づく書面を交付又はBの承諾を得て電磁的方法により提供しなければならないが、Bが宅地建物取引業者であるときは、当該書面の交付（電磁的方法による提供を含む）を省略することができる。

ウ AがBとの間で有効期間を3月とする専任媒介契約を締結した場合、期間満了前にBから当該契約の更新をしない旨の申出がない限り、当該期間は自動的に更新される。

エ AがBとの間で一般媒介契約（専任媒介契約でない媒介契約）を締結し、当該媒介契約において、重ねて依頼する他の宅地建物取引業者を明示する義務がある場合において、法34条の2第1項の書面を作成するときは、Aは、Bが明示していない他の宅地建物取引業者の媒介又は代理によって売買の契約を成立させたときの措置を当該書面に記載しなければならない。

❶ 一つ
❷ 二つ
❸ 三つ
❹ 四つ

全問○を
目指そう！

| 1回目 | / | 2回目 | / | 3回目 | / | 4回目 | / | 5回目 | / |
| 手応え | | 手応え | | 手応え | | 手応え | | 手応え | |

◎：完全に分かってきた
○：だいたい分かってきた
△：少し分かってきた
×：全く分からなかった

	ア 媒介と代理	コース 8 ポイント ❶ 5	
肢別テーマ テキスト 第2編	イ 媒介契約書面	コース 8 ポイント ❷ 1	正解 3
	ウ 媒介と代理	コース 8 ポイント ❶ 3	
	エ 媒介契約書面	コース 8 ポイント ❷ 2	

ア ✕ 義務なので登録必要

専任媒介契約の場合、指定流通機構への登録は義務ですのでしなければなりません。依頼者から登録しなくてもよい旨の承諾を得ていても、義務である以上は登録しなければなりません。

イ ✕ 宅建業者間であっても適用される

宅建業者間であっても媒介契約の規制は適用されます。したがって、Bが宅建業者であったとしても、AはBに対して媒介契約書面を交付しなければなりません。

ウ ✕ 自動更新は不可

専任媒介契約の有効期間は3カ月が限度です。更新はできますが、その際にも依頼者からの申出が必要です。自動更新はできません。

エ ○ 違反の場合の措置は記載しなければならない

媒介契約書面には、媒介契約に違反した場合の措置を記載しなければなりません。他の宅地建物取引業者を明示する義務がある一般媒介契約の場合、依頼者が明示していない他の宅地建物取引業者と契約を結ぶことは媒介契約違反となります。したがって、その際の措置を記載しなければなりません。

以上のことから、誤っている選択肢はア、イ、ウの3つなので、❸が正解となります。

宅地建物取引業者Aが、Bから自己所有の宅地の売買の媒介を依頼された場合における当該媒介に係る契約に関する次の記述のうち、宅地建物取引業法（以下この問において「法」という。）の規定によれば、正しいものはどれか。

❶　Aは、Bとの間で専任媒介契約を締結し法第34条の2第1項の規定に基づき交付すべき書面を作成したときは、宅地建物取引士に当該書面の記載内容を確認させた上で、当該宅地建物取引士をして記名押印させなければならない。

❷　Aは、Bとの間で有効期間を2月とする専任媒介契約を締結した場合、Bの申出により契約を更新するときは、更新する媒介契約の有効期間は当初の契約期間を超えてはならない。

❸　Aは、Bとの間で一般媒介契約（専任媒介契約でない媒介契約）を締結する際、Bから媒介契約の有効期間を6月とする旨の申出があったとしても、当該媒介契約において3月を超える有効期間を定めてはならない。

❹　Aは、Bとの間で締結した媒介契約が一般媒介契約であるか、専任媒介契約であるかにかかわらず、宅地を売買すべき価額をBに口頭で述べたとしても、法第34条の2第1項の規定に基づき交付すべき書面には当該価額を記載しなければならない。

全問◎を
目指そう!

1回目	/	2回目	/	3回目	/	4回目	/	5回目	/
手応え		手応え		手応え		手応え		手応え	

◎：完全に分かってきた
○：だいたい分かってきた
△：少し分かってきた
×：全く分からなかった

❶ 媒介契約書面	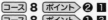 コース 8 ポイント ❷ 1		
❷ 媒介と代理	コース 8 ポイント ❶ 3		
❸ 媒介と代理	 コース 8 ポイント ❶ 3	正解 4	
❹ 媒介契約書面	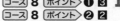 コース 8 ポイント ❷ 2		

媒介・代理

❶ **✕　宅建業者の記名押印**

媒介契約書面に宅地建物取引士による記載内容の確認も宅地建物取引士の記名押印も必要ありません。なお、**宅建業者の記名押印が必要となります。**

❷ **✕　3カ月以内であれば可**

専任媒介契約の有効期間は**3カ月以内**なので、2カ月で契約することは問題ありません。しかし、更新後の有効期間も3カ月以内であればよく、当初の契約期間を超えてはならないという決まりはありません。

❸ **✕　一般媒介契約は有効期間に制限なし**

一般媒介契約に有効期間の制限はありません。したがって、6カ月とする契約も有効です。

❹ **◯　省略不可**

価額は媒介契約書に書かなければなりません。たとえ口頭で述べたとしても、それとは別に契約書にも記載しなければなりません。

宅地建物取引業者Ａ社が、宅地建物取引業者でないＢから自己所有の土地付建物の売却の媒介を依頼された場合における次の記述のうち、宅地建物取引業法（以下この問において「法」という。）の規定によれば、誤っているものはどれか。

❶ 　Ａ社がＢと専任媒介契約を締結した場合、当該土地付建物の売買契約が成立したときは、Ａ社は、遅滞なく、登録番号、取引価格及び売買契約の成立した年月日を指定流通機構に通知しなければならない。

❷ 　Ａ社がＢと専属専任媒介契約を締結した場合、Ａ社は、Ｂに当該媒介業務の処理状況の報告を電子メールで行うことはできない。

❸ 　Ａ社が宅地建物取引業者Ｃ社から当該土地付建物の購入の媒介を依頼され、Ｃ社との間で一般媒介契約（専任媒介契約でない媒介契約）を締結した場合、Ａ社は、Ｃ社に法第34条の2の規定に基づく書面を交付又はＣ社の承諾を得て電磁的方法により提供しなければならない。

❹ 　Ａ社がＢと一般媒介契約（専任媒介契約でない媒介契約）を締結した場合、Ａ社がＢに対し当該土地付建物の価額又は評価額について意見を述べるときは、その根拠を明らかにしなければならない。

1回目	/	2回目	/	3回目	/	4回目	/	5回目	/
手応え		手応え		手応え		手応え		手応え	

◎：完全に分かってきた
○：だいたい分かってきた
△：少し分かってきた
×：全く分からなかった

❶ 媒介と代理 ── コース 8 ポイント ❶ 5
❷ 媒介と代理 ── コース 8 ポイント ❶ 4
❸ 媒介契約書面 ── コース 8 ポイント ❷ 1
❹ 媒介契約書面 ── コース 8 ポイント ❷ 2

正解 2

❶ ○ 遅滞なく登録番号・取引価格・契約成立年月日を通知

契約が成立した場合、遅滞なく、登録番号・取引価格・契約成立年月日を通知しなければなりません。

❷ × 業務処理状況の報告は電子メール可

業務処理状況の報告は口頭でも電子メールでも問題ありません。

❸ ○ 媒介契約書面を交付しなければならない

宅建業者は、宅地建物の売買又は交換の媒介契約を締結したときは、遅滞なく、一定の事項を記載した書面を作成して記名押印し、依頼者にこれを交付（又は依頼者の承諾を得て電磁的方法による提供を含む。）しなければなりません。

❹ ○ 根拠を明らかにする（口頭でも可）

宅建業者は、目的物の価額又は評価額について意見を述べるときは、その根拠を明らかにしなければなりません。これは専任媒介契約でない媒介契約（＝一般媒介契約）であってもかわりません。なお、根拠を述べる方法に制約はなく、口頭であっても構いません。

おっかれさま

宅建業法も折り返し！
引き続き頑張れ！！

宅地建物取引業者Ａが行う広告に関する次の記述のうち、宅地建物取引業法の規定によれば、正しいものはどれか。

❶　Ａが宅地又は建物の売買に関する広告をする場合、自己所有の物件で自ら契約の当事者となる場合においては、取引態様の別を記載する必要はない。

❷　Ａが県知事からその業務の全部の停止を命ぜられた期間中であっても、当該停止処分が行われる前に印刷した広告の配布活動のみは認められている。

❸　Ａは、土地付き建物の売買に係る広告に際し、建築基準法第6条第1項の建築確認の申請中であれば、「建築確認申請中のため、建築確認を受けるまでは、売買契約はできません。」と表示すれば広告をすることができる。

❹　Ａは、その業務に関する広告について著しく事実に相違する表示を行った場合、取引の成立に至らなくとも、懲役又は罰金に処せられることがある。

1回目 /	2回目 /	3回目 /	4回目 /	5回目 /
手応え	手応え	手応え	手応え	手応え

◎：完全に分かってきた
○：だいたい分かってきた
△：少し分かってきた
×：全く分からなかった

肢別テーマ	❶ 広告	コース 9 ポイント ❶ ❶
テキスト 第2編	❷ 広告	コース 9 ポイント ❶
	❸ 広告	コース 9 ポイント ❶ ❹
	❹ 広告	コース 9 ポイント ❶ ❷

正解 **4**

❶ **✕ 取引態様の明示は必要**

広告をする場合には、**取引態様の別を明示**しなければなりません。

❷ **✕ 業務停止は広告も禁止**

業務停止処分の期間中は、**広告をすることも契約を締結することもできません**。

❸ **✕ 申請中→必要な許可・確認は下りていない**

必要な許可・確認が下りる前には、広告をすることができません。**申請中ということは、まだ建築確認は下りていない**ということなので、広告をすることはできません。

❹ **○ 誇大広告等を行った時点で宅建業法違反**

取引が成立せずに実害がなかったとしても、**誇大広告等を行った時点で宅建業法違反**となります。

広告等の規制

ちょこっと よりみちトーク

選択肢❹で「取引の成立に至っていない」と書いてあるけど、それでもダメなの？

たとえ実害がなかったとしても、違反行為を行った時点でダメだよ！

次の記述のうち、宅地建物取引業法の規定によれば、正しいものはどれか。

❶ 新たに宅地建物取引業の免許を受けようとする者は、当該免許の取得に係る申請をしてから当該免許を受けるまでの間においても、免許申請中である旨を表示すれば、免許取得後の営業に備えて広告をすることができる。

❷ 宅地建物取引業者は、宅地の造成又は建物の建築に関する工事の完了前においては、当該工事に必要な都市計画法に基づく開発許可、建築基準法に基づく建築確認その他法令に基づく許可等の申請をした後でなければ、当該工事に係る宅地又は建物の売買その他の業務に関する広告をしてはならない。

❸ 宅地建物取引業者は、宅地又は建物の売買、交換又は貸借に関する広告をするときに取引態様の別を明示していれば、注文を受けたときに改めて取引態様の別を明らかにする必要はない。

❹ 宅地建物取引業者は、販売する宅地又は建物の広告に著しく事実に相違する表示をした場合、監督処分の対象となるほか、6月以下の懲役又は100万円以下の罰金に処せられることがある。

全問◎を
目指そう！

1回目	2回目	3回目	4回目	5回目
手応え	手応え	手応え	手応え	手応え

◎：完全に分かってきた
○：だいたい分かってきた
△：少し分かってきた
×：全く分からなかった

118

肢別テーマ	❶ 広告	コース 9 ポイント ❶	
テキスト 第2編	❷ 広告	コース 9 ポイント ❶ ❹	正解 **4**
	❸ 広告	コース 9 ポイント ❶ ❶	
	❹ 広告	コース 9 ポイント ❶ ❷	

❶ ✕ 免許申請中→まだ無免許の状態

免許申請中ということは、まだ無免許の状態ということです。まだ宅建業者ではないので、契約も広告もすることはできません。

❷ ✕ 申請しても許可・確認が下りていないなら不可

許可や確認が下りた後でなければ、広告をすることはできません。申請すればそれでよいというわけではありません。

❸ ✕ 取引態様の明示は必要

広告をした際に取引態様の別を明示していたとしても、注文を受けた際には再度取引態様の別を明示する必要があります。

❹ ○ 誇大広告等→監督処分＆罰則

誇大広告等をすると、監督処分の対象となり、さらに罰則もあります。

ちょこっと **よりみちトーク**

誇大広告の違反って厳しいんだね。

広告は契約より影響の範囲が広いからね。

それは大変だね！

 だから、厳しく規制しているんだよ！

広告等の規制

宅地建物取引業者Aの業務に関する次の記述のうち、宅地建物取引業法の規定によれば、正しいものはどれか。

❶ Aは、実在しない宅地について広告又は虚偽の表示を行ってはならないが、実在する宅地については、実際に販売する意思がなくても、当該宅地の広告の表示に誤りがなければ、その広告を行うことができる。

❷ Aは、新築分譲マンションを建築工事の完了前に売却する場合、建築基準法第6条第1項の確認を受ける前において、当該マンションの売買の広告及び売買契約の締結のいずれもすることはできない。

❸ 都市計画法第29条第1項の許可を必要とする宅地について、Bが開発行為を行い貸主として貸借をしようとする場合、Aは、Bがその許可を受ける前であっても、Bの依頼により当該宅地の貸借の広告をすることができるが、当該宅地の貸借の媒介をすることはできない。

❹ Aは、都市計画法第29条第1項の許可を必要とする宅地について開発行為を行いCに売却する場合、Cが宅地建物取引業者であれば、その許可を受ける前であっても当該宅地の売買の予約を締結することができる。

全問◎を
目指そう!

1回目	/	2回目	/	3回目	/	4回目	/	5回目	/
手応え		手応え		手応え		手応え		手応え	

◎：完全に分かってきた
○：だいたい分かってきた
△：少し分かってきた
×：全く分からなかった

120

肢別テーマ	❶ 広告	コース 9 ポイント ❶ 3	
テキスト 第2編	❷ 広告	コース 9 ポイント ❶ 4	正解 2
	❸ 広告	コース 9 ポイント ❶ 4	
	❹ 広告	コース 9 ポイント ❶ 4	

❶ ✕ おとり広告は禁止

おとり広告を行うことは禁止されています。実際に販売する意思がないのであれば、広告をしてはいけません。

❷ ◯ 必要な許可・確認が下りてから

必要な許可・確認が下りるまでは、広告も契約もすることができません。

❸ ✕ 貸借の契約は許可・確認が下りる前でも可

必要な許可・確認が下りる前では、広告をすることはできませんが、貸借の契約だけは例外的に認められています。貸借の広告はできません。

❹ ✕ 業者間であっても不可

必要な許可・確認が下りるまでは、広告も契約もすることができません。業者間であっても例外ではありません。

宅地建物取引業者Aの行う広告に関する次の記述のうち、宅地建物取引業法の規定によれば、正しいものはどれか。

❶ Aが、都市計画法第29条の許可を必要とする宅地の分譲をする場合、Aは、その許可を受ける前であっても、許可申請中である旨表示して、その宅地の分譲の広告をすることができる。

❷ Aが、宅地建物取引業法第65条第2項の規定により業務の全部の停止を命じられた場合でも、Aは、停止期間経過後に契約を締結する宅地については、停止期間中に、その販売の広告をすることができる。

❸ Aが、建物の貸借の媒介をするに当たり、依頼者からの依頼に基づくことなく広告した場合でも、その広告が貸借の契約の成立に寄与したとき、Aは、報酬とは別に、その広告料金を請求できる。

❹ Aが、建物を分譲するに当たり宅地建物取引業法第32条の規定に違反して誇大広告をした場合は、その広告をインターネットを利用する方法で行ったときでも、国土交通大臣又は都道府県知事は、Aに対して監督処分をすることができる。

全問◎を
目指そう!

1回目	/	2回目	/	3回目	/	4回目	/	5回目	/
手応え		手応え		手応え		手応え		手応え	

◎：完全に分かってきた
○：だいたい分かってきた
△：少し分かってきた
×：全く分からなかった

肢別テーマ			
テキスト第2編	❶ 広告	コース 9 ポイント ❶ ❹	
	❷ 広告	コース 9 ポイント ❶	正解 4
	❸ 報酬額の制限	コース 15 ポイント ❶ ❷	
	❹ 広告	コース 9 ポイント ❶	

❶ **✕ 必要な許可・確認が下りてから**

開発許可が下りた後でなければ、広告をすることはできません。

❷ **✕ 業務停止期間中は広告も不可**

広告も、宅建業の業務の1つであることから、業務の全部の停止を命じられた場合には、たとえ業務停止期間経過後に契約を締結するものであっても、広告をすることはできません。

❸ **✕ 依頼者の依頼に基づかないので請求不可**

通常の広告料金は報酬とは別に受領できませんが、**依頼者の依頼によって行う広告料金**は報酬とは別に受領できます。今回は、依頼者からの依頼に基づいているわけではないため、広告料金を報酬とは別に請求することはできません。

❹ **〇 誇大広告等→監督処分あり**

宅建業者が誇大広告等をした場合、国土交通大臣又は都道府県知事は、当該宅建業者に対して**監督処分をすることができます**。

選択肢❸は第15コースの学習内容ですので、まだそこまで学習していない方は気にしなくても大丈夫です!

宅地建物取引業者Aがその業務に関して行う広告に関する次の記述のうち、宅地建物取引業法（以下この問において「法」という。）の規定によれば、正しいものはどれか。

❶ Aは、中古の建物の売買において、当該建物の所有者から媒介の依頼を受け、取引態様の別を明示せずに広告を掲載したものの、広告を見た者からの問合せはなく、契約成立には至らなかった場合には、当該広告は法第34条の規定に違反するものではない。

❷ Aは、自ら売主として、建築基準法第6条第1項の確認の申請中である新築の分譲マンションについて「建築確認申請済」と明示した上で広告を行った。当該広告は、建築確認を終えたものと誤認させるものではないため、法第33条の規定に違反するものではない。

❸ Aは、顧客を集めるために売る意思のない条件の良い物件を広告し、実際は他の物件を販売しようとしたが注文がなく、売買が成立しなかった場合であっても、監督処分の対象となる。

❹ Aは、免許を受けた都道府県知事から宅地建物取引業の免許の取消しを受けたものの、当該免許の取消し前に建物の売買の広告をしていた場合、当該建物の売買契約を締結する目的の範囲内においては、なお宅地建物取引業者とみなされる。

全問◎を
目指そう！

1回目	2回目	3回目	4回目	5回目
手応え	手応え	手応え	手応え	手応え

◎：完全に分かってきた
○：だいたい分かってきた
△：少し分かってきた
×：全く分からなかった

肢別テーマ	❶ 広告	コース 9 ポイント ❶ ■
テキスト 第2編	❷ 広告	コース 9 ポイント ❶ ◢
	❸ 広告	コース 9 ポイント ❶ ■
	❹ 広告	コース 9 ポイント ❶

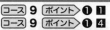

正解 **3**

❶ ✕ **取引態様の明示は必要**

宅建業者は、広告をする際には取引態様の別を明示しなければなりません。取引態様の別を明示せずに広告を行うことは、たとえ契約成立に至らなかったとしても、そのような広告を行った時点で宅建業法違反となります。

❷ ✕ **申請中→必要な許可・確認は下りていない**

当該工事に際して必要な許可・確認が下りる前には、広告をすることができません。申請中ということは、まだ建築確認は下りていないということなので、広告をすることはできません。

❸ ◯ **おとり広告→監督処分あり**

売る意思のない物件についての広告は「おとり広告」にあたり、宅建業法に違反します。したがって、Ａがした広告は監督処分の対象になります。

❹ ✕ **取引を結了する目的の範囲内ではないため不可**

宅建業者が免許を取り消されたとき等において、当該宅建業者であった者等は、当該宅建業者が締結した契約に基づく取引を結了する目的の範囲内においては、なお宅建業者とみなされます。免許取消し前には広告をしていたにすぎない場合、「取引を結了する目的の範囲内」とはいえないため、宅建業者とはみなされません。

広告等の規制

宅地建物取引業者が行う宅地建物取引業法第35条に規定する重要事項の説明及び書面の交付に関する次の記述のうち、正しいものはどれか。

❶ 宅地建物取引業者ではない売主に対しては、買主に対してと同様に、宅地建物取引士をして、契約締結時までに重要事項を記載した書面を交付して、その説明をさせなければならない。

❷ 重要事項の説明及び書面の交付は、取引の相手方の自宅又は勤務する場所等、宅地建物取引業者の事務所以外の場所において行うことができる。

❸ 宅地建物取引業者が代理人として売買契約を締結し、建物の購入を行う場合は、代理を依頼した者に対して重要事項の説明をする必要はない。

❹ 重要事項の説明を行う宅地建物取引士は専任の宅地建物取引士でなくてもよいが、書面に記名する宅地建物取引士は専任の宅地建物取引士でなければならない。

全問◎を
目指そう!

| 1回目 | / | 2回目 | / | 3回目 | / | 4回目 | / | 5回目 | / |
| 手応え | | 手応え | | 手応え | | 手応え | | 手応え | |

◎：完全に分かってきた
○：だいたい分かってきた
△：少し分かってきた
×：全く分からなかった

126

肢別テーマ		❶ 重要事項説明とは	コース 10 ポイント ❶ ■	
テキスト 第2編		❷ 重要事項説明とは	コース 10 ポイント ❶ ■	正解 2
		❸ 重要事項説明とは	コース 10 ポイント ❶ ■	
		❹ 重要事項説明とは	コース 10 ポイント ❶ ■	

❶ ✕ **売主に対しては必要なし**

重要事項の説明は、これからその土地や建物を買おうとする人に対してするものです。ですから、売主に対しては必要ありません。

❷ ◯ **重要事項の説明はどこで行ってもよい**

重要事項の説明はどこで行っても構いません。

❸ ✕ **代理を依頼した者に対して重説が必要**

宅地建物取引業者は、代理を依頼した者（買主）に対して、重要事項説明をしなければなりません。

❹ ✕ **専任でなくてもよい**

重要事項の説明も書面への記名も、宅地建物取引士であればよく、専任である必要はありません。

宅地建物取引業者が行う宅地建物取引業法第35条に規定する重要事項の説明（以下この問において「重要事項説明」という。）及び同条の規定により交付すべき書面（以下この問において「35条書面」という。）に関する次の記述のうち、正しいものはどれか。なお、説明の相手方は宅地建物取引業者ではないものとする。

❶　宅地建物取引業者は、宅地又は建物の売買について売主となる場合、買主が宅地建物取引業者であっても、重要事項説明は行わなければならないが、35条書面の交付又はこれに代わる電磁的方法による提供は省略してよい。

❷　宅地建物取引業者が、宅地建物取引士をして取引の相手方に対し重要事項説明をさせる場合、当該宅地建物取引士は、取引の相手方から請求がなくても、宅地建物取引士証を相手方に提示しなければならず、提示しなかったときは、20万円以下の罰金に処せられることがある。

❸　宅地建物取引業者は、貸借の媒介の対象となる建物（昭和56年5月31日以前に新築）が、指定確認検査機関、建築士、登録住宅性能評価機関又は地方公共団体による耐震診断を受けたものであっても、その内容を重要事項説明において説明しなくてもよい。

❹　宅地建物取引業者は、重要事項説明において、取引の対象となる宅地又は建物が、津波防災地域づくりに関する法律の規定により指定された津波災害警戒区域内にあるときは、その旨を説明しなければならない。

全問◎を
目指そう!

1回目	/	2回目	/	3回目	/	4回目	/	5回目	/
手応え		手応え		手応え		手応え		手応え	

◎：完全に分かってきた
○：だいたい分かってきた
△：少し分かってきた
×：全く分からなかった

肢別テーマ テキスト 第2編	❶ 重要事項説明とは	コース 10 ポイント ❶ 3	
	❷ 罰則	コース 16 ポイント ❷ 2	正解 **4**
	❸ 重要事項説明の説明内容	コース 10 ポイント ❷ 2	
	❹ 重要事項説明の説明内容	コース 10 ポイント ❷ 1	

❶ ✕ 業者間でも書面交付は必要

相手方が宅建業者の場合、重要事項の説明をする必要はありませんが、重要事項説明書面の交付、又は、これに代わる電磁的方法による提供は必要です。

❷ ✕ 20万円以下の罰金→ 10万円以下の過料

宅地建物取引士証を提示しなかった場合、**10万円以下の過料**に処せられることがあるのであって、20万円以下の罰金ではありません。

❸ ✕ 耐震診断→説明必要

昭和56年6月1日以降に新築工事に着手した建物を除いて、耐震診断を受けている場合には、その結果を説明しなければなりません。なお、耐震診断については、調査結果がある場合にはその内容を説明する必要がありますが、宅建業者が耐震診断を実施する必要まではありません。

❹ ◯ 津波災害警戒区域内→説明必要

津波災害警戒区域内にある場合には、その旨を重要事項として説明しなければなりません。

重要事項説明

宅建士証からみの違反は罰金ではなく過料です！

なんで？

仮に罰金刑だとしたら、宅建業法違反で罰金になると5年間欠格者になってしまう。

たしかに宅建士証を見せなかったり提出を忘れたりするのは悪いことだけど、さすがにそれは厳しすぎるね。

宅地建物取引業者が建物の貸借の媒介を行う場合における宅地建物取引業法 (以下この問において「法」という。) 第35条に規定する重要事項の説明に関する次の記述のうち、誤っているものはどれか。なお、特に断りのない限り、当該建物を借りようとする者は宅地建物取引業者ではないものとする。

❶ 当該建物を借りようとする者が宅地建物取引業者であるときは、貸借の契約が成立するまでの間に重要事項を記載した書面を交付又は電磁的方法により提供しなければならないが、その内容を宅地建物取引士に説明させる必要はない。

❷ 当該建物が既存の住宅であるときは、法第34条の2第1項第4号に規定する建物状況調査を実施しているかどうか、及びこれを実施している場合におけるその結果の概要を説明しなければならない。

❸ 台所、浴室、便所その他の当該建物の設備の整備の状況について説明しなければならない。

❹ 宅地建物取引士は、テレビ会議等のITを活用して重要事項の説明を行うときは、相手方の承諾があれば宅地建物取引士証の提示を省略することができる。

1回目	/	2回目	/	3回目	/	4回目	/	5回目	/
手応え		手応え		手応え		手応え		手応え	

◎：完全に分かってきた
○：だいたい分かってきた
△：少し分かってきた
×：全く分からなかった

	❶ 重要事項説明とは	コース 10 ポイント ❶ 3	
肢別テーマ テキスト 第2編	❷ 重要事項説明の説明内容	コース 10 ポイント ❷ 2	正解 4
	❸ 重要事項説明の説明内容	コース 10 ポイント ❷ 5	
	❹ 重要事項説明とは	コース 10 ポイント ❶ 4	

❶ ○ **業者間でも書面交付は必要**

相手方が宅建業者の場合、重要事項の説明をする必要はありませんが、重要事項説明書面の交付、又は、これに代わる電磁的方法による提供は必要です。

❷ ○ **結果の概要も説明必要**

建物状況調査を実施している場合、その結果の概要を説明する必要があります。なお、実施していない場合はその旨を告げれば足りるので、宅建業者が建物状況調査を実施する必要はありません。

❸ ○ **建物の貸借の媒介の場合には説明必要**

建物の貸借の媒介の場合、台所・浴室・便所などの設備の整備状況について説明しなければなりません。売買の場合には説明不要です。

❹ × **重要事項の説明の前に必ず提示**

重要事項の説明は、テレビ会議等の IT を活用できます。その際にも、宅地建物取引士証の提示を省略することはできません。たとえ相手方の承諾があったとしても、省略はできません。

重要事項説明

宅地建物取引業法第35条に規定する重要事項の説明に関する次の記述のうち、誤っているものはいくつあるか。

ア 宅地建物取引士は、重要事項説明をする場合、取引の相手方から請求されなければ、宅地建物取引士証を相手方に提示する必要はない。

イ 売主及び買主が宅地建物取引業者ではない場合、当該取引の媒介業者は、売主及び買主に重要事項説明書を交付し、説明を行わなければならない。

ウ 宅地の売買について売主となる宅地建物取引業者は、買主が宅地建物取引業者である場合、重要事項説明書を交付しなければならないが、説明を省略することはできる。

エ 宅地建物取引業者である売主は、宅地建物取引業者ではない買主に対して、重要事項として代金並びにその支払時期及び方法を説明しなければならない。

❶ 一つ
❷ 二つ
❸ 三つ
❹ 四つ

1回目	/	2回目	/	3回目	/	4回目	/	5回目	/
手応え		手応え		手応え		手応え		手応え	

◎：完全に分かってきた
○：だいたい分かってきた
△：少し分かってきた
×：全く分からなかった

肢別テーマ		ア	重要事項の説明とは	コース 10	ポイント ❶ 🔟	
テキスト		イ	重要事項の説明とは	コース 10	ポイント ❶ 🔟	
第2編		ウ	重要事項の説明とは	コース 10	ポイント ❶ 🔢	正解 3
		エ	重要事項説明の説明内容	コース 10	ポイント ❷	

ア ✕ 相手方から請求がなくても提示

重要事項の説明の際には、相手方からの請求がなくても宅地建物取引士証を提示しなければなりません。

イ ✕ 売主には必要なし

重要事項の説明は、これからその土地や建物を買おうとする人に対してするものです。ですから、売主には必要ありません。

ウ ◯ 業者間でも書面交付は必要

相手方が宅建業者の場合、重要事項の説明をする必要はありませんが、重要事項説明書面の交付、又は、これに代わる電磁的方法による提供は必要です。

エ ✕ 売買代金の額・時期・方法→説明不要

売買代金の額並びにその支払の時期及び方法について重要事項説明は必要ありません。

以上のことから、誤っている選択肢は**ア**、**イ**、**エ**の3つなので、**❸**が正解となります。

重要事項説明

重要事項説明で「時期」について
説明するものはありません。

重説に「時期」なし！

そう覚えておくと便利だね！

宅地建物取引業法第 35 条に規定する重要事項の説明及び同条の規定により交付すべき書面（以下この問において「35 条書面」という。）に関する次の記述のうち、同法の規定によれば、誤っているものはどれか。

❶ 宅地建物取引業者は、買主の自宅で 35 条書面を交付して説明を行うことができる。

❷ 宅地建物取引業者は、中古マンションの売買を行う場合、抵当権が設定されているときは、契約日までにその登記が抹消される予定であっても、当該抵当権の内容について説明しなければならない。

❸ 宅地建物取引士は、宅地建物取引士証の有効期間が満了している場合、35 条書面に記名することはできるが、取引の相手方に対し説明はできない。

❹ 宅地建物取引業者は、土地の割賦販売の媒介を行う場合、割賦販売価格のみならず、現金販売価格についても説明しなければならない。

全問◎を
目指そう!

1回目	/	2回目	/	3回目	/	4回目	/	5回目	/
手応え		手応え		手応え		手応え		手応え	

◎：完全に分かってきた
○：だいたい分かってきた
△：少し分かってきた
×：全く分からなかった

肢別テーマ	❶ 重要事項説明とは	コース 10	ポイント ❶ 2		正解	3
テキスト第2編	❷ 重要事項説明の説明内容	コース 10	ポイント ❷ 1			
	❸ 宅地建物取引士証	コース 5	ポイント ❸ 1			
	❹ 重要事項説明の説明内容	コース 10	ポイント ❷			

❶ ○ **重要事項の説明はどこで行ってもよい**

説明しなければならない事項は規定されていますが、交付場所や説明場所についての規定はありません。したがって、重要事項の説明はどこで行っても構いません。

❷ ○ **登記については説明必要**

登記された権利の種類・内容については、重要事項として説明しなければなりません。抵当権については、たとえ抹消予定であっても、説明の段階で登記されているのであれば説明しなければなりません。

❸ ✕ **有効期間が満了すると、重説はできない**

宅地建物取引士証の有効期間が満了すると、宅地建物取引士ではなくなるため、重要事項の説明も重要事項説明書への記名もできなくなります。

❹ ○ **現金販売価格、割賦販売価格等について説明必要**

割賦販売（代金の全部又は一部について、目的物の引渡し後1年以上の期間にわたり、かつ、2回以上に分割して受領することを条件として販売すること）の場合、重要事項の説明として、現金販売価格、割賦販売価格等を説明しなければなりません。

重要事項説明

宅地建物取引業者が行う宅地建物取引業法第35条に規定する重要事項の説明に関する次の記述のうち、正しいものはどれか。なお、説明の相手方は宅地建物取引業者ではないものとする。

❶ 建物の売買の媒介を行う場合、当該建物が既存の住宅であるときは当該建物の検査済証（宅地建物取引業法施行規則第16条の2の3第2号に定めるもの）の保存の状況について説明しなければならず、当該検査済証が存在しない場合はその旨を説明しなければならない。

❷ 宅地の売買の媒介を行う場合、売買代金の額並びにその支払の時期及び方法について説明しなければならない。

❸ 建物の貸借の媒介を行う場合、当該建物が、水防法施行規則第11条第1号の規定により市町村（特別区を含む。）の長が提供する図面にその位置が表示されている場合には、当該図面が存在していることを説明すれば足りる。

❹ 自ら売主となって建物の売買契約を締結する場合、当該建物の引渡しの時期について説明しなければならない。

全問◎を
目指そう！

1回目	/	2回目	/	3回目	/	4回目	/	5回目	/
手応え		手応え		手応え		手応え		手応え	

◎：完全に分かってきた
○：だいたい分かってきた
△：少し分かってきた
×：全く分からなかった

136

● 重要事項説明の説明内容 [コース] 10 [ポイント] ❷ 2
❷ 重要事項説明の説明内容 [コース] 10 [ポイント] ❷
❸ 重要事項説明の説明内容 [コース] 10 [ポイント] ❷ 1
❹ 重要事項説明の説明内容 [コース] 10 [ポイント] ❷

正解 1

❶ ○ 結果の概要も説明必要

建物状況調査を実施している場合、その結果の概要を説明する必要があります。当該検査済証が存在しない場合は、その旨を説明しなければなりません。ちなみに、実施していない場合はその旨を告げれば足りるので、宅建業者が建物状況調査を実施する必要はありません。

❷ ✕ 売買代金の額・時期・方法→説明不要

売買代金の額並びにその支払の時期及び方法について重要事項説明は必要ありません。

❸ ✕ 水害ハザードマップ→説明必要

水害ハザードマップに当該宅地又は建物の位置が表示されているときは、当該ハザードマップにおける当該宅地又は建物の所在地を重要事項として説明しなければなりません。

❹ ✕ 原則として重説に「時期」なし

引渡しの時期については重要事項で説明する必要はありません。

重要事項説明

ちょこっと よりみちトーク

売買代金って大事そうなのに、説明いらないの？

売買代金は契約前に決まっているものではなく、両者が協議して、お互いに納得した時に契約が成立するのが原則だから、契約前に行う重要事項では不要なのです。

宅地建物取引業者が行う宅地建物取引業法第 35 条に規定する重要事項の説明に関する次の記述のうち、正しいものはどれか。なお、説明の相手方は宅地建物取引業者でないものとする。

❶ 建物の貸借の媒介を行う場合、当該建物が住宅の品質確保の促進等に関する法律に規定する住宅性能評価を受けた新築住宅であるときは、その旨について説明しなければならないが、当該評価の内容までを説明する必要はない。

❷ 建物の売買の媒介を行う場合、飲用水、電気及びガスの供給並びに排水のための施設が整備されていないときは、その整備の見通し及びその整備についての特別の負担に関する事項を説明しなければならない。

❸ 建物の貸借の媒介を行う場合、当該建物について、石綿の使用の有無の調査の結果が記録されているときは、その旨について説明しなければならないが、当該記録の内容までを説明する必要はない。

❹ 昭和 55 年に竣工した建物の売買を行う場合、当該建物について耐震診断を実施した上で、その内容を説明しなければならない。

全問◎を
目指そう！

138

1
回目　／

2
回目　／

3
回目　／

4
回目　／

5
回目　／

手応え

手応え

手応え

手応え

手応え

◎：完全に分かってきた
○：だいたい分かってきた
△：少し分かってきた
×：全く分からなかった

肢別テーマ							
テキスト第2編	❶ 重要事項説明の説明内容	コース 10	ポイント ❷ 4			正解	2
	❷ 重要事項説明の説明内容	コース 10	ポイント ❷ 1				
	❸ 重要事項説明の説明内容	コース 10	ポイント ❷ 2				
	❹ 重要事項説明の説明内容	コース 10	ポイント ❷ 2				

❶ ✕ 貸借の媒介の場合は説明不要

住宅性能評価を受けた新築住宅の場合、売買であればその旨を説明しなければなりませんが、貸借の媒介の場合は説明不要です。

❷ ○ 整備の見通しまで説明必要

上下水道・電気・ガスの整備状況については説明しなければなりません。整備されていない場合には、その整備の見通しや、特別の負担に関する事項についても説明しなければなりません。

❸ ✕ 石綿についての調査結果→内容まで説明必要

石綿使用についての調査結果が残っている場合には、その内容を説明しなければなりません。

❹ ✕ 自ら調査を実施する必要はない

昭和56年6月1日以降に新築工事に着手した建物を除いて、耐震診断を受けている場合には、その内容を説明しなければなりません。しかし、宅建業者が耐震診断を実施する必要まではありません。

重要事項説明

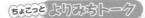

売買か貸借か確認しないと…。

大丈夫？

ツンツン、さっきからそこを読まないで間違えているもんね…。

宅地建物取引業者が、宅地建物取引業法第35条に規定する重要事項について説明をする場合に関する次の記述のうち、正しいものはどれか。なお、説明の相手方は宅地建物取引業者ではないものとする。

❶ 建物の貸借の媒介において、当該貸借が借地借家法第38条第1項の定期建物賃貸借である場合は、貸主がその内容を書面で説明したときでも、定期建物賃貸借である旨を借主に説明しなければならない。

❷ 建物の売買の媒介において、売主が契約不適合担保責任を負わない旨の定めをする場合は、その内容について買主に説明しなければならない。

❸ 建物の貸借の媒介において、借賃以外の金銭の授受に関する定めがあるときは、その額及びその目的のほか、当該金銭の授受の時期についても借主に説明しなければならない。

❹ 建物の売買の媒介において、買主が天災その他不可抗力による損害を負担する旨の定めをする場合は、その内容について買主に説明しなければならない。

1回目	/	2回目	/	3回目	/	4回目	/	5回目	/
手応え		手応え		手応え		手応え		手応え	

◎：完全に分かってきた
◯：だいたい分かってきた
△：少し分かってきた
×：全く分からなかった

肢別テーマ	❶ 重要事項説明の説明内容	コース 10	ポイント ❷ 5	
テキスト 第2編	❷ 重要事項説明の説明内容	コース 10	ポイント ❷	
	❸ 重要事項説明の説明内容	コース 10	ポイント ❷ 1	正解 1
	❹ 重要事項説明の説明内容	コース 10	ポイント ❷	

❶ ○ 定期借家である場合はその旨を説明

定期建物賃貸借であれば、その旨の説明も必要です。貸主が説明したとしても、それとは別に重要事項でも説明が必要です。

❷ ✕ 契約不適合担保責任の内容→説明不要

責任を負わない旨の定めなどの契約不適合担保責任の内容については、重要事項として説明をする必要はありません。

❸ ✕ 原則として重説に「時期」なし

借賃以外の金銭については、額と目的は重要事項として説明しなければなりませんが、授受の時期については説明する必要はありません。

❹ ✕ 危険負担は重説で説明不要

天災その他不可抗力による損害を負担(=危険負担)する旨の定めについては、重要事項として説明をする必要はありません。

重要事項説明

危険負担や契約不適合担保責任の内容については説明不要です。「何を説明しなければならないか」というだけでなく、「何は説明不要か」という視点も大切です。

宅地建物取引業者Aが、マンションの分譲に際して行う宅地建物取引業法第35条の規定に基づく重要事項の説明に関する次の記述のうち、正しいものはどれか。なお、説明の相手方は宅地建物取引業者でないものとする。

❶ 当該マンションの建物又はその敷地の一部を特定の者にのみ使用を許す旨の規約の定めがある場合、Aは、その内容だけでなく、その使用者の氏名及び住所について説明しなければならない。

❷ 建物の区分所有等に関する法律第2条第4項に規定する共用部分に関する規約がまだ案の段階である場合、Aは、規約の設定を待ってから、その内容を説明しなければならない。

❸ 当該マンションの建物の計画的な維持修繕のための費用の積立を行う旨の規約の定めがある場合、Aは、その内容を説明すれば足り、既に積み立てられている額については説明する必要はない。

❹ 当該マンションの建物の計画的な維持修繕のための費用を特定の者にのみ減免する旨の規約の定めがある場合、Aは、買主が当該減免対象者であるか否かにかかわらず、その内容を説明しなければならない。

全問◎を
目指そう！

1回目	/	2回目	/	3回目	/	4回目	/	5回目	/
手応え		手応え		手応え		手応え		手応え	

◎：完全に分かってきた
○：だいたい分かってきた
△：少し分かってきた
×：全く分からなかった

肢別テーマ テキスト第2編	❶ 重要事項説明の説明内容	コース 10	ポイント ❷ 7		
	❷ 重要事項説明の説明内容	コース 10	ポイント ❷ 7		
	❸ 重要事項説明の説明内容	コース 10	ポイント ❷ 7	正解	4
	❹ 重要事項説明の説明内容	コース 10	ポイント ❷ 7		

❶ ✕ **使用者の氏名や住所→説明不要**

敷地の一部を特定の者にのみ使用を許す旨の規約の定めがある場合、その内容を説明しなければなりませんが、使用者の氏名や住所は説明する必要がありません。

❷ ✕ **「案」であっても説明必要**

共用部分に関する規約がまだ案の段階であっても、その案を説明する必要があります。

❸ ✕ **修繕積立金→すでに積み立てられている額も説明必要**

修繕積立金については、すでに積み立てられている額も説明しなければなりません。

❹ ○ **減免規約の対象者であるか否かにかかわらず説明必要**

減免規約がある場合には、買主が減免規約の対象者であるか否かにかかわらず、その内容を説明しなければなりません。

重要事項説明

1棟の建物に属する区分所有建物の貸借の媒介を行う場合の宅地建物取引業法第35条の規定に基づく重要事項の説明に関する次の記述のうち、誤っているものはどれか。なお、説明の相手方は宅地建物取引業者でないものとする。

❶ 当該1棟の建物の敷地に関する権利の種類及び内容を説明しなければならない。

❷ 台所、浴室、便所その他の当該区分所有建物の設備の整備の状況について説明しなければならない。

❸ 当該1棟の建物及びその敷地の管理がA（個人）に委託されている場合には、Aの氏名及び住所を説明しなければならない。

❹ 貸借契約終了時における敷金その他の金銭の精算に関する事項が定まっていない場合には、その旨を説明しなければならない。

1回目	/	2回目	/	3回目	/	4回目	/	5回目	/
手応え		手応え		手応え		手応え		手応え	

◎：完全に分かってきた
○：だいたい分かってきた
△：少し分かってきた
×：全く分からなかった

肢別テーマ	❶ 重要事項説明の説明内容	コース 10	ポイント ❷ 7	
テキスト 第2編	❷ 重要事項説明の説明内容	コース 10	ポイント ❷ 5	
	❸ 重要事項説明の説明内容	コース 10	ポイント ❷ 6	正解 1
	❹ 重要事項説明の説明内容	コース 10	ポイント ❷ 5	

❶ ✗ **貸借では説明不要**

マンションの敷地利用権については、売買であれば説明が必要ですが、貸借では必要ありません。

❷ ○ **建物の貸借の媒介の場合には説明必要**

建物の貸借の媒介の場合、台所・浴室・便所などの設備の整備状況について説明しなければなりません。売買の場合には説明不要です。

❸ ○ **管理者の住所と氏名は説明必要**

マンションの管理が委託されている場合、その委託を受けている管理会社（個人であれば管理者）の主たる事務所の所在地、商号または名称（個人であれば住所、氏名）は、売買でも貸借の媒介でも説明しなければなりません。

❹ ○ **敷金の精算に関する事項は貸借の場合は説明必要**

敷金の精算に関する事項は、貸借の場合には必ず説明しなければなりません。定まっていない場合には、その旨を説明します。

重要事項説明

区分所有建物特有のものが選択肢❶と❸。貸借でも必要なのは専有部分の利用制限の規約と管理会社でした。選択肢❷と❹は、区分所有建物に限らず、建物貸借では説明が必要なものですね。

宅地建物取引業者が行う宅地建物取引業法第35条に規定する重要事項の説明に関する次の記述のうち、正しいものはどれか。なお、説明の相手方は宅地建物取引業者ではないものとする。

❶ 建物の売買の媒介だけでなく建物の貸借の媒介を行う場合においても、損害賠償額の予定又は違約金に関する事項について、説明しなければならない。

❷ 建物の売買の媒介を行う場合、当該建物について、石綿の使用の有無の調査の結果が記録されているか照会を行ったにもかかわらず、その存在の有無が分からないときは、宅地建物取引業者自らが石綿の使用の有無の調査を実施し、その結果を説明しなければならない。

❸ 建物の売買の媒介を行う場合、当該建物が既存の住宅であるときは、建物状況調査を実施しているかどうかを説明しなければならないが、実施している場合その結果の概要を説明する必要はない。

❹ 区分所有建物の売買の媒介を行う場合、建物の区分所有等に関する法律第2条第3項に規定する専有部分の用途その他の利用の制限に関する規約の定めがあるときは、その内容を説明しなければならないが、区分所有建物の貸借の媒介を行う場合は、説明しなくてよい。

1回目	2回目	3回目	4回目	5回目
手応え	手応え	手応え	手応え	手応え

◎：完全に分かってきた
○：だいたい分かってきた
△：少し分かってきた
×：全く分からなかった

肢別テーマ	❶ 重要事項説明の説明内容	コース 10	ポイント ❷ ❶	
テキスト第2編	❷ 重要事項説明の説明内容	コース 10	ポイント ❷ ❷	正解 **1**
	❸ 重要事項説明の説明内容	コース 10	ポイント ❷ ❷	
	❹ 重要事項説明の説明内容	コース 10	ポイント ❷ ❻	

❶ ○ 貸借の媒介でも説明必要

損害賠償額の予定や違約金については、重要事項として説明が必要です。売買・交換・貸借いずれの取引の場合も説明が必要です。

❷ ✕ 自ら調査を実施する必要はない

石綿使用についての調査結果の記録がある場合には、その内容を説明しなければなりません。調査結果の記録の存在がわからないときであっても、宅建業者が調査を実施する必要はありません。

❸ ✕ 結果の概要も説明必要

建物状況調査を実施している場合、その結果の概要を説明する必要があります。なお、実施していない場合はその旨を告げれば足りるので、宅建業者が建物状況調査を実施する必要はありません。

❹ ✕ 貸借の媒介の場合にも説明が必要

売買の媒介、貸借の媒介ともに、専有部分の用途その他の利用の制限に関する規約の定めがある場合、その旨を説明する必要があります。

重要事項説明

宅地建物取引業者 A 社が宅地建物取引業法第 37 条の規定により交付すべき書面（以下この問において「37 条書面」という。）に関する次の記述のうち、宅地建物取引業法の規定によれば、正しいものの組合せはどれか。なお、この問においては、電磁的方法により提供する場合を考慮しないものとする。

ア A 社は、建物の貸借に関し、自ら貸主として契約を締結した場合に、その相手方に 37 条書面を交付しなければならない。

イ A 社は、建物の売買に関し、その媒介により契約が成立した場合に、当該売買契約の各当事者のいずれに対しても、37 条書面を交付しなければならない。

ウ A 社は、建物の売買に関し、その媒介により契約が成立した場合に、天災その他不可抗力による損害の負担に関する定めがあるときは、その内容を記載した 37 条書面を交付しなければならない。

エ A 社は、建物の売買に関し、自ら売主として契約を締結した場合に、その相手方が宅地建物取引業者であれば、37 条書面を交付する必要はない。

❶ ア・イ
❷ イ・ウ
❸ ウ・エ
❹ ア・エ

1回目	/	2回目	/	3回目	/	4回目	/	5回目	/
手応え		手応え		手応え		手応え		手応え	

◎：完全に分かってきた
○：だいたい分かってきた
△：少し分かってきた
×：全く分からなかった

肢別テーマ	ア 宅建業の意味	コース 1 ポイント ❶ 5	
テキスト 第2編	イ 37 条書面	コース 11 ポイント ❶ 1	正解 2
	ウ 37 条書面	コース 11 ポイント ❶ 2	
	エ 37 条書面	コース 11 ポイント ❶ 1	

ア ✕ 自ら貸借は宅建業ではない

自ら貸借は取引にあたりません。よって、宅建業法の適用がないので、37 条書面の交付義務もありません。

イ ◯ 契約の両当事者に書面の交付等をする

37 条書面の交付の提供の相手は、重要事項の説明とは異なり、**契約の両当事者**（売主・買主／貸主・借主／交換の両当事者）です。

ウ ◯ 定めがあれば記載

天災その他不可抗力による損害の負担（＝危険負担）についての定めがあるときは、37 条書面に記載しなければなりません。

エ ✕ 業者間取引でも省略不可

業者間取引であっても、37 条書面の交付を省略することはできません。

以上のことから、正しい選択肢は**イ**と**ウ**なので、**❷**が正解となります。

37 条書面

ちょこっと **よりみちトーク**

契約書は後で「言った」「言わない」でもめないように記しておくものだよね。

そうだね。だから「今回の契約では特別にこうします」という特約（＝定め）についてはなるべく書くほうが良いよね。

宅地建物取引業者Aは、宅地の売買を媒介し、契約が成立した場合において、宅地建物取引業法第 37 条の規定により、その契約の各当事者に書面を交付するとき、次の事項のうち、当該書面に記載しなくてもよいものはどれか。

❶　代金以外の金銭の授受に関する定めがあるときは、その額並びに当該金銭の授受の時期及び目的

❷　当該宅地上に存する登記された権利の種類及び内容並びに登記名義人又は登記簿の表題部に記録された所有者の氏名（法人にあっては、その名称）

❸　損害賠償額の予定又は違約金に関する定めがあるときは、その内容

❹　当該宅地に係る租税その他の公課の負担に関する定めがあるときは、その内容

全問○を
目指そう!

| 1回目 | / | 2回目 | / | 3回目 | / | 4回目 | / | 5回目 | / |

手応え　手応え　手応え　手応え　手応え

◎：完全に分かってきた
○：だいたい分かってきた
△：少し分かってきた
×：全く分からなかった

150

肢別テーマ テキスト第2編	❶ 37 条書面	コース 11 ポイント ❶ ❷	正解 2
	❷ 37 条書面	コース 11 ポイント ❶	
	❸ 37 条書面	コース 11 ポイント ❶ ❷	
	❹ 37 条書面	コース 11 ポイント ❶ ❷	

○：記載しなければならない　✗：記載しなくてもよい

❶　○　定めがあれば記載
代金以外の金銭の授受に関する定めがあるときは、37 条書面に記載しなければなりません。

❷　✗　登記された権利の種類・内容→記載不要
登記された権利については 37 条書面に記載する必要はありません。

❸　○　定めがあれば記載
損害賠償額の予定または違約金に関する定めがあるときには、37 条書面に記載しなければなりません。

❹　○　定めがあれば記載
租税公課の負担に関する定めがあるときには、37 条書面に記載しなければなりません。

37条書面

ちょこっと **よりみちトーク**

「登記された権利の種類・内容」って記載不要なの？

重要事項説明では記載が必要だけど、37 条書面では不要だよ！

そうか！あえて書かなくても登記を見ればわかるもんね！

そうだね。同じような理由で、マンションの管理規約の定めも記載不要だよ！

37 条書面

宅地建物取引業者が建物の貸借の媒介を行う場合、宅地建物取引業法第 37 条に規定する書面に必ず記載しなければならないとされている事項の組合せとして、正しいものはどれか。

ア　当該建物の契約不適合を担保すべき責任についての定めがあるときは、その内容

イ　損害賠償額の予定又は違約金に関する定めがあるときは、その内容

ウ　天災その他不可抗力による損害の負担に関する定めがあるときは、その内容

❶　ア、イ
❷　ア、ウ
❸　イ、ウ
❹　ア、イ、ウ

1回目	/	2回目	/	3回目	/	4回目	/	5回目	/
手応え		手応え		手応え		手応え		手応え	

◎：完全に分かってきた
○：だいたい分かってきた
△：少し分かってきた
×：全く分からなかった

肢別テーマ	ア 37条書面	コース 11 ポイント ❶ ❷	
テキスト 第2編	イ 37条書面	コース 11 ポイント ❶ ❷	正解 3
	ウ 37条書面	コース 11 ポイント ❶ ❷	

○：記載しなければならない　✕：記載しなくてもよい

ア　✕　貸借の媒介の場合、定めがあっても記載不要

貸借の場合、契約不適合担保責任についての定めがあった場合でも37条書面に記載する必要はありません。

イ　○　定めがあれば記載

損害賠償額の予定や違約金について定めがある場合には、37条書面に記載しなければなりません。

ウ　○　定めがあれば記載

天災その他不可抗力による損害の負担（＝危険負担）について定めがある場合には、37条書面に記載しなければなりません。

以上のことから、正しい選択肢は**イ**と**ウ**なので、**❸**が正解となります。

ちょこっと よりみちトーク

アは、定めがあるのに書かなくてもよいの？

貸借の場合、租税公課・担保責任・ローンについては、定めがあっても書かなくてもよいのです。

そうなんだ！

これは貸借の場合であって、売買であればこれらも定めがあれば記載が必要だから注意してね！

宅地建物取引業者が媒介により建物の貸借の契約を成立させた場合、宅地建物取引業法第 37 条の規定により当該貸借の契約当事者に対して交付すべき書面に必ず記載しなければならない事項の組合せとして、正しいものはどれか。

ア 保証人の氏名及び住所

イ 建物の引渡しの時期

ウ 借賃の額並びにその支払の時期及び方法

エ 媒介に関する報酬の額

オ 借賃以外の金銭の授受の方法

❶ ア・イ
❷ イ・ウ
❸ ウ・エ・オ
❹ ア・エ・オ

全問◎を
目指そう!

| 1回目 | / | 2回目 | / | 3回目 | / | 4回目 | / | 5回目 | / |
| 手応え | | 手応え | | 手応え | | 手応え | | 手応え | |

◎：完全に分かってきた
○：だいたい分かってきた
△：少し分かってきた
×：全く分からなかった

○：記載しなければならない　✕：記載しなくてもよい

ア ✕ 記載不要

　保証人の氏名や住所は 37 条書面の記載事項ではありません。

イ ○ 引渡しの時期→必ず記載

　建物の引渡しの時期については 37 条書面に必ず記載しなければなりません。

ウ ○ 借賃の額・支払いの時期・方法→必ず記載

　借賃の額ならびにその支払いの時期および方法については 37 条書面に必ず記載しなければなりません。

エ ✕ 媒介報酬額→記載不要

　媒介に関する報酬の額は 37 条書面の記載事項ではありません。

オ ✕ 記載不要

　借賃以外の金銭の授受に関しては、額・時期・目的は定めがある場合には記載しますが、方法は記載する必要がありません。また、額・時期・目的についても、定めがある場合のみ記載する任意的記載事項であって、必ず記載しなければならない必要的記載事項ではありません。

　以上のことから、正しい選択肢は**イ**と**ウ**なので、**❷**が正解となります。

37条書面

宅地建物取引業者Ａが、甲建物の売買の媒介を行う場合において、宅地建物取引業法第 37 条の規定により交付すべき書面（以下この問において「37 条書面」という。）に関する次の記述のうち、宅地建物取引業法の規定に違反しないものはどれか。

❶ Ａは、宅地建物取引士をして、37 条書面を作成させ、かつ当該書面に記名させたが、買主への 37 条書面の交付は、宅地建物取引士ではないＡの従業者に行わせた。

❷ 甲建物の買主が宅地建物取引業者であったため、Ａは売買契約の成立後における買主への 37 条書面の交付を省略した。

❸ Ａは、37 条書面に甲建物の所在、代金の額及び引渡しの時期は記載したが、移転登記の申請の時期は記載しなかった。

❹ Ａは、あらかじめ売主からの承諾を得ていたため、売買契約の成立後における売主への 37 条書面の交付を省略した。

全問◎を
目指そう！

| 1回目 | / | 2回目 | / | 3回目 | / | 4回目 | / | 5回目 | / |
| 手応え | | 手応え | | 手応え | | 手応え | | 手応え | |

◎：完全に分かってきた
○：だいたい分かってきた
△：少し分かってきた
×：全く分からなかった

156

❶ 37 条書面	コース 11 ポイント ❶ 🔟	
❷ 37 条書面	コース 11 ポイント ❶ 🔟	
❸ 37 条書面	コース 11 ポイント ❶ ❷	正解 🔳1
❹ 37 条書面	コース 11 ポイント ❶ 🔟	

◯：違反しない　✕：違反する

❶ ◯　37 条書面の交付は誰でもよい

37 条書面は誰が交付してもかまいません。したがって、宅地建物取引士が行う必要もありません。

❷ ✕　買主が宅建業者でも省略不可

宅建業者は、宅地又は建物の売買又は交換に関し、媒介により契約が成立したときは、当該契約の各当事者に遅滞なく 37 条書面を交付しなければなりません。これは、取引の各当事者が宅建業者であったとしても同様です。

❸ ✕　移転登記の申請時期→必ず記載

移転登記の申請時期については 37 条書面に必ず記載しなければなりません。

❹ ✕　承諾の有無を問わず省略できない

宅建業者は、宅地又は建物の売買又は交換に関し、媒介により契約を成立させたときは、当該契約の各当事者に遅滞なく 37 条書面を交付しなければなりません。各当事者の承諾があったとしても、交付を省略することはできません。

37
条
書
面

宅地建物取引業者Aが、自ら売主として宅地の売買契約を締結した場合に関する次の記述のうち、宅地建物取引業法の規定によれば、正しいものはいくつあるか。なお、この問において「37 条書面」とは、同法第 37 条の規定に基づき交付すべき書面又は提供すべき電磁的方法による措置を講じたものをいうものとする。

ア Aは、専任の宅地建物取引士をして、37 条書面の内容を当該契約の買主に説明させなければならない。

イ Aは、供託所等に関する事項を 37 条書面に記載しなければならない。

ウ Aは、買主が宅地建物取引業者であっても、37 条書面を遅滞なく交付しなければならない。

エ Aは、買主が宅地建物取引業者であるときは、当該宅地の引渡しの時期及び移転登記の申請の時期を 37 条書面に記載しなくてもよい。

❶ 一つ
❷ 二つ
❸ 三つ
❹ なし

全問○を
目指そう！

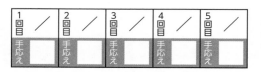

◎：完全に分かってきた
○：だいたい分かってきた
△：少し分かってきた
×：全く分からなかった

ア 37 条書面	コース 11 ポイント ❶ 🔟
イ 37 条書面	コース 11 ポイント ❶ 🔟
ウ 37 条書面	コース 11 ポイント ❶ 🔟
エ 37 条書面	コース 11 ポイント ❶ 🔟

正解 **1**

ア ✕ 37 条書面の説明は不要

37 条書面には宅地建物取引士の記名が必要ですが、説明は不要です。

イ ✕ 記載不要

供託所等に関する事項は、37 条書面の記載事項とされていません。

ウ 〇 買主が宅建業者でも省略不可

宅建業者は、宅地又は建物の売買又は交換に関し、媒介により契約が成立した ときは、当該契約の各当事者に遅滞なく 37 条書面を交付しなければなりません。 これは、取引の各当事者が宅建業者であったとしても同様です。

エ ✕ 買主が宅建業者でも省略不可

宅建業者は、売買契約を締結した場合において、引渡しの時期及び移転登記の 申請の時期を 37 条書面に記載し、当該書面を買主に交付しなければなりません。 買主が宅建業者であっても記載しなければなりません。

以上のことから、正しい選択肢は**ウ**のみなので、❶が正解となります。

37 条書面

宅地建物取引業者Aが媒介により宅地の売買契約を成立させた場合における宅地建物取引業法第37条の規定により交付すべき書面（以下この問において「37条書面」という。）に関する次の記述のうち、正しいものはどれか。

❶ Aは、買主が宅地建物取引業者であるときは、37条書面に移転登記の申請時期を記載しなくてもよい。

❷ Aは、37条書面を売買契約成立前に、各当事者に交付しなければならない。

❸ Aは、37条書面を作成したときは、専任の宅地建物取引士をして37条書面に記名させる必要がある。

❹ Aは、天災その他不可抗力による損害の負担に関する定めがあるときは、その内容を37条書面に記載しなければならない。

| 1回目 | / | 2回目 | / | 3回目 | / | 4回目 | / | 5回目 | / |
| 手応え | | 手応え | | 手応え | | 手応え | | 手応え | |

◎：完全に分かってきた
○：だいたい分かってきた
△：少し分かってきた
×：全く分からなかった

❶ 37条書面	コース 11 ポイント ❶ ❷		
❷ 37条書面	コース 11 ポイント ❶ ❶		
❸ 37条書面	コース 11 ポイント ❶ ❶	正解	4
❹ 37条書面	コース 11 ポイント ❶ ❷		

❶ ✕ **買主が宅建業者でも省略不可**

宅建業者は、売買契約を締結した場合において、引渡しの時期及び移転登記の申請の時期を37条書面に記載し、当該書面を買主に交付しなければなりません。買主が宅建業者であっても記載しなければなりません。

❷ ✕ **契約締結後遅滞なく交付**

契約は意思表示の合致のみで成立しますが、宅建業法では、トラブル防止のため、契約締結後遅滞なく、契約内容を証する37条書面の交付が必要となります。

❸ ✕ **専任である必要はない**

宅地建物取引士の記名が必要ですが、記名をする宅地建物取引士は、専任である必要はありません。

❹ 〇 **定めがあれば記載**

天災その他不可抗力による損害の負担（＝危険負担）について定めがある場合には記載しなければなりません。

37条書面

次に記述する宅地建物取引業者Aが行う業務に関する行為のうち、宅地建物取引業法の規定に違反しないものはどれか。

❶ 宅地の売買の媒介において、当該宅地の周辺環境について買主の判断に重要な影響を及ぼす事実があったため、買主を現地に案内した際に、宅地建物取引士でないAの従業者が当該事実について説明した。

❷ 建物の貸借の媒介において、申込者が自己都合で申込みを撤回し賃貸借契約が成立しなかったため、Aは、既に受領していた預り金から媒介報酬に相当する金額を差し引いて、申込者に返還した。

❸ Aの従業者は、宅地の販売の勧誘に際し、買主に対して「この付近に鉄道の新駅ができる」と説明したが、実際には新駅設置計画は存在せず、当該従業者の思い込みであったことが判明し、契約の締結には至らなかった。

❹ Aは、自ら売主として、宅地の売却を行うに際し、買主が手付金100万円を用意していなかったため、後日支払うことを約して、手付金を100万円とする売買契約を締結した。

1回目	/	2回目	/	3回目	/	4回目	/	5回目	/
手応え		手応え		手応え		手応え		手応え	

◎：完全に分かってきた
○：だいたい分かってきた
△：少し分かってきた
×：全く分からなかった

	❶ 業務上の規制	コース 12 ポイント ❷ 2	
肢別テーマ テキスト 第2編	❷ 業務上の規制	コース 12 ポイント ❷ 2	正解 1
	❸ 業務上の規制	コース 12 ポイント ❷ 2	
	❹ 業務上の規制	コース 12 ポイント ❷ 2	

○：違反しない　✕：違反する

❶　○　宅地建物取引士がする必要はない
　重要事項説明ではないので、宅地建物取引士がしなければならないということもありません。

❷　✕　預り金は全額返還しなければならない
　契約が成立していないのだから、報酬を受領することはできません。預り金は全額返還しなければなりません。

❸　✕　断定的判断の提供は禁止
　将来の交通の利便について、誤解させるべき断定的判断を提供してはなりません。実害がなかったとしても、そのような行為を行った時点で宅建業法違反となります。

❹　✕　手付貸与等は禁止
　手付の貸与等は禁止されています。

業務上の規制

宅地建物取引業者Ａが行う業務に関する次の記述のうち、宅地建物取引業法の規定に違反しないものはどれか。

❶ Ａは、買主Ｂとの間で建物の売買契約を締結する当日、Ｂが手付金を一部しか用意できなかったため、やむを得ず、残りの手付金を複数回に分けてＢから受領することとし、契約の締結を誘引した。

❷ Ａの従業者は、投資用マンションの販売において、相手方に事前の連絡をしないまま自宅を訪問し、その際、勧誘に先立って、業者名、自己の氏名、契約締結の勧誘が目的である旨を告げた上で勧誘を行った。

❸ Ａの従業者は、マンション建設に必要な甲土地の買受けに当たり、甲土地の所有者に対し、電話により売買の勧誘を行った。その際、売却の意思は一切ない旨を告げられたが、その翌日、再度の勧誘を行った。

❹ Ａの従業者は、宅地の売買を勧誘する際、相手方に対して「近所に幹線道路の建設計画があるため、この土地は将来的に確実に値上がりする」と説明したが、実際には当該建設計画は存在せず、当該従業者の思い込みであったことが判明した。

全問◎を
目指そう!

164

1回目 /	2回目 /	3回目 /	4回目 /	5回目 /
手応え	手応え	手応え	手応え	手応え

◎：完全に分かってきた
○：だいたい分かってきた
△：少し分かってきた
×：全く分からなかった

	❶ 業務上の規制	コース 12 ポイント ❷ ❷	
肢別テーマ テキスト 第2編	❷ 業務上の規制	コース 12 ポイント ❷ ❷	正解 2
	❸ 業務上の規制	コース 12 ポイント ❷ ❷	
	❹ 業務上の規制	コース 12 ポイント ❷ ❷	

○：違反しない　✕：違反する

❶　✕　手付貸与等は禁止

手付の貸与等は禁止されています。

❷　○　事前のアポイントまでは不要

業者名・勧誘を行う者の氏名・契約締結目的の勧誘である旨を伝えているので、勧誘することは構いません。事前のアポイントまでは要求されていません。

❸　✕　勧誘を継続してはならない

相手方が契約しない旨の意思表示をしているのだから、勧誘を継続してはいけません。

❹　✕　断定的判断の提供は禁止

「確実に値上がりする」などのように断定的判断をしてはいけません。

業務上の規制

宅地建物取引業者が売主である新築分譲マンションを訪れた買主Aに対して、当該宅地建物取引業者の従業者Bが行った次の発言内容のうち、宅地建物取引業法の規定に違反しないものはいくつあるか。

ア A：眺望の良さが気に入った。隣接地は空地だが、将来の眺望は大丈夫なのか。

　　B：隣接地は、市有地で、現在、建築計画や売却の予定がないことを市に確認しました。将来、建つとしても公共施設なので、市が眺望を遮るような建物を建てることは絶対ありません。ご安心ください。

イ A：先日来たとき、5年後の転売で利益が生じるのが確実だと言われたが本当か。

　　B：弊社が数年前に分譲したマンションが、先日高値で売れました。このマンションはそれより立地条件が良く、また、近隣のマンション価格の動向から見ても、5年後値上がりするのは間違いありません。

ウ A：購入を検討している。貯金が少なく、手付金の負担が重いのだが。

　　B：弊社と提携している銀行の担当者から、手付金も融資の対象になっていると聞いております。ご検討ください。

エ A：昨日、申込証拠金10万円を支払ったが、都合により撤回したいので申込証拠金を返してほしい。

　　B：お預かりした10万円のうち、社内規程上、お客様の個人情報保護のため、申込書の処分手数料として、5,000円はお返しできませんが、残金につきましては法令に従いお返しします。

❶ 一つ
❷ 二つ
❸ 三つ
❹ なし

全問◎を
目指そう！

1回目	/	2回目	/	3回目	/	4回目	/	5回目	/
手応え		手応え		手応え		手応え		手応え	

◎：完全に分かってきた
○：だいたい分かってきた
△：少し分かってきた
×：全く分からなかった

 肢別テーマ テキスト第2編

ア 業務上の規制	 コース 12 ポイント ❷ ②
イ 業務上の規制	コース 12 ポイント ❷ ②
ウ 業務上の規制	コース 12 ポイント ❷ ②
エ 業務上の規制	コース 12 ポイント ❷ ②

正解 1

〇：違反しない　✕：違反する

ア　✕　「絶対にない」は断定的判断

「市が眺望を遮るような建物を建てることは絶対にありません」という発言は断定的判断に該当するため、宅建業者はこのような発言をしてはなりません。

イ　✕　「間違いありません」は断定的判断

宅建業者は「5年後値上がりするのは間違いありません」という断定的判断にあたる発言をしてはなりません。

ウ　〇　銀行との間の金銭の貸借のあっせんは可

銀行との間の金銭の貸借のあっせんは禁止されていません。

エ　✕　預り金を返還することを拒んではならない

宅建業者は、宅建業者の相手方等が契約の申込みの撤回を行うに際し、すでに受領した預り金を返還することを拒んではなりません。したがって、契約が撤回されたときは、宅建業者はすでに受領していた申込証拠金を返還しなければなりません。

　以上のことから、違反しないものは**ウ**のみなので、**❶**が正解となります。

業務上の規制

次の記述のうち、宅地建物取引業法の規定によれば、正しいものはどれか。

❶ 宅地建物取引業者は、その業務に関する帳簿を備え、取引のあったつど、その年月日、その取引に係る宅地又は建物の所在及び面積その他国土交通省令で定める事項を記載しなければならないが、支店及び案内所には備え付ける必要はない。

❷ 成年である宅地建物取引業者は、宅地建物取引業の業務に関し行った行為について、行為能力の制限を理由に取り消すことができる。

❸ 宅地建物取引業者は、一団の宅地建物の分譲をする場合における当該宅地又は建物の所在する場所に国土交通省令で定める標識を掲示しなければならない。

❹ 宅地建物取引業者は、業務上取り扱ったことについて知り得た秘密に関し、税務署の職員から質問検査権の規定に基づき質問を受けたときであっても、回答してはならない。

1回目	/	2回目	/	3回目	/	4回目	/	5回目	/
手応え		手応え		手応え		手応え		手応え	

◎：完全に分かってきた
○：だいたい分かってきた
△：少し分かってきた
×：全く分からなかった

肢別テーマ
テキスト
第2編

❶ 事務所 ┃ コース 2 ┃ ポイント ❶ ❷
❷ 業務上の規制 ┃ コース 12 ┃ ポイント ❷
❸ 事務所以外の場所 ┃ コース 4 ┃ ポイント ❶ ❷
❹ 業務上の規制 ┃ コース 12 ┃ ポイント ❷ ❶

  正解 3

❶ ✕ **支店には必要・案内所には不要**

帳簿は事務所ごとに備え付けなければなりません。宅建業を営む支店にも帳簿を備え付ける必要があります。

❷ ✕ **行為能力の制限を理由に取り消すことはできない**

宅建業者が、宅建業の業務に関して行った行為に関しては、行為能力の制限を理由に取り消すことはできません。

❸ ○ **現地→売主の標識**

一団の宅地建物の存在する場所（＝現地）には、標識を掲示しなければなりません。

❹ ✕ **正当な理由があるため、回答することができる**

宅建業者は、正当な理由がある場合でなければ秘密を漏らしてはなりません。税務署の職員から質問検査権の規定に基づき質問を受けた場合は、正当な理由にあたります。

業務上の規制

宅地建物取引業者Ａが自ら売主として締結した建物の売買契約について、買主が宅地建物取引業法第 37 条の 2 の規定に基づき売買契約の解除をする場合に関する次の記述のうち、正しいものはどれか。

❶ 宅地建物取引業者でない買主Ｂは、建物の物件の説明を自宅で受ける申し出を行い、自宅でこの説明を受け、即座に買受けを申し込んだ。後日、勤務先の近くのホテルのロビーで売買契約を締結した場合、Ｂは売買契約の解除はできない。

❷ 宅地建物取引業者でない買主Ｃは、建物の物件の説明をＡの事務所で受け、翌日、出張先から電話で買受けを申し込んだ。後日、勤務先の近くの喫茶店で売買契約を締結した場合、Ｃは売買契約の解除はできない。

❸ 宅地建物取引業者である買主Ｄは、建物の物件の説明をＡの事務所で受けた。後日、Ａの事務所近くの喫茶店で買受けを申し込むとともに売買契約を締結した場合、Ｄは売買契約の解除はできる。

❹ 宅地建物取引業者でない買主Ｅから売買契約の解除があった場合で、この契約の解除が法的要件を満たし、かつ、Ａが手付金を受領しているとき、Ａは契約に要した費用を手付金から控除して返還することができる。

1回目	2回目	3回目	4回目	5回目
手応え	手応え	手応え	手応え	手応え

◎：完全に分かってきた
○：だいたい分かってきた
△：少し分かってきた
×：全く分からなかった

	❶ クーリング・オフ	コース 13 ポイント ❷ 2	
肢別テーマ テキスト第2編	❷ クーリング・オフ	コース 13 ポイント ❷ 2	正解 1
	❸ 自ら売主制限	コース 13 ポイント ❶ 2	
	❹ クーリング・オフ	コース 13 ポイント ❷ 5	

❶ ○ クーリング・オフ不可

申込みの場所と契約の場所が違う場合には、クーリング・オフできるかどうかは申込みの場所で判断します。**買主が自ら申し出た買主の自宅で申込みをしているので、クーリング・オフはできません。**

❷ × クーリング・オフ可

申込みを**出張先から電話で**行っています。これは事務所などではないので、クーリング・オフは可能です。

❸ × 業者間取引は自ら売主制限の適用外

自ら売主制限が適用されるのは、売主が宅建業者で、買主が宅建業者以外の場合のみとなります。**自ら売主制限は業者間取引には適用されません。**ですから、クーリング・オフはできません。

❹ × クーリング・オフは無条件解除

クーリング・オフは無条件解除であり、受領した手付金はそのまま速やかに返還しなければなりません。**別途損害賠償請求や違約金の請求はできませんから、**契約に要した費用を控除することはできません。

ちょこっと **よりみちトーク**

「37 条の 2 の規定に基づく解除」って「クーリング・オフ」のことなんだね!

その通り!

自ら売主制限

宅地建物取引業者Ａが自ら売主として宅地建物取引業者でない買主Ｂと土地付建物の売買契約を締結した場合における、宅地建物取引業法（以下この問において「法」という。）第37条の2の規定による売買契約の解除に関する次の記述のうち、誤っているものはどれか。

❶ ＢがＡのモデルルームにおいて買受けの申込みをし、Ｂの自宅周辺の喫茶店で売買契約を締結した場合は、Ｂは売買契約を解除することができない。

❷ ＢがＡの事務所において買受けの申込みをした場合は、売買契約を締結した場所がＡの事務所であるか否かにかかわらず、Ｂは売買契約を解除することができない。

❸ Ｂがホテルのロビーにおいて買受けの申込みをし、当該場所において売買契約を締結した場合、既に当該土地付建物の引渡しを受け、かつ、代金の全部を支払った場合でも、Ａが法第37条の2に規定する内容について書面で説明していないときは、Ｂは当該契約を解除することができる。

❹ Ｂがレストランにおいて買受けの申込みをし、当該場所において売買契約を締結した場合、Ａが法第37条の2に規定する内容について書面で説明し、その説明の日から起算して8日を経過した場合は、Ｂは当該契約を解除することができない。

1回目	2回目	3回目	4回目	5回目
手応え	手応え	手応え	手応え	手応え

◎：完全に分かってきた
○：だいたい分かってきた
△：少し分かってきた
×：全く分からなかった

全問◎を
目指そう！

肢別テーマ	❶ クーリング・オフ	コース 13 ポイント ❷ ❷	
テキスト 第2編	❷ クーリング・オフ	コース 13 ポイント ❷ ❷	正解 3
	❸ クーリング・オフ	コース 13 ポイント ❷ ❸	
	❹ クーリング・オフ	コース 13 ポイント ❷ ❸	

❶ ○ クーリング・オフ不可

申込みの場所と契約の場所が違う場合には、クーリング・オフできるかどうかは申込みの場所で判断します。BはAのモデルルームで申込みをしています。よって、クーリング・オフはできません。

❷ ○ クーリング・オフ不可

BはAの事務所で買受けの申込みをしています。よって、クーリング・オフはできません。

❸ ✕ クーリング・オフ不可

確かにクーリング・オフできる場所で契約し、書面でのクーリング・オフについての説明も行っていません。ですが、買主が引渡しを受け、かつ代金全額を支払った場合にはクーリング・オフはできません。

❹ ○ クーリング・オフ不可

クーリング・オフができることを書面で告げられた日から起算して8日経過すると、クーリング・オフはできなくなります。

宅地建物取引業者Ａが、自ら売主となり、宅地建物取引業者でない買主Ｂとの間で締結した宅地の売買契約について、Ｂが宅地建物取引業法第37条の2の規定に基づき、いわゆるクーリング・オフによる契約の解除をする場合における次の記述のうち、正しいものはどれか。

❶ Ｂが、自ら指定したホテルのロビーで買受けの申込みをし、その際にＡからクーリング・オフについて何も告げられず、その3日後、Ａのモデルルームで契約を締結した場合、Ｂは売買契約を解除することができる。

❷ Ｂは、テント張りの案内所で買受けの申込みをし、その際にＡからクーリング・オフについて書面で告げられ、契約を締結した。その5日後、代金の全部を支払い、翌日に宅地の引渡しを受けた。この場合、Ｂは売買契約を解除することができる。

❸ Ｂは、喫茶店で買受けの申込みをし、その際にＡからクーリング・オフについて書面で告げられ、翌日、喫茶店で契約を締結した。その5日後、契約解除の書面をＡに発送し、その3日後に到達した。この場合、Ｂは売買契約を解除することができない。

❹ Ｂは、自ら指定した知人の宅地建物取引業者Ｃ（ＣはＡから当該宅地の売却についての代理又は媒介の依頼を受けていない。）の事務所で買受けの申込みをし、その際にＡからクーリング・オフについて何も告げられず、翌日、Ｃの事務所で契約を締結した場合、Ｂは売買契約を解除することはできない。

1回目	/	2回目	/	3回目	/	4回目	/	5回目	/
手応え		手応え		手応え		手応え		手応え	

◎：完全に分かってきた
○：だいたい分かってきた
△：少し分かってきた
×：全く分からなかった

肢別テーマ		❶ クーリング・オフ	コース 13 ポイント ❷ ❷	
テキスト 第2編		❷ クーリング・オフ	コース 13 ポイント ❷ ❸	正解 1
		❸ クーリング・オフ	コース 13 ポイント ❷ ❹	
		❹ クーリング・オフ	コース 13 ポイント ❷ ❷	

❶ ○ クーリング・オフ可

買主が自ら申し出た場合の自宅・勤務先で買受けの申込みをした場合は、クーリング・オフができませんが、ホテルは自宅でも勤務先でもありませんので**クーリング・オフは可能です**。

❷ × クーリング・オフ不可

買主が引渡しを受け、かつ代金全額を支払った場合にはクーリング・オフはできません。

❸ × 8日経過していないためクーリング・オフ可

クーリング・オフは書面を発した時に効力が生じます。Bが書面を発した日はAからクーリング・オフについて書面で告げられた日から起算して8日を経過していないため、クーリング・オフができます。

❹ × 業者Cは契約と無関係な業者である

業者Cがこの取引に関わっていれば（Aから代理や媒介を依頼されているなど）クーリング・オフができなくなりますが、この契約とは関係のない業者なので、**クーリング・オフは可能です**。

自ら売主制限

宅地建物取引業者A社が、自ら売主として宅地建物取引業者でない買主Bとの間で締結した投資用マンションの売買契約について、Bが宅地建物取引業法第37条の2の規定に基づき、いわゆるクーリング・オフによる契約の解除をする場合における次の記述のうち、誤っているものの組合せはどれか。

ア A社は、契約解除に伴う違約金の定めがある場合、クーリング・オフによる契約の解除が行われたときであっても、違約金の支払を請求することができる。

イ A社は、クーリング・オフによる契約の解除が行われた場合、買受けの申込み又は売買契約の締結に際し受領した手付金その他の金銭の倍額をBに償還しなければならない。

ウ Bは、投資用マンションに関する説明を受ける旨を申し出た上で、喫茶店で買受けの申込みをした場合、その5日後、A社の事務所で売買契約を締結したときであっても、クーリング・オフによる契約の解除をすることができる。

❶ ア・イ
❷ ア・ウ
❸ イ・ウ
❹ ア・イ・ウ

全問◎を
目指そう!

| 1回目 | / | 2回目 | / | 3回目 | / | 4回目 | / | 5回目 | / |

手応え / 手応え / 手応え / 手応え / 手応え

◎：完全に分かってきた
○：だいたい分かってきた
△：少し分かってきた
×：全く分からなかった

176

肢別テーマ テキスト 第2編	ア クーリング・オフ	コース 13 ポイント ❷ ❺	正解
	イ クーリング・オフ	コース 13 ポイント ❷ ❺	1
	ウ クーリング・オフ	コース 13 ポイント ❷ ❷	

ア ✕ クーリング・オフは無条件解除

クーリング・オフは無条件解除であり、別途損害賠償請求や違約金の請求はできません。

イ ✕ 預り金は返還しなければならない

クーリング・オフは無条件解除であり、契約はなかったこととなるので、売主が金銭等を預かっていた場合には、それを速やかに返還しなければなりません。しかし、倍額返す必要はありません。

ウ 〇 クーリング・オフ可

申込みの場所と契約の場所が違う場合には、クーリング・オフできるかどうかは申込みの場所で判断します。買主Bは喫茶店で申込みをしているので、クーリング・オフは可能です。

以上のことから、誤っている選択肢は**ア**と**イ**なので、**❶**が正解となります。

イの倍額返すって、
サービス良すぎだよ…。

「このたびはクーリング・オフまことにありがとうございます！ 倍額お返しします！」って感じなのか？

うーん、それはありえないね（笑）

自ら売主制限

177

宅地建物取引業者Ａが、自ら売主となり、宅地建物取引業者でない買主との間で締結した宅地の売買契約について、買主が宅地建物取引業法第 37 条の 2 の規定に基づき、いわゆるクーリング・オフによる契約の解除をする場合に関する次の記述のうち、正しいものはどれか。

❶　買主Ｂは自らの希望により勤務先で売買契約に関する説明を受けて買受けの申込みをし、その際にＡからクーリング・オフについて何も告げられずに契約を締結した。この場合、Ｂは、当該契約の締結の日から 8 日を経過するまでは、契約の解除をすることができる。

❷　買主Ｃは喫茶店において買受けの申込みをし、その際にＡからクーリング・オフについて何も告げられずに契約を締結した。この場合、Ｃは、当該契約の締結をした日の 10 日後においては、契約の解除をすることができない。

❸　買主Ｄはレストランにおいて買受けの申込みをし、その際にＡからクーリング・オフについて書面で告げられ、契約を締結した。この場合、Ｄは、当該契約の締結をした日の 5 日後においては、書面を発しなくても契約の解除をすることができる。

❹　買主Ｅはホテルのロビーにおいて買受けの申込みをし、その際にＡからクーリング・オフについて書面で告げられ、契約を締結した。この場合、Ｅは、当該宅地の代金の 80％を支払っていたが、当該契約の締結の日から 8 日を経過するまでは、契約の解除をすることができる。

全問◯を
目指そう！

| 1回目 | / | 2回目 | / | 3回目 | / | 4回目 | / | 5回目 | / |
| 手応え | | 手応え | | 手応え | | 手応え | | 手応え | |

◎：完全に分かってきた
◯：だいたい分かってきた
△：少し分かってきた
×：全く分からなかった

肢別テーマ テキスト第2編	❶ クーリング・オフ	コース 13 ポイント ❷ ②	正解 4
	❷ クーリング・オフ	コース 13 ポイント ❷ ③	
	❸ クーリング・オフ	コース 13 ポイント ❷ ④	
	❹ クーリング・オフ	コース 13 ポイント ❷ ③	

❶ ✕ クーリング・オフ不可

買主が申し出た場合の、買主の自宅・勤務先で買受けの申込みをしているので、クーリング・オフはできません。

❷ ✕ 書面で告げられていない

クーリング・オフは書面で告げられた日から起算して8日経過するとできなくなります。今回は書面で告げられていないので、8日を経過してもクーリング・オフは可能です。

❸ ✕ クーリング・オフは書面

クーリング・オフは必ず書面で行います。

❹ ○ 代金全額支払っていない

引渡しを受け、代金全額支払った場合は、クーリング・オフはできなくなります。今回はまだ**80%**しか支払っていませんので、書面で告げられた日である契約の締結日から起算して8日を経過するまでクーリング・オフは可能です。

● **＜電磁的方法が認められていないもの＞**

以下のものは、必ず書面で行う（電磁的方法は不可）

1 クーリング・オフできる旨の告知書面

2 クーリング・オフ行使書面

3 割賦販売契約解除の催告書

宅地建物取引業者A社が、自ら売主として宅地建物取引業者でない買主Bとの間で締結した建物の売買契約について、Bが宅地建物取引業法第37条の2の規定に基づき、いわゆるクーリング・オフによる契約の解除をする場合における次の記述のうち、正しいものはどれか。

❶ Bは、モデルルームにおいて買受けの申込みをし、後日、A社の事務所において売買契約を締結した。この場合、Bは、既に当該建物の引渡しを受け、かつ、その代金の全部を支払ったときであっても、A社からクーリング・オフについて何も告げられていなければ、契約の解除をすることができる。

❷ Bは、自らの希望により自宅近くの喫茶店において買受けの申込みをし、売買契約を締結した。その3日後にA社から当該契約に係るクーリング・オフについて書面で告げられた。この場合、Bは、当該契約締結日から起算して10日目において、契約の解除をすることができる。

❸ Bは、ホテルのロビーにおいて買受けの申込みをし、その際にA社との間でクーリング・オフによる契約の解除をしない旨の合意をした上で、後日、売買契約を締結した。この場合、仮にBがクーリング・オフによる当該契約の解除を申し入れたとしても、A社は、当該合意に基づき、Bからの契約の解除を拒むことができる。

❹ Bは、A社の事務所において買受けの申込みをし、後日、レストランにおいてA社からクーリング・オフについて何も告げられずに売買契約を締結した。この場合、Bは、当該契約締結日から起算して10日目において、契約の解除をすることができる。

全問◎を
目指そう!

1回目	2回目	3回目	4回目	5回目
手応え	手応え	手応え	手応え	手応え

◎:完全に分かってきた
○:だいたい分かってきた
△:少し分かってきた
×:全く分からなかった

180

肢別テーマ	❶ クーリング・オフ	コース 13 ポイント ❷ ❷	
テキスト 第2編	❷ クーリング・オフ	コース 13 ポイント ❷ ❸	正解 **2**
	❸ クーリング・オフ	コース 13 ポイント ❷ ❺	
	❹ クーリング・オフ	コース 13 ポイント ❷ ❷	

❶ ✕ クーリング・オフ不可

Bはモデルルームで申込みをしているから、クーリング・オフはできません。仮にクーリング・オフできる場所で申込みをしたとしても、買主が引渡しを受け、かつ代金全額を支払った場合には**クーリング・オフはできません**。

❷ ○ 書面で告げられた日から起算して8日経過していない

クーリング・オフは書面で告げられた日から起算して8日経過するとできなくなります。今回は書面で告げられたのが契約の3日後なので、そこから8日間となります。契約締結日から起算して10日目であれば、**まだ書面で告げられてから8日経過していないので、クーリング・オフは可能です**。

❸ ✕ 買主に不利な特約は無効

クーリング・オフに関する特約で、**買主に不利なものは無効**となります。特約でクーリング・オフをしないとしている点で、買主に不利なものとなっているため、本件特約は無効となります。

❹ ✕ クーリング・オフ不可

Bは、**A社の事務所で申込みをしているので、クーリング・オフはできません**。

宅地建物取引業者Aが自ら売主としてマンション（販売価額3,000万円）の売買契約を締結した場合における次の記述のうち、民法及び宅地建物取引業法の規定によれば、正しいものはどれか。

❶ Aは、宅地建物取引業者であるBとの売買契約の締結に際して、当事者の債務不履行を理由とする契約の解除に伴う損害賠償の予定額を1,200万円とする特約を定めた。この特約は無効である。

❷ Aは、宅地建物取引業者でないCとの売買契約の締結に際して、当事者の債務不履行を理由とする契約の解除に伴う損害賠償の予定額を1,200万円とする特約を定めることができる。

❸ Aは、宅地建物取引業者であるDとの売買契約の締結に際して、当事者の債務不履行を理由とする契約の解除に伴う損害賠償の予定額の定めをしなかった場合、実際に生じた損害額1,000万円を立証により請求することができる。

❹ Aは、宅地建物取引業者でないEとの売買契約の締結に際して、当事者の債務不履行を理由とする契約の解除に伴う損害賠償の予定額を600万円、それとは別に違約金を600万円とする特約を定めた。これらの特約はすべて無効である。

全問◎を
目指そう！

| 1回目 | / | 2回目 | / | 3回目 | / | 4回目 | / | 5回目 | / |
| 手応え | | 手応え | | 手応え | | 手応え | | 手応え | |

◎：完全に分かってきた
○：だいたい分かってきた
△：少し分かってきた
×：全く分からなかった

	❶ 自ら売主制限	コース 13 ポイント ❶ 2	
肢別テーマ テキスト第2編	❷ 損害賠償額予定等の制限	コース 13 ポイント ❸ 2	正解 3
	❸ 損害賠償額予定等の制限	コース 13 ポイント ❸ 2	
	❹ 損害賠償額予定等の制限	コース 13 ポイント ❸ 2	

❶ ✕ **業者間取引は自ら売主制限の適用外**

自ら売主制限は、業者間取引には適用されません。つまり、損害賠償の予定額に制限は特にありません。

❷ ✕ **損害賠償の予定額と違約金は合算して代金の2割まで**

損害賠償の予定額と違約金は合算して売買代金の2割までとなります。今回の場合は600万円を超えることはできません。

❸ ○ **定めなかった場合は2割の制限なし**

損害賠償の予定額を定めなかった場合には、実際に生じた損害額を請求することができます。なお、買主が宅建業者でない場合も同様です。

❹ ✕ **超える部分が無効となる**

損害賠償の予定額と違約金を定める場合は合算して代金の2割までであり、超える部分は無効となります。あくまで超える部分が無効となるのであり、特約そのものが無効となるのではありません。

ちょこっと よりみちトーク

選択肢❶の業者間取引に気づかなかった。

自ら売主制限の問題を解くときには常に気をつけてください！

自ら売主制限

自ら売主制限

宅地建物取引業者Aが行う建物の売買又は売買の媒介に関する次の記述のうち、宅地建物取引業法の規定に違反しないものはどれか。

❶ Aは、建物の売買の媒介に際し、買主に対して手付の貸付けを行う旨を告げて契約の締結を勧誘したが、売買契約は成立しなかった。

❷ 建物の売買の媒介に際し、買主から売買契約の申込みを撤回する旨の申出があったが、Aは、申込みの際に受領した預り金を既に売主に交付していたため、買主に返還しなかった。

❸ Aは、自ら売主となる建物（代金5,000万円）の売買に際し、あらかじめ買主の承諾を得た上で、代金の30％に当たる1,500万円の手付金を受領した。

❹ Aは、自ら売主として行う中古建物の売買に際し、当該建物の契約不適合担保責任について、買主が契約不適合である旨の通知をすべき期間を引渡しの日から2年間とする特約をした。

1回目	2回目	3回目	4回目	5回目
／	／	／	／	／
手応え	手応え	手応え	手応え	手応え

◎：完全に分かってきた
○：だいたい分かってきた
△：少し分かってきた
×：全く分からなかった

肢別テーマ テキスト第2編	❶ 業務上の規制	コース 12 ポイント ❷ 2	正解 4
	❷ 業務上の規制	コース 12 ポイント ❷ 2	
	❸ 手付の額・性質の制限	コース 13 ポイント ❹ 2	
	❹ 契約不適合責任特約制限	コース 13 ポイント ❼ 2	

○：違反しない　✕：違反する

❶　✕　手付貸与等は禁止

手付の貸与等は禁止されています。実際に契約が成立しなかったとしても、そのような行為を行った時点で宅建業法違反です。

❷　✕　預り金の返還を拒んではならない

買主が売買契約の申込みを撤回する旨の申出をしたのだから、預かっているお金は返還しなければなりません。預り金の返還を拒むことは宅建業法違反です。

❸　✕　手付は2割まで

自ら売主制限では、手付は代金の2割までしか受け取ることができません。今回は5,000万円の2割だから1,000万円までです。買主の承諾を得てそれを超える手付を受け取っても、超える部分は無効となりますし、受け取った時点で宅建業法違反となります。

❹　○　引渡しから2年間とする特約は例外的に有効

自ら売主制限では、民法の規定よりも買主に不利な特約は無効となります。しかし、通知すべき期間について引渡しの日から2年以上となる特約は例外的に有効となります。

自ら売主制限

宅地建物取引業者Aが自ら売主として、買主Bとの間で締結した売買契約に関して行う次に記述する行為のうち、宅地建物取引業法（以下この問において「法」という。）の規定に違反するものはどれか。

❶ Aは、宅地建物取引業者でないBとの間で建築工事完了前の建物を 5,000 万円で販売する契約を締結し、法第 41 条に規定する手付金等の保全措置を講じずに、200 万円を手付金として受領した。

❷ Aは、宅地建物取引業者でないBとの間で建築工事が完了した建物を 5,000 万円で販売する契約を締結し、法第 41 条の 2 に規定する手付金等の保全措置を講じずに、当該建物の引渡し前に 700 万円を手付金として受領した。

❸ Aは、宅地建物取引業者でないBとの間で建築工事完了前の建物を 1 億円で販売する契約を締結し、法第 41 条に規定する手付金等の保全措置を講じた上で、1,500 万円を手付金として受領した。

❹ Aは、宅地建物取引業者であるBとの間で建築工事が完了した建物を 1 億円で販売する契約を締結し、法第 41 条の 2 に規定する手付金等の保全措置を講じずに、当該建物の引渡し前に 2,500 万円を手付金として受領した。

1回目	2回目	3回目	4回目	5回目
／	／	／	／	／
手応え	手応え	手応え	手応え	手応え

◎：完全に分かってきた
◯：だいたい分かってきた
△：少し分かってきた
×：全く分からなかった

肢別テーマ テキスト第2編	❶ 手付金等の保全措置	コース 13 ポイント ❺ 2	正解 2
	❷ 手付金等の保全措置	コース 13 ポイント ❺ 2	
	❸ 手付金等の保全措置	コース 13 ポイント ❺ 2	
	❹ 自ら売主制限	コース 13 ポイント ❶ 2	

○：違反しない　✕：違反する

❶ ○　**未完成物件→5％以下かつ1,000万円以下**

未完成物件の場合、手付金等の合計額が**5％以下でかつ1,000万円以下**であれば、保全措置を講じることなく受領することができます。5,000万円の5％（＝250万円）以下で、かつ、1,000万円以下なので、保全措置を講じることなく受け取ることができます。

❷ ✕　**完成物件→10％以下かつ1,000万円以下**

完成物件の場合、手付金等の合計額が**10％以下でかつ1,000万円以下**であれば、保全措置を講じることなく受領することができます。5,000万円の10％（＝500万円）以下で、かつ、1,000万円以下であれば受領できますが、今回は700万円であり、500万円を超えていますので、保全措置を講じなければ受領できません。

❸ ○　**保全措置を講じているため受領可能**

Aは手付金を受け取る前に保全措置を講じているので問題ありません。ちなみに、手付の額も2割以内ですので、「手付金の額・性質」の問題も生じません。

❹ ○　**業者間取引は自ら売主制限の適用外**

自ら売主制限は、業者間取引には適用されません。つまり、手付金の額がいくらであっても保全措置は不要です。

自ら売主制限

宅地建物取引業者Aが、自ら売主として買主との間で建築工事完了前の建物を5,000万円で売買する契約をした場合において、宅地建物取引業法第41条第1項に規定する手付金等の保全措置（以下この問において「保全措置」という。）に関する次の記述のうち、同法に違反するものはどれか。

❶ Aは、宅地建物取引業者であるBと契約を締結し、保全措置を講じずに、Bから手付金として1,000万円を受領した。

❷ Aは、宅地建物取引業者でないCと契約を締結し、保全措置を講じた上でCから1,000万円の手付金を受領した。

❸ Aは、宅地建物取引業者でないDと契約を締結し、保全措置を講じることなくDから手付金100万円を受領した後、500万円の保全措置を講じた上で中間金500万円を受領した。

❹ Aは、宅地建物取引業者でないEと契約を締結し、Eから手付金100万円と中間金500万円を受領したが、既に当該建物についてAからEへの所有権移転の登記を完了していたため、保全措置を講じなかった。

全問◎を
目指そう！

| 1回目 | / | 2回目 | / | 3回目 | / | 4回目 | / | 5回目 | / |
| 手応え | | 手応え | | 手応え | | 手応え | | 手応え | |

◎：完全に分かってきた
○：だいたい分かってきた
△：少し分かってきた
×：全く分からなかった

| 肢別テーマ テキスト第2編 | ❶ 自ら売主制限
❷ 手付金等の保全措置
❸ 手付金等の保全措置
❹ 手付金等の保全措置 | コース 13 ポイント ❶ 2
コース 13 ポイント ❺ 2
コース 13 ポイント ❺ 2
コース 13 ポイント ❺ 2 | 正解 3 |

○：違反しない　✕：違反する

❶　○　業者間取引は自ら売主制限の適用外

　　自ら売主制限は、業者間取引には適用されません。つまり、手付金の額がいく
らであっても保全措置は不要です。

❷　○　保全措置を講じているため受領可能

　　Ａは手付金を受け取る前に保全措置を講じているので問題ありません。ちなみ
に、手付の額も2割以内ですので、「手付金の額・性質」の問題も生じません。

❸　✕　未完成物件→5％以下かつ1,000万円以下

　　未完成物件の場合、5％（今回は250万円）を超える場合には、保全措置は全
額について講じなければなりません。すでに受け取った手付金100万円と、こ
れから受け取る中間金500万円の計600万円分の保全措置を講じる必要があり
ます。

❹　○　所有権登記あれば保全措置不要

　　買主のもとに所有権移転登記があれば、宅建業者は保全措置を講じることなく
手付金等を受領することができます。

自ら売主制限

宅地建物取引業者Aが、自ら売主として買主との間で締結する売買契約に関する次の記述のうち、宅地建物取引業法（以下この問において「法」という。）の規定によれば、正しいものはどれか。なお、この問において「保全措置」とは、法第41条に規定する手付金等の保全措置をいうものとする。

❶　Aは、宅地建物取引業者でない買主Bとの間で建築工事完了前の建物を4,000万円で売却する契約を締結し300万円の手付金を受領する場合、銀行等による連帯保証、保険事業者による保証保険又は指定保管機関による保管により保全措置を講じなければならない。

❷　Aは、宅地建物取引業者Cに販売代理の依頼をし、宅地建物取引業者でない買主Dと建築工事完了前のマンションを3,500万円で売却する契約を締結した。この場合、A又はCのいずれかが保全措置を講ずることにより、Aは、代金の額の5%を超える手付金を受領することができる。

❸　Aは、宅地建物取引業者である買主Eとの間で建築工事完了前の建物を5,000万円で売却する契約を締結した場合、保全措置を講じずに、当該建物の引渡前に500万円を手付金として受領することができる。

❹　Aは、宅地建物取引業者でない買主Fと建築工事完了前のマンションを4,000万円で売却する契約を締結する際、100万円の手付金を受領し、さらに200万円の中間金を受領する場合であっても、手付金が代金の5%以内であれば保全措置を講ずる必要はない。

全問◎を
目指そう！

190

| 1回目 | 2回目 | 3回目 | 4回目 | 5回目 |

手応え

◎：完全に分かってきた
○：だいたい分かってきた
△：少し分かってきた
×：全く分からなかった

肢別テーマ	❶ 手付金等の保全措置	コース 13 ポイント ❺ ❷	
テキスト 第2編	❷ 手付金等の保全措置	コース 13 ポイント ❺ ❷	正解 3
	❸ 自ら売主制限	コース 13 ポイント ❶ ❷	
	❹ 手付金等の保全措置	コース 13 ポイント ❺ ❷	

❶ **✕ 未完成物件では手付金等寄託契約不可**

未完成物件の場合、指定保管機関との手付金等寄託契約は使えません。なお、「保管」と「寄託」は同じ意味と考えてください。

❷ **✕ 保全措置は売主が行う**

手付金等の保全措置を講じなければならないのは売主（＝A）です。代理業者のCではありません。

❸ **○ 業者間取引は自ら売主制限の適用外**

自ら売主制限は業者間取引には適用されません。ですから、保全措置を講じずに手付金を受領しても問題ありません。

❹ **✕ 未完成物件→5％以下かつ1,000万円以下なら保全措置不要**

未完成物件の場合、手付金等の合計額が5％以下でかつ1,000万円以下であれば、保全措置を講じることなく受領することができます。4,000万円の5％（＝200万円）以下で、かつ、1,000万円以下であれば保全措置不要です。しかし、今回は合計300万円となるので、中間金を受領する前に計300万円分の保全措置を講じる必要があります。

宅地建物取引業者Aが、自ら売主として、宅地建物取引業者ではない個人Bとの間で宅地の売買契約を締結する場合における手付金の保全措置に関する次の記述のうち、宅地建物取引業法の規定によれば、正しいものはどれか。なお、当該契約に係る手付金は保全措置が必要なものとする。

❶ Aは、Bから手付金を受領した後に、速やかに手付金の保全措置を講じなければならない。

❷ Aは、手付金の保全措置を保証保険契約を締結することにより講ずる場合、保険期間は保証保険契約が成立した時から宅地建物取引業者が受領した手付金に係る宅地の引渡しまでの期間とすればよい。

❸ Aは、手付金の保全措置を保証保険契約を締結することにより講ずる場合、保険事業者との間において保証保険契約を締結すればよく、保険証券をBに交付する必要はない。

❹ Aは、手付金の保全措置を保証委託契約を締結することにより講ずるときは、保証委託契約に基づいて銀行等が手付金の返還債務を連帯して保証することを約する書面のBへの交付に代えて、Bの承諾を得ることなく電磁的方法により講ずることができる。

1回目	2回目	3回目	4回目	5回目
手応え	手応え	手応え	手応え	手応え

◎：完全に分かってきた
○：だいたい分かってきた
△：少し分かってきた
×：全く分からなかった

肢別テーマ			
	❶ 手付金等の保全措置	コース 13 ポイント ❺ ❷	
テキスト第2編	❷ 手付金等の保全措置	コース 13 ポイント ❺	正解 2
	❸ 手付金等の保全措置	コース 13 ポイント ❺	
	❹ 手付金等の保全措置	コース 13 ポイント ❺	

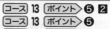

❶ ✕ 保全措置は受領前に講じる必要あり

宅建業者は、手付金等の保全措置を講じた後でなければ、買主から手付金等を受領してはなりません。したがって、手付金受領後ではなく、受領前に保全措置を講じなければなりません。

❷ ◯ 保険期間→引渡しまでの期間

保証保険契約は、保険期間が、少なくとも保証保険契約が成立した時から宅建業者が受領した手付金等に係る宅地又は建物の引渡しまでの期間であることという要件に適合するものでなければなりません。

❸ ✕ 保険証券を買主に交付しなければならない

宅建業者は、手付金等の保全措置として保証保険契約を締結することにより講ずる場合には、保険事業者との間において、保証保険契約を締結し、かつ、保険証券又はこれに代わるべき書面を買主に交付しなければなりません。

❹ ✕ 買主の承諾が必要

宅建業者は、保証委託契約に基づいて当該銀行等が手付金等の返還債務を連帯して保証することを約する書面を買主に交付する措置に代えて、買主の承諾を得て、電磁的方法による措置を講じることができます。言い方を変えると、買主の承諾がなければ、電磁的方法により講じることはできません。

自ら売主制限

宅地建物取引業者Ａが自ら売主となって宅地建物の売買契約を締結した場合に関する次の記述のうち、宅地建物取引業法の規定に違反するものはどれか。なお、この問において、ＡとＣ以外の者は宅地建物取引業者でないものとする。

❶ Ｂの所有する宅地について、ＢとＣが売買契約を締結し、所有権の移転登記がなされる前に、ＣはＡに転売し、Ａは更にＤに転売した。

❷ Ａの所有する土地付建物について、Ｅが賃借していたが、Ａは当該土地付建物を停止条件付でＦに売却した。

❸ Ｇの所有する宅地について、ＡはＧとの売買契約の予約をし、Ａは当該宅地をＨに転売した。

❹ Ｉの所有する宅地について、ＡはＩと停止条件付で取得する売買契約を締結し、その条件が成就する前に当該物件についてＪと売買契約を締結した。

全問◎を
目指そう!

| 1回目 | / | 2回目 | / | 3回目 | / | 4回目 | / | 5回目 | / |
| 手応え | | 手応え | | 手応え | | 手応え | | 手応え | |

◎：完全に分かってきた
○：だいたい分かってきた
△：少し分かってきた
×：全く分からなかった

肢別テーマ	❶ 他人物売買契約締結制限	コース 13	ポイント 6 2	
テキスト 第2編	❷ 他人物売買契約締結制限	コース 13	ポイント 6 1	正解 4
	❸ 他人物売買契約締結制限	コース 13	ポイント 6 2	
	❹ 他人物売買契約締結制限	コース 13	ポイント 6 2	

○：違反しない　✕：違反する

❶ **○　他人物→仕入先と契約・予約済みなら相手方と契約可**

　　売主Aは、B（仕入れ先）と売買契約をしたCと売買契約をしているので、Dに販売することが可能です。

❷ **○　他人物ではないので売却可**

　　Eに賃貸していてもAの物であり、他人物ではないので問題なく売却できます。

❸ **○　他人物→契約・予約済みなら契約可**

　　売主Aは、G（仕入れ先）と予約をしているので、Hに販売することが可能です。

❹ **✕　停止条件付き契約では不可**

　　売主AがI（仕入れ先）と結んだ契約が停止条件付契約の場合、Aは確実にその宅地を入手できるとは限りません。よって、自ら売主制限ではJと売買契約を締結してはいけないこととなっています。

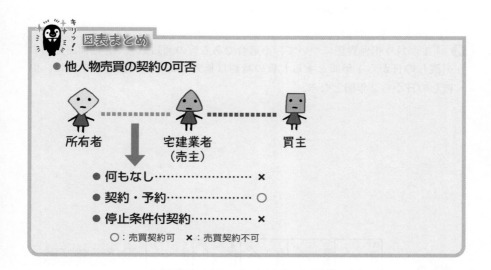

図表まとめ

● **他人物売買の契約の可否**

所有者　　　　　宅建業者　　　　　買主
　　　　　　　　（売主）

● 何もなし……………………… ✕
● 契約・予約………………… ○
● 停止条件付契約…………… ✕

　　○：売買契約可　✕：売買契約不可

宅地建物取引業者Ａが、自ら売主として、宅地建物取引業者でないＢと建物の売買契約を締結した場合の契約不適合担保責任（以下この問において単に「担保責任」という。）に関する次の記述のうち、宅地建物取引業法及び民法の規定によれば、正しいものはどれか。なお、建物の引渡しの日は、契約締結の日の1月後とする。

❶ 「Ａが負う担保責任について、不適合である旨の通知をすべき期間を建物の引渡しの日から2年間とし、Ｂは、その期間内に不適合である旨の通知をした場合であっても、契約を解除することはできないが、損害賠償を請求することができる」旨の特約は無効である。

❷ 「建物が種類又は品質に関して契約の内容に適合しない場合でも、その契約内容の不適合がＡの責めに帰すものでないとき、Ａは担保責任を負わない」旨の特約は有効である。

❸ 「Ａが負う担保責任について、不適合である旨の通知をすべき期間を契約締結の日から2年間とし、Ｂは、その期間内に当該通知をすれば瑕疵修補請求権も行使できる」旨の特約は有効である。

❹ 「Ａが負う担保責任について、不適合である旨の通知をすべき期間を建物の引渡しの日から1年間とする」旨の特約は無効であり、当該通知期間は、引渡しの日から2年間となる。

全問◎を
目指そう！

1回目	/	2回目	/	3回目	/	4回目	/	5回目	/
手応え		手応え		手応え		手応え		手応え	

◎：完全に分かってきた
○：だいたい分かってきた
△：少し分かってきた
×：全く分からなかった

肢別テーマ	❶ 契約不適合責任特約制限	コース 13	ポイント 7 2	
テキスト第2編	❷ 契約不適合責任特約制限	コース 13	ポイント 7 2	正解
	❸ 契約不適合責任特約制限	コース 13	ポイント 7 2	**1**
	❹ 契約不適合責任特約制限	コース 13	ポイント 7 2	

❶ ○ 買主不利な特約は無効

自ら売主制限では、原則として民法の規定よりも買主に不利な特約は無効となります。例外的に、契約不適合である旨の通知期間について引渡しの日から2年間という特約は有効となりますが、解除できないとする点は買主に不利となりますので、この特約は無効となります。

❷ ✕ 民法よりも不利な特約は無効

民法では契約不適合担保責任について、解除、追完請求及び代金減額請求は売主の責めに帰すべき事由がなくても売主が担保責任を負います。民法の規定よりも買主に不利な特約となっていますので、この特約は無効となります。

❸ ✕ 契約締結からではなく引渡しからであれば可

不適合である旨の通知期間を引渡しから2年以上とする特約は例外的に有効ですが、契約締結から2年間とすると、引渡しからは1年11カ月となってしまうため、この特約は無効となります。

❹ ✕ 「引渡しから2年間」→「知った時から1年間」

今回の特約は「引渡しの日から1年間」としているので、2年以上となる期間ではないため無効となります。その場合には、民法の「買主が契約不適合を知った時から1年以内に通知」が適用されます。「引渡しの日から2年」ではありません。

引渡しから2年なら OK ですが、契約から2年だと、さらにそれより短くなるので特約は無効になります。

宅地建物取引業者A社が、自ら売主として行う宅地（代金3,000万円）の売買に関する次の記述のうち、宅地建物取引業法の規定に違反するものはどれか。

❶ A社は、宅地建物取引業者である買主B社との間で売買契約を締結したが、B社は支払期日までに代金を支払うことができなかった。A社は、B社の債務不履行を理由とする契約解除を行い、契約書の違約金の定めに基づき、B社から1,000万円の違約金を受け取った。

❷ A社は、宅地建物取引業者でない買主Cとの間で、割賦販売の契約を締結したが、Cが賦払金の支払を遅延した。A社は20日の期間を定めて書面にて支払を催告したが、Cがその期間内に賦払金を支払わなかったため、契約を解除した。

❸ A社は、宅地建物取引業者でない買主Dとの間で、割賦販売の契約を締結し、引渡しを終えたが、Dは300万円しか支払わなかったため、宅地の所有権の登記をA社名義のままにしておいた。

❹ A社は、宅地建物取引業者である買主E社との間で、売買契約を締結したが、契約不適合担保責任を追及するために必要な契約不適合である旨の通知をすべき期間について、「契約対象物件である宅地の引渡しの日から1年以内にしなければならない」とする旨の特約を定めていた。

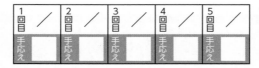

全問◎を
目指そう!

1回目	2回目	3回目	4回目	5回目
手応え	手応え	手応え	手応え	手応え

◎：完全に分かってきた
○：だいたい分かってきた
△：少し分かってきた
×：全く分からなかった

肢別テーマ テキスト第2編	❶ 自ら売主制限	コース 13 ポイント ❶ 2	正解 2
	❷ 割賦販売契約の制限	コース 13 ポイント ❽ 2	
	❸ 割賦販売契約の制限	コース 13 ポイント ❽ 3	
	❹ 自ら売主制限	コース 13 ポイント ❶ 2	

○：違反しない　✕：違反する

❶　○　業者間取引は自ら売主制限の適用外

自ら売主制限は業者間取引には適用されません。違約金を売買代金の2割を超える1,000万円と契約書で定めていても宅建業法違反とはなりません。

❷　✕　30日以上の期間を定めて書面にて催告

自ら売主制限では、30日以上の期間を定めて書面にて催告しなければなりません。

❸　○　3割支払われるまでは所有権留保可

自ら売主制限では、所有権の留保は原則禁止していますが、代金の3割の支払いを受けるまでの間は登記を移さず所有権を留保することができます。

❹　○　業者間取引は自ら売主制限の適用外

自ら売主制限は業者間取引には適用されません。契約不適合担保責任で民法より不利な特約をしていても宅建業法違反とはなりません。

ちょこっと **よりみちトーク**

自ら売主制限は、売主が宅建業者、買主が宅建業者じゃない場合に適用されるので、それさえわかっていたら解けるよね。

確かに！

少なくとも2つの肢は消せるよ！

がんばる！

自ら売主制限

自らが売主である宅地建物取引業者Aと、宅地建物取引業者でないBとの間での売買契約に関する次の記述のうち、宅地建物取引業法（以下この問において「法」という。）の規定によれば、正しいものはどれか。

❶ Aは、Bとの間における建物の売買契約（代金 2,000 万円）の締結に当たり、手付金として 100 万円の受領を予定していた。この場合において、損害賠償の予定額を定めるときは、300 万円を超えてはならない。

❷ AとBが締結した建物の売買契約において、Bが手付金の放棄による契約の解除ができる期限について、金融機関からBの住宅ローンの承認が得られるまでとする旨の定めをした。この場合において、Aは、自らが契約の履行に着手する前であれば、当該承認が得られた後は、Bの手付金の放棄による契約の解除を拒むことができる。

❸ Aは、喫茶店でBから宅地の買受けの申込みを受けたことから、翌日、前日と同じ喫茶店で当該宅地の売買契約を締結し、代金の全部の支払を受けた。その 4 日後に、Bから法第 37 条の 2 の規定に基づくいわゆるクーリング・オフによる当該契約を解除する旨の書面による通知を受けた場合、Aは、当該宅地をBに引き渡していないときは、代金の全部が支払われたことを理由に当該解除を拒むことはできない。

❹ Aは、Bとの間で宅地の割賦販売の契約（代金 3,000 万円）を締結し、当該宅地を引き渡した。この場合において、Aは、Bから 1,500 万円の賦払金の支払を受けるまでに、当該宅地に係る所有権の移転登記をしなければならない。

1回目	2回目	3回目	4回目	5回目
／	／	／	／	／
手応え	手応え	手応え	手応え	手応え

◎：完全に分かってきた
○：だいたい分かってきた
△：少し分かってきた
×：全く分からなかった

肢別テーマ		❶ 損害賠償額予定等の制限	コース 13	ポイント ❸ 2	正解	3
テキスト 第2編		❷ 手付の額・性質の制限	コース 13	ポイント ❹ 1		
		❸ クーリング・オフ	コース 13	ポイント ❷ 3		
		❹ 割賦販売契約の制限	コース 13	ポイント ❽ 3		

❶ ✕ 損害賠償の予定額と違約金を合算して2割まで

損害賠償の予定額と違約金は合算して売買代金の2割までとなります。今回の場合は合計が 400 万円を超えることはできません。つまり、手付金 100 万円受領することを予定している点は考慮しなくてよいということです。

❷ ✕ 民法より不利な特約は無効

自ら売主制限では、民法の規定よりも買主に不利な特約は無効となります。今回の特約は買主Bに不利なので無効となります。民法の原則通り、Aが履行に着手するまではBは手付解除をすることが可能です。

❸ ○ 引渡しを受けていないのでまだクーリング・オフ可

喫茶店で買受けの申込みを受けたのでクーリング・オフは可能です。しかし、その場合でも、引渡しを受け、かつ代金全額を支払った場合にはクーリング・オフができなくなります。今回はまだ引渡しを受けていないので、クーリング・オフは可能です。

❹ ✕ 3割（900 万円）支払われるまでは所有権留保可

自ら売主制限では、所有権の留保は原則禁止していますが、代金の 30%の支払いを受けるまでの間は留保しても構わないとしています。今回は、代金の 30%である 900 万円を超える支払いを受けるまでに移転登記をしなければなりません。代金の 50% である 1,500 万円の賦払金の支払いを受けるまでではありません。

自ら売主制限

がんばる！

宅建業法もあと少し！
ラストスパートだ！！

特定住宅瑕疵担保責任の履行の確保等に関する法律に基づく住宅販売瑕疵担保保証金の供託又は住宅販売瑕疵担保責任保険契約の締結（以下この問において「資力確保措置」という。）に関する次の記述のうち、正しいものはどれか。

❶ 宅地建物取引業者は、自ら売主として建設業者である買主との間で新築住宅の売買契約を締結し、当該住宅を引き渡す場合、資力確保措置を講じる必要はない。

❷ 自ら売主として新築住宅を宅地建物取引業者でない買主に引き渡した宅地建物取引業者は、基準日に係る資力確保措置の状況の届出をしなければ、当該基準日以後、新たに自ら売主となる新築住宅の売買契約を締結することができない。

❸ 自ら売主として新築住宅を販売する宅地建物取引業者は、住宅販売瑕疵担保保証金の供託をする場合、当該住宅の売買契約を締結するまでに、当該住宅の買主に対し、供託所の所在地等について記載した書面を交付し又は買主の承諾を得て電磁的方法により提供して説明しなければならない。

❹ 住宅販売瑕疵担保責任保険契約は、新築住宅の買主が保険料を支払うことを約し、住宅瑕疵担保責任保険法人と締結する保険契約であり、当該住宅の引渡しを受けた時から10年間、当該住宅の瑕疵によって生じた損害について保険金が支払われる。

1回目	/	2回目	/	3回目	/	4回目	/	5回目	/
手応え		手応え		手応え		手応え		手応え	

◎：完全に分かってきた
○：だいたい分かってきた
△：少し分かってきた
×：全く分からなかった

肢別テーマ テキスト 第2編	❶ 住宅瑕疵担保履行法	コース 14 ポイント ❶ ❷	正解 3
	❷ 住宅瑕疵担保履行法	コース 14 ポイント ❶ ❹	
	❸ 住宅瑕疵担保履行法	コース 14 ポイント ❶ ❺	
	❹ 住宅瑕疵担保履行法	コース 14 ポイント ❶ ❸	

❶ **✕ 資力確保措置が必要**

建設業者は宅建業者ではありません。よって、住宅瑕疵担保履行法が適用され、資力確保措置が義務付けられます。

❷ **✕ 基準日の翌日から起算して 50 日経過した日以後**

届出をしなかった場合、基準日の翌日から起算して 50 日経過した日以後は、自ら売主として新築住宅の売買契約ができなくなります。基準日以後ではありません。

❸ **◯ 供託所の所在地等の説明は契約締結までに行う**

供託所の所在地等の説明は、契約締結するまでに書面を交付（又は、買主の承諾を得て電磁的方法により提供）して行わなければなりません。

❹ **✕ 保険料は宅建業者が支払う**

保険料を支払うのは宅建業者です。

図表まとめ

● ＜供託所の説明＞

　1 宅建業法（営業保証金／弁済業務保証金）の供託所

　　→口頭でも可

　2 住宅瑕疵担保履行法（資力確保措置）の供託所

　　→書面または電磁的方法

住宅瑕疵担保履行法

住宅瑕疵担保履行法

特定住宅瑕疵担保責任の履行の確保等に関する法律に基づく住宅販売瑕疵担保保証金の供託又は住宅販売瑕疵担保責任保険契約の締結に関する次の記述のうち、正しいものはどれか。

❶ 宅地建物取引業者は、自ら売主として宅地建物取引業者である買主との間で新築住宅の売買契約を締結し、その住宅を引き渡す場合、住宅販売瑕疵担保保証金の供託又は住宅販売瑕疵担保責任保険契約の締結を行う義務を負う。

❷ 自ら売主として新築住宅を販売する宅地建物取引業者は、住宅販売瑕疵担保保証金の供託をする場合、宅地建物取引業者でない買主へのその住宅の引渡しまでに、買主に対し、保証金を供託している供託所の所在地等について記載した書面を交付し、又は買主の承諾を得て電磁的方法により提供して説明しなければならない。

❸ 自ら売主として新築住宅を宅地建物取引業者でない買主に引き渡した宅地建物取引業者は、基準日に係る住宅販売瑕疵担保保証金の供託及び住宅販売瑕疵担保責任保険契約の締結の状況について届出をしなければ、当該基準日以後、新たに自ら売主となる新築住宅の売買契約を締結することができない。

❹ 住宅販売瑕疵担保責任保険契約を締結している宅地建物取引業者は、当該保険に係る新築住宅に、構造耐力上主要な部分及び雨水の浸入を防止する部分の瑕疵（構造耐力又は雨水の浸入に影響のないものを除く。）がある場合に、特定住宅販売瑕疵担保責任の履行によって生じた損害について保険金を請求することができる。

全問◎を
目指そう！

1回目	2回目	3回目	4回目	5回目
手応え	手応え	手応え	手応え	手応え

◎：完全に分かってきた
○：だいたい分かってきた
△：少し分かってきた
×：全く分からなかった

204

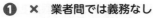

❶ ✕ 業者間では義務なし

住宅瑕疵担保履行法は、売主が宅建業者で買主が宅建業者以外の場合に適用されます。今回は買主も宅建業者ですので、住宅瑕疵担保履行法の適用はありません。

❷ ✕ 「引渡しまでに」→「契約締結するまでに」

供託所の所在地等の説明は、契約締結するまでに書面を交付（又は、買主の承諾を得て電磁的方法により提供）して行わなければなりません。引渡しまでではありません。

❸ ✕ 基準日の翌日から起算して 50 日経過した日以後

届出をしなかった場合、基準日の翌日から起算して 50 日経過した日以後は、自ら売主として新築住宅の売買契約ができなくなります。基準日以後ではありません。

❹ ○ 保険金の請求可能

新築住宅の構造耐力上主要な部分と雨水の浸入を防止する部分に瑕疵があれば、売主は責任を取らなければなりません。そのために供託か保険などの資力確保措置が義務付けられています。売主である業者は、保険に入っているのであれば、保険金の請求ができます。

図表まとめ

● **宅建業者間取引で適用のないもの**

　1 営業保証金・弁済業務保証金の還付

　2 供託所の説明

　3 重要事項説明（書面交付は必要）

　4 自ら売主制限

　5 住宅瑕疵担保履行法の資力確保措置

特定住宅瑕疵担保責任の履行の確保等に関する法律に基づく住宅販売瑕疵担保保証金の供託又は住宅販売瑕疵担保責任保険契約の締結に関する次の記述のうち、誤っているものはどれか。

❶ 宅地建物取引業者は、自ら売主として新築住宅を販売する場合だけでなく、新築住宅の売買の媒介をする場合においても、住宅販売瑕疵担保保証金の供託又は住宅販売瑕疵担保責任保険契約の締結を行う義務を負う。

❷ 自ら売主として新築住宅を販売する宅地建物取引業者は、住宅販売瑕疵担保保証金の供託をしている場合、当該住宅の売買契約を締結するまでに、当該住宅の宅地建物取引業者ではない買主に対し、供託所の所在地等について、それらの事項を記載した書面を交付又は買主の承諾を得て電磁的方法による提供をして説明しなければならない。

❸ 自ら売主として新築住宅を宅地建物取引業者ではない買主に引き渡した宅地建物取引業者は、基準日ごとに基準日から3週間以内に、当該基準日に係る住宅販売瑕疵担保保証金の供託及び住宅販売瑕疵担保責任保険契約の締結の状況について、宅地建物取引業の免許を受けた国土交通大臣又は都道府県知事に届け出なければならない。

❹ 住宅販売瑕疵担保責任保険契約を締結している宅地建物取引業者は、当該保険に係る新築住宅に、構造耐力上主要な部分又は雨水の浸入を防止する部分の瑕疵（構造耐力又は雨水の浸入に影響のないものを除く。）がある場合に、特定住宅販売瑕疵担保責任の履行によって生じた損害について保険金を請求することができる。

全問◎を
目指そう！

◎：完全に分かってきた
○：だいたい分かってきた
△：少し分かってきた
×：全く分からなかった

❶ ✕ 媒介の場合は義務なし

媒介をする宅建業者には資力確保を行う義務はありません。

❷ ◯ 供託所の所在地等の説明は契約締結までに行う

供託所の所在地等の説明は、契約締結するまでに書面を交付（又は、買主の承諾を得て電磁的方法により提供）して行わなければなりません。

❸ ◯ 基準日から3週間以内

新築住宅を引き渡した宅建業者は、基準日（毎年3月31日）から3週間以内に、保証金の供託及び保険への加入の状況を免許権者に届け出なければなりません。

❹ ◯ 保険金の請求可能

新築住宅の構造耐力上主要な部分と雨水の浸入を防止する部分に瑕疵があれば、売主は責任を取らなければなりません。そのために供託か保険などの資力確保措置が義務付けられています。売主である業者は、保険に入っているのであれば、保険金の請求ができます。

住宅瑕疵担保履行法

宅地建物取引業者Ａが自ら売主として、宅地建物取引業者でない買主Ｂに新築住宅を販売する場合における次の記述のうち、特定住宅瑕疵担保責任の履行の確保等に関する法律の規定によれば、正しいものはどれか。

❶　Ａは、住宅販売瑕疵担保保証金の供託をする場合、Ｂに対し、当該住宅を引き渡すまでに、供託所の所在地等について記載した書面を交付し、又は買主の承諾を得て電磁的方法により提供して説明しなければならない。

❷　自ら売主として新築住宅をＢに引き渡したＡが、住宅販売瑕疵担保保証金を供託する場合、その住宅の床面積が55㎡以下であるときは、新築住宅の合計戸数の算定に当たって、床面積55㎡以下の住宅２戸をもって１戸と数えることになる。

❸　Ａは、基準日に係る住宅販売瑕疵担保保証金の供託及び住宅販売瑕疵担保責任保険契約の締結の状況についての届出をしなければ、当該基準日から１月を経過した日以後においては、新たに自ら売主となる新築住宅の売買契約を締結してはならない。

❹　Ａは、住宅販売瑕疵担保責任保険契約の締結をした場合、当該住宅を引き渡した時から10年間、当該住宅の給水設備又はガス設備の瑕疵によって生じた損害について保険金の支払を受けることができる。

◎：完全に分かってきた
○：だいたい分かってきた
△：少し分かってきた
×：全く分からなかった

肢別テーマ		
テキスト 第2編	❶ 住宅瑕疵担保履行法	コース 14 ポイント ❶ 5
	❷ 住宅瑕疵担保履行法	コース 14 ポイント ❶ 3
	❸ 住宅瑕疵担保履行法	コース 14 ポイント ❶ 4
	❹ 住宅瑕疵担保履行法	コース 14 ポイント ❶ 1

正解 2

❶ ✕ 「引き渡すまでに」→「契約締結するまでに」

供託所の所在地等の説明は、契約締結するまでに書面を交付（又は、買主の承諾を得て電磁的方法により提供）して行わなければなりません。引渡し前ではありません。

❷ ○ 55㎡以下は2戸で1戸

住宅の床面積が 55㎡以下の場合には、2戸で1戸分とします。

❸ ✕ 基準日の翌日から起算して 50 日経過した日以後

届出をしなかった場合、基準日の翌日から起算して 50 日経過した日以後は、自ら売主として新築住宅の売買契約ができなくなります。基準日から 1 カ月を経過した日以後ではありません。

❹ ✕ 給水施設・ガス設備→対象外

新築住宅の構造耐力上主要な部分と雨水の浸入を防止する部分に瑕疵があれば、売主は責任を取らなければなりません。給水設備やガス設備の瑕疵は対象外です。

問題 105　報酬額の制限

宅地建物取引業者Ａ（消費税課税事業者）が売主Ｂ（消費税課税事業者）から
Ｂ所有の土地付建物の媒介の依頼を受け、買主Ｃとの間で売買契約を成立させ
た場合、ＡがＢから受領できる報酬の上限額は、次のうちどれか。なお、土地
付建物の代金は 5,300 万円（うち、土地代金は 2,000 万円）で、消費税額及び
地方消費税額を含むものとする。

❶ 1,560,000 円

❷ 1,650,000 円

❸ 1,716,000 円

❹ 1,815,000 円

1回目 ／	2回目 ／	3回目 ／	4回目 ／	5回目 ／
手応え	手応え	手応え	手応え	手応え

◎：完全に分かってきた
○：だいたい分かってきた
△：少し分かってきた
×：全く分からなかった

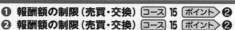

肢別テーマ	❶ 報酬額の制限（売買・交換） コース 15 ポイント ❷
	❷ 報酬額の制限（売買・交換） コース 15 ポイント ❷
テキスト 第2編	❸ 報酬額の制限（売買・交換） コース 15 ポイント ❷
	❹ 報酬額の制限（売買・交換） コース 15 ポイント ❷

正解 3

報酬額の制限

　土地代金が 2,000 万円であれば、建物代金は 3,300 万円となります。土地は非課税なのでそのまま、建物は税抜価格に直して 3,000 万円となります。すると、土地付建物は 5,000 万円となります。

5,000 万円× 3%＋ 6 万円＝ 156 万円

この数値に、消費税を加えます。課税事業者なので **10%**として計算します。

156 万円× 1.1 = 171 万 6,000 円

よって、答えは❸となります。

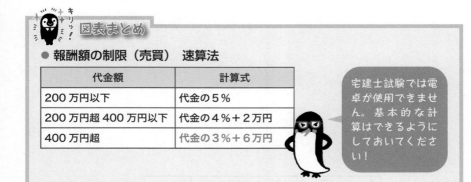

図表まとめ

● 報酬額の制限（売買）　速算法

代金額	計算式
200 万円以下	代金の 5 %
200 万円超 400 万円以下	代金の 4 %＋ 2 万円
400 万円超	代金の 3 %＋ 6 万円

宅建士試験では電卓が使用できません。基本的な計算はできるようにしておいてください！

宅地建物取引業者Ａ（消費税課税事業者）が売主Ｂ（消費税課税事業者）から
Ｂ所有の土地付建物の媒介の依頼を受け、買主Ｃとの間で売買契約を成立させ
た場合、ＡがＢから受領できる報酬の上限額は、次のうちどれか。なお、土地
付建物の代金は 6,600 万円（うち、土地代金は 4,400 万円）で、消費税額及び
地方消費税額を含むものとする。

❶ 1,980,000 円

❷ 2,046,000 円

❸ 2,178,000 円

❹ 2,244,000 円

全問◎を
目指そう!

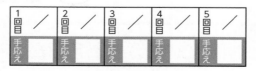

1回目	/	2回目	/	3回目	/	4回目	/	5回目	/
手応え		手応え		手応え		手応え		手応え	

◎：完全に分かってきた
○：だいたい分かってきた
△：少し分かってきた
×：全く分からなかった

　土地代金が 4,400 万円であれば、建物代金は 2,200 万円となります。土地は非課税なのでそのまま、建物は税抜価格に直して 2,000 万円となります。すると、土地付建物は 6,400 万円となります。

6,400 万円× 3%＋ 6 万円＝ 198 万円

この数値に、消費税を加えます。課税事業者なので 10%として計算します。

198 万円× 1.1 ＝ 217 万 8,000 円

よって、答えは❸となります。

宅地建物取引業者A及び宅地建物取引業者B（共に消費税課税事業者）が受け取る報酬に関する次の記述のうち、正しいものはいくつあるか。

ア Aが居住用建物の貸借の媒介をするに当たり、依頼者からの依頼に基づくことなく広告をした場合でも、その広告が貸借の契約の成立に寄与したとき、Aは、報酬とは別に、その広告料金に相当する額を請求できる。

イ Aは売主から代理の依頼を受け、Bは買主から媒介の依頼を受けて、代金4,000万円の宅地の売買契約を成立させた場合、Aは売主から277万2,000円、Bは買主から138万6,000円の報酬をそれぞれ受けることができる。

ウ Aは貸主から、Bは借主から、それぞれ媒介の依頼を受けて、共同して居住用建物の賃貸借契約を成立させた場合、貸主及び借主の承諾を得ていれば、Aは貸主から、Bは借主からそれぞれ借賃の1.1か月分の報酬を受けることができる。

❶ 一つ
❷ 二つ
❸ 三つ
❹ なし

全問◯を
目指そう!

1回目	2回目	3回目	4回目	5回目
/	/	/	/	/
手応え	手応え	手応え	手応え	手応え

◎：完全に分かってきた
◯：だいたい分かってきた
△：少し分かってきた
×：全く分からなかった

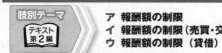 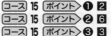
ア　✕　依頼者の依頼に基づかないので請求不可

通常の広告料金は報酬とは別に受領できませんが、**依頼者の依頼によって行う広告料金**は報酬とは別に受領できます。今回は、依頼者からの依頼に基づいているわけではないため、広告料金を報酬とは別に請求することはできません。

イ　✕　合計 277 万 2,000 円が限度となる

複数の宅建業者が関与する場合でも、報酬限度額の合計は、速算法の 2 倍までです。したがって、4,000 万円 × 3％ ＋ 6 万円＝ 126 万円、2 倍まで受け取れるので 252 万円、これに消費税を加えて **277 万 2,000 円**が限度となります。今回は合計で 415 万 8,000 円を受け取ろうとしていますが、受け取ることはできません。

ウ　✕　合わせて借賃の 1 カ月分（消費税等を除く）

借賃を基準とする場合、貸借の媒介で受領できるのは、**合計で借賃の 1.1 カ月分**（1 カ月分＋消費税等）までです。それぞれ 1 カ月分ではありません。

以上のことから、正しい選択肢は 1 つもないので、**❹**が正解となります。

宅地建物取引業者Ａ及びＢ（ともに消費税課税事業者）が受領した報酬に関する次の記述のうち、宅地建物取引業法の規定に違反するものの組合せはどれか。なお、この問において「消費税等相当額」とは、消費税額及び地方消費税額に相当する金額をいうものとする。

ア 土地付新築住宅（代金 3,000 万円。消費税等相当額を含まない。）の売買について、Ａは売主から代理を、Ｂは買主から媒介を依頼され、Ａは売主から 211 万 2,000 円を、Ｂは買主から 105 万 6,000 円を報酬として受領した。

イ Ａは、店舗用建物について、貸主と借主双方から媒介を依頼され、借賃 1 か月分 20 万円（消費税等相当額を含まない。）、権利金 500 万円（権利設定の対価として支払われる金銭であって返還されないもので、消費税等相当額を含まない。）の賃貸借契約を成立させ、貸主と借主からそれぞれ 22 万 5,000 円を報酬として受領した。

ウ 居住用建物（借賃 1 か月分 10 万円）について、Ａは貸主から媒介を依頼され、Ｂは借主から媒介を依頼され、Ａは貸主から 8 万円、Ｂは借主から 5 万 5,000 円を報酬として受領した。なお、Ａは、媒介の依頼を受けるに当たって、報酬が借賃の 0.55 か月分を超えることについて貸主から承諾を得ていた。

❶ ア、イ
❷ イ、ウ
❸ ア、ウ
❹ ア、イ、ウ

全問◎を
目指そう!

1回目	2回目	3回目	4回目	5回目
手応え	手応え	手応え	手応え	手応え

◎：完全に分かってきた
○：だいたい分かってきた
△：少し分かってきた
×：全く分からなかった

肢別テーマ テキスト 第2編	ア 報酬額の制限（売買・交換） コース 15 ポイント ❷ ❻	正解 3
	イ 報酬額の制限（貸借） コース 15 ポイント ❸ ❷	
	ウ 報酬額の制限（貸借） コース 15 ポイント ❸ ❸	

報酬額の制限

○：違反しない ✕：違反する

ア ✕ 合計して 211 万 2,000 円が限度となる

　　複数業者が関与したとしても、1 つの取引につき基準額の 2 倍までなので、3,000 万円 × 3% ＋ 6 万円 ＝ 96 万円、2 倍すると 192 万円、それに消費税を加えると 211 万 2,000 円となります。今回は合計 316 万 8,000 円を受け取ろうとしていますので、宅建業法に違反します。

イ ○ 権利金計算が可能

　　居住用以外の建物で、権利金の授受がある場合、それを売買代金とみなして計算することができます。500 万円 × 3% ＋ 6 万円 ＝ 21 万円、それに消費税を加えて、一方から 23 万 1,000 円を限度として受け取れるので、宅建業法には違反しません。

ウ ✕ 合わせて借賃の 1 カ月分（消費税等を除く）

　　複数業者が関与する場合にも、合わせて借賃の 1 カ月分が限度です。つまり、消費税を加えた合計で 11 万円しか受け取れません。合計 13 万 5,000 円を受け取っているので、宅建業法に違反します。

　以上のことから、違反するものは**ア**と**ウ**なので、**❸**が正解となります。

宅地建物取引業者Ａ（消費税課税事業者）は、Ｂが所有する建物について、Ｂ及びＣから媒介の依頼を受け、Ｂを貸主、Ｃを借主とし、１か月分の借賃を10万円（消費税等相当額を含まない。）、ＣからＢに支払われる権利金（権利設定の対価として支払われる金銭であって返還されないものであり、消費税等相当額を含まない。）を150万円とする定期建物賃貸借契約を成立させた。この場合における次の記述のうち、宅地建物取引業法の規定によれば、正しいものはどれか。

❶ 建物が店舗用である場合、Ａは、Ｂ及びＣの承諾を得たときは、Ｂ及びＣの双方からそれぞれ11万円の報酬を受けることができる。

❷ 建物が居住用である場合、Ａが受け取ることができる報酬の額は、ＣからＢに支払われる権利金の額を売買に係る代金の額とみなして算出される16万5,000円が上限となる。

❸ 建物が店舗用である場合、Ａは、Ｂからの依頼に基づくことなく広告をした場合でも、その広告が賃貸借契約の成立に寄与したときは、報酬とは別に、その広告料金に相当する額をＢに請求することができる。

❹ 定期建物賃貸借契約の契約期間が終了した直後にＡが依頼を受けてＢＣ間の定期建物賃貸借契約の再契約を成立させた場合、Ａが受け取る報酬については、宅地建物取引業法の規定が適用される。

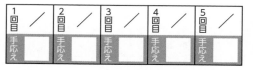

1回目	/	2回目	/	3回目	/	4回目	/	5回目	/
手応え		手応え		手応え		手応え		手応え	

◎：完全に分かってきた
○：だいたい分かってきた
△：少し分かってきた
×：全く分からなかった

肢別テーマ	❶ 報酬額の制限（貸借）	コース 15 ポイント ❸ ❸	正解	4
テキスト 第2編	❷ 報酬額の制限（貸借）	コース 15 ポイント ❸ ❷		
	❸ 報酬額の制限	コース 15 ポイント ❶ ❷		
	❹ 報酬額の制限（貸借）	コース 15 ポイント ❸		

❶ ✕ それぞれ11万円（合計22万円）の受け取りは不可

権利金の授受があるので、これを売買代金とみなして計算します。すると、150万円×5％＝7万5,000円となります。双方から依頼があるので、合計15万円となります。それと1カ月分の家賃である10万円と比較すると、高いほうは15万円となります。したがって、双方から受け取ることができる報酬は15万円に消費税を加えた**16万5,000円**が限度となります。ちなみに、借賃を基準とした場合、合わせて借賃の1カ月分が上限となるので、選択肢の「それぞれ11万円（＝合計22万円）」を受け取ること自体ができません。

❷ ✕ 居住用→権利金計算不可

居住用の場合、権利金での計算はできません。したがって、限度額は家賃の1カ月分に消費税を加えた11万円となります。

❸ ✕ 依頼者の依頼に基づかないので請求不可

通常の広告料金は報酬とは別に受領できませんが、**依頼者の依頼によって行う広告料金は報酬とは別に受領できます**。今回は、依頼者からの依頼に基づいているわけではないため、広告料金を報酬とは別に請求することはできません。

❹ ○ 再契約の場合も宅建業法の適用あり

再契約の場合、新規の契約と考えます。したがって、**宅地建物取引業法の適用**があります。

宅地建物取引業者A（甲県知事免許）に対する監督処分に関する次の記述のうち、宅地建物取引業法の規定によれば、正しいものはどれか。

❶ Aの専任の宅地建物取引士が事務禁止処分を受けた場合において、Aの責めに帰すべき理由があるときは、甲県知事は、Aに対して指示処分をすることができる。

❷ 甲県知事は、Aの事務所の所在地を確知できないときは、直ちにAの免許を取り消すことができる。

❸ Aが宅地建物取引業法の規定に違反したとして甲県知事から指示処分を受け、その指示に従わなかった場合、甲県知事は、Aの免許を取り消さなければならない。

❹ 甲県知事は、Aに対して指示処分をした場合には、甲県の公報により、その旨を公告しなければならない。

	❶ 監督	コース 16 ポイント ❶	
	❷ 監督	コース 16 ポイント ❶	正解 1
	❸ 監督	コース 16 ポイント ❶	
	❹ 監督	コース 16 ポイント ❶ ❹	

❶ ○　**業者も監督処分を受けることがある**

宅地建物取引士が監督処分を受けた際、業者Ａの責めに帰すべき理由がある（＝その処分の原因が業者にある）ときには、業者も監督処分を受けることがあります。

❷ ✕　**直ちに免許取消しはできない**

所在地を確知できない場合、公告を行い、その公告の日から30日経過しても申出がなければ免許取消しが可能なのであって、直ちに免許取消しはできません。

❸ ✕　**業務停止処分となる**

指示処分に従わなかった場合、その1ランク上の業務停止処分をすることができます。いきなり免許取消しができるわけではありません。

❹ ✕　**指示処分では公告なし**

監督処分をした際の公告は、宅建業者に対して業務停止処分と免許取消処分をした際に行います。指示処分では公告を行いません。なお、宅地建物取引士に対して監督処分をした際にも、公告は必要ありません。

監督・罰則

宅地建物取引業者A（甲県知事免許）に対する監督処分に関する次の記述のうち、宅地建物取引業法の規定によれば、誤っているものはどれか。

❶ Aが、乙県の区域内の業務に関し乙県知事から受けた業務停止の処分に違反した場合でも、乙県知事は、Aの免許を取り消すことはできない。

❷ Aが、乙県の区域内の業務に関し乙県知事から指示を受け、その指示に従わなかった場合でも、甲県知事は、Aに対し業務停止の処分をすることはできない。

❸ Aが、甲県の区域内の業務に関し甲県知事から指示を受け、その指示に従わなかった場合で、情状が特に重いときであっても、国土交通大臣は、Aの免許を取り消すことはできない。

❹ Aの取締役が宅地建物取引業の業務に関し、建築基準法の規定に違反したとして罰金刑に処せられた場合、甲県知事は、Aに対して必要な指示をすることができる。

1回目	/	2回目	/	3回目	/	4回目	/	5回目	/
手応え		手応え		手応え		手応え		手応え	

◎：完全に分かってきた
○：だいたい分かってきた
△：少し分かってきた
×：全く分からなかった

肢別テーマ	❶ 監督	コース 16 ポイント ❶ 1	
テキスト 第2編	❷ 監督	コース 16 ポイント ❶ 1	
	❸ 監督	コース 16 ポイント ❶ 1	正解 2
	❹ 監督	コース 16 ポイント ❶ 1	

監督・罰則

❶ ○ **免許取消し→免許権者（甲県知事）のみ**

免許取消処分は免許権者しかできません。Aは甲県知事免許なので、免許取消しができるのは甲県知事のみです。乙県知事はできません。

❷ × **業務停止処分は甲県知事も乙県知事も可**

業務停止処分は免許権者（＝甲県知事）でも業務地の知事（＝乙県知事）でもできます。

❸ ○ **免許取消し→免許権者（甲県知事）のみ**

免許取消処分は免許権者しかできません。Aは甲県知事免許なので、免許取消しができるのは甲県知事のみです。国土交通大臣はできません。

❹ ○ **宅建業の業務に関しての違反→監督処分可**

法令に違反した場合、それがどのような法令であっても、宅建業の業務に関しての違反であれば、都道府県知事は監督処分をすることができます。

ちょこっと よりみちトーク

免許取消処分は免許権者しかできない！

「与えた人しか奪えない」と覚えておくと楽だね！

宅建士の登録消除処分も登録を行った知事しかできないですよね！

その通り！どちらもすぐに覚えられるからオススメです！

宅地建物取引業法の規定に基づく監督処分に関する次の記述のうち、正しいものはどれか。

❶ 国土交通大臣又は都道府県知事は、宅地建物取引業者に対して必要な指示をしようとするときは、行政手続法に規定する弁明の機会を付与しなければならない。

❷ 甲県知事は、宅地建物取引業者A社（国土交通大臣免許）の甲県の区域内における業務に関し、A社に対して指示処分をした場合、遅滞なく、当該処分の年月日及び内容を国土交通大臣に通知するとともに、甲県の公報により公告しなければならない。

❸ 乙県知事は、宅地建物取引業者B社（丙県知事免許）の乙県の区域内における業務に関し、B社に対して業務停止処分をした場合は、乙県に備えるB社に関する宅地建物取引業者名簿へ、その処分に係る年月日と内容を記載しなければならない。

❹ 国土交通大臣は、宅地建物取引業者C社（国土交通大臣免許）が宅地建物取引業法第37条に規定する書面の交付をしていなかったことを理由に、C社に対して業務停止処分をしようとするときは、あらかじめ、内閣総理大臣に協議しなければならない。

全問◎を
目指そう！

224

| 1回目 | / | 2回目 | / | 3回目 | / | 4回目 | / | 5回目 | / |
|手応え| |手応え| |手応え| |手応え| |手応え| |

◎：完全に分かってきた
○：だいたい分かってきた
△：少し分かってきた
×：全く分からなかった

肢別テーマ		
テキスト 第2編	❶ 監督	コース 16 ポイント ❶ ③
	❷ 監督	コース 16 ポイント ❶ ④
	❸ 監督	コース 16 ポイント ❶ ❶
	❹ 監督	コース 16 ポイント ❶

正解 4

❶ ✕ **弁明の機会の付与ではなく聴聞**

監督処分をする前には聴聞を開かなければなりません。弁明の機会の付与ではありません。

❷ ✕ **指示処分では公告なし**

監督処分をした際の公告は、業者に対して業務停止処分と免許取消処分をした際に行います。指示処分の場合、公告は必要ありません。

❸ ✕ **乙県ではなく丙県に備える名簿**

B社の免許権者は丙県知事なので、B社の宅地建物取引業者名簿は丙県に備えています。

❹ 〇

国土交通大臣は、国土交通大臣免許を受けた宅建業者が、37条書面の交付義務等に違反したことを理由に監督処分をする場合、あらかじめ内閣総理大臣に協議しなければなりません。

ちょこっと よりみちトーク

「聴聞」と「弁明の機会の付与」って何が違うんですか？

「弁明の機会の付与」は原則書面で、「聴聞」は原則口頭で行うことになっているよ。聴聞のほうが厳しい処分を下す場合に用いられることが多いね。

確かに、実際に呼び出されるほうが重大な感じがしますね。

聴聞が必要なものは通常は許認可の取消しレベルのものだけど、宅建業法では監督処分をする場合には、すべての監督処分で弁明の機会の付与ではなく聴聞を実施するというように変えているよ。

ちら、

宅地建物取引業法の規定に基づく監督処分に関する次の記述のうち、誤っているものはどれか。

❶ 国土交通大臣は、すべての宅地建物取引業者に対して、宅地建物取引業の適正な運営を確保するため必要な指導、助言及び勧告をすることができる。

❷ 国土交通大臣又は都道府県知事は、宅地建物取引業者に対し、業務の停止を命じ、又は必要な指示をしようとするときは聴聞を行わなければならない。

❸ 宅地建物取引業者は、宅地建物取引業法に違反した場合に限り、監督処分の対象となる。

❹ 宅地建物取引業者は、宅地建物取引業法第31条の3第1項に規定する専任の宅地建物取引士の設置要件を欠くこととなった場合、2週間以内に当該要件を満たす措置を執らなければ監督処分の対象となる。

全問◎を
目指そう!

1回目 /	2回目 /	3回目 /	4回目 /	5回目 /
手応え	手応え	手応え	手応え	手応え

◎：完全に分かってきた
○：だいたい分かってきた
△：少し分かってきた
×：全く分からなかった

肢別テーマ		コース・ポイント	正解
テキスト 第2編	❶ 監督	コース 16 ポイント ❶	
	❷ 監督	コース 16 ポイント ❶ ❸	**3**
	❸ 監督	コース 16 ポイント ❶ ❶	
	❹ 監督	コース 16 ポイント ❶ ❶	

❶ ○ **全ての業者に対して指導・助言・勧告可**

国土交通大臣は、すべての業者に対して、必要な指導や助言や勧告をすることができます。

❷ ○ **公開の聴聞が必要**

監督処分をする前には公開の聴聞を行わなければなりません。

❸ ✕ **宅建業の業務に関しての違反→監督処分可**

法令に違反した場合、それがどのような法令であっても、宅建業の業務に関しての違反であれば、監督処分をすることができます。

❹ ○ **業務停止処分を受けることがある**

専任の宅地建物取引士に欠員が生じたら2週間以内に補充しなければなりません。それに違反した場合は業務停止処分を受けることがあります。

監督・罰則

甲県知事の宅地建物取引士資格登録（以下この問において「登録」という。）を受けている宅地建物取引士Aへの監督処分に関する次の記述のうち、宅地建物取引業法の規定によれば、正しいものはどれか。

❶ Aは、乙県内の業務に関し、他人に自己の名義の使用を許し、当該他人がその名義を使用して宅地建物取引士である旨の表示をした場合、乙県知事から必要な指示を受けることはあるが、宅地建物取引士として行う事務の禁止の処分を受けることはない。

❷ Aは、乙県内において業務を行う際に提示した宅地建物取引士証が、不正の手段により交付を受けたものであるとしても、乙県知事から登録を消除されることはない。

❸ Aは、乙県内の業務に関し、乙県知事から宅地建物取引士として行う事務の禁止の処分を受け、当該処分に違反したとしても、甲県知事から登録を消除されることはない。

❹ Aは、乙県内の業務に関し、甲県知事又は乙県知事から報告を求められることはあるが、乙県知事から必要な指示を受けることはない。

1回目	/	2回目	/	3回目	/	4回目	/	5回目	/
手応え		手応え		手応え		手応え		手応え	

◎：完全に分かってきた
○：だいたい分かってきた
△：少し分かってきた
×：全く分からなかった

❶ 監督	コース 16 ポイント ❶ ❷	
❷ 監督	コース 16 ポイント ❶ ❷	
❸ 監督	コース 16 ポイント ❶ ❷	正解 2
❹ 監督	コース 16 ポイント ❶ ❷	

❶ ✕ **指示処分も事務禁止処分も可**

登録を行った知事でなくても、行為地の知事も指示処分と事務禁止処分は可能です。ですので、乙県知事から事務禁止処分を受けることはあります。

❷ ◯ **登録消除は登録した知事のみ**

登録を行った知事でなければ、登録消除処分はできません。ですので、乙県知事から登録消除処分を受けることはありません。

❸ ✕ **登録消除は登録した知事のみ**

登録を行った知事は、登録消除処分をしなければなりません。乙県知事から業務停止処分を受けたとしても、登録消除処分を行うことができるのは登録を行った甲県知事のみなので、甲県知事が登録消除処分をしなければなりません。

❹ ✕ **指示処分も事務禁止処分も可**

登録を行った知事でなくても、行為地の知事も指示処分と事務禁止処分は可能です。ですので、乙県知事から指示処分を受けることはあります。

監督・罰則

宅地建物取引業者Aに対する監督処分に関する次の記述のうち、宅地建物取引業法の規定によれば、正しいものはどれか。

❶ Aが、宅地建物取引業の業務に関して、建築基準法の規定に違反して罰金に処せられた場合、これをもって業務停止処分を受けることはない。

❷ Aは、自ら貸主となり、借主との間でオフィスビルの一室の賃貸借契約を締結した業務において、賃貸借契約書は当該借主に対して交付したが、重要事項の説明を行わなかった場合、これをもって指示処分を受けることはない。

❸ 都道府県知事は、Aに対し、業務停止処分をしようとするときは、聴聞を行わなければならないが、指示処分をするときは、聴聞を行う必要はない。

❹ Aの取締役が宅地建物取引業の業務に関するものではないが、脱税し、所得税法に違反したとして罰金刑に処せられた場合、Aは指示処分を受けることがある。

全問◎を
目指そう!

1回目	/	2回目	/	3回目	/	4回目	/	5回目	/
手応え		手応え		手応え		手応え		手応え	

◎：完全に分かってきた
○：だいたい分かってきた
△：少し分かってきた
×：全く分からなかった

 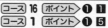

肢別テーマ	❶ 監督	コース 16	ポイント ❶ 1	
テキスト 第2編	❷ 宅建業の意味	コース 1	ポイント ❶ 5	正解 **2**
	❸ 監督	コース 16	ポイント ❶ 3	
	❹ 監督	コース 16	ポイント ❶ 1	

❶ ✕ 宅建業の業務に関しての違反→監督処分可

法令に違反した場合、それがどのような法令であっても、**宅建業の業務に関しての違反**であれば、監督処分をすることができます。

❷ ◯ 自ら貸借は宅建業ではない

自ら貸借は取引ではないので宅建業法の適用はありません。ということは、重要事項の説明も行う必要がなく、行わなかったとしても宅建業法違反ではないので、指示処分を受けることはありません。

❸ ✕ 公開の聴聞が必要

監督処分をするためには、あらかじめ**聴聞**を行わなければなりません。

❹ ✕ 宅建業の業務に関するものでないなら監督処分なし

法令に違反した場合、それがどのような法令であっても、**宅建業の業務に関しての違反**であれば、監督処分を受けることがあります。しかし、**宅建業の業務に関するものでないならば、監督処分を受けることはありません。**

「自ら貸借は取引ではない」というのが、まさかここで出てくるとは…。

ひっかかるよね…。

よく出てくるひっかけなので注意しましょう。

第3編・法令上の制限

本試験での出題数：8問　得点目標：6点

暗記事項も多く、学習が遅れがちに
なってしまい、点数がとりにくい分野
と思われがちですが、合格者はここで
もきっちり点数をとっています！

論　点	問題番号
都市計画法	問題1～問題18
建築基準法	問題19～問題38
国土利用計画法	問題39～問題44
農地法	問題45～問題50
土地区画整理法	問題51～問題57
盛土規制法	問題58～問題63
その他の法令上の制限	問題64

都市計画法に関する次の記述のうち、誤っているものはどれか。

❶ 都市計画区域は、一体の都市として総合的に整備し、開発し、及び保全される必要がある区域であり、2以上の都府県にまたがって指定されてもよい。

❷ 都市計画は、都市計画区域内において定められるものであるが、道路や公園などの都市施設については、特に必要があるときは当該都市計画区域外においても定めることができる。

❸ 市街化区域は、既に市街地を形成している区域であり、市街化調整区域は、おおむね10年以内に市街化を図る予定の区域及び市街化を抑制すべき区域である。

❹ 無秩序な市街化を防止し、計画的な市街化を進めるため、都市計画区域を市街化区域と市街化調整区域に区分することができるが、すべての都市計画区域において区分する必要はない。

全問◎を
目指そう!

1回目	2回目	3回目	4回目	5回目
/	/	/	/	/
手応え	手応え	手応え	手応え	手応え

◎：完全に分かってきた
○：だいたい分かってきた
△：少し分かってきた
×：全く分からなかった

肢別テーマ テキスト 第3編	❶ 都市計画区域	コース 1　ポイント ❷ ❶
	❷ 都市施設	コース 1　ポイント ❺ ❶
	❸ 都市計画区域	コース 1　ポイント ❷ ❷
	❹ 都市計画区域	コース 1　ポイント ❷ ❷

都市計画法

❶　○　2以上の都府県にまたがってよい

都市計画区域の指定は、行政区画に沿う必要はありません。そのため、都市計画区域は2以上の都府県にまたがって指定することもできます。

❷　○　都市施設→都市計画区域内に限らない

都市計画は、都市計画区域内で定められるものです。しかし、都市計画区域外であっても、特に必要があるときは、都市施設を定めることができます。

❸　×　市街化区域と市街化調整区域の定義が異なる

市街化区域は、すでに市街地を形成している区域およびおおむね10年以内に市街化を図る予定の区域で、市街化調整区域は、市街化を抑制すべき区域です。つまり、「おおむね10年以内に市街化を図る予定の区域」も市街化区域です。

❹　○　区域区分は任意

区域区分は、必ず定めなければならないものではありません。定めるかどうかは原則として任意です。なお、都市計画区域内の区域区分が定められていない区域を、非線引き区域といいます。

ちょこっと よりみちトーク

> 区域区分を必ず定めなければならないのであれば、非線引き区域なんて存在しないことになりますね。

> よくわかってるねー。

都市計画法に関する次の記述のうち、誤っているものはどれか。

❶ 市街化区域については、都市計画に、少なくとも用途地域を定めるものとされている。

❷ 準都市計画区域については、都市計画に、特別用途地区を定めることができる。

❸ 高度地区については、都市計画に、建築物の容積率の最高限度又は最低限度を定めるものとされている。

❹ 工業地域は、主として工業の利便を増進するため定める地域とされている。

全問◎を
目指そう!

1回目	/	2回目	/	3回目	/	4回目	/	5回目	/
手応え		手応え		手応え		手応え		手応え	

◎：完全に分かってきた
○：だいたい分かってきた
△：少し分かってきた
×：全く分からなかった

肢別テーマ	❶ 用途地域	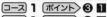 
テキスト 第3編	❷ 都市計画区域	コース 1 ポイント ❷ ❸
	❸ 補助的地域地区	コース 1 ポイント ❹ ❷
	❹ 用途地域	コース 1 ポイント ❸ ❷

 正解 **3**

都市計画法

❶ ○ **市街化区域には用途地域を定める**

市街化区域には、用途地域を定めます。

❷ ○ **準都市計画区域→特別用途地区を定めることができる**

準都市計画区域については、都市計画に、特別用途地区を定めることができます。

● **準都市計画区域における都市計画（主なもの）**

できるもの	できないもの
用途地域	区域区分
特別用途地区	高度利用地区
特定用途制限地域	高層住居誘導地区
高度地区（最高限度のみ）	特例容積率適用地区
景観地区	防火地域・準防火地域
風致地区	市街地開発事業

❸ × **高度地区は「高さ」**

高度地区については、都市計画に、建築物の高さの最低限度または最高限度を定めるものとされています。それに対して、高度利用地区については、都市計画に、建築物の容積率の最高限度および最低限度を定めるものとされています。

❹ ○ **工業地域の説明として正しい**

工業地域は、主として工業の利便を増進するため定める地域です。

都市計画法に関する次の記述のうち、正しいものはどれか。

❶ 都市計画区域は、市又は人口、就業者数その他の要件に該当する町村の中心の市街地を含み、かつ、自然的及び社会的条件並びに人口、土地利用、交通量その他の現況及び推移を勘案して、一体の都市として総合的に整備し、開発し、及び保全する必要がある区域を当該市町村の区域の区域内に限り指定するものとされている。

❷ 準都市計画区域については、都市計画に、高度地区を定めることはできるが、高度利用地区を定めることはできないものとされている。

❸ 都市計画区域については、区域内のすべての区域において、都市計画に、用途地域を定めるとともに、その他の地域地区で必要なものを定めるものとされている。

❹ 都市計画区域については、無秩序な市街化を防止し、計画的な市街化を図るため、都市計画に必ず市街化区域と市街化調整区域との区分を定めなければならない。

全問◎を
目指そう!

1回目	2回目	3回目	4回目	5回目
手応え	手応え	手応え	手応え	手応え

◎：完全に分かってきた
○：だいたい分かってきた
△：少し分かってきた
×：全く分からなかった

❶ 都市計画区域	コース 1	ポイント 2 1	
❷ 都市計画区域	コース 1	ポイント 2 3	正解 2
❸ 用途地域	コース 1	ポイント 3 1	
❹ 都市計画区域	コース 1	ポイント 2 2	

都市計画法

❶ ✕　**2以上の市町村にまたがってよい**
　都市計画区域は、行政区画に沿う必要はありません。そのため、都市計画区域は2以上の市町村にまたがって指定することもできます。

❷ ○　**準都市計画区域→高度地区は高さの最高限度のみ定められる**
　準都市計画区域においては、高度地区は高さの最高限度のみ定めることが可能です。また、準都市計画区域に高度利用地区を定めることはできません。

❸ ✕　**都市計画区域のすべてで定めるわけではない**
　都市計画区域のうち、市街化区域は用途地域を定めます。しかし、市街化調整区域は原則として用途地域を定めません。また、非線引き区域は用途地域を定めることもできるのであって、必ず定めるわけではありません。

❹ ✕　**区域区分は任意**
　区域区分は、必ず定めなければならないものではありません。定めるかどうかは原則として任意です。なお、都市計画区域内の区域区分が定められていない区域を、非線引き区域といいます。

● **日本全国は5つにわけられる**
　・市街化区域
　・市街化調整区域
　・非線引き区域（区域区分が定められていない都市計画区域）
　・準都市計画区域
　・都市計画区域および準都市計画区域以外の区域

都市計画法に関する次の記述のうち、誤っているものはどれか。

❶ 都市計画区域については、用途地域が定められていない土地の区域であっても、一定の場合には、都市計画に、地区計画を定めることができる。

❷ 高度利用地区は、市街地における土地の合理的かつ健全な高度利用と都市機能の更新とを図るため定められる地区であり、用途地域内において定めることができる。

❸ 準都市計画区域においても、用途地域が定められている土地の区域については、市街地開発事業を定めることができる。

❹ 高層住居誘導地区は、住居と住居以外の用途とを適正に配分し、利便性の高い高層住宅の建設を誘導するために定められる地区であり、近隣商業地域及び準工業地域においても定めることができる。

1回目	2回目	3回目	4回目	5回目
／	／	／	／	／
手応え	手応え	手応え	手応え	手応え

◎：完全に分かってきた
○：だいたい分かってきた
△：少し分かってきた
×：全く分からなかった

❶ 地区計画	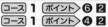 コース 1 ポイント ❻ 2
❷ 補助的地域地区	コース 1 ポイント ❹ 2
❸ 都市計画区域	コース 1 ポイント ❷ 3
❹ 補助的地域地区	コース 1 ポイント ❹ 2

正解 **3**

都市計画法

❶ ○ 用途地域が定められている場所だけではない

地区計画は、用途地域が定められている土地の区域と、用途地域が定められていない土地の区域の一定の区域で定めることができます。つまり、用途地域が定められていない区域であっても、定めることは可能です。

❷ ○ 高度利用地区の説明として正しい

高度利用地区は、用途地域内の市街地における土地の合理的かつ健全な高度利用と都市機能の更新とを図るため、建築物の容積率の最高限度および最低限度、建蔽率の最高限度、建築物の建築面積の最低限度、壁面の位置の制限を定める地区です。

❸ × 準都市計画区域→市街地開発事業を定めることはできない

準都市計画区域は、都市計画区域とは異なり、都市をつくる目的の区域ではないので、市街地開発事業も定めることはできません。

❹ ○ 高層住居誘導地区は高層住宅の建設を誘導

高層住居誘導地区は、第一種住居地域・第二種住居地域・準住居地域・近隣商業地域・準工業地域で定めることができます。

ちょこっと **よりみちトーク**

少々、こんがらかってきました。

補助的地域地区について2つ、地区計画についてと準都市計画区域について1つずつ問われているね。

準都市計画区域は都市計画区域じゃないから、都市をつくる目的ではなくて、乱開発を防ぐために指定されているってことを知っていれば解ける問題だね。

ファイト！

都市計画法に関する次の記述のうち、正しいものはどれか。

❶ 高度地区は、用途地域内において市街地の環境を維持し、又は土地利用の増進を図るため、建築物の高さの最高限度又は最低限度を定める地区である。

❷ 都市計画区域については、無秩序な市街化を防止し、計画的な市街化を図るため、市街化区域と市街化調整区域との区分を必ず定めなければならない。

❸ 地区計画の区域のうち、地区整備計画が定められている区域内において、土地の区画形質の変更又は建築物の建築を行おうとする者は、当該行為に着手した後、遅滞なく、行為の種類、場所及び設計又は施行方法を市町村長に届け出なければならない。

❹ 都市計画の決定又は変更の提案をすることができるのは、当該提案に係る都市計画の素案の対象となる土地の区域について、当該土地の所有権又は建物の所有を目的とする対抗要件を備えた地上権若しくは賃借権を有する者に限られる。

全問◎を
目指そう！

1回目	／	2回目	／	3回目	／	4回目	／	5回目	／
手応え		手応え		手応え		手応え		手応え	

◎：完全に分かってきた
○：だいたい分かってきた
△：少し分かってきた
×：全く分からなかった

 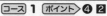 

都市計画法

---

① ○　高度地区の説明として正しい

高度地区は、用途地域内において市街地の環境を維持し、または土地利用の増進を図るため、建築物の高さの最高限度または最低限度を定める地区です。

② ×　区域区分は任意

区域区分は、必ず定めなければならないものではありません。定めるかどうかは原則として任意です。なお、都市計画区域内の区域区分が定められていない区域を、非線引き区域といいます。

③ ×　行為着手の 30 日前までに市町村長に届出

区域内で、土地の区画形質の変更・建築物の建築・工作物の建設を行おうとする場合、行為に着手する日の 30 日前までに市町村長に届出が必要です。したがって、「着手した後遅滞なく」ではなく、「着手の 30 日前まで」に市町村長に届け出なければなりません。

④ ×　NPO 法人なども可

特定非営利活動法人（NPO 法人）などの者も、都道府県や市町村に対して都市計画の決定や変更の提案をすることができます。したがって、当該土地の所有権または建物の所有を目的とする対抗要件を備えた地上権もしくは賃借権を有する者のみには限られません。

都市計画法に関する次の記述のうち、正しいものはどれか。

❶　近隣商業地域は、主として商業その他の業務の利便の増進を図りつつ、これと調和した住居の環境を保護するため定める地域とする。

❷　準工業地域は、主として環境の悪化をもたらすおそれのない工業の利便の増進を図りつつ、これと調和した住居の環境を保護するため定める地域とする。

❸　第一種低層住居専用地域については、都市計画に特定用途制限地域を定めることができる場合がある。

❹　第一種住居地域については、都市計画に高層住居誘導地区を定めることができる場合がある。

全問◎を
目指そう！

| 1回目 | ／ | 2回目 | ／ | 3回目 | ／ | 4回目 | ／ | 5回目 | ／ |
| 手応え | | 手応え | | 手応え | | 手応え | | 手応え | |

◎：完全に分かってきた
○：だいたい分かってきた
△：少し分かってきた
×：全く分からなかった

肢別テーマ テキスト第3編	❶ 用途地域	コース 1 ポイント ❸ ❷	
	❷ 用途地域	コース 1 ポイント ❸ ❷	正解 4
	❸ 補助的地域地区	コース 1 ポイント ❹ ❹	
	❹ 補助的地域地区	コース 1 ポイント ❹ ❷	

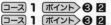

都市計画法

❶ ✕ 近隣商業地域の内容ではない

近隣商業地域は「近隣の住宅地の住民に対する日用品の供給を行うことを主たる内容とする商業その他の業務の利便を増進するため定める地域」です。本肢は、準住居地域と商業地域の内容を混合させたものです。

❷ ✕ 準工業地域の内容ではない

準工業地域は「主として環境の悪化をもたらすおそれのない工業の利便を増進するため定める地域」です。本肢は、前半は正しいが、後半は準住居地域の内容と混合させたものです。

❸ ✕ 用途地域が定められていない区域のみ

特定用途制限地域は、用途地域の定められていない土地の区域（市街化調整区域を除く。）内に定めるものとされています。第一種低層住居専用地域（＝用途地域）には定めることができません。

❹ ○ 高層住居誘導地区は高層住宅の建設を誘導

高層住居誘導地区は、第一種住居地域・第二種住居地域・準住居地域・近隣商業地域・準工業地域で定めることができます。

 図表まとめ

● 「主として」というキーワードが入っているもの

＜住居系＞
- 第二種低層住居専用地域
- 第二種中高層住居専用地域
- 第二種住居地域

＜商業系＞
- 商業地域

＜工業系＞
- 準工業地域
- 工業地域

都市計画法に関する次の記述のうち、誤っているものはどれか。

❶ 高度地区は、用途地域内において市街地の環境を維持し、又は土地利用の増進を図るため、建築物の高さの最高限度又は最低限度を定める地区とされている。

❷ 特定街区については、都市計画に、建築物の容積率並びに建築物の高さの最高限度及び壁面の位置の制限を定めるものとされている。

❸ 準住居地域は、道路の沿道としての地域の特性にふさわしい業務の利便の増進を図りつつ、これと調和した住居の環境を保護するため定める地域とされている。

❹ 特別用途地区は、用途地域が定められていない土地の区域（市街化調整区域を除く。）内において、その良好な環境の形成又は保持のため当該地域の特性に応じて合理的な土地利用が行われるよう、制限すべき特定の建築物等の用途の概要を定める地区とされている。

全問◎を
目指そう!

| 1回目 | / | 2回目 | / | 3回目 | / | 4回目 | / | 5回目 | / |
| 手応え | | 手応え | | 手応え | | 手応え | | 手応え | |

◎：完全に分かってきた
○：だいたい分かってきた
△：少し分かってきた
×：全く分からなかった

❶ 補助的地域地区	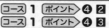 コース 1 ポイント ❹ 2	
❷ 補助的地域地区	コース 1 ポイント ❹ 3	正解 4
❸ 用途地域	コース 1 ポイント ❸ 2	
❹ 補助的地域地区	コース 1 ポイント ❹ 4	

都市計画法

❶ ○ 高度地区の説明として正しい

高度地区は、用途地域内において市街地の環境を維持し、または土地利用の増進を図るため、建築物の高さの最高限度または最低限度を定める地区です。

❷ ○ 特定街区の説明として正しい

特定街区は、市街地の整備改善を図るため街区の整備または造成が行われる地区について、その街区内における建築物の容積率、建築物の高さの最高限度、壁面の位置の制限を定める街区です。

❸ ○ 準住居地域の説明として正しい

準住居地域は、道路の沿道としての地域の特性にふさわしい業務の利便の増進を図りつつ、これと調和した住居の環境を保護するため定める地域です。

❹ ✕ 特別用途地区は用途地域内

特別用途地区は、用途地域内の一定の地区における当該地区の特性にふさわしい土地利用の増進、環境の保護等の特別の目的の実現を図るため、当該用途地域の指定を補完して定める地区です。なお、本肢は特定用途制限地域の説明です。

土地の区画形質の変更に関する次の記述のうち、都市計画法による開発許可を受ける必要のないものの組合せとして、正しいものはどれか。

ア 市街化調整区域内における庭球場の建設の用に供する目的で行う 5,000㎡の土地の区画形質の変更

イ 市街化調整区域内における図書館の建築の用に供する目的で行う 3,000㎡の土地の区画形質の変更

ウ 市街化区域内における農業を営む者の居住の用に供する建築物の建築の用に供する目的で行う 1,500㎡の土地の区画形質の変更

❶ ア、イ
❷ ア、ウ
❸ イ、ウ
❹ ア、イ、ウ

全問◎を
目指そう!

1回目	/	2回目	/	3回目	/	4回目	/	5回目	/
手応え		手応え		手応え		手応え		手応え	

◎：完全に分かってきた
○：だいたい分かってきた
△：少し分かってきた
×：全く分からなかった

肢別テーマ	ア 開発許可の要否	コース 2 ポイント ❶ ❷	
テキスト第3編	イ 開発許可の要否	コース 2 ポイント ❶ ❸	正解 1
	ウ 開発許可の要否	コース 2 ポイント ❶ ❸	

都市計画法

〇：許可必要　✕：許可不要

ア　✕　特定工作物ではないため開発許可不要

庭球場は 10,000㎡未満の場合、特定工作物とはなりません。よって、開発行為にあたらず、開発許可は不要です。

イ　✕　公益上必要な建築物のため開発許可不要

公益上必要な建築物（＝駅舎・図書館・公民館・変電所等）の建築のための開発行為は、常に開発許可は不要です。

ウ　〇　開発許可は必要

農林漁業用建築物は、市街化区域以外は常に許可不要ですが、市街化区域では、その規模によっては（＝ 1,000㎡以上）開発許可が必要となります。今回は 1,500㎡なので許可が必要となります。

　以上のことから、開発許可を受ける必要のないものは**ア・イ**ですので、❶が正解となります。

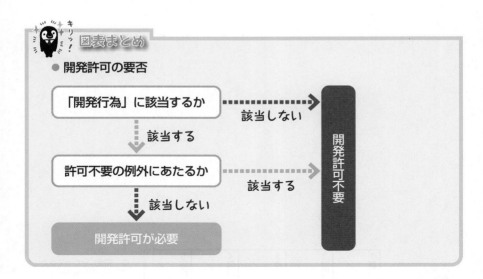

開発許可に関する次の記述のうち、都市計画法の規定によれば、誤っているものはどれか。

❶ 市街化調整区域における農産物の加工に必要な建築物の建築を目的とした500㎡の土地の区画形質の変更には、常に開発許可が不要である。

❷ 市街化区域における市街地再開発事業の施行として行う3,000㎡の土地の区画形質の変更には、常に開発許可が不要である。

❸ 都市計画区域でも準都市計画区域でもない区域内における住宅団地の建設を目的とした6,000㎡の土地の区画形質の変更には、常に開発許可が不要である。

❹ 準都市計画区域における医療施設の建築を目的とした2,000㎡の土地の区画形質の変更には、常に開発許可が不要である。

全問◎を
目指そう！

| 1回目 | / | 2回目 | / | 3回目 | / | 4回目 | / | 5回目 | / |
| 手応え | | 手応え | | 手応え | | 手応え | | 手応え | |

◎：完全に分かってきた
○：だいたい分かってきた
△：少し分かってきた
×：全く分からなかった

18

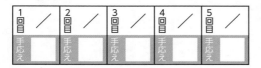

肢別テーマ	❶ 開発許可の要否	コース 2 ポイント ❶ ❸	
テキスト第3編	❷ 開発許可の要否	コース 2 ポイント ❶ ❸	正解 1
	❸ 開発許可の要否	コース 2 ポイント ❶ ❸	
	❹ 開発許可の要否	コース 2 ポイント ❶ ❸	

❶ **✕ 農産物の加工＝農林漁業用建築物ではない**

農産物の貯蔵や加工に必要な建築物は、開発許可が不要になる農林漁業用建築物にはあたりません。よって、開発許可が必要となります。

❷ **○ 例外的に開発許可不要**

市街地再開発事業の施行として行う開発行為では、常に開発許可は不要です。

❸ **○ 開発許可は不要**

都市計画区域および準都市計画区域外の区域内であれば、10,000㎡未満は許可不要なので、6,000㎡の開発行為であれば許可は不要です。

❹ **○ 開発許可は不要**

学校・医療施設・社会福祉施設は、公益上必要な建築物としては扱いません。しかし、準都市計画区域内であれば3,000㎡未満は原則として許可不要なので、開発許可は必要ありません。

都市計画法

次に掲げる開発行為（都市計画法第4条第12項に定める行為をいう。以下この問において同じ。）のうち、同法による開発許可を常に受ける必要がないものはどれか。

❶ 図書館の建築を目的として行う開発行為

❷ 農業を営む者の居住の用に供する建築物の建築を目的として行う開発行為

❸ 土地区画整理事業が行われている区域内において行う開発行為

❹ 学校教育法による大学の建築を目的として行う開発行為

1回目	2回目	3回目	4回目	5回目
手応え	手応え	手応え	手応え	手応え

◎：完全に分かってきた
○：だいたい分かってきた
△：少し分かってきた
×：全く分からなかった

肢別テーマ			
テキスト 第3編	❶ 開発許可の要否	コース 2 ポイント ❶ ❸	
	❷ 開発許可の要否	コース 2 ポイント ❶ ❸	
	❸ 開発許可の要否	コース 2 ポイント ❶ ❸	正解 1
	❹ 開発許可の要否	コース 2 ポイント ❶ ❸	

都市計画法

△：常に不要とはいえない　✕：常に不要

❶ ✕ 公益上必要な建築物のため開発許可不要

公益上必要な建築物（＝駅舎・図書館・公民館・変電所等）の建築に必要な開発行為は、常に開発許可は不要です。

❷ △ 市街化区域では規模によっては開発許可必要

農林漁業を営む者の居住の用に供する建築物の建築を目的として行う開発行為は、市街化区域以外は常に許可不要ですが、市街化区域では、その規模によっては（＝1,000㎡以上）開発許可が必要となります。

❸ △ 区域内のすべてが許可不要ではない

土地区画整理事業が行われている区域内であっても、土地区画整理事業と無関係なものであれば許可が必要となる場合があります。許可不要となるのは、「土地区画整理事業の施行として行うもの」に限ります。

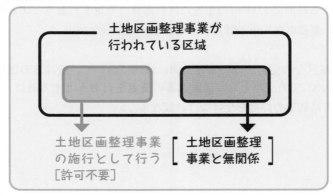

❹ △ 一定規模以上であれば開発許可が必要

学校・医療施設・社会福祉施設は、公益上必要な建築物としては扱いません。したがって、一定規模以上であれば、許可が必要となります。

都市計画法に関する次の記述のうち、正しいものはどれか。ただし、許可を要する開発行為の面積について、条例による定めはないものとし、この問において「都道府県知事」とは、地方自治法に基づく指定都市、中核市及び施行時特例市にあってはその長をいうものとする。

❶ 準都市計画区域内において、工場の建築の用に供する目的で1,000㎡の土地の区画形質の変更を行おうとする者は、あらかじめ、都道府県知事の許可を受けなければならない。

❷ 市街化区域内において、農業を営む者の居住の用に供する建築物の建築の用に供する目的で1,000㎡の土地の区画形質の変更を行おうとする者は、あらかじめ、都道府県知事の許可を受けなければならない。

❸ 都市計画区域及び準都市計画区域外の区域内において、変電所の建築の用に供する目的で1,000㎡の土地の区画形質の変更を行おうとする者は、あらかじめ、都道府県知事の許可を受けなければならない。

❹ 区域区分の定めのない都市計画区域内において、遊園地の建設の用に供する目的で3,000㎡の土地の区画形質の変更を行おうとする者は、あらかじめ、都道府県知事の許可を受けなければならない。

全問◎を
目指そう！

| 1回目 | / | 2回目 | / | 3回目 | / | 4回目 | / | 5回目 | / |
| 手応え | | 手応え | | 手応え | | 手応え | | 手応え | |

◎：完全に分かってきた
○：だいたい分かってきた
△：少し分かってきた
×：全く分からなかった

22

肢別テーマ	❶ 開発許可の要否	コース 2 ポイント ❶ 3	
テキスト 第3編	❷ 開発許可の要否	コース 2 ポイント ❶ 3	
	❸ 開発許可の要否	コース 2 ポイント ❶ 3	正解 2
	❹ 開発許可の要否	コース 2 ポイント ❶ 2	

都市計画法

❶ ✕ 開発許可は不要

準都市計画区域内であれば 3,000㎡未満は許可不要なので、開発許可は必要ありません。

❷ ○ 農林漁業者の住居→市街化区域は1,000㎡以上許可必要

農林漁業者の住居は、市街化区域以外は常に許可不要ですが、市街化区域では、その規模によっては(＝1,000㎡以上)開発許可が必要となります。今回は1,000㎡なので許可が必要となります。

❸ ✕ 常に許可不要

公益上必要な建築物（＝駅舎・図書館・公民館・変電所等）の建築に必要な開発行為は、常に開発許可は不要です。

❹ ✕ 特定工作物ではないため開発許可不要

遊園地は10,000㎡未満の場合、特定工作物とはなりません。よって、開発行為にあたらず、開発許可は不要です。

●「以上」「以下」「超える」「未満」について

以上・以下　＝　その数を含む

超える・未満　＝　その数を含まない

都市計画法の開発許可に関する次の記述のうち、正しいものはどれか。なお、この問における都道府県知事とは、地方自治法に基づく指定都市、中核市、施行時特例市にあってはその長をいうものとする。

❶ 都道府県知事は、開発許可の申請があったときは、申請があった日から21日以内に、許可又は不許可の処分をしなければならない。

❷ 開発行為とは、主として建築物の建築の用に供する目的で行う土地の区画形質の変更をいい、建築物以外の工作物の建設の用に供する目的で行う土地の区画形質の変更は開発行為には該当しない。

❸ 開発許可を受けた者は、開発行為に関する工事を廃止したときは、遅滞なく、その旨を都道府県知事に届け出なければならない。

❹ 開発行為を行おうとする者は、開発許可を受けてから開発行為に着手するまでの間に、開発行為に関係がある公共施設の管理者と協議し、その同意を得なければならない。

全問◎を
目指そう！

| 1回目 | / | 2回目 | / | 3回目 | / | 4回目 | / | 5回目 | / |
| 手応え | | 手応え | | 手応え | | 手応え | | 手応え | |

◎：完全に分かってきた
○：だいたい分かってきた
△：少し分かってきた
×：全く分からなかった

24

肢別テーマ	❶ 開発許可の流れ	コース 2 ポイント ❷ 1	
テキスト 第3編	❷ 開発許可の要否	コース 2 ポイント ❶ 2	
	❸ 開発許可の流れ	コース 2 ポイント ❷ 2	正解 3
	❹ 開発許可の流れ	コース 2 ポイント ❷ 1	

❶ ✕ **遅滞なく**

申請があった場合、遅滞なく処分をしなければなりません。21日以内というように具体的な日数が定められているわけではありません。

❷ ✕ **特定工作物を建設する目的で行うものも開発行為**

開発行為とは、建築物の建築または特定工作物の建設の用に供する目的で行う土地の区画形質の変更をいいます。したがって、建築物の建築だけではなく、特定工作物の建設の用に供する目的で行う土地の区画形質の変更も開発行為となります。

❸ 〇 **廃止→届出が必要**

開発行為に関する工事を廃止した場合には、遅滞なく、その旨を都道府県知事に届け出なければなりません。許可ではなく届出となります。

❹ ✕ **申請前に行う**

開発許可の申請をするには、あらかじめ開発行為に関係がある公共施設の管理者と協議し、その同意を得なければなりません。したがって、協議や同意は「開発許可を受けてから開発行為に着手するまでの間」ではなく、「開発許可申請前」に行います。

都市計画法に関する次の記述のうち、正しいものはどれか。なお、この問における都道府県知事とは、地方自治法に基づく指定都市、中核市及び施行時特例市にあってはその長をいうものとする。

❶ 開発許可を申請しようとする者は、あらかじめ、開発行為と関係がある公共施設の管理者と協議しなければならないが、常にその同意を得ることを求められるものではない。

❷ 市街化調整区域内において生産される農産物の貯蔵に必要な建築物の建築を目的とする当該市街化調整区域内における土地の区画形質の変更は、都道府県知事の許可を受けなくてよい。

❸ 都市計画法第33条に規定する開発許可の基準のうち、排水施設の構造及び能力についての基準は、主として自己の居住の用に供する住宅の建築の用に供する目的で行う開発行為に対しては適用されない。

❹ 非常災害のため必要な応急措置として行う開発行為は、当該開発行為が市街化調整区域内において行われるものであっても都道府県知事の許可を受けなくてよい。

全問◎を
目指そう！

| 1回目 | / | 2回目 | / | 3回目 | / | 4回目 | / | 5回目 | / |

手応え

◎：完全に分かってきた
○：だいたい分かってきた
△：少し分かってきた
×：全く分からなかった

肢別テーマ	❶ 開発許可の流れ	コース 2 ポイント ❷ ❶	
テキスト 第3編	❷ 開発許可の要否	コース 2 ポイント ❶ ❸	正解 4
	❸ 開発許可の流れ	コース 2 ポイント ❷ ❶	
	❹ 開発許可の要否	コース 2 ポイント ❶ ❸	

都市計画法

❶ ✕ 協議と同意が必要

開発許可の申請をするには、あらかじめ開発行為に関係がある公共施設の管理者と協議し、その同意を得なければなりません。したがって、協議だけではなく同意も必要です。

❷ ✕ 農産物の貯蔵＝農林漁業用建築物ではない

農産物の貯蔵や加工に必要な建築物は、開発許可が不要になる農林漁業用建築物にはあたりません。よって、開発許可が必要となります。

❸ ✕ 自己居住用でも適用される

給水施設については自己居住用では適用されません。しかし、排水施設については自己居住用であっても適用されます。

❹ ◯ 例外的に許可不要

非常災害のため必要な応急措置として行われる開発行為は、区域を問わず開発許可を受ける必要はありません。

自己の居住用だと、給水施設は見ないけれど排水施設は審査するんだな。

給水はいざとなったらミネラルウォーターでよいからね。でも、排水施設はちゃんと審査しないと、下水をそのまま流されたら周りの迷惑になっちゃうもんね。

27

都市計画法に関する次の記述のうち、正しいものはどれか。なお、この問における都道府県知事とは、地方自治法に基づく指定都市、中核市及び施行時特例市にあってはその長をいうものとする。

❶ 開発許可を受けた開発区域内において、当該開発区域内の土地について用途地域等が定められていないとき、都道府県知事に届け出れば、開発行為に関する工事完了の公告があった後、当該開発許可に係る予定建築物以外の建築物を建築することができる。

❷ 開発許可を受けた土地において、地方公共団体は、開発行為に関する工事完了の公告があった後、都道府県知事との協議が成立すれば、当該開発許可に係る予定建築物以外の建築物を建築することができる。

❸ 都道府県知事は、市街化区域内における開発行為について開発許可をする場合、当該開発区域内の土地について、建築物の建蔽率に関する制限を定めることができる。

❹ 市街化調整区域のうち開発許可を受けた開発区域以外の区域内において、公民館を建築する場合は、都道府県知事の許可を受けなくてよい。

全問◎を
目指そう!

| 1回目 | / | 2回目 | / | 3回目 | / | 4回目 | / | 5回目 | / |
| 手応え | | 手応え | | 手応え | | 手応え | | 手応え | |

◎：完全に分かってきた
○：だいたい分かってきた
△：少し分かってきた
×：全く分からなかった

28

都
市
計
画
法

❶ ✕ **届出ではなく許可が必要**

開発許可を受けた開発区域内においては、工事完了の公告があった後は、都道府県知事が許可したとき、または、用途地域等が定められているときであれば、当該開発許可に係る予定建築物以外の建築物を新築することができます。

❷ ✕

地方公共団体のうち、都道府県等であれば協議が成立すれば建築可能ですが、それ以外（＝市町村）にこのような決まりはありません。よって、地方公共団体すべてがそうではないので誤りということになります。

❸ ✕ **用途地域の定められていない区域のみ可**

都道府県知事は、用途地域の定められていない土地の区域における開発行為について開発許可をする場合において必要があると認めるときは、当該開発区域内の土地について、建築物の建蔽率、建築物の高さ、壁面の位置その他建築物の敷地、構造および設備に関する制限を定めることができます。しかし、市街化区域は用途地域を定める地域であり、用途地域が定められていない土地の区域にはあたらないので、知事が定めることはできません。

❹ ○ **開発許可は不要**

公益上必要な建築物（＝駅舎・図書館・公民館・変電所等）の建築に必要な開発行為は、常に開発許可は不要です。

都市計画法に関する次の記述のうち、正しいものはどれか。

❶ 開発行為に関する設計に係る設計図書は、開発許可を受けようとする者が作成したものでなければならない。

❷ 開発許可を受けようとする者が都道府県知事に提出する申請書には、開発区域内において予定される建築物の用途を記載しなければならない。

❸ 開発許可を受けた者は、開発行為に関する工事を廃止したときは、その旨を都道府県知事に報告し、その同意を得なければならない。

❹ 開発許可を受けた開発区域内の土地においては、開発行為に関する工事完了の公告があるまでの間であっても、都道府県知事の承認を受けて、工事用の仮設建築物を建築することができる。

全問◎を
目指そう!

1回目	/		2回目	/		3回目	/		4回目	/		5回目	/	
手応え			手応え			手応え			手応え			手応え		

◎：完全に分かってきた
○：だいたい分かってきた
△：少し分かってきた
×：全く分からなかった

30

肢別テーマ	❶ 開発許可の流れ	該当なし	
	❷ 開発許可の流れ	コース 2 ポイント ❷ ❶	正解 2
	❸ 開発許可の流れ	コース 2 ポイント ❷ ❷	
	❹ 開発許可の流れ	コース 2 ポイント ❷ ❸	

都市計画法

❶ ✕

開発行為に関する設計に係る設計図書は、開発許可を受けようとする者が作成したものでなければならないという定めはありません。

❷ ◯ 予定建築物の用途は必要

許可申請書には開発区域・予定建築物等の用途・設計図書・工事施行者を明記（予定建築物の高さ・構造・設備・価格 etc は記載事項ではない！）します。

❸ ✕ 廃止→届出が必要

工事を廃止した場合には、遅滞なく、都道府県知事に届出をしなければなりません。しかし、同意を得る必要はありません。

❹ ✕ 知事の承認は不要

開発許可を受けた開発区域内の土地においては、工事完了の公告があるまでの間は、原則として、建築物を建築し、または特定工作物を建設してはなりません。ただし、工事用仮設建築物、知事が支障がないと認めた場合、開発行為に同意していない者は例外とされます。したがって、知事の承認を得る必要はありません。

建築物の建築の制限に関する次の記述のうち、都市計画法の規定によれば、誤っているものはどれか。

❶ 都市計画施設の区域内において建築物の建築を行おうとする者は、一定の場合を除き、都道府県知事等の許可を受けなければならない。

❷ 市街地開発事業の施行区域内において建築物の建築を行おうとする者は、一定の場合を除き、都道府県知事等の許可を受けなければならない。

❸ 地区計画の区域のうち、地区整備計画が定められている区域内において、建築物の建築を行おうとする者は、一定の場合を除き、都道府県知事等の許可を受けなければならない。

❹ 都市計画事業の認可等の告示があった後に、当該事業地内において都市計画事業の施行の障害となるおそれがある建築物の建築を行おうとする者は、一定の場合を除き、都道府県知事等の許可を受けなければならない。

1回目	/	2回目	/	3回目	/	4回目	/	5回目	/
手応え		手応え		手応え		手応え		手応え	

◎：完全に分かってきた
○：だいたい分かってきた
△：少し分かってきた
×：全く分からなかった

① 都市計画事業制限　コース 2 ポイント ③ 2
② 都市計画事業制限　コース 2 ポイント ③ 2
③ 地区計画　コース 1 ポイント ⑥ 4
④ 都市計画事業制限　コース 2 ポイント ③ 2

正解 3

都市計画法

❶ ○ 都道府県知事等の許可が必要

都市計画施設の区域内において建築物の建築をしようとする者は、原則として、都道府県知事等の許可を受けなければなりません。

❷ ○ 都道府県知事等の許可が必要

市街地開発事業の施行区域内において建築物の建築をしようとする者は、原則として、都道府県知事等の許可を受けなければなりません。

❸ ✕ 知事等の許可ではなく市町村長へ届出

地区計画の区域のうち地区整備計画が定められている区域内で、土地の区画形質の変更・建築物の建築・工作物の建設を行おうとする場合、行為に着手する日の 30 日前までに市町村長に届出が必要です。

❹ ○ 都道府県知事等の許可が必要

事業地内において建築物の建築をしようとする者は、都道府県知事等の許可を受けなければなりません。

都市計画法に関する次の記述のうち、誤っているものはどれか。

❶ 田園住居地域内の農地の区域内において、土地の形質の変更を行おうとする者は、一定の場合を除き、市町村長の許可を受けなければならない。

❷ 風致地区内における建築物の建築については、一定の基準に従い、地方公共団体の条例で、都市の風致を維持するため必要な規制をすることができる。

❸ 市街化区域については、少なくとも用途地域を定めるものとし、市街化調整区域については、原則として用途地域を定めないものとする。

❹ 準都市計画区域については、無秩序な市街化を防止し、計画的な市街化を図るため、都市計画に市街化区域と市街化調整区域との区分を定めなければならない。

全問◎を
目指そう!

1回目	/	2回目	/	3回目	/	4回目	/	5回目	/
手応え		手応え		手応え		手応え		手応え	

◎：完全に分かってきた
○：だいたい分かってきた
△：少し分かってきた
×：全く分からなかった

 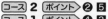

肢別テーマ		❶ 開発許可の流れ	コース 2 ポイント ❷ 5	
テキスト 第3編		❷ 補助的地域地区	コース 1 ポイント ❹ 3	正解 4
		❸ 用途地域	コース 1 ポイント ❸ 1	
		❹ 都市計画区域	コース 1 ポイント ❷ 3	

都市計画法

❶ ○ 市町村長の許可が必要

現況が農地である田園住居地域内において、土地の形質の変更、建築物の建築その他工作物の建設などを行おうとする者は、原則として市町村長の許可を受ける必要があります。

❷ ○ 風致地区→条例で規制可能

風致地区内における建築物の建築については、一定の基準に従い、地方公共団体の条例で、都市の風致を維持するため必要な規制をすることができます。

❸ ○ 市街化区域は定める・市街化調整区域は定めない

市街化区域については、少なくとも用途地域を定めます。市街化調整区域については、原則として用途地域を定めないものとされています。

❹ × 準都市計画区域→区域区分は定めることができない

都市計画区域に区域区分を定めることはできますが、準都市計画区域で区域区分を定めることはできません。

都市計画法に関する次の記述のうち、正しいものはどれか。

❶ 市街地開発事業等予定区域に関する都市計画において定められた区域内において、非常災害のため必要な応急措置として行う建築物の建築であれば、都道府県知事（市の区域内にあっては、当該市の長）の許可を受ける必要はない。

❷ 都市計画の決定又は変更の提案は、当該提案に係る都市計画の素案の対象となる土地について所有権又は借地権を有している者以外は行うことができない。

❸ 市町村は、都市計画を決定しようとするときは、あらかじめ、都道府県知事に協議し、その同意を得なければならない。

❹ 地区計画の区域のうち地区整備計画が定められている区域内において、建築物の建築等の行為を行った者は、一定の行為を除き、当該行為の完了した日から30日以内に、行為の種類、場所等を市町村長に届け出なければならない。

全問◎を
目指そう!

1回目	/	2回目	/	3回目	/	4回目	/	5回目	/
手応え		手応え		手応え		手応え		手応え	

◎：完全に分かってきた
○：だいたい分かってきた
△：少し分かってきた
×：全く分からなかった

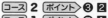

肢別テーマ	❶ 都市計画事業制限	コース 2 ポイント ❸ 2	正解	1
テキスト 第3編	❷ 都市計画の決定手続き	コース 1 ポイント ❼ 1		
	❸ 都市計画の決定手続き	コース 1 ポイント ❼ 2		
	❹ 地区計画	コース 1 ポイント ❻ 4		

❶ ○ 非常災害のため必要な応急措置であれば許可不要

市街地開発事業等予定区域に関する都市計画において定められた区域内におい
て、非常災害のため必要な応急措置として行う建築物の建築であれば、許可は
必要ありません。

❷ × NPO 法人なども可

特定非営利活動法人（NPO 法人）などの者も、都道府県や市町村に対して都市
計画の決定や変更の提案をすることができます。したがって、所有権や借地権
を有している者に限られません。

❸ × 同意は不要

市町村は、都市計画区域または準都市計画区域について都市計画を決定しよう
とするときは、あらかじめ、都道府県知事に協議しなければなりません。しかし、
同意までは必要とされていません。

❹ × 工事着手の 30 日前までに届出

地区計画の区域のうち地区整備計画が定められている区域内で、土地の区画形
質の変更・建築物の建築・工作物の建設を行おうとする場合、行為に着手する
日の 30 日前までに市町村長に届出が必要です。

ちょこっと よりみちトーク

都市計画法って難しい

基本テキストでイメージを理解
してから問題を解くと、できる
ようになるよ！

もう一度、テキストに戻ってみます！

建築物の用途制限に関する次の記述のうち、建築基準法の規定によれば、正しいものはどれか。ただし、特定行政庁の許可については考慮しないものとする。

❶ 病院は、工業地域、工業専用地域以外のすべての用途地域内において建築することができる。

❷ 老人ホームは、工業専用地域以外のすべての用途地域内において建築することができる。

❸ 図書館は、すべての用途地域内において建築することができる。

❹ 大学は、工業地域、工業専用地域以外のすべての用途地域内において建築することができる。

全問◎を
目指そう!

1回目	/	2回目	/	3回目	/	4回目	/	5回目	/
手応え		手応え		手応え		手応え		手応え	

◎：完全に分かってきた
○：だいたい分かってきた
△：少し分かってきた
×：全く分からなかった

	❶ 用途規制	コース 3 ポイント ❷ ❶	
テキスト第3編	❷ 用途規制	コース 3 ポイント ❷ ❶	正解 2
	❸ 用途規制	コース 3 ポイント ❷ ❶	
	❹ 用途規制	コース 3 ポイント ❷ ❶	

❶ ✕ **他にも建築不可の用途地域あり**

工業地域・工業専用地域のほか、第一種低層住居専用地域・第二種低層住居専用地域・田園住居地域にも建築できません。

❷ ○ **工業専用地域以外のすべてで建築可能**

工業専用地域以外のすべてで建築可能です。

❸ ✕ **工業専用地域以外で建築可**

工業専用地域以外のすべてで建築可能です。

❹ ✕ **他にも建築不可の用途地域あり**

工業地域・工業専用地域のほか、第一種低層住居専用地域・第二種低層住居専用地域・田園住居地域にも建築できません。

図表まとめ

	住 居 系								商 業 系		工 業 系		
	1低	2低	田園住居	1中高	2中高	1住	2住	準住居	近隣商業	商業	準工業	工業	工業専用
住宅・図書館・老人ホーム	●	●	●	●	●	●	●	●	●	●	●	●	✕
小中高	●	●	●	●	●	●	●	●	●	●	●	✕	✕
高専・大学・病院	✕	✕	✕	●	●	●	●	●	●	●	●	✕	✕

建築基準法

建築基準法（以下この問において「法」という。）に関する次の記述のうち、正しいものはどれか。ただし、用途地域以外の地域地区等の指定及び特定行政庁の許可は考慮しないものとする。

❶ 店舗の用途に供する建築物で当該用途に供する部分の床面積の合計が20,000㎡であるものは、準工業地域においては建築することができるが、工業地域においては建築することができない。

❷ 第一種住居地域において、カラオケボックスで当該用途に供する部分の床面積の合計が500㎡であるものは建築することができる。

❸ 建築物が第一種中高層住居専用地域と第二種住居地域にわたる場合で、当該建築物の敷地の過半が第二種住居地域内に存するときは、当該建築物に対して法第56条第1項第3号の規定による北側高さ制限は適用されない。

❹ 第一種中高層住居専用地域において、火葬場を新築しようとする場合には、都市計画により敷地の位置が決定されていれば新築することができる。

全問◎を
目指そう！

1回目	/	2回目	/	3回目	/	4回目	/	5回目	/
手応え		手応え		手応え		手応え		手応え	

◎：完全に分かってきた
○：だいたい分かってきた
△：少し分かってきた
×：全く分からなかった

40

肢別テーマ テキスト第3編	❶ 用途規制	コース 3 ポイント ❷ ❶	正解 1
	❷ 用途規制	コース 3 ポイント ❷ ❶	
	❸ 高さ制限	コース 3 ポイント ❺ ❶	
	❹ 用途規制	コース 3 ポイント ❷ ❶	

建築基準法

❶ ○ **工業地域には原則として建築不可**

10,000㎡超の床面積の店舗は近隣商業地域・商業地域・準工業地域の3つの用途地域で建築可能です。したがって、工業地域には建築することができません。

❷ × **第一種住居地域には原則として建築不可**

カラオケボックスは、第一種住居地域には建築することができません。

図表まとめ

	住 居 系								商 業 系		工 業 系		
	1低	2低	田園住居	1中高	2中高	1住	2住	準住居	近隣商業	商業	準工業	工業	工業専用
カラオケ	×	×	×	×	×	×	●	●	●	●	●	●	●

❸ × **第一種中高層住居専用地域の部分では適用あり**

斜線制限で、複数の地域にまたがる場合、その部分ごとに考えます。北側斜線制限は第一種低層住居専用地域・第二種低層住居専用地域・田園住居地域・第一種中高層住居専用地域・第二種中高層住居専用地域で適用されます。したがって、第二種住居地域の部分には適用はありませんが、第一種中高層住居専用地域の部分では適用されます。

❹ ×

第一種中高層住居専用地域では、火葬場は建築が認められていないので、都市計画で位置が決まっていたとしても建築することができません。

建築物の建築面積の敷地面積に対する割合（以下この問において「建蔽率」という。）及び建築物の延べ面積の敷地面積に対する割合（以下この問において「容積率」という。）に関する次の記述のうち、建築基準法の規定によれば、誤っているものはどれか。

❶　建蔽率の限度が80％とされている防火地域内にある耐火建築物については、建蔽率による制限は適用されない。

❷　建築物の敷地が、幅員 15 m 以上の道路（以下「特定道路」という。）に接続する幅員 6 m 以上 12 m 未満の前面道路のうち、当該特定道路からの延長が 70 m 以内の部分において接する場合における当該敷地の容積率の限度の算定に当たっては、当該敷地の前面道路の幅員は、当該延長及び前面道路の幅員を基に一定の計算により算定した数値だけ広いものとみなす。

❸　容積率を算定する上では、共同住宅の共用の廊下及び階段部分は、当該共同住宅の延べ面積の3分の1を限度として、当該共同住宅の延べ面積に算入しない。

❹　隣地境界線から後退して壁面線の指定がある場合において、当該壁面線を越えない建築物で、特定行政庁が安全上、防火上及び衛生上支障がないと認めて許可したものの建蔽率は、当該許可の範囲内において建蔽率による制限が緩和される。

全問◯を
目指そう！

1回目	2回目	3回目	4回目	5回目
手応え	手応え	手応え	手応え	手応え

◎：完全に分かってきた
◯：だいたい分かってきた
△：少し分かってきた
×：全く分からなかった

42

肢別テーマ	❶ 建蔽率	コース 3 ポイント ❸ 3	
テキスト 第3編	❷ 容積率	該当なし	
	❸ 容積率	コース 3 ポイント ❹ 2	正解 3
	❹ 建蔽率	該当なし	

❶ ○ 建蔽率の制限なし

建蔽率制限の数値が 10 分の 8 とされている地域内で、かつ、防火地域内にある耐火建築物等には建蔽率の制限は適用されません。

❷ ○

建築物の敷地が、幅員 15 m 以上の道路（特定道路）に接続する幅員 6 m 以上 12 m 未満の前面道路のうち、当該特定道路からの延長が 70 m 以内の部分において接する場合における当該建築物に対する容積率の限度の算定については、当該前面道路の幅員に、当該特定道路から当該建築物の敷地が接する当該前面道路の部分までの延長に応じて政令で定める数値を加えたものとします。

❸ ✕ 3分の1→全て算入しない

共同住宅・老人ホーム等の共用廊下及び階段の用に供する部分は延べ面積に算入しません。3分の1に限らず、全て算入しません。ちなみに、建築物の地階の住居部分については、その部分の床面積を、その建築物の住居部分の床面積の合計の3分の1までは延べ面積に算入しないこととされています。この規制と間違えやすいので注意しましょう。

❹ ○

隣地境界線から後退して壁面線の指定がある場合において、当該壁面線を越えない建築物で、特定行政庁が安全上、防火上および衛生上支障がないと認めて許可したものの建蔽率は、その許可の範囲内において建蔽率による制限が緩和されます。

建築基準法

下図のような敷地A（第一種住居地域内）及び敷地B（準工業地域内）に住居の用に供する建築物を建築する場合における当該建築物の容積率（延べ面積の敷地面積に対する割合）及び建蔽率（建築面積の敷地面積に対する割合）に関する次の記述のうち、建築基準法の規定によれば、正しいものはどれか。ただし、他の地域地区の指定、特定道路、他の特定行政庁の指定及び特定行政庁の許可は考慮しないものとする。

敷地A　都市計画において定められた
　　　　容積率の最高限度　20/10
　　　　建蔽率の最高限度　6/10
敷地B　都市計画において定められた
　　　　容積率の最高限度　40/10
　　　　建蔽率の最高限度　6/10

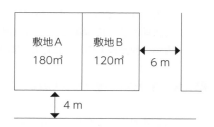

敷地A 180㎡　敷地B 120㎡　6 m　4 m

❶ 敷地Aのみを敷地として建築物を建築する場合、容積率の最高限度は200パーセント、建蔽率の最高限度は60パーセントとなる。

❷ 敷地Bのみを敷地として建築物を建築する場合、敷地Bが街区の角にある敷地として特定行政庁の指定を受けているとき、建蔽率の最高限度は20パーセント増加して80パーセントとなる。

❸ 敷地Aと敷地Bをあわせて一の敷地として建築物を建築する場合、容積率の最高限度は264パーセントとなる。

❹ 敷地Aと敷地Bをあわせて一の敷地として建築物を建築する場合、建蔽率の最高限度は74パーセントとなる。

1回目	2回目	3回目	4回目	5回目
／	／	／	／	／
手応え	手応え	手応え	手応え	手応え

◎：完全に分かってきた
○：だいたい分かってきた
△：少し分かってきた
×：全く分からなかった

全問◎を
目指そう！

44

肢別テーマ テキスト第3編	❶ 容積率	コース 3 ポイント ❹ 3	正解 3
	❷ 建蔽率	コース 3 ポイント ❸ 3	
	❸ 容積率	コース 3 ポイント ❹ 4	
	❹ 建蔽率	コース 3 ポイント ❸ 4	

建築基準法

❶ **× 容積率の最高限度は 160％となる**

容積率は前面道路の幅員が 12 m 未満なので、前面道路の幅員に 10 分の 4 を乗じた数値と、都市計画で定められた数値とを比較して小さいほうが容積率となります。4 × 4/10 ＝ 160％となり、都市計画で定められた容積率の 200％より小さいので、容積率は 160％となります。ちなみに、建蔽率は 60％で、この部分は正しい記述となります。

❷ **× 建蔽率の最高限度は 70％となる**

特定行政庁の指定を受けた角地は 10 分の 1 増加するので、70％となります。

❸ **○ 容積率の最高限度は 264％となる**

敷地Ａも敷地Ｂも前面道路が 12 m 未満なので、まずは前面道路に基づく容積率を求めます。前面道路の幅員は、2 つ合わせて 1 つの敷地として扱うので、どちらも広いほうの 6 m を使用できます。

（敷地Ａ）6 m × 4/10 ＝ 240％ → 都市計画で定められた 200％のほうが小さい
（敷地Ｂ）6 m × 6/10 ＝ 360％ → 計算で出した 360％のほうが小さい

この容積率を使って、割合で求めることとなります。

$$\underline{20/10 \times 180/300} + \underline{36/10 \times 120/300} = 120/100 + 144/100 = 264/100$$
　　　（敷地Ａ）　　　　　　（敷地Ｂ）

よって、この敷地Ａと敷地Ｂを合わせた敷地の容積率は 264％となります。

❹ **× 建蔽率の最高限度は 60％となる**

敷地Ａも敷地Ｂも建蔽率が 60％なので、敷地全体でも 60％となります。

❸の計算が面倒だと思ったら、❶、❷、❹が誤っていることを確認して、❸が正しいと結論付けてしまっても構いません。そうすれば複雑な計算は回避できます。

建築物の高さの制限に関する次の記述のうち、建築基準法の規定によれば、正しいものはどれか。

❶ 道路斜線制限（建築基準法第56条第1項第1号の制限をいう。）は、用途地域の指定のない区域内については、適用されない。

❷ 隣地斜線制限（建築基準法第56条第1項第2号の制限をいう。）は、第一種低層住居専用地域、第二種低層住居専用地域、田園住居地域、第一種中高層住居専用地域及び第二種中高層住居専用地域内については、適用されない。

❸ 北側斜線制限（建築基準法第56条第1項第3号の制限をいう。）は、第一種低層住居専用地域、第二種低層住居専用地域、田園住居地域、第一種中高層住居専用地域及び第二種中高層住居専用地域内に限り、適用される。

❹ 日影制限（建築基準法第56条の2の制限をいう。）は、商業地域内においても、適用される。

全問◎を
目指そう！

1回目	2回目	3回目	4回目	5回目
手応え	手応え	手応え	手応え	手応え

◎：完全に分かってきた
○：だいたい分かってきた
△：少し分かってきた
×：全く分からなかった

46

❶ 高さ制限	コース 3 ポイント ⑤ ❶	
❷ 高さ制限	コース 3 ポイント ⑤ ❶	正解 3
❸ 高さ制限	コース 3 ポイント ⑤ ❶	
❹ 高さ制限	コース 3 ポイント ⑤ ❷	

❶ ✕ すべての場所で適用

道路斜線制限は、用途地域および用途地域の指定のない区域で適用されます。

❷ ✕ 適用される用途地域もあり

隣地斜線制限は第一種低層住居専用地域、第二種低層住居専用地域と田園住居地域では適用されませんが、第一種中高層住居専用地域と第二種中高層住居専用地域には適用されます。

❸ ○ 北側斜面制限の適用される用途地域として正しい

北側斜線制限は第一種低層住居専用地域、第二種低層住居専用地域、田園住居地域、第一種中高層住居専用地域および第二種中高層住居専用地域内に限り適用されます。

❹ ✕ 商業地域・工業地域・工業専用地域は指定対象外

商業地域・工業地域・工業専用地域を日影制限の対象区域として指定することができません。

● 斜線制限の対象区域

	道路斜線制限	隣地斜線制限	北側斜線制限
第一種低層 第二種低層 田園住居	○	✕	○
第一種中高層 第二種中高層	○	○	○
その他	○	○	✕
用途地域指定の ない区域	○	○	✕

○：適用される　✕：適用されない

建築基準法

都市計画区域内における建築物の敷地又は建築物と道路との関係に関する次の記述のうち、建築基準法の規定によれば、正しいものはどれか。

❶ 建築物の敷地は、原則として道路に2m以上接していなければならないが、その敷地の周囲に広い空地がある場合等で、特定行政庁が交通上、安全上、防火上及び衛生上支障がないと認めて建築審査会の同意を得て許可したものについては、この限りではない。

❷ 建築物の敷地は、原則として幅員6m以上の道路に接していなければならない。

❸ 公衆便所、巡査派出所その他これらに類する公益上必要な建築物で特定行政庁が通行上支障がないと認めて建築審査会の同意を得て許可したものについても、道路に突き出して建築してはならない。

❹ 地方公共団体は、一定の建築物の用途又は規模の特殊性により必要があると認めるときは、条例で、建築物の敷地と道路との関係についての制限を緩和することができる。

全問◎を
目指そう!

1回目 /	2回目 /	3回目 /	4回目 /	5回目 /
手応え	手応え	手応え	手応え	手応え

◎：完全に分かってきた
○：だいたい分かってきた
△：少し分かってきた
×：全く分からなかった

48

 肢別テーマ
テキスト
第3編

❶ 道路規制
❷ 道路規制
❸ 道路規制
❹ 道路規制

コース 3 ポイント 6 1
コース 3 ポイント 6 1
コース 3 ポイント 6 3
コース 3 ポイント 6 1

正解 1

建築基準法

❶ ○ **原則として2m以上接していなければならない**

原則として道路に2m以上接していなければなりませんが、その敷地の周囲に広い空地がある場合等で、特定行政庁が交通上、安全上、防火上および衛生上支障がないと認めて建築審査会の同意を得て許可したものについてはこの限りではありません。

❷ × **「6m」→「4m」**

原則として幅員4m以上の道路に接していなければなりません。

❸ × **建築できる**

公衆便所、巡査派出所その他これらに類する公益上必要な建築物で特定行政庁が通行上支障がないと認めて建築審査会の同意を得て許可したものは、例外的に道路に突き出して建築することができます。

❹ × **付加することはできるが緩和することはNG**

制限を付加すること（＝厳しくすること）はできますが、緩和することはできません。

ちょこっと **よりみちトーク**

建築基準法は命を守るためのなので、そう簡単に緩和はできないよ！

なるほど！！

建築基準法に関する次の記述のうち、正しいものはどれか。

❶ 道路法による道路は、すべて建築基準法上の道路に該当する。

❷ 建築物の敷地は、必ず幅員4m以上の道路に2m以上接しなければならない。

❸ 地方公共団体は、土地の状況等により必要な場合は、建築物の敷地と道路との関係について建築基準法に規定された制限を、条例で緩和することができる。

❹ 地盤面下に設ける建築物については、道路内に建築することができる。

全問◎を
目指そう！

| 1回目 | / | 2回目 | / | 3回目 | / | 4回目 | / | 5回目 | / |
| 手応え | | 手応え | | 手応え | | 手応え | | 手応え | |

◎：完全に分かってきた
○：だいたい分かってきた
△：少し分かってきた
×：全く分からなかった

50

肢別テーマ		
テキスト 第3編	❶ 道路規制	コース 3 ポイント ❻ ❶
	❷ 道路規制	コース 3 ポイント ❻ ❶
	❸ 道路規制	コース 3 ポイント ❻ ❶
	❹ 道路規制	コース 3 ポイント ❻ ❸

 正解 **4**

❶ ✕ すべてというわけではない

道路法の道路のうち、幅員4m以上の道路を建築基準法では原則として道路と定義しているので、道路法による道路がすべて建築基準法による道路とはなりません。

❷ ✕ 必ず→原則として

原則として幅員4m以上の道路に2m以上接している必要があります。しかし、周囲に空地がありその空地が一定の基準を満たしている場合など、例外も存在しますので「必ず」ではありません。

❸ ✕ 緩和はできない

地方公共団体は、特殊建築物などの一定の建築物について、これらの建築物の特殊性を考慮して、条例で接道義務について必要な制限を付加すること（＝厳しくすること）ができますが、緩和することはできません。

❹ ◯ 地下は建築可能

道路内に建築物を建築することは、通行の妨げとなるので、原則として禁止されています。しかし、地下駐車場や地下商店街など、地盤面下（＝地下）に設けるものであれば、道路の通行の妨げにはならないので、例外的に建築することができます。

建築基準法

建築基準法に関する次の記述のうち、正しいものはどれか。

❶ 建築物が防火地域及び準防火地域にわたる場合、原則として、当該建築物の全部について防火地域内の建築物に関する規定が適用される。

❷ 防火地域内においては、3階建て、延べ面積が200㎡の住宅は耐火建築物又は準耐火建築物としなければならない。

❸ 防火地域内において建築物の屋上に看板を設ける場合には、その主要な部分を難燃材料で造り、又は覆わなければならない。

❹ 防火地域にある建築物は、外壁が耐火構造であっても、その外壁を隣地境界線に接して設けることはできない。

全問◎を
目指そう!

1回目	2回目	3回目	4回目	5回目
／	／	／	／	／
手応え	手応え	手応え	手応え	手応え

◎：完全に分かってきた
○：だいたい分かってきた
△：少し分かってきた
×：全く分からなかった

 正解 1

肢別テーマ	❶ 防火・準防火地域	コース 3 ポイント 7 4
テキスト 第3編	❷ 防火・準防火地域	コース 3 ポイント 7 2
	❸ 防火・準防火地域	コース 3 ポイント 7 2
	❹ 防火・準防火地域	コース 3 ポイント 7 1

（右側）建築基準法

❶ ○ 厳しいほうに合わせる

防火地域と準防火地域にまたがる場合、原則として厳しいほうの規制に合わせます。したがって、当該建築物の全部について防火地域内の建築物に関する規定が適用されます。

❷ ✕ 3階以上または100㎡超は耐火建築物等

防火地域で、3階以上、または延べ面積が100㎡超であれば、準耐火建築物等は認められず、耐火建築物等としなければなりません。

❸ ✕ 「難燃材料」→「不燃材料」

防火地域内にある看板、広告塔、装飾塔その他これらに類する建築物で、建築物の屋上に設けるものまたは高さ3mを超えるものは、その主要な部分を不燃材料で造り、または覆わなければなりません。難燃材料ではなく不燃材料です。

❹ ✕ 隣地境界線に接して設けても可

防火地域または準防火地域内にある建築物で、外壁が耐火構造のものについては、その外壁を隣地境界線に接して設けることができます。

● **必ず耐火建築物等にしなければならないもの（準耐火NG）**

| 防火地域 | 3階以上または延べ面積100㎡超 |
| 準防火地域 | 4階以上または延べ面積1,500㎡超 |

建築基準法に関する次の記述のうち、誤っているものはどれか。

❶ 建築物の敷地が第一種住居地域と近隣商業地域にわたる場合、当該敷地の過半が近隣商業地域であるときは、その用途について特定行政庁の許可を受けなくても、カラオケボックスを建築することができる。

❷ 建築物が第二種低層住居専用地域と第一種住居地域にわたる場合、当該建築物の敷地の過半が第一種住居地域であるときは、北側斜線制限が適用されることはない。

❸ 建築物の敷地が、都市計画により定められた建築物の容積率の限度が異なる地域にまたがる場合、建築物が一方の地域内のみに建築される場合であっても、その容積率の限度は、それぞれの地域に属する敷地の部分の割合に応じて按分計算により算出された数値となる。

❹ 建築物が防火地域及び準防火地域にわたる場合、建築物が防火地域外で防火壁により区画されているときは、その防火壁外の部分については、準防火地域の規制に適合させればよい。

1回目	/	2回目	/	3回目	/	4回目	/	5回目	/
手応え		手応え		手応え		手応え		手応え	

◎：完全に分かってきた
○：だいたい分かってきた
△：少し分かってきた
×：全く分からなかった

肢別テーマ	❶ 用途規制	コース 3 ポイント ❷ ①
テキスト 第3編	❷ 高さ制限	コース 3 ポイント ❺ ①
	❸ 容積率	コース 3 ポイント ❹ ④
	❹ 防火・準防火地域	コース 3 ポイント ❼ ④

正解 **2**

❶ ○ 過半の属する地域に合わせる

用途規制で、複数の地域にまたがる場合、敷地の過半の属する地域（今回は近隣商業地域）の規制に合わせます。そして、近隣商業地域では、カラオケボックスを建築することができます。

❷ ✕ 地域ごとに考える

斜線制限で、複数の地域にまたがる場合、その部分ごとに考えますので、第二種低層住居専用地域の部分には北側斜線制限が適用されます。

❸ ○ 割合で按分計算

容積率で、複数の地域にまたがる場合、割合で考えますので、按分計算をして求めることとなります。

❹ ○ 防火壁で区切られた外の部分は準防火

防火地域と準防火地域にまたがる場合、原則として厳しいほうの規制に合わせますので、防火地域の規制によることとなりますが、建築物が準防火地域において防火壁で区画されているときは、その防火壁外の部分は準防火地域の規制によります。

建築基準法

● 複数の地域にまたがる場合

・用途規制＝過半に属するほうの敷地の基準で考える

・斜線制限＝別々に考える

・建蔽率・容積率＝割合に応じて按分計算して考える

・防火地域・準防火地域＝厳しいほうの規制を適用させる

建築基準法（以下この問において「法」という。）に関する次の記述のうち、正しいものはどれか。ただし、他の地域地区等の指定及び特定行政庁の許可については考慮しないものとする。

❶ 第二種住居地域内において、工場に併設した倉庫であれば倉庫業を営む倉庫の用途に供してもよい。

❷ 法が施行された時点で現に建築物が立ち並んでいる幅員4m未満の道路は、特定行政庁の指定がなくとも法上の道路となる。

❸ 容積率の制限は、都市計画において定められた数値によるが、建築物の前面道路（前面道路が二以上あるときは、その幅員の最大のもの。）の幅員が12m未満である場合には、当該前面道路の幅員のメートルの数値に法第52条第2項各号に定められた数値を乗じたもの以下でなければならない。

❹ 建蔽率の限度が10分の8とされている地域内で、かつ、防火地域内にある耐火建築物については建蔽率の限度が10分の9に緩和される。

全問◯を
目指そう！

1回目	2回目	3回目	4回目	5回目
/	/	/	/	/
手応え	手応え	手応え	手応え	手応え

◎：完全に分かってきた
◯：だいたい分かってきた
△：少し分かってきた
×：全く分からなかった

肢別テーマ テキスト第3編	❶ 用途規制	コース 3 ポイント ❷ 1	
	❷ 道路規制	コース 3 ポイント ❻ 2	正解 3
	❸ 容積率	コース 3 ポイント ❹ 3	
	❹ 建蔽率	コース 3 ポイント ❸ 3	

❶ ✕ 第二種住居地域では原則として建築不可

第二種住居地域内においては、倉庫業を営む倉庫は建築できません。

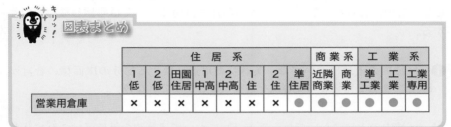

図表まとめ

	住 居 系							商業系		工 業 系		
	1 低	2 低	田園 住居	1 中高	2 中高	1 住	2 住	準 住居	近隣 商業	商 業	準 工業	工 業	工業 専用
営業用倉庫	✕	✕	✕	✕	✕	✕	✕	●	●	●	●	●	●

❷ ✕ 特定行政庁の指定が必要

建築基準法の規定が適用されるに至った際、現に建築物が立ち並んでいる幅員4m未満の道で、特定行政庁の指定したものは、道路とみなされます。したがって、特定行政庁の指定が必要である。

❸ ◯ 幅員 12 m未満の場合は計算により算出した数字と比較が必要

容積率の制限は、都市計画において定められた数値によります。しかし、建築物の前面道路(前面道路が2以上あるときは、その幅員の最大のもの)の幅員が12m未満である場合には、当該前面道路の幅員のメートルの数値に法第52条第2項各号に定められた数値を乗じたもの以下でなければなりません。

❹ ✕ 建蔽率の制限なし

建蔽率制限の数値が10分の8とされている地域内で、かつ、防火地域内にある耐火建築物等には建蔽率の制限は適用されません。したがって、「10分の9」ではありません。

建築基準法

第二種低層住居専用地域に指定されている区域内の土地（以下この問において「区域内の土地」という。）に関する次の記述のうち、建築基準法の規定によれば、正しいものはどれか。ただし、特定行政庁の許可については考慮しないものとする。

❶　区域内の土地においては、美容院の用途に供する部分の床面積の合計が100㎡である2階建ての美容院を建築することができない。

❷　区域内の土地においては、都市計画において建築物の外壁又はこれに代わる柱の面から敷地境界線までの距離の限度を2ｍ又は1.5ｍとして定めることができる。

❸　区域内の土地においては、高さが9ｍを超える建築物を建築することはできない。

❹　区域内の土地においては、建築物を建築しようとする際、当該建築物に対する建築基準法第56条第1項第2号のいわゆる隣地斜線制限の適用はない。

全問◎を
目指そう!

1回目	2回目	3回目	4回目	5回目
／	／	／	／	／
手応え	手応え	手応え	手応え	手応え

◎：完全に分かってきた
○：だいたい分かってきた
△：少し分かってきた
×：全く分からなかった

❶ ✕

第二種低層住居専用地域内においては、美容院の用途に供する部分の床面積の合計が 100㎡の２階建ての美容院は建築することができます。

❷ ✕ 1.5 mまたは 1 m

第二種低層住居専用地域内において、外壁の後退距離の限度を都市計画において定める場合、その限度は 1.5 mまたは 1 mとされています。

❸ ✕ 9 m超の建築物であっても建築可能

第二種低層住居専用地域内においては、建築物の高さは 10m または 12m を超えてはなりません。したがって、どちらであっても９ m超の建築物は建築可能です。

❹ ◯ 第二種低層住居専用地域には適用なし

第二種低層住居専用地域内においては、隣地斜線制限の適用はありません。

建築基準法

建築基準法に関する次の記述のうち、誤っているものはいくつあるか。

ア 一室の居室で天井の高さが異なる部分がある場合、室の床面から天井の一番低い部分までの高さが 2.1 m 以上でなければならない。

イ 3 階建ての共同住宅の各階のバルコニーには、安全上必要な高さが 1.1 m 以上の手すり壁、さく又は金網を設けなければならない。

ウ 石綿以外の物質で居室内において衛生上の支障を生ずるおそれがあるものとして政令で定める物質は、ホルムアルデヒドのみである。

エ 高さが 20 m を超える建築物には原則として非常用の昇降機を設けなければならない。

❶ 一つ
❷ 二つ
❸ 三つ
❹ 四つ

全問◎を
目指そう！

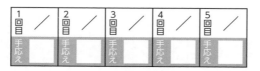

1回目	/	2回目	/	3回目	/	4回目	/	5回目	/
手応え		手応え		手応え		手応え		手応え	

◎：完全に分かってきた
○：だいたい分かってきた
△：少し分かってきた
×：全く分からなかった

肢別テーマ
テキスト
第3編

ア 単体規定 ⊂コース 3 ⊂ポイント〉8 6
イ 単体規定 ⊂コース 3 ⊂ポイント〉8 5
ウ 単体規定 ⊂コース 3 ⊂ポイント〉8 8
エ 単体規定 ⊂コース 3 ⊂ポイント〉8 4

正解 4

ア ✕ 平均が 2.1 m以上

居室の天井の高さは 2.1 m以上でなければなりません。一室で天井の高さの異なる部分がある場合は、その平均の高さによります。

イ ✕

2階以上の階にあるバルコニーその他これに類するものの周囲には、安全上必要な高さが 1.1 m以上の手すり壁、さくまたは金網を設けなければなりません。したがって、1階に設置する必要はない以上、「各階」ではないので、誤りとなります。

ウ ✕ ホルムアルデヒドの他にクロルピリホスもある

居室を有する建築物では、石綿等に加え、クロルピリホスを建築材料に添加・使用しないこと、ホルムアルデヒドの発散による衛生上の支障がないように、建築材料および換気設備について一定の技術的基準に適合することなどが定められています。

エ ✕ 31 m超

非常用昇降機設備は 31 mを超える建築物の場合に原則として必要となります。

以上より、誤っているものはア、イ、ウ、エの4つですので、❹が正解となります。

建築基準法

建築基準法の確認に関する次の記述のうち、誤っているものはどれか。

❶ 木造3階建て、延べ面積が300㎡の建築物の建築をしようとする場合は、建築確認を受ける必要がある。

❷ 鉄筋コンクリート造平屋建て、延べ面積が300㎡の建築物の建築をしようとする場合は、建築確認を受ける必要がある。

❸ 自己の居住の用に供している建築物の用途を変更して共同住宅（その床面積の合計300㎡）にしようとする場合は、建築確認を受ける必要がない。

❹ 文化財保護法の規定によって重要文化財として仮指定された建築物の大規模の修繕をしようとする場合は、建築確認を受ける必要がない。

全問◎を
目指そう!

| 1回目 | / | 2回目 | / | 3回目 | / | 4回目 | / | 5回目 | / |
| 手応え | | 手応え | | 手応え | | 手応え | | 手応え | |

◎：完全に分かってきた
○：だいたい分かってきた
△：少し分かってきた
×：全く分からなかった

62

肢別テーマ	❶ 建築確認	コース 4 ポイント ❶ ❷	
テキスト 第3編	❷ 建築確認	コース 4 ポイント ❶ ❷	正解 3
	❸ 建築確認	コース 4 ポイント ❶ ❷	
	❹ 建築基準法	コース 3 ポイント ❶ ❸	

❶ ○ 大規模建築物に該当するので建築確認が必要

階数が2以上、延べ面積200㎡超のいずれかを満たす建築物は大規模建築物となり、建築する際には建築確認が必要となります。今回は3階建てで300㎡なので、大規模建築物に該当するため、建築確認が必要です。

❷ ○ 大規模建築物に該当するので建築確認が必要

階数が2以上、延べ面積200㎡超のいずれかを満たす建築物は大規模建築物となり、建築する際には建築確認が必要となります。今回は300㎡なので、大規模建築物に該当するため、建築確認が必要です。

❸ × 用途変更の場合、原則として建築確認が必要

特殊建築物以外のものから200㎡超の特殊建築物に用途変更する場合、建築確認を受ける必要があります。

❹ ○ 重要文化財に指定された建築物は適用なし

文化財保護法の規定によって国宝、重要文化財等として指定され、または仮指定された建築物には、建築基準法は適用されません。したがって、建築確認も必要ありません。

建築基準法

建築基準法の確認に関する次の記述のうち、誤っているものはどれか。

❶ 木造3階建ての建築物を改築する場合、改築に係る部分の床面積が100㎡のときでも、建築確認を受けなければならない。

❷ 延べ面積が250㎡の下宿の用途に供する建築物を寄宿舎に用途変更する場合、建築確認を受ける必要はない。

❸ 都市計画区域内（都道府県知事が関係市町村の意見を聴いて指定する区域を除く。）において、延べ面積が10㎡の倉庫を新築する場合、建築確認を受けなければならない。

❹ 延べ面積が250㎡の自動車車庫について大規模の修繕をする場合、鉄筋コンクリート造1階建てであれば、建築確認を受ける必要はない。

全問◎を
目指そう！

1回目	2回目	3回目	4回目	5回目
／	／	／	／	／
手応え	手応え	手応え	手応え	手応え

◎：完全に分かってきた
○：だいたい分かってきた
△：少し分かってきた
×：全く分からなかった

64

肢別テーマ	❶ 建築確認	コース 4 ポイント ❶ ❷	
	❷ 建築確認	コース 4 ポイント ❶ ❷	
テキスト 第3編	❸ 建築確認	コース 4 ポイント ❶ ❷	正解 4
	❹ 建築確認	コース 4 ポイント ❶ ❷	

❶ ○ 大規模建築物の 10㎡超の改築は確認必要

3階建ての建築物（＝大規模建築物）の 10㎡超の改築をしようとする場合、建築確認が必要です。

❷ ○ 類似の用途変更であれば建築確認不要

特殊建築物であっても、類似の用途変更の場合には、建築確認を受ける必要はありません。

❸ ○ 都市計画区域内の新築は確認必要

都市計画区域内で新築をする場合、規模に関係なく原則として建築確認を受けなければなりません。

❹ ✕ 200㎡超の特殊建築物の改築は確認必要

250㎡の自動車車庫（＝特殊建築物）の大規模修繕をしようとする場合、建築確認が必要です。

建築基準法

建築基準法の建築主事等の確認に関する次のうち、誤っているものはどれか。

❶ 木造3階建てで、高さ13mの住宅を新築する場合には、建築主事等の確認を受けなければならない。

❷ 建築物の改築で、その改築に係る部分の床面積の合計が10㎡以内のものであれば、建築主事等の確認の申請が必要となることはない。

❸ 建築物については、建築する場合のほか、修繕をする場合にも建築主事等の確認を受けなければならないことがある。

❹ 建築主事等は、事務所である建築物について確認をする場合、建築物の工事施工地又は所在地を管轄する消防長又は消防署長の同意を得なければならない。

全問○を
目指そう!

1回目 /	2回目 /	3回目 /	4回目 /	5回目 /
手応え	手応え	手応え	手応え	手応え

◎：完全に分かってきた
○：だいたい分かってきた
△：少し分かってきた
×：全く分からなかった

❶ 建築確認	コース 4 ポイント ❶ ❷	
❷ 建築確認	コース 4 ポイント ❶ ❷	正解 2
❸ 建築確認	コース 4 ポイント ❶ ❷	
❹ 建築確認	コース 4 ポイント ❶ ❸	

肢別テーマ　テキスト 第3編

❶ ○　**大規模建築物に該当するので建築確認必要**

　階数2以上、または延べ面積が200㎡を超える建築物は、大規模建築物にあたります。大規模建築物を新築する場合、建築確認が必要です。

❷ ×　**防火・準防火地域内では10㎡以内でも建築確認必要**

　防火・準防火地域内で建築物の改築を行う場合には、その改築に係る部分の床面積の規模に関わらず、確認が必要です。

❸ ○　**大規模修繕で建築確認が必要な場合あり**

　建築物が、大規模建築物や特殊建築物（200㎡超）にあたる場合、大規模修繕を行うときには、建築確認が必要です。

❹ ○　

　建築主事等または指定確認機関は、建築確認をする場合、建築物の工事施工地又は所在地を管轄する消防長または消防署長の同意を得なければなりません。この同意は、防火・準防火地域外にある住宅の場合は不要ですが、事務所の場合は必要です。

木造3階建て（延べ面積 300㎡）の住宅を新築する場合に関する次の記述のうち、建築基準法の規定によれば、誤っているものはどれか。

❶ 建築主は、新築工事に着手する前に建築確認を受けるとともに、当該住宅を新築する旨を都道府県知事に届け出なければならない。

❷ 新築工事の施工者は、工事現場の見易い場所に、建築主、設計者、工事施工者及び工事の現場管理者の氏名又は名称並びに当該工事に係る建築確認があった旨の表示をしなければならない。

❸ 新築工事が完了した場合は、建築主は、指定確認検査機関による完了検査の引受けがあった場合を除き、建築主事等の検査を申請しなければならない。

❹ 建築主は、検査済証の交付を受けた後でなければ、建築主事等に完了検査の申請をし、それが受理された日から7日を経過したときでも、仮に、当該住宅を使用し、又は使用させてはならない。

全問◎を
目指そう!

1回目	/	2回目	/	3回目	/	4回目	/	5回目	/
手応え		手応え		手応え		手応え		手応え	

◎：完全に分かってきた
○：だいたい分かってきた
△：少し分かってきた
×：全く分からなかった

68

肢別テーマ	❶ 建築確認	該当なし	
テキスト 第3編	❷ 建築確認	該当なし	
	❸ 建築確認	コース 4 ポイント ❶ ❸	正解 4
	❹ 建築確認	コース 4 ポイント ❶ ❸	

建築基準法

❶ ○

階数が2階以上の建築物を新築する場合には建築確認を受ける必要があります。また、床面積が10㎡を超える建築物を建築しようとする場合には、都道府県知事に届け出なければなりません。

❷ ○

建築確認を必要とする新築を行う場合には、その施工者は、工事現場の見やすい場所に、建築主、設計者、工事施工者および工事の現場管理者の氏名または名称ならびにその工事に係る建築確認があった旨の表示をしなければなりません。

❸ ○ **工事完了後に確認検査の申請をする**

建築確認を必要とする新築を行ってこれが完了した場合、建築主は、建築主事等または指定確認検査機関に完了検査を申請しなければなりません。

❹ ✕ **受理日から7日経過したときは使用可能**

階数が2階以上の建築物を新築する建築主は、原則として、検査済証の交付を受けた後でなければ、その建築物を使用し、または使用させてはなりません。ただし、特定行政庁または建築主事等が仮使用を承認したとき、または完了検査申請の受理日から7日経過したときは、検査済証の交付を受ける前でも、建築物を仮に使用し、または使用させることができます。

建築基準法に関する次の記述のうち、正しいものはどれか。

❶ 建築主は、共同住宅の用途に供する建築物で、その用途に供する部分の床面積の合計が250㎡であるものの大規模の修繕をしようとする場合、当該工事に着手する前に、当該計画について建築主事等の確認を受けなければならない。

❷ 居室を有する建築物の建築に際し、飛散又は発散のおそれがある石綿を添加した建築材料を使用するときは、その居室内における衛生上の支障がないようにするため、当該建築物の換気設備を政令で定める技術的基準に適合するものとしなければならない。

❸ 防火地域又は準防火地域において、延べ面積が1,000㎡を超える建築物は、すべて耐火建築物等としなければならない。

❹ 防火地域又は準防火地域において、延べ面積が1,000㎡を超える耐火建築物は、防火上有効な構造の防火壁又は防火床で有効に区画し、かつ、各区画における床面積の合計をそれぞれ1,000㎡以内としなければならない。

全問◎を
目指そう！

| 1回目 | / | 2回目 | / | 3回目 | / | 4回目 | / | 5回目 | / |
| 手応え | | 手応え | | 手応え | | 手応え | | 手応え | |

◎：完全に分かってきた
○：だいたい分かってきた
△：少し分かってきた
×：全く分からなかった

70

肢別テーマ	❶ 建築確認	コース 4 ポイント ❶ ❷	正解 1
テキスト 第3編	❷ 単体規定	コース 3 ポイント ❽ ❽	
	❸ 防火・準防火地域	コース 3 ポイント ❼ ❸	
	❹ 単体規定	コース 3 ポイント ❽ ❼	

❶ ○ 200㎡超の特殊建築物の改築は確認必要

250㎡の共同住宅（＝特殊建築物）の大規模修繕をしようとする場合、建築確認が必要です。

❷ ✕ 石綿を添加した建築材料の使用は不可

飛散または発散のおそれがある石綿を添加した建築材料を使用してはいけません。

❸ ✕ 準防火地域では準耐火建築物等でもよい場合もある

防火地域の場合は耐火建築物等にしなければなりませんが、準防火地域の場合は地階を除いて3階以下、かつ、延べ面積1,500㎡以下であれば準耐火建築物等でも構いません。

❹ ✕ 耐火建築物・準耐火建築物

耐火建築物・準耐火建築物など以外で延べ面積が1,000㎡超の場合、防火上有効な構造の防火壁または防火床によって区画しなければなりません。この建物は耐火建築物ですので、区画する必要はありません。

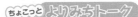

石綿は使ってはいけないのに、問題文に「…使用するときは」とあれば、やはりその選択肢は間違っているってことだよね。

そっかー！（見落としていた…）

建築基準法

建築基準法に関する次の記述のうち、正しいものはどれか。

❶ 住宅の地上階における居住のための居室には、採光のための窓その他の開口部を設け、その採光に有効な部分の面積は、その居室の床面積に対して原則として7分の1以上としなければならない。

❷ 建築確認の対象となり得る工事は、建築物の建築、大規模の修繕及び大規模の模様替であり、建築物の移転は対象外である。

❸ 高さ15mの建築物には、周囲の状況によって安全上支障がない場合を除き、有効に避雷設備を設けなければならない。

❹ 準防火地域内において建築物の屋上に看板を設ける場合は、その主要な部分を不燃材料で造り、又は覆わなければならない。

全問◎を
目指そう！

1回目	2回目	3回目	4回目	5回目
／	／	／	／	／
手応え	手応え	手応え	手応え	手応え

◎：完全に分かってきた
○：だいたい分かってきた
△：少し分かってきた
×：全く分からなかった

肢別テーマ	❶ 単体規定	コース 3 ポイント ❽ ❷	
テキスト 第3編	❷ 建築確認	コース 4 ポイント ❶ ❷	正解 1
	❸ 単体規定	コース 3 ポイント ❽ ❸	
	❹ 防火・準防火地域	コース 3 ポイント ❼ ❷	

❶ ◯ **採光は原則7分の1以上**

住宅の居住のための居室には、窓その他の開口部を設けなければなりません。その採光に有効な部分の面積は床面積に対して原則7分の1以上で、一定の条件のもと10分の1までの範囲内で緩和することができます。

❷ ✕ **建築物の移転も対象**

建築確認の対象となるのは、建築物の建築、大規模の修繕、大規模の模様替だけではなく、増改築や移転も含みます。したがって、建築物の移転も対象となります。

❸ ✕ **20m超**

避雷設備は20mを超える建築物の場合に原則として必要となります。今回は高さ15mなので、避雷設備の設置は必要ありません。

❹ ✕ **準防火地域にこの規制はない**

防火地域内にある看板、広告塔、装飾塔その他これらに類する建築物で、建築物の屋上に設けるものまたは高さ3mを超えるものは、その主要な部分を不燃材料で造り、または覆わなければなりません。ただし、この規制は防火地域のみであり、準防火地域にはこの規制はありません。

建築基準法

建築基準法に関する次の記述のうち、正しいものはどれか。

❶ 街区の角にある敷地又はこれに準ずる敷地内にある建築物の建蔽率については、特定行政庁の指定がなくとも都市計画において定められた建蔽率の数値に10分の1を加えた数値が限度となる。

❷ 第一種低層住居専用地域、第二種低層住居専用地域及び田園住居地域内においては、建築物の高さは、12m又は15mのうち、当該地域に関する都市計画において定められた建築物の高さの限度を超えてはならない。

❸ 用途地域に関する都市計画において建築物の敷地面積の最低限度を定める場合においては、その最低限度は200㎡を超えてはならない。

❹ 建築協定区域内の土地の所有者等は、特定行政庁から認可を受けた建築協定を変更又は廃止しようとする場合においては、土地所有者等の過半数の合意をもってその旨を定め、特定行政庁の認可を受けなければならない。

全問◎を
目指そう！

| 1回目 | / | | 2回目 | / | | 3回目 | / | | 4回目 | / | | 5回目 | / | |
| 手応え | | | 手応え | | | 手応え | | | 手応え | | | 手応え | | |

◎：完全に分かってきた
○：だいたい分かってきた
△：少し分かってきた
×：全く分からなかった

肢別テーマ	❶ 建蔽率	コース 3 ポイント❸ 3
テキスト 第3編	❷ 用途地域	コース 1 ポイント❸ 3
	❸ 用途地域	コース 1 ポイント❸ 3
	❹ 建築協定	コース 4 ポイント❷ 1

正解 3

❶ ✕ 特定行政庁の指定が必要

いずれの用途地域であっても、敷地が特定行政庁の指定する角地にある場合には、建蔽率の制限は、用途地域ごとに定められた数値に10分の1を加えた数値まで緩和されます。したがって、緩和されるためには、単に街区の角にあるだけでは足りず、特定行政庁の指定が必要となります。

❷ ✕ 10 mか12 m

第一種低層住居専用地域、第二種低層住居専用地域、田園住居地域では、建築物の高さは、10 mまたは12 mのうち、都市計画で定められた高さの限度が原則となります。

❸ ○ 敷地面積の最低限度は200㎡まで

用途地域内においては、建築物の敷地面積の最低限度を都市計画に定めることができます。その場合、その最低限度は200㎡を超えてはなりません。

❹ ✕ 変更の場合は全員の合意

建築協定を廃止する場合は土地の所有者等の過半数の合意で構いませんが、変更する場合は土地の所有者等の全員の合意が必要です。

建築基準法の建築協定に関する次の記述のうち、誤っているものはどれか。

❶ 建築協定を締結するには、当該建築協定区域内の土地（借地権の目的となっている土地はないものとする。）の所有者の、全員の合意が必要である。

❷ 建築協定は、当該建築協定区域内の土地の所有者が一人の場合でも、定めることができる。

❸ 建築協定は、建築物の敷地、位置及び構造に関して定めることができるが、用途に関しては定めることができない。

❹ 建築協定は、特定行政庁の認可を受ければ、その認可の公告の日以後新たに当該建築協定区域内の土地の所有者となった者に対しても、その効力が及ぶ。

全問◎を
目指そう！

| 1回目 | / | 2回目 | / | 3回目 | / | 4回目 | / | 5回目 | / |
| 手応え | | 手応え | | 手応え | | 手応え | | 手応え | |

◎：完全に分かってきた
○：だいたい分かってきた
△：少し分かってきた
×：全く分からなかった

❶ ○ **全員の合意が必要**

建築協定を締結するには、原則として土地の所有者および建築物の所有を目的とする借地権（＝地上権や賃借権等）を有する者の全員の合意が必要とされます。

❷ ○ **1人協定も可能**

土地の所有者が1人の場合でも建築協定を定めることは可能です。その場合、認可の日から3年以内に協定区域内の土地に2以上の土地所有者・借地権者が存することになった場合に効力が発生します。

❸ × **建築協定→用途も定められる**

建築協定は建築物の敷地、位置、構造、用途、形態、意匠または建築設備に関する基準について定めることができます。したがって、用途についても定めることができます。

❹ ○ **新たに所有者や借地権者になった者にも及ぶ**

建築協定は、認可の公告のあった日以後に所有者や借地権者になった者に対しても効力が及びます。

ここまで頑張ってきたんだから、あと少し頑張ろうね！！

77

国土利用計画法第23条の届出(以下この問において「事後届出」という。)に関する次の記述のうち、正しいものはどれか。

❶ 宅地建物取引業者であるAとBが、市街化調整区域内の6,000㎡の土地について、Bを権利取得者とする売買契約を締結した場合には、Bは事後届出を行う必要はない。

❷ 宅地建物取引業者であるCとDが、都市計画区域外の2haの土地について、Dを権利取得者とする売買契約を締結した場合には、Dは事後届出を行わなければならない。

❸ 事後届出が必要な土地売買等の契約により権利取得者となった者が事後届出を行わなかった場合には、都道府県知事から当該届出を行うよう勧告されるが、罰則の適用はない。

❹ 事後届出が必要な土地売買等の契約により権利取得者となった者は、その契約の締結後、1週間以内であれば市町村長を経由して、1週間を超えた場合には直接、都道府県知事に事後届出を行わなければならない。

全問◎を
目指そう!

1回目	/	2回目	/	3回目	/	4回目	/	5回目	/
手応え		手応え		手応え		手応え		手応え	

◎:完全に分かってきた
○:だいたい分かってきた
△:少し分かってきた
×:全く分からなかった

肢別テーマ		コース	ポイント	
❶ 事後届出制		コース 5	ポイント ❷ ❷	
❷ 事後届出制		コース 5	ポイント ❷ ❷	正解 2
❸ 事後届出制		コース 5	ポイント ❷ ❸	
❹ 事後届出制		コース 5	ポイント ❷ ❸	

❶ ✕ 事後届出が必要

市街化調整区域で面積が 5,000㎡ 以上の土地を購入しているので、権利取得者であるＢは事後届出が必要となります。

❷ 〇 事後届出が必要

都市計画区域外で 10,000㎡（= 1ha）以上の土地を購入しているので、権利取得者であるＤは事後届出が必要となります。

❸ ✕ 届出しない場合→勧告されないが罰則あり

事後届出が必要であるにもかかわらず事後届出を行わなかった場合、罰則（6カ月以下の懲役または 100 万円以下の罰金）の適用があります。しかし、届出を行うよう勧告されるという規定はありません。

❹ ✕ 市町村長を経由して知事に届出

2 週間以内に市町村長を経由して都道府県知事に届出をします。1 週間以内か否かで方法が変わることはありません。

 図表まとめ

● 事後届出対象面積（買主を基準に判断）

市街化区域	2,000㎡以上
市街化調整区域	5,000㎡以上
非線引き区域	5,000㎡以上
準都市計画区域	10,000㎡以上
都市計画区域外	10,000㎡以上

国土利用計画法第 23 条の事後届出（以下この問において「事後届出」という。）に関する次の記述のうち、正しいものはどれか。

❶ 都市計画区域外においてAが所有する面積 12,000㎡の土地について、Aの死亡により当該土地を相続したBは、事後届出を行う必要はない。

❷ 市街化区域においてAが所有する面積 3,000㎡の土地について、Bが購入した場合、A及びBは事後届出を行わなければならない。

❸ 市街化調整区域に所在する農地法第 3 条第 1 項の許可を受けた面積 6,000㎡の農地を購入したAは、事後届出を行わなければならない。

❹ 市街化区域に所在する一団の土地である甲土地（面積 1,500㎡）と乙土地（面積 1,500㎡）について、甲土地については売買によって所有権を取得し、乙土地については対価の授受を伴わず賃借権の設定を受けたAは、事後届出を行わなければならない。

全問◎を
目指そう!

1回目	2回目	3回目	4回目	5回目
/	/	/	/	/
手応え	手応え	手応え	手応え	手応え

◎：完全に分かってきた
○：だいたい分かってきた
△：少し分かってきた
×：全く分からなかった

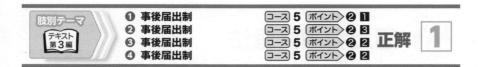

肢別テーマ	❶ 事後届出制	コース 5 ポイント ❷ ■	
テキスト 第3編	❷ 事後届出制	コース 5 ポイント ❷ ❸	正解 1
	❸ 事後届出制	コース 5 ポイント ❷ ❷	
	❹ 事後届出制	コース 5 ポイント ❷ ❷	

❶ ○ 相続は事後届出不要

相続・時効取得・贈与などは届出不要です。

❷ ✕ 届出義務は買主

事後届出を行う義務があるのは、権利取得者（＝買主、今回では B）であって、A は届出をする必要はありません。

❸ ✕ 例外として事後届出は不要

農地法第3条の許可を受けている場合、届出は不要です。

❹ ✕ 事後届出は不要

乙土地は対価の授受を伴っていないので、届出が必要な面積には算入しません。つまり、市街化区域の 1,500㎡の甲土地を取得しただけという扱いとなります。よって、今回は届出が必要な面積（2,000㎡）未満ですので、届出をする必要はありません。

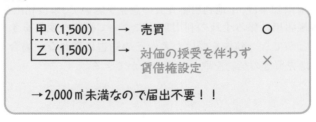

国土利用計画法

国土利用計画法第 23 条の届出（以下この問において「事後届出」という。）に関する次の記述のうち、正しいものはどれか。なお、この問において「都道府県知事」とは、地方自治法に基づく指定都市にあってはその長をいうものとする。

❶ 都市計画区域外において、A市が所有する面積 15,000㎡ の土地を宅地建物取引業者Bが購入した場合、Bは事後届出を行わなければならない。

❷ 事後届出において、土地売買等の契約に係る土地の土地に関する権利の移転又は設定の対価の額については届出事項ではない。

❸ 市街化区域を除く都市計画区域内において、一団の土地である甲土地（C所有、面積 3,500㎡）と乙土地（D所有、面積 2,500㎡）を宅地建物取引業者Eが購入した場合、Eは事後届出を行わなければならない。

❹ 都道府県知事は、土地利用審査会の意見を聴いて、事後届出をした者に対し、当該事後届出に係る土地の利用目的について必要な変更をすべきことを勧告することができ、勧告を受けた者がその勧告に従わない場合、その勧告に反する土地売買等の契約を取り消すことができる。

全問◎を
目指そう!

| 1回目 | / | 2回目 | / | 3回目 | / | 4回目 | / | 5回目 | / |
| 手応え | | 手応え | | 手応え | | 手応え | | 手応え | |

◎：完全に分かってきた
○：だいたい分かってきた
△：少し分かってきた
×：全く分からなかった

❶ ✕ 事後届出は不要

当事者の一方もしくは双方が国・地方公共団体（都道府県・市町村）の場合、届出は不要です。

❷ ✕ 額についても届出は必要

事後届出においては、売買価額については審査されませんが、届出をすることは必要です。

❸ ◯ 5,000㎡以上なので届出必要

「市街化区域を除く都市計画区域」というのは「市街化調整区域」と「区域区分の定めのない都市計画区域（非線引区域）」のことを指します。市街化調整区域と非線引区域においては、土地の面積が 5,000㎡以上 の場合に、届出が必要です。今回、E は合計 6,000㎡購入しているため、E は事後届出が必要となります。

❹ ✕ 取り消すことはできない

都道府県知事は、土地の利用目的について勧告した場合において、その勧告を受けた者がその勧告に従わないときは、その旨及びその勧告の内容を公表することができます。しかし、勧告に従わなかったとしても、当該契約を取り消すことはできません。

国土利用計画法

国土利用計画法第 23 条の届出（以下この問において「事後届出」という。）に関する次の記述のうち、正しいものはどれか。

❶ Aが、市街化区域において、Bの所有する面積 3,000㎡の土地を一定の計画に基づき 1,500㎡ずつ順次購入した場合、Aは事後届出を行う必要はない。

❷ Cは、市街化調整区域において、Dの所有する面積 8,000㎡の土地を民事調停法に基づく調停により取得し、その後当該土地をEに売却したが、この場合、CとEはいずれも事後届出を行う必要はない。

❸ 甲県が所有する都市計画区域外に所在する面積 12,000㎡の土地について、10,000㎡をFに、2,000㎡をGに売却する契約を、甲県がそれぞれF、Gと締結した場合、F、Gのいずれも事後届出を行う必要はない。

❹ 事後届出に係る土地の利用目的について、乙県知事から勧告を受けたHが勧告に従わなかった場合、乙県知事は、当該届出に係る土地売買の契約を無効にすることができる。

1回目	/	2回目	/	3回目	/	4回目	/	5回目	/
手応え		手応え		手応え		手応え		手応え	

◎：完全に分かってきた
○：だいたい分かってきた
△：少し分かってきた
×：全く分からなかった

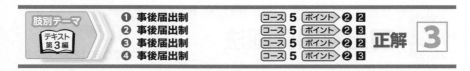

国土利用計画法

❶ ✕ 事後届出が必要

市街化区域で 2,000㎡以上の土地を購入しているので、事後届出が必要です。今回は、1,500㎡ずつ順次購入したとありますが、結局 3,000㎡の土地を購入したことになるので、事後届出が必要となります。

❷ ✕ Cは事後届出不要、Eは事後届出必要

調停により取得したCは届出不要ですが、購入したEは事後届出が必要です。

❸ ○ 例外として事後届出は不要

当事者の一方もしくは双方が国・地方公共団体（都道府県・市町村）の場合、事後届出は不要です。したがって、甲県（＝地方公共団体）と契約して土地を取得したFとGは、事後届出を行う必要はありません。

❹ ✕ 勧告に従わなくても契約は有効

勧告に従わなかったときは、その旨およびその勧告の内容を公表することができます。しかし、勧告に従わなかった場合でも、契約は有効であり、都道府県知事が契約を無効にすることはできません。

国土利用計画法第23条の届出（以下この問において「事後届出」という。）に関する次の記述のうち、正しいものはどれか。なお、この問において「都道府県知事」とは、地方自治法に基づく指定都市にあってはその長をいうものとする。

❶　都道府県知事は、事後届出に係る土地の利用目的及び対価の額について、届出をした宅地建物取引業者に対し勧告することができ、都道府県知事から勧告を受けた当該業者が勧告に従わなかった場合、その旨及びその勧告の内容を公表することができる。

❷　事後届出が必要な土地売買等の契約により権利取得者となった者が事後届出を行わなかった場合、都道府県知事から当該届出を行うよう勧告されるが、罰則の適用はない。

❸　国が所有する市街化区域内の一団の土地である1,500㎡の土地と500㎡の土地を個人Aが購入する契約を締結した場合、Aは事後届出を行う必要がある。

❹　個人Bが所有する都市計画区域外の11,000㎡の土地について、個人CがBとの間で対価を支払って地上権設定契約を締結した場合、Cは事後届出を行う必要がある。

全問◎を
目指そう！

1回目	2回目	3回目	4回目	5回目
／	／	／	／	／
手応え	手応え	手応え	手応え	手応え

◎：完全に分かってきた
○：だいたい分かってきた
△：少し分かってきた
×：全く分からなかった

 肢別テーマ
テキスト 第3編

❶ 事後届出制　コース 5　ポイント ❷ ❸
❷ 事後届出制　コース 5　ポイント ❷ ❸
❸ 事後届出制　コース 5　ポイント ❷ ❷
❹ 事後届出制　コース 5　ポイント ❷ ❶

正解 4

❶ ✕　**額について勧告されることはない**
事後届出の場合、額については審査されないため、額で勧告されることはありません。

❷ ✕　**罰則の適用あり**
必要な事後届出を行わなかった場合に、事後届出を行うように勧告する制度はありません。しかし、事後届出を怠った場合、6月以下の懲役または100万円以下の罰金という罰則があります。

❸ ✕　**例外として事後届出は不要**
当事者の一方もしくは双方が国・地方公共団体（都道府県・市町村）の場合、届出は不要です。したがって、国と契約したＡは事後届出をする必要はありません。

❹ ◯　**地上権・賃借権は対価の支払いがある場合に届出**
地上権や賃借権を設定する契約は、権利金などの対価を支払う場合には、「土地売買等の契約」に該当します。したがって、規定の面積以上の取引を行う場合には届出が必要となります。今回は、都市計画区域外で10,000㎡以上の取引を行っているため、届出が必要です。

国土利用計画法

国土利用計画法第23条の届出（以下この問において「事後届出」という。）及び同法第27条の7の届出（以下この問において「事前届出」という。）に関する次の記述のうち、正しいものはどれか。

❶ 監視区域内の市街化調整区域に所在する面積6,000㎡の一団の土地について、所有者Aが当該土地を分割し、4,000㎡をBに、2,000㎡をCに売却する契約をB、Cと締結した場合、当該土地の売買契約についてA、B及びCは事前届出をする必要はない。

❷ 事後届出においては、土地の所有権移転における土地利用目的について届け出ることとされているが、土地の売買価額については届け出る必要はない。

❸ Dが所有する都市計画法第5条の2に規定する準都市計画区域内に所在する面積7,000㎡の土地について、Eに売却する契約を締結した場合、Eは事後届出をする必要がある。

❹ Fが所有する市街化区域内に所在する面積4,500㎡の甲地とGが所有する市街化調整区域内に所在する面積5,500㎡の乙地を金銭の授受を伴わずに交換する契約を締結した場合、F、Gともに事後届出をする必要がある。

◎：完全に分かってきた
○：だいたい分かってきた
△：少し分かってきた
×：全く分からなかった

❶ 事前届出制	コース 5	ポイント ❸ 1		
❷ 事後届出制	コース 5	ポイント ❷ 3	正解 4	
❸ 事後届出制	コース 5	ポイント ❷ 2		
❹ 事後届出制	コース 5	ポイント ❷ 1		

❶ **×　事前届出が必要**

監視区域内で一定面積（市街化調整区域は5,000㎡）以上の土地取引を行う場合には事前届出が必要です。

❷ **×　額についても届出は必要**

事後届出においては、売買価額と利用目的を届け出る必要があります。売買価額については審査はされませんが、届出をすることは必要です。

❸ **×　事後届出は不要**

準都市計画区域は10,000㎡以上が届出対象面積なので、7,000㎡であれば届出は不要です。

❹ **○　FもGも事後届出が必要**

交換については、金銭の授受を伴わなくても売買契約と同一視されます。Gは市街化区域で2,000㎡以上取得しており、Fは市街化調整区域で5,000㎡以上取得しているので、届出が必要となります。

国土利用計画法

ちょこっと よりみちトーク

　お金で買うと購入、土地で買うと交換というイメージで捉えておくとよいね。

だから交換でも届出が必要なんだね。

農地法（以下この問において「法」という。）に関する次の記述のうち、誤っているものはどれか。

❶ 登記簿上の地目が山林となっている土地であっても、現に耕作の目的に供されている場合には、法に規定する農地に該当する。

❷ 法第3条第1項又は第5条第1項の許可が必要な農地の売買について、これらの許可を受けずに売買契約を締結しても、その所有権は移転しない。

❸ 市街化区域内の農地について、あらかじめ農業委員会に届け出てその所有者が自ら駐車場に転用する場合には、法第4条第1項の許可を受ける必要はない。

❹ 砂利採取法による認可を受けた砂利採取計画に従って砂利を採取するために農地を一時的に貸し付ける場合には、法第5条第1項の許可を受ける必要はない。

全問○を
目指そう！

1回目	/	2回目	/	3回目	/	4回目	/	5回目	/
手応え		手応え		手応え		手応え		手応え	

◎：完全に分かってきた
○：だいたい分かってきた
△：少し分かってきた
×：全く分からなかった

❶ 農地法	コース 6	ポイント ❶ ❶	
❷ 農地法	コース 6	ポイント ❶ ❻	正解 **4**
❸ 農地法	コース 6	ポイント ❶ ❺	
❹ 農地法	コース 6	ポイント ❶ ❹	

❶ ○ 現況で判断

農地か否かは、登記簿上の地目とは関係なく、事実状態（現況）で判断されます。したがって、登記簿上の地目が何であったとしても、現に耕作の目的に供されている土地であれば、農地法が規定する農地に該当します。

❷ ○ 許可を得ない場合、効力を生じない

第３条・第５条の許可が必要なのにもかかわらず、許可を得ないでした契約は効力が生じません。

❸ ○ 市街化区域内は届出をすれば４条許可が不要

市街化区域内で農地の転用をする場合には、あらかじめ農業委員会に届出をすれば、農地法４条の許可を受ける必要はありません。

❹ ✕ 一時的でも許可必要

農地を農地以外のものに転用するために取得する場合、たとえその取得が一時的であったり、農地に復元して返還する予定であったとしても、原則として農地法５条の許可を受ける必要があります。

農地法

農地法に関する次の記述のうち、正しいものはどれか。

❶ 　市町村が農地を農地以外のものにするため所有権を取得する場合、農地法第5条の許可を得る必要はない。

❷ 　市街化調整区域内の農地を宅地に転用する目的で所有権を取得する場合、あらかじめ農業委員会に届け出れば農地法第5条の許可を得る必要はない。

❸ 　農地の所有者がその農地のうち2アールを自らの養畜の事業のための畜舎の敷地に転用しようとする場合、農地法第4条の許可を得る必要はない。

❹ 　遺産の分割により農地の所有権を取得する場合、農地法第3条の許可を得る必要はない。

全問◎を
目指そう！

1回目	/	2回目	/	3回目	/	4回目	/	5回目	/
手応え		手応え		手応え		手応え		手応え	

◎：完全に分かってきた
○：だいたい分かってきた
△：少し分かってきた
×：全く分からなかった

❶ ✕ 指定市町村以外の市町村は許可必要

国または都道府県等が農地を道路、農業用用排水施設等の用に供するため、その農地の所有権を取得する場合、農地法５条の許可を得る必要はありません。しかし、農林水産大臣が指定する市町村以外の市町村については規定されていないため、農地法の許可が必要となります。

❷ ✕ 市街化調整区域は許可必要

市街化区域内にある農地を宅地に転用する目的で所有権を取得する場合には、あらかじめ農業委員会に届け出れば、農地法５条の許可を受ける必要はありません。しかし、今回は市街化区域内ではなく市街化調整区域内であるため、農地法５条の許可は必要です。

❸ ✕ ２アール「未満」ではないので許可必要

２アール未満の農業用施設に転用する場合には４条の許可は不要です。しかし、今回は２アールなので許可が必要となります（未満という言葉には、その数ぴったりは含まれません）。

❹ ◯ 遺産の分割は３条許可が不要

相続や遺産の分割により農地の権利を取得する場合には、農地法３条の許可を得る必要はありません。

農地法

農地法（以下この問において「法」という。）に関する次の記述のうち、正しいものはどれか。

❶ 農業者が相続により取得した市街化調整区域内の農地を自己の住宅用地として転用する場合には、法第4条第1項の許可を受ける必要はない。

❷ 住宅を建設する目的で市街化区域内の農地の所有権を取得するに当たって、あらかじめ農業委員会に届け出た場合には、法第5条第1項の許可を受ける必要はない。

❸ 耕作する目的で原野の所有権を取得し、その取得後、造成して農地にする場合には、法第3条第1項の許可を受ける必要がある。

❹ 市街化調整区域内の農地を駐車場に転用するに当たって、当該農地がすでに利用されておらず遊休化している場合には、法第4条第1項の許可を受ける必要はない。

全問◎を
目指そう!

1回目	2回目	3回目	4回目	5回目
手応え	手応え	手応え	手応え	手応え

◎：完全に分かってきた
○：だいたい分かってきた
△：少し分かってきた
×：全く分からなかった

94

肢別テーマ	❶ 農地法	コース 6 ポイント ❶ ❸	
テキスト 第3編	❷ 農地法	コース 6 ポイント ❶ ❺	正解 2
	❸ 農地法	コース 6 ポイント ❶ ❶	
	❹ 農地法	コース 6 ポイント ❶ ❶	

❶ × **転用する場合は4条許可が必要**

農地を農地以外に変える場合には第4条の許可が必要となります。なお、相続で取得した場合、第3条の許可は不要です。

❷ ○ **市街化区域内は届出をすれば5条許可が不要**

市街化区域内にある農地を宅地に転用する目的で所有権を所得する場合には、あらかじめ農業委員会に届け出れば、農地法5条の許可を受ける必要はありません。

❸ × **原野の取得なので許可不要**

農地を農地以外にする場合には許可が必要ですが、今回は農地以外を農地にするため、農地法の許可は必要ありません。

❹ × **遊休化していても農地として扱う**

遊休化していても農地として扱いますので、第4条の許可が必要です。

農地法

ちょこっと **よりみちトーク**

農地が減ると、作物の量が減ったりするから、農地に何かするときは農地法の許可が必要なんだよね。

だったら、農地が増えることは問題ないから、許可はいらないってことか。

そうだね。

がんばる！

農地に関する次の記述のうち、農地法（以下この問において「法」という。）の規定によれば、正しいものはどれか。

❶ 市街化区域内の農地を耕作目的で取得する場合には、あらかじめ農業委員会に届け出れば、法第3条第1項の許可を受ける必要はない。

❷ 農業者が自己所有の市街化区域外の農地に賃貸住宅を建設するため転用する場合は、法第4条第1項の許可を受ける必要はない。

❸ 農業者が自己所有の市街化区域外の農地に自己の居住用の住宅を建設するため転用する場合は、法第4条第1項の許可を受ける必要はない。

❹ 農業者が住宅の改築に必要な資金を銀行から借りるため、市街化区域外の農地に抵当権の設定が行われ、その後、返済が滞ったため当該抵当権に基づき競売が行われ第三者が当該農地を取得する場合であっても、法第3条第1項又は法第5条第1項の許可を受ける必要がある。

全問◎を
目指そう!

| 1回目 | / | 2回目 | / | 3回目 | / | 4回目 | / | 5回目 | / |

手応え

◎：完全に分かってきた
○：だいたい分かってきた
△：少し分かってきた
×：全く分からなかった

96

肢別テーマ	❶ 農地法	コース 6 ポイント ❶ 5
テキスト 第3編	❷ 農地法	コース 6 ポイント ❶ 3
	❸ 農地法	コース 6 ポイント ❶ 3
	❹ 農地法	コース 6 ポイント ❶ 2

正解 **4**

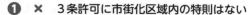

❶ ✕ 3条許可に市街化区域内の特則はない

第3条の許可について、市街化区域内の特則はありません。したがって、市街化区域内の農地を耕作のために取得する場合、第3条の許可が必要となります。

❷ ✕ 市街化区域内ではないので許可必要

市街化区域内で農地の転用をする場合には、あらかじめ農業委員会に届出をすれば、農地法4条の許可を受ける必要はありません。今回は、市街化区域「外」とあることに気をつけてください。市街化区域内であれば許可は不要ですが、その他の区域の場合は許可が必要です。

❸ ✕ 市街化区域内ではないので許可が必要

市街化区域内にある農地を宅地に転用する目的で所有権を所得する場合には、あらかじめ農業委員会に届け出れば、農地法5条の許可を受ける必要はありません。今回は、市街化区域「外」とあることに気をつけてください。市街化区域内であれば許可は不要ですが、その他の区域の場合は許可が必要です。

❹ ○ 競売による取得は許可必要

抵当権の実行により競売が行われ第三者が農地を取得する場合、許可が必要となります。

図表まとめ

● **＜農業者の方の自宅＞**

都市計画法（開発許可）　＝　農林漁業用建築物

農地法　　　　　　　　　＝　農業用施設ではない！

農地法（以下この問において「法」という。）に関する次の記述のうち、正しいものはどれか。

❶ 相続により農地を取得する場合は、法第3条第1項の許可を要しないが、遺産の分割により農地を取得する場合は、同項の許可を受ける必要がある。

❷ 競売により市街化調整区域内にある農地を取得する場合は、法第3条第1項又は第5条第1項の許可を受ける必要はない。

❸ 農業者が、自らの養畜の事業のための畜舎を建設する目的で、市街化調整区域内にある150㎡の農地を購入する場合は、第5条第1項の許可を受ける必要がある。

❹ 市街化区域内にある農地を取得して住宅を建設する場合は、工事完了後遅滞なく農業委員会に届け出れば、法第5条第1項の許可を受ける必要はない。

全問◎を
目指そう!

| 1回目 | / | 2回目 | / | 3回目 | / | 4回目 | / | 5回目 | / |

手応え □ 手応え □ 手応え □ 手応え □ 手応え □

◎：完全に分かってきた
○：だいたい分かってきた
△：少し分かってきた
×：全く分からなかった

❶ 農地法	コース 6 ポイント ❶ ❷		
❷ 農地法	コース 6 ポイント ❶ ❷		
❸ 農地法	コース 6 ポイント ❶ ❹	**正解**	**3**
❹ 農地法	コース 6 ポイント ❶ ❺		

❶ ✕ 相続、遺産分割による取得は3条許可が不要

相続や遺産の分割により農地の権利を取得する場合には、農地法3条の許可を得る必要はありません。相続のみならず、遺産の分割も農地法3条の許可は不要です。

❷ ✕ 競売による取得は許可必要

競売が行われ第三者が農地を取得する場合、3条許可または5条許可が必要となります。

❸ ◯ 5条許可が必要

農業者が、自己の所有する農地を農業用施設に供する場合、それが2アール未満であるときに限り、農地法4条の許可を受ける必要はありません。今回は、転用目的で農地を購入しているので5条許可が必要となります。

❹ ✕ あらかじめ農業委員会へ届出が必要

市街化区域内にある農地を宅地に転用する目的で所有権を所得する場合には、あらかじめ農業委員会に届け出れば、農地法5条の許可を受ける必要はありません。「工事完了後遅滞なく」ではなく「あらかじめ」です。

農地法

 図表まとめ

● **農業委員会への届出**

相続・遺産分割（3条許可不要） → 遅滞なく届出

市街化区域（4条・5条許可不要）→ あらかじめ届出

農地に関する次の記述のうち、農地法（以下この問において「法」という。）の規定によれば、正しいものはどれか。

❶ 耕作目的で原野を農地に転用しようとする場合、法第4条第1項の許可は不要である。

❷ 金融機関からの資金借入れのために農地に抵当権を設定する場合、法第3条第1項の許可が必要である。

❸ 市街化区域内の農地を自家用駐車場に転用する場合、法第4条第1項の許可が必要である。

❹ 砂利採取法による認可を受けた採取計画に従って砂利採取のために農地を一時的に貸し付ける場合、法第5条第1項の許可は不要である。

全問◎を
目指そう!

1回目	/	2回目	/	3回目	/	4回目	/	5回目	/
手応え		手応え		手応え		手応え		手応え	

◎：完全に分かってきた
○：だいたい分かってきた
△：少し分かってきた
×：全く分からなかった

肢別テーマ	❶ 農地法	コース 6 ポイント ❶ 1
テキスト 第3編	❷ 農地法	コース 6 ポイント ❶ 2
	❸ 農地法	コース 6 ポイント ❶ 5
	❹ 農地法	コース 6 ポイント ❶ 4

正解 1

❶ ○　原野の転用なので許可不要

農地を農地以外にする場合には許可が必要ですが、今回は農地以外を農地にするため、農地法の許可は必要ありません。

❷ ×　抵当権設定では許可不要

抵当権を設定する場合、3条の許可は必要ありません。

❸ ×　市街化区域内では届出をすれば4条許可が不要

市街化区域内で農地の転用をする場合には、あらかじめ農業委員会に届出をすれば、農地法4条の許可を受ける必要はありません。

❹ ×　一時的でも許可必要

農地を農地以外のものに転用するために取得する場合、たとえその取得が一時的であったり、農地に復元して返還する予定であったとしても、原則として農地法5条の許可を受ける必要があります。

農地法

土地区画整理法に関する次の記述のうち、誤っているものはどれか。なお、この問において「組合」とは、土地区画整理組合をいう。

❶ 組合は、事業の完成により解散しようとする場合においては、都道府県知事の認可を受けなければならない。

❷ 施行地区内の宅地について組合員の有する所有権の全部又は一部を承継した者がある場合においては、その組合員がその所有権の全部又は一部について組合に対して有する権利義務は、その承継した者に移転する。

❸ 組合を設立しようとする者は、事業計画の決定に先立って組合を設立する必要があると認める場合においては、7人以上共同して、定款及び事業基本方針を定め、その組合の設立について都道府県知事の認可を受けることができる。

❹ 組合が施行する土地区画整理事業に係る施行地区内の宅地について借地権のみを有する者は、その組合の組合員とはならない。

全問◎を
目指そう!

| 1回目 | ／ | 2回目 | ／ | 3回目 | ／ | 4回目 | ／ | 5回目 | ／ |
| 手応え | | 手応え | | 手応え | | 手応え | | 手応え | |

◎：完全に分かってきた
○：だいたい分かってきた
△：少し分かってきた
×：全く分からなかった

肢別テーマ	❶ 土地区画整理	コース 7 ポイント〉❶ ❷
テキスト第3編	❷ 土地区画整理	該当なし
	❸ 土地区画整理	コース 7 ポイント〉❶ ❷
	❹ 土地区画整理	コース 7 ポイント〉❶ ❷

正解 4

---

❶ ○ 解散には知事の認可が必要

組合を解散するときは、都道府県知事の認可を受けなければなりません。

❷ ○ 承継した者に移転する

施行地区内の土地等の承継があれば、権利義務もその承継した者に移転します。

❸ ○ 組合は7人以上

宅地の所有者、借地権者が7人以上共同して、定款および事業計画を定め、その組合の設立について都道府県知事の認可を受けることができます。

❹ ✕ 所有権・借地権を有する者はすべて組合員

土地区画整理組合の設立が認可されると、施行地区内の宅地の所有者と借地権者の全員が、その土地区画整理組合の組合員となります。したがって、借地権のみを有する者も組合員となります。

土地区画整理法

● **組合施行で知事の認可が必要なもの**

　1　組合設立

　2　換地計画

　3　解散

土地区画整理法に関する次の記述のうち、誤っているものはどれか。

❶ 施行者は、換地処分を行う前において、換地計画に基づき換地処分を行うため必要がある場合においては、施行地区内の宅地について仮換地を指定することができる。

❷ 仮換地が指定された場合においては、従前の宅地について権原に基づき使用し、又は収益することができる者は、仮換地の指定の効力発生の日から換地処分の公告がある日まで、仮換地について、従前の宅地について有する権利の内容である使用又は収益と同じ使用又は収益をすることができる。

❸ 施行者は、仮換地を指定した場合において、特別の事情があるときは、その仮換地について使用又は収益を開始することができる日を仮換地の指定の効力発生日と別に定めることができる。

❹ 土地区画整理組合の設立の認可の公告があった日後、換地処分の公告がある日までは、施行地区内において、土地区画整理事業の施行の障害となるおそれがある土地の形質の変更を行おうとする者は、当該土地区画整理組合の許可を受けなければならない。

1回目	/	2回目	/	3回目	/	4回目	/	5回目	/
手応え		手応え		手応え		手応え		手応え	

◎：完全に分かってきた
○：だいたい分かってきた
△：少し分かってきた
×：全く分からなかった

❶ 土地区画整理事業	コース 7	ポイント ❷ ❸	
❷ 土地区画整理事業	コース 7	ポイント ❷ ❸	正解 **4**
❸ 土地区画整理事業	コース 7	ポイント ❷ ❸	
❹ 土地区画整理事業	コース 7	ポイント ❷ ❷	

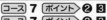

❶ ○ 仮換地の指定は可能

施行者は、換地処分を行う前において、換地計画に基づき換地処分を行うため必要がある場合においては、施行地区内の宅地について仮換地を指定することができます。

❷ ○ 同じ使用収益が可能

仮換地が指定されると、従前の宅地について権原に基づき使用し収益できる者は、仮換地指定の効力発生の日から換地処分の公告のある日まで、仮換地について、従前の宅地と同様の使用・収益をすることができます。

❸ ○ 別に定めることも可

仮換地指定の効力発生の日から使用・収益を開始できるのが原則ですが、施行者は、特別の事情がある場合は、効力発生の日と使用収益の開始日を別に定めることもできます。

❹ × 知事等の許可が必要

施行地区内で土地の形質の変更、建築物の新築等を行う場合には、都道府県知事等の許可が必要となります。組合の許可ではありません。

土地区画整理法

この問題は、合格者の正解率が 94.9% に対して、不合格者の正解率は 68.5% となっています（LEC 調べ）。差の付く問題ですので、しっかりと正解できるようにしましょう！

土地区画整理法に関する次の記述のうち、誤っているものはどれか。

❶ 土地区画整理事業の施行者は、換地処分を行う前において、換地計画に基づき換地処分を行うため必要がある場合においては、施行地区内の宅地について仮換地を指定することができる。

❷ 仮換地が指定された場合においては、従前の宅地について権原に基づき使用し、又は収益することができる者は、仮換地の指定の効力発生の日から換地処分の公告がある日まで、仮換地について、従前の宅地について有する権利の内容である使用又は収益と同じ使用又は収益をすることができる。

❸ 土地区画整理事業の施行者は、施行地区内の宅地について換地処分を行うため、換地計画を定めなければならない。この場合において、当該施行者が土地区画整理組合であるときは、その換地計画について都道府県知事及び市町村長の認可を受けなければならない。

❹ 換地処分の公告があった場合においては、換地計画において定められた換地は、その公告があった日の翌日から従前の宅地とみなされ、換地計画において換地を定めなかった従前の宅地について存する権利は、その公告があった日が終了した時において消滅する。

全問◯を
目指そう!

1回目 /	2回目 /	3回目 /	4回目 /	5回目 /
手応え	手応え	手応え	手応え	手応え

◎：完全に分かってきた
◯：だいたい分かってきた
△：少し分かってきた
×：全く分からなかった

肢別テーマ	❶ 土地区画整理事業	コース 7	ポイント ❷ ❸	
テキスト 第3編	❷ 土地区画整理事業	コース 7	ポイント ❷ ❸	正解 3
	❸ 土地区画整理事業	コース 7	ポイント ❷ ❶	
	❹ 土地区画整理事業	コース 7	ポイント ❷ ❹	

❶ ○ 仮換地の指定は可能

施行者は、換地処分を行う前において、換地計画に基づき換地処分を行うため必要がある場合においては、施行地区内の宅地について仮換地を指定することができます。

❷ ○ 同じ使用収益が可能

仮換地が指定されると、従前の宅地について権原に基づき使用し収益できる者は、仮換地指定の効力発生の日から換地処分の公告のある日まで、仮換地について、従前の宅地と同様の使用・収益をすることができます。

❸ ✕ 知事の認可が必要

施行者が個人施行者、土地区画整理組合、区画整理会社、市町村等であるときは、その換地計画について、都道府県知事の認可を受けなければなりません。したがって、都道府県知事の認可は必要ですが、市町村長の認可は不要です。

❹ ○ 公告日終了時に不要な権利が消滅、翌日に必要な権利が発生・確定

換地処分の公告の日の終了時に、換地計画で換地を定めなかった従前の宅地に存する権利が消滅し、公告の日の翌日に、換地計画で定められた換地が従前の宅地とみなされることとなります。

土地区画整理法

ちょこっと **よりみちトーク**

選択肢の❶と❷は、1つ前の問題と同じ選択肢だ!

過去問は繰り返し出題されるから、しっかり過去問を解こうね!

土地区画整理法

土地区画整理法に関する次の記述のうち、誤っているものはどれか。

❶ 土地区画整理組合の設立の認可の公告があった日後、換地処分の公告がある日までは、施行地区内において、土地区画整理事業の施行の障害となるおそれがある土地の形質の変更を行おうとする者は、当該土地区画整理組合の許可を受けなければならない。

❷ 公共施設の用に供している宅地に対しては、換地計画において、その位置、地積等に特別の考慮を払い、換地を定めることができる。

❸ 区画整理会社が施行する土地区画整理事業の換地計画においては、土地区画整理事業の施行の費用に充てるため、一定の土地を換地として定めないで、その土地を保留地として定めることができる。

❹ 個人施行者は、換地処分を行う前において、換地計画に基づき換地処分を行うため必要がある場合においては、施行地区内の宅地について仮換地を指定することができる。

◎：完全に分かってきた
○：だいたい分かってきた
△：少し分かってきた
×：全く分からなかった

肢別テーマ		
テキスト第3編	❶ 土地区画整理事業	コース 7 ポイント ❷ ❷
	❷ 土地区画整理事業	該当なし
	❸ 土地区画整理	コース 7 ポイント ❶ ❶
	❹ 土地区画整理事業	コース 7 ポイント ❷ ❸

正解 **1**

❶ ✕ **知事等の許可**

施行地区内で土地の形質の変更、建築物の新築等を行う場合には、**都道府県知事等の許可**が必要となります。組合の許可ではありません。

❷ ◯

公共施設の用に供している宅地に対しては、換地計画において特別の考慮を払い、換地を定めることができます。

❸ ◯ **保留地を定めることも可**

保留地を定め、それを土地区画整理事業の**費用**にあてることもできます。

❹ ◯ **仮換地の指定も可**

施行者は、換地処分を行う前において、換地計画に基づき換地処分を行うため必要がある場合においては、施行地区内の宅地について**仮換地を指定すること**ができます。

土地区画整理法

土地区画整理事業の施行地区において仮換地の指定がされた場合に関する次の記述のうち、土地区画整理法の規定によれば、正しいものはどれか。

❶ 仮換地の指定を受けて、その使用収益をすることができる者が、当該仮換地上で行う建築物の新築については、都道府県知事等の許可が必要となる場合はない。

❷ 従前の宅地の所有者は、仮換地の指定により従前の宅地に抵当権を設定することはできなくなり、当該仮換地について抵当権を設定することができる。

❸ 従前の宅地の所有者は、換地処分の公告がある日までの間において、当該宅地を売却することができ、その場合の所有権移転登記は、従前の宅地について行うこととなる。

❹ 仮換地の指定を受けた者は、その使用収益を開始できる日が仮換地指定の効力発生日と別に定められている場合、その使用収益を開始できる日まで従前の宅地を使用収益することができる。

全問◯を
目指そう!

◎：完全に分かってきた
◯：だいたい分かってきた
△：少し分かってきた
×：全く分からなかった

肢別テーマ	❶ 土地区画整理事業	コース 7 ポイント ❷ 2	
テキスト 第3編	❷ 土地区画整理事業	コース 7 ポイント ❷ 3	正解 3
	❸ 土地区画整理事業	コース 7 ポイント ❷ 3	
	❹ 土地区画整理事業	コース 7 ポイント ❷ 3	

❶ ✕ **仮換地であっても許可が必要となる場合がある**

仮換地の指定を受けていても、施行地区内の土地であるから、事業の施行の障害となるおそれがある建築物の新築については、都道府県知事等の許可が必要となります。

❷ ✕ **抵当権は従前の宅地に設定**

従前の宅地の所有者は、抵当権を従前の宅地に設定することができます。仮換地に抵当権を設定することはできません。

❸ ◯ **所有権移転登記は従前の宅地について行う**

従前の宅地の所有権があるので、自由に処分することができます。その場合の所有権移転登記は、従前の宅地について行うこととなります。

❹ ✕ **従前の宅地の使用収益はできない**

仮換地指定の効力が発生した日から、従前の宅地の使用収益はできなくなります。使用開始日が別に定められている場合は、従前の宅地も仮換地も使えない日が発生するということです。

土地区画整理法

ちょこっと よりみちトーク

従前の宅地は自分のものだけど、仮換地は他の人のものだよね。

他人の土地に抵当権をつけるのはさすがにダメだよね。

土地区画整理法に関する次の記述のうち、誤っているものはどれか。

❶ 仮換地の指定は、その仮換地となるべき土地の所有者及び従前の宅地の所有者に対し、仮換地の位置及び地積並びに仮換地の指定の効力発生の日を通知してする。

❷ 施行地区内の宅地について存する地役権は、土地区画整理事業の施行により行使する利益がなくなった場合を除き、換地処分があった旨の公告があった日の翌日以後においても、なお従前の宅地の上に存する。

❸ 換地計画において定められた保留地は、換地処分があった旨の公告があった日の翌日において、施行者が取得する。

❹ 土地区画整理事業の施行により生じた公共施設の用に供する土地は、換地処分があった旨の公告があった日の翌日において、すべて市町村に帰属する。

1回目 /	2回目 /	3回目 /	4回目 /	5回目 /
手応え	手応え	手応え	手応え	手応え

◎：完全に分かってきた
○：だいたい分かってきた
△：少し分かってきた
×：全く分からなかった

❶ 土地区画整理事業	コース 7 ポイント ❷ ❸	
❷ 土地区画整理事業	コース 7 ポイント ❷ ❹	正解 4
❸ 土地区画整理事業	コース 7 ポイント ❷ ❹	
❹ 土地区画整理事業	該当なし	

❶ ◯ **通知をしなければならない**

仮換地の指定は、仮換地となるべき土地の所有者と従前の宅地の所有者に対し、仮換地の位置および地積ならびに仮換地の指定の効力発生の日を通知して行います。

❷ ◯ **そのまま従前の宅地の上に存する**

行使する利益のなくなった地役権は消滅しますが、それ以外の地役権はそのまま従前の宅地の上に存することとなります。

❸ ◯ **保留地は施行者が取得する**

換地計画において定められた保留地は、換地処分があった日の翌日に施行者が取得します。

❹ ✕ **すべて市町村に帰属するとは限らない**

土地区画整理事業の施行により生じた公共施設の用に供する土地は、換地処分があった旨の公告があった日の翌日において、その公共施設を管理すべき者に帰属します。しかし、この当該公共施設を管理すべき者が一定の地方公共団体であるときは、国に帰属します。したがって、すべて市町村に帰属するのではありません。

土地区画整理法

土地区画整理法に関する次の記述のうち、正しいものはどれか。

❶ 個人施行者は、規準又は規約に別段の定めがある場合においては、換地計画に係る区域の全部について土地区画整理事業の工事が完了する以前においても換地処分をすることができる。

❷ 換地処分は、施行者が換地計画において定められた関係事項を公告して行うものとする。

❸ 個人施行者は、換地計画において、保留地を定めようとする場合においては、土地区画整理審議会の同意を得なければならない。

❹ 個人施行者は、仮換地を指定しようとする場合においては、あらかじめ、その指定について、従前の宅地の所有者の同意を得なければならないが、仮換地となるべき宅地の所有者の同意を得る必要はない。

全問◎を
目指そう!

1回目 /	2回目 /	3回目 /	4回目 /	5回目 /
手応え	手応え	手応え	手応え	手応え

◎：完全に分かってきた
○：だいたい分かってきた
△：少し分かってきた
×：全く分からなかった

肢別テーマ	❶ 土地区画整理事業	コース 7 ポイント ❷ ❹	
テキスト 第3編	❷ 土地区画整理事業	コース 7 ポイント ❷ ❹	正解 1
	❸ 土地区画整理	コース 7 ポイント ❶ ❷	
	❹ 土地区画整理事業	該当なし	

❶ ○ 別段の定めがある場合には可

規準・規約・定款などに別段の定めがある場合には、工事がすべて完了する前に換地処分をすることができます。

❷ × 換地処分は通知して行う

換地処分は、関係権利者に換地計画において定められた関係事項を通知して行います。公告して行うわけではありません。

❸ × 土地区画整理審議会は公的施行で設置

土地区画整理審議会の同意が必要なのは公的施行の場合のみで、個人施行者（＝民間施行）の場合には必要はありません。

❹ × 仮換地となるべき宅地の所有者の同意も必要

仮換地を指定しようとする場合には、あらかじめ、その指定について、個人施行者は、従前の宅地の所有者の同意および仮換地となるべき宅地の所有者の同意を得る必要があります。

土地区画整理法

ちょこっと よりみちトーク

選択肢の❷で間違えた

テキストを見ると「公告の日の終了時」とか「公告の日の翌日」とか出てくるから、換地処分が公告だと勘違いしてしまうよね

ひっかからないように注意しましょうね！

115

宅地造成及び特定盛土等規制法に関する次の記述のうち、誤っているものはどれか。なお、この問における都道府県知事とは、地方自治法に基づく指定都市及び中核市にあっては、その長をいうものとする。

❶ 宅地を宅地以外の土地にするために行う土地の形質の変更は、宅地造成に該当しない。

❷ 都道府県知事は、宅地造成等工事規制区域内において行われる宅地造成等に関する工事についての許可に、当該工事の施行に伴う災害の防止その他良好な都市環境の形成のために必要と認める場合にあっては、条件を付することができる。

❸ 宅地以外の土地を宅地にするための切土であって、当該切土を行う土地の面積が400㎡であり、かつ、高さが1mのがけを生ずることとなる土地の形質の変更は、宅地造成に該当しない。

❹ 宅地以外の土地を宅地にするための盛土であって、当該盛土を行う土地の面積が1,000㎡であり、かつ、高さが80cmのがけを生ずることとなる土地の形質の変更は、宅地造成に該当する。

全問◎を
目指そう！

1回目	2回目	3回目	4回目	5回目
手応え	手応え	手応え	手応え	手応え

◎：完全に分かってきた
○：だいたい分かってきた
△：少し分かってきた
×：全く分からなかった

肢別テーマ
テキスト
第3編

❶ 盛土規制法
❷ 盛土規制法
❸ 盛土規制法
❹ 盛土規制法

コース 8 ポイント ❶ ❷
コース 8 ポイント ❶ ❸
コース 8 ポイント ❶ ❸
コース 8 ポイント ❶ ❸

正解 2

❶ ○ 宅地以外にするのは宅地造成ではない

宅地を宅地以外にするのは、宅地造成ではありません。

❷ ✕ 災害防止のために条件を付けるのは可

条件を付することができるのは、工事の施行に伴う災害を防止するため必要な場合に限られます。したがって、「その他良好な都市環境の形成のため」に条件を付することはできません。

❸ ○ 切土→2m超の崖または500㎡超

切土の場合、高さ2mの崖か面積500㎡超の場合に宅地造成となります。今回は高さ1mの崖で面積400㎡なので、宅地造成に該当しません。

❹ ○ 盛土→1m超の崖または500㎡超

盛土の場合、高さ1m超の崖か面積500㎡超の場合に宅地造成となります。今回は盛土の高さが80cmの崖ですが面積1,000㎡なので、宅地造成に該当します。

ちょこっと **よりみちトーク**

「災害防止のために条件をつける」って具体的にどんな条件なのですか？

たとえば「悪天候の日は工事しない」とかだね！

盛土規制法

宅地造成及び特定盛土等規制法に関する次の記述のうち、誤っているものはどれか。なお、この問において「都道府県知事」とは、地方自治法に基づく指定都市及び中核市にあってはその長をいうものとする。

❶ 宅地造成等工事規制区域内において宅地造成等に関する工事を行う場合、宅地造成等に伴う災害を防止するために行う高さ4mの擁壁の設置に係る工事については、政令で定める資格を有する者の設計によらなければならない。

❷ 宅地造成等工事規制区域内において行われる切土であって、当該切土をする土地の面積が600㎡で、かつ、高さ1.5mの崖を生ずることとなるものに関する工事については、都道府県知事の許可が必要である。

❸ 宅地造成等工事規制区域内において行われる盛土であって、当該盛土をする土地の面積が300㎡で、かつ、高さ1.5mの崖を生ずることとなるものに関する工事については、都道府県知事の許可が必要である。

❹ 都道府県知事は、宅地造成等工事規制区域内の土地について、宅地造成等に伴う災害の防止のため必要があると認める場合においては、その土地の所有者、管理者、占有者、工事主又は工事施行者に対し、擁壁の設置等の措置をとることを勧告することができる。

1回目	2回目	3回目	4回目	5回目
手応え	手応え	手応え	手応え	手応え

◎：完全に分かってきた
○：だいたい分かってきた
△：少し分かってきた
×：全く分からなかった

肢別テーマ						
テキスト 第3編	❶	盛土規制法	コース 8 ポイント ❶ ❻		正解	1
	❷	盛土規制法	コース 8 ポイント ❶ ❸			
	❸	盛土規制法	コース 8 ポイント ❶ ❸			
	❹	盛土規制法	該当なし			

❶ ✕ **有資格者の設計が必要なのは5m超**

高さ5mを超える擁壁の設置をするときは、有資格者が設計をしなければなりません。今回は4mなので、有資格者の設計は必要ありません。

❷ ◯ **切土→2m超の崖または500㎡超**

切土の場合、高さ2m超の崖か面積500㎡超の場合に許可が必要となります。今回は高さ1.5mの崖ですが、面積600㎡なので、許可が必要です。

❸ ◯ **盛土→1m超の崖または500㎡超**

盛土の場合、高さ1m超の崖か面積500㎡超の場合に許可が必要となります。今回は面積300㎡ですが盛土の高さが1.5mの崖なので、許可が必要です。

❹ ◯ **知事は勧告が可能**

都道府県知事は、災害防止のため必要のある場合には、その土地の所有者、管理者、占有者、工事主または工事施行者に対し、擁壁の設置等の措置をとることを勧告することができます。

● **宅地造成等工事規制区域（許可が必要な規模）**

宅地造成等	崖を生ずる盛土	1mを超える崖を生ずるもの
	崖を生ずる切土	2mを超える崖を生ずるもの
	盛土と切土を合わせた	2mを超える崖を生ずるもの
	崖を生じない盛土	高さ2mを超えるもの
	面積	500㎡を超えるもの
土石の堆積	①高さが2mを超え、かつ、面積が300㎡を超える ②面積が500㎡を超える（①を除く）	

盛土規制法

宅地造成及び特定盛土等規制法に関する次の記述のうち、誤っているものはどれか。なお、この問において「都道府県知事」とは、地方自治法に基づく指定都市及び中核市にあってはその長をいうものとする。

❶ 宅地造成等工事規制区域内において行われる宅地造成等に関する工事が完了した場合、工事主は、都道府県知事の検査を申請しなければならない。

❷ 宅地造成等工事規制区域内において行われる宅地造成等に関する工事について許可をする都道府県知事は、当該許可に、工事の施行に伴う災害を防止するために必要な条件を付することができる。

❸ 都道府県知事は、宅地造成等工事規制区域内の土地の所有者、管理者又は占有者に対して、当該土地又は当該土地において行われている工事の状況について報告を求めることができる。

❹ 都道府県知事は、関係市町村長の意見を聴いて、宅地造成等工事規制区域内で、宅地造成又は特定盛土等（宅地において行うものに限る）に伴う災害で相当数の居住者その他の者に危害を生ずるものの発生のおそれが大きい一団の造成宅地の区域であって一定の基準に該当するものを、造成宅地防災区域として指定することができる。

全問○を
目指そう！

| 1回目 | / | 2回目 | / | 3回目 | / | 4回目 | / | 5回目 | / |
| 手応え | | 手応え | | 手応え | | 手応え | | 手応え | |

◎：完全に分かってきた
○：だいたい分かってきた
△：少し分かってきた
×：全く分からなかった

肢別テーマ	❶ 盛土規制法	コース 8 ポイント ❶ 5	
テキスト 第3編	❷ 盛土規制法	コース 8 ポイント ❶ 3	正解 4
	❸ 盛土規制法	該当なし	
	❹ 盛土規制法	コース 8 ポイント ❶ 9	

❶ ○

工事が完了したら、都道府県知事の検査を申請しなければなりません。

❷ ○ **災害防止のために条件を付けるのは可**

災害防止のために必要な条件を付することができます。

❸ ○

土地の所有者や管理者、占有者に対して、工事の状況について報告を求めることができます。

❹ ✕ **造成宅地防災区域は宅地造成等工事規制区域外**

造成宅地防災区域は、宅地造成等工事規制区域以外の区域に指定します。

宅地造成及び特定盛土等規制法に関する次の記述のうち、誤っているものはどれか。なお、この問において「都道府県知事」とは、地方自治法に基づく指定都市及び中核市にあってはその長をいうものとする。

❶ 都道府県知事は、宅地造成等工事規制区域内の土地について、宅地造成等に伴う災害を防止するために必要があると認める場合には、その土地の所有者に対して、擁壁等の設置等の措置をとることを勧告することができる。

❷ 宅地造成等工事規制区域の指定の際に、当該宅地造成等工事規制区域内において宅地造成等に関する工事を行っている者は、当該工事について改めて都道府県知事の許可を受けなければならない。

❸ 宅地造成等に関する工事の許可を受けた者が、工事施行者を変更する場合には、遅滞なくその旨を都道府県知事に届け出ればよく、改めて許可を受ける必要はない。

❹ 宅地造成等工事規制区域内において、宅地を造成するために切土をする土地の面積が500㎡であって盛土が生じない場合、切土をした部分に生じる崖の高さが1.5 mであれば、都道府県知事の許可は必要ない。

全問◯を
目指そう！

1 回目	／	2 回目	／	3 回目	／	4 回目	／	5 回目	／
手応え		手応え		手応え		手応え		手応え	

◎：完全に分かってきた
◯：だいたい分かってきた
△：少し分かってきた
×：全く分からなかった

122

肢別テーマ	❶ 盛土規制法	該当なし	
テキスト 第3編	❷ 盛土規制法	コース 8 ポイント ❶ ❸	正解 2
	❸ 盛土規制法	コース 8 ポイント ❶ ❺	
	❹ 盛土規制法	コース 8 ポイント ❶ ❸	

❶ ○ 知事は勧告が可能

都道府県知事は、災害防止のため必要のある場合には、その土地の所有者、管理者、占有者、工事主または工事施行者に対し、擁壁の設置等の措置をとることを勧告することができます。

❷ ✕ 指定があった日から 21 日以内に届出

工事をすでに行っている場合、許可ではなくて、指定があった日から 21 日以内に届出が必要です。

❸ ○ 軽微変更は届出

工事施行者が変更（＝軽微変更）の場合には、届出が必要となり、再度許可を受ける必要はありません。

❹ ○ 切土→2ｍ超の崖または 500㎡超

切土の場合、高さ 2ｍ超の崖か面積 500㎡超の場合に許可が必要となります。今回は面積 500㎡ちょうどで高さ 1.5m の崖なので、許可は必要ありません。

● 盛土規制法の軽微変更にあたる場合

　工事主・設計者・工事施行者の変更

　工事の着手予定年月日・工事の完了予定年月日の変更

盛土規制法

宅地造成及び特定盛土等規制法に関する次の記述のうち、誤っているものはどれか。なお、この問において「都道府県知事」とは、地方自治法に基づく指定都市及び中核市にあってはその長をいうものとする。

❶ 宅地造成等工事規制区域外に盛土によって造成された一団の造成宅地の区域において、造成された盛土の高さが 5 m 未満の場合は、都道府県知事は、当該区域を造成宅地防災区域として指定することができない。

❷ 宅地造成等工事規制区域内において、宅地以外の土地を宅地にするため切土又は盛土をする土地の面積が 600㎡である場合、その土地における排水施設は、政令で定める資格を有する者によって設計される必要はない。

❸ 宅地造成等工事規制区域内の宅地において、高さが 2 m を超える擁壁を除却する工事を行おうとする者は、一定の場合を除き、その工事に着手する日の 14 日前までにその旨を都道府県知事に届け出なければならない。

❹ 宅地造成等工事規制区域内において、公共施設用地を宅地に転用した者は、一定の場合を除き、その転用した日から 14 日以内に、その旨を都道府県知事に届け出なければならない。

全問○を
目指そう！

124

| 1回目 | / | 2回目 | / | 3回目 | / | 4回目 | / | 5回目 | / |
| 手応え | | 手応え | | 手応え | | 手応え | | 手応え | |

◎：完全に分かってきた
○：だいたい分かってきた
△：少し分かってきた
×：全く分からなかった

肢別テーマ	❶ 盛土規制法	該当なし	
テキスト 第3編	❷ 盛土規制法	コース 8 ポイント ❶ ⑥	
	❸ 盛土規制法	コース 8 ポイント ❶ ❸	正解 1
	❹ 盛土規制法	コース 8 ポイント ❶ ❸	

❶ ✕

造成された盛土の高さが5m未満でも、盛土をした土地の面積が3,000㎡以上であり、かつ、盛土をしたことにより、当該盛土をした土地の地下水位が盛土をする前の地盤面の高さを超え、盛土の内部に浸入しているものは、造成宅地防災区域として指定できます。なお、宅地造成等工事規制区域外に指定できる（＝宅地造成等工事規制区域内では指定できない）という点は正しいです。

❷ ○　**有資格者の設計は不要**

宅地造成等工事規制区域内において宅地造成等に関する工事を行う場合、切土または盛土をする土地の面積が1,500㎡を超える土地における排水施設の設置については、政令で定める資格を有する者の設計によらなければなりません。

❸ ○　**工事着手の14日前までに届出**

高さが2mを超える擁壁または排水施設の全部または一部の除却工事を行おうとする場合、工事着手の14日前までに届出をしなければなりません。

❹ ○　**転用した日から14日以内に届出**

公共施設用地を宅地に転用した場合、転用した日から14日以内に届出をしなければなりません。

宅地造成及び特定盛土等規制法に関する次の記述のうち、誤っているものはどれか。なお、この問において「都道府県知事」とは、地方自治法に基づく指定都市及び中核市にあってはその長をいうものとする。

❶ 特定盛土等規制区域内の宅地において行う切土であって、高さが 4 m の崖を生ずる工事については、工事主は、一定の場合を除いて、当該工事に着手する日の 30 日前までに当該工事の計画を都道府県知事に届け出なければならない。

❷ 特定盛土等規制区域内の宅地において行う盛土であって、面積が 4,000㎡であり、かつ、高さが 2 m の崖を生ずる工事については、工事主は、一定の場合を除いて、当該工事に着手する前に、都道府県知事の許可を受けなければならない。

❸ 特定盛土等規制区域内において行われる土石の堆積であって一定期間の経過後に当該土石を除去するものは、面積が 5,000㎡のものについては、一定の場合を除いて、都道府県知事の許可を受けなければならない。

❹ 宅地造成等工事規制区域内において行われる土石の堆積であって一定期間の経過後に当該土石を除去するものは、高さが 3 m で面積が 400㎡のものについては、一定の場合を除いて、都道府県知事に届け出なければならない。

1回目	/	2回目	/	3回目	/	4回目	/	5回目	/
手応え		手応え		手応え		手応え		手応え	

◎：完全に分かってきた
○：だいたい分かってきた
△：少し分かってきた
×：全く分からなかった

肢別テーマ
テキスト
第3編

❶ 盛土規制法　コース 8 ポイント ❶ 4
❷ 盛土規制法　コース 8 ポイント ❶ 4
❸ 盛土規制法　コース 8 ポイント ❶ 4
❹ 盛土規制法　コース 8 ポイント ❶ 3

正解 4

❶ ○　2 m超5 m以下なので届出が必要

特定盛土等規制区域内の宅地において行う切土であって、高さが2 m超5 m以下の崖を生ずることになるものは、原則として届出が必要です。

❷ ○　面積3,000㎡超なので許可が必要

特定盛土等規制区域内の宅地において行う盛土であって、高さが2 mを超える崖を生ずることになるもの、または面積が3,000㎡を超えるものは、原則として都道府県知事の許可が必要です。

❸ ○　面積3,000㎡超なので許可が必要

特定盛土等規制区域内において行う一時的な土石の堆積であって、最大時に堆積する高さが5 m超かつ面積1,500㎡超の場合、または、最大時に堆積する面積が3,000㎡超の場合、原則として都道府県知事の許可が必要です。

❹ ✕　届出ではなく許可が必要

宅地造成等工事規制区域内において行う一時的な土石の堆積であって、最大時に堆積する高さが2 m超かつ面積300㎡超の場合、または、最大時に堆積する面積が500㎡超の場合、原則として都道府県知事の許可が必要です。

図表まとめ

●許可と届出

		宅地造成等工事規制区域において許可が必要となる基準／特定盛土等規制区域において届出が必要となる基準	特定盛土等規制区域において許可が必要となる基準
特定盛土等	崖を生ずる盛土	1 m超	2 m超
	崖を生ずる切土	2 m超	5 m超
	崖を生ずる盛土と切土	2 m超	5 m超
	崖を生じない盛土	高さ2 m超	高さ5 m超
	面積	500㎡超	3,000㎡超
土石の堆積		①高さ2 m超かつ面積300㎡超 ②面積500㎡超（①を除く）	①高さ5 m超かつ面積1,500㎡超 ②面積3,000㎡超（①を除く）

盛土規制法

次の記述のうち、誤っているものはどれか。

❶ 土砂災害警戒区域等における土砂災害防止対策の推進に関する法律によれば、土砂災害特別警戒区域内において都市計画法上の一定の開発行為をしようとする者は、原則として市町村長の許可を受けなければならない。

❷ 海岸法によれば、海岸保全区域内において土石の採取などの行為をしようとする者は、原則として海岸管理者の許可を受けなければならない。

❸ 都市緑地法によれば、特別緑地保全地区内で建築物の新築、改築等の行為をしようとする者は、原則として都道府県知事等の許可を受けなければならない。

❹ 急傾斜地の崩壊による災害の防止に関する法律によれば、急傾斜地崩壊危険区域内において水を放流し、又は停滞させる等の行為をしようとする者は、原則として都道府県知事の許可を受けなければならない。

全問○を
目指そう!

1回目	/	2回目	/	3回目	/	4回目	/	5回目	/
手応え		手応え		手応え		手応え		手応え	

◎：完全に分かってきた
○：だいたい分かってきた
△：少し分かってきた
×：全く分からなかった

肢別テーマ	❶ その他の法令上の制限	コース 8	ポイント ❷ ❶	
テキスト 第3編	❷ その他の法令上の制限	コース 8	ポイント ❷ ❶	正解 1
	❸ その他の法令上の制限	コース 8	ポイント ❷ ❶	
	❹ その他の法令上の制限	コース 8	ポイント ❷ ❶	

❶ ✕ **都道府県知事の許可が必要**

市町村長の許可ではなく、都道府県知事の許可です。

❷ ○ **海岸管理者の許可が必要**

海岸法の場合には、海岸管理者の許可です。

❸ ○ **都道府県知事等の許可が必要**

都市緑地法の場合には、都道府県知事等の許可です。

❹ ○ **都道府県知事の許可が必要**

急傾斜地の崩壊による災害の防止に関する法律の場合には、都道府県知事の許可です。

ちょこっと **よりみちトーク**

都市緑地法は知事等の許可だけど、生産緑地法は市町村長の許可なのな。へへへ…。

そうだよ。基本的に工事は知事の許可が必要と思っていいけど、そうじゃないのがあるよ。

その他の法令上の制限

MEMO

MEMO

MEMO

第4編

税・その他

第4編・税・その他

本試験での出題数：8問　得点目標：5点

難易度が一定しないので、「ここで点数をとる！」という戦略は立てにくいですが、だからこそ基本問題が出題されたら得点できるようにしよう！

【税・価格】

論　点	問題番号
不動産取得税	問題 65 〜 問題 69
固定資産税	問題 70 〜 問題 74
所得税（譲渡所得）	問題 75 〜 問題 78
印紙税	問題 79 〜 問題 83
登録免許税	問題 84 〜 問題 86
贈与税	問題 87
地価公示法	問題 88 〜 問題 93
不動産鑑定評価基準	問題 94 〜 問題 99

【免除科目】

論　点	問題番号
住宅金融支援機構法	問題 100 〜 問題 104
景品表示法	問題 105 〜 問題 110
土地	問題 111 〜 問題 115
建物	問題 116 〜 問題 120

不動産取得税に関する次の記述のうち、正しいものはどれか。

❶ 不動産取得税は、不動産の取得に対し、当該不動産の所在する市町村において、当該不動産の取得者に課される。

❷ 宅地の取得に係る不動産取得税の課税標準は、当該宅地の価格の3分の1の額とされる。

❸ 不動産取得税の課税標準となるべき額が9万円である土地を取得した者が当該土地を取得した日から6カ月後に隣接する土地で、その課税標準となるべき額が5万円であるものを取得した場合においては、それぞれの土地の取得について不動産取得税を課されない。

❹ 床面積が240㎡で、床面積1㎡当たりの価格が20万円である住宅を令和7年5月1日に建築した場合、当該住宅の建築に係る不動産取得税の課税標準の算定については、当該住宅の価格から1,200万円が控除される。

全問◎を
目指そう！

1回目	/	2回目	/	3回目	/	4回目	/	5回目	/
手応え		手応え		手応え		手応え		手応え	

◎：完全に分かってきた
○：だいたい分かってきた
△：少し分かってきた
×：全く分からなかった

136

肢別テーマ	❶ 不動産取得税	コース 1 ポイント ❷ ❷	正解 4
テキスト 第4編	❷ 不動産取得税	コース 1 ポイント ❷ ❾	
	❸ 不動産取得税	該当なし	
	❹ 不動産取得税	コース 1 ポイント ❷ ❾	

不動産取得税

❶ ✕ 市町村→都道府県

不動産取得税の課税主体は、市町村ではなく都道府県です。

❷ ✕ 宅地は2分の1

宅地評価土地（＝宅地）の課税標準は、固定資産課税台帳に登録されている宅地の価格の2分の1の額となります。

❸ ✕

土地の取得にあっては10万円に満たない場合においては、原則として不動産取得税を課することができません。しかし、不動産取得税の課税標準となるべき額が9万円である土地を取得した者が当該土地を取得した日から6カ月後に隣接する土地で、その課税標準となるべき額が5万円であるものを取得した場合においては、1つの土地の取得（計14万円）とみなして、不動産取得税が課されます。

❹ ◯ 50〜240㎡

床面積50㎡（一戸建て以外の賃貸住宅の場合は40㎡）以上240㎡以下の場合、一定の要件を満たせば、不動産取得税の課税標準の算定にあたり、一戸につき1,200万円を控除できます。

残すは税・価格のみ！
僕も頑張るから皆もファイト！！

不動産取得税に関する次の記述のうち、正しいものはどれか。

❶ 令和7年4月に個人が取得した住宅及び住宅用地に係る不動産取得税の税率は3％であるが、住宅用以外の土地に係る不動産取得税の税率は4％である。

❷ 一定の面積に満たない土地の取得に対しては、狭小な不動産の取得者に対する税負担の排除の観点から、不動産取得税を課することができない。

❸ 不動産取得税は、不動産の取得に対して課される税であるので、家屋を改築したことにより、当該家屋の価格が増加したとしても、不動産取得税は課されない。

❹ 共有物の分割による不動産の取得については、当該不動産の取得者の分割前の当該共有物に係る持分の割合を超えない部分の取得であれば、不動産取得税は課されない。

1回目	/	2回目	/	3回目	/	4回目	/	5回目	/
手応え		手応え		手応え		手応え		手応え	

◎：完全に分かってきた
○：だいたい分かってきた
△：少し分かってきた
×：全く分からなかった

肢別テーマ		
テキスト 第4編	❶ 不動産取得税	コース 1　ポイント ❷ ⑥
	❷ 不動産取得税	コース 1　ポイント ❷ ⑦
	❸ 不動産取得税	コース 1　ポイント ❷ ③
	❹ 不動産取得税	該当なし

  正解 **4**

❶ ✕　**土地の標準税率は3％**

　　住宅または土地の取得に係る不動産取得税の標準税率は3％、住宅以外の家屋の取得については4％です。したがって、住宅用以外の土地に係る標準税率は3％となります。

❷ ✕　**面積ではなく金額**

　　不動産取得税の課税標準となるべき額が、土地の取得については10万円、家屋の取得のうち建築に係るものについては1戸につき23万円、その他のもの（売買等）については1戸につき12万円に満たない場合には、不動産取得税は課税されません。なお、面積で非課税になるという規定は存在しません。

❸ ✕　**改築→価格が増加したら課税**

　　有償・無償を問わず、不動産を売買や交換、贈与、新築、改築などにより取得した際に税金がかかります。ただし、改築については、家屋の価格が増加した場合のみ、その増加分に対して課税されます。

❹ ◯　

　　共有物の分割により取得する場合、自分の持分の割合を超えないのであれば、不動産取得税は課されません。

🐧 図表まとめ

● **不動産取得税の税率**

	住宅用	住宅用以外
土地	3％	3％
建物	3％	4％

不動産取得税に関する次の記述のうち、正しいものはどれか。

❶ 令和7年4月に土地を取得した場合に、不動産取得税の課税標準となるべき額が30万円に満たないときには不動産取得税は課税されない。

❷ 平成10年4月に建築された床面積200㎡の中古住宅を法人が取得した場合の当該取得に係る不動産取得税の課税標準の算定については、当該住宅の価格から1,200万円が控除される。

❸ 令和7年4月に商業ビルの敷地を取得した場合の不動産取得税の標準税率は、100分の3である。

❹ 不動産取得税は、不動産の取得に対して課される税であるので、相続により不動産を取得した場合にも課税される。

全問◎を
目指そう！

1回目	/	2回目	/	3回目	/	4回目	/	5回目	/
手応え		手応え		手応え		手応え		手応え	

◎：完全に分かってきた
○：だいたい分かってきた
△：少し分かってきた
×：全く分からなかった

肢別テーマ テキスト第4編	❶ 不動産取得税	コース 1 ポイント ❷ 7	正解 3
	❷ 不動産取得税	コース 1 ポイント ❷ 9	
	❸ 不動産取得税	コース 1 ポイント ❷ 6	
	❹ 不動産取得税	コース 1 ポイント ❷ 3	

❶ ✕ 30万円→10万円

不動産取得税の課税標準となるべき額が、土地の取得については10万円、家屋の取得のうち建築に係るものについては1戸につき23万円、その他のもの（売買等）については1戸につき12万円に満たない場合には、不動産取得税は課税されません。したがって、免税点は土地の場合は10万円です。30万円ではありません。

❷ ✕ 法人には適用されない

中古住宅の取得に係る不動産取得税の課税標準の特例は、個人が自己の居住の用に供する既存住宅を取得した場合に適用され、法人の取得に対しては適用されません。

❸ ○ 土地は3％

「商業ビル」は住宅以外の建物（標準税率4％）ですが、「商業ビルの敷地」は土地です。土地を取得した場合の標準税率は3％です。

❹ ✕ 相続・法人の合併は課税されない

相続・法人の合併の場合には不動産取得税は課税されません。

 図表まとめ

● **免税点**

	不動産取得税	固定資産税
土地	10万円	30万円
建物	建 築→23万円 その他→12万円	20万円

不動産取得税

不動産取得税に関する次の記述のうち、正しいものはどれか。

❶ 令和 7 年 4 月に住宅以外の家屋を取得した場合、不動産取得税の標準税率は、100 分の 3 である。

❷ 令和 7 年 4 月に宅地を取得した場合、当該取得に係る不動産取得税の課税標準は、当該宅地の価格の 2 分の 1 の額とされる。

❸ 不動産取得税は、不動産の取得に対して、当該不動産の所在する都道府県が課する税であるが、その徴収は特別徴収の方法がとられている。

❹ 令和 7 年 4 月に床面積 250㎡ である新築住宅に係る不動産取得税の課税標準の算定については、当該新築住宅の価格から 1,200 万円が控除される。

	1回目	2回目	3回目	4回目	5回目
手応え					

◎：完全に分かってきた
○：だいたい分かってきた
△：少し分かってきた
×：全く分からなかった

肢別テーマ テキスト 第4編	❶ 不動産取得税	コース 1 ポイント ❷ 6	正解 2
	❷ 不動産取得税	コース 1 ポイント ❷ 9	
	❸ 不動産取得税	コース 1 ポイント ❷ 8	
	❹ 不動産取得税	コース 1 ポイント ❷ 9	

不動産取得税

❶ **✕ 住宅以外の家屋は 100 分の 4**

住宅以外の家屋の場合、標準税率は 100 分の 3 ではなく 100 分の 4 です。

❷ **○ 宅地は 2 分の 1**

宅地評価土地（＝宅地）の課税標準は、固定資産課税台帳に登録されている宅地の価格の 2 分の 1 の額となります。

❸ **✕ 普通徴収**

特別徴収ではなく普通徴収です。

❹ **✕ 50 ～ 240㎡**

床面積 50㎡（一戸建て以外の賃貸住宅の場合は 40㎡）以上 240㎡以下の場合、一定の要件を満たせば、不動産取得税の課税標準の算定にあたり、一戸につき 1,200 万円を控除できます。本肢の場合、250㎡のため、この特例の対象外となります。

不動産取得税に関する次の記述のうち、正しいものはどれか。

❶ 不動産取得税の課税標準となるべき額が、土地の取得にあっては 10 万円、家屋の取得のうち建築に係るものにあっては 1 戸につき 23 万円、その他のものにあっては 1 戸につき 12 万円に満たない場合においては、不動産取得税が課されない。

❷ 令和 7 年 4 月に取得した床面積 250㎡である新築住宅に係る不動産取得税の課税標準の算定については、当該新築住宅の価格から 1,200 万円が控除される。

❸ 宅地の取得に係る不動産取得税の課税標準は、当該取得が令和 9 年 3 月 31 日までに行われた場合、当該宅地の価格の 4 分の 1 の額とされる。

❹ 家屋が新築された日から 2 年を経過して、なお、当該家屋について最初の使用又は譲渡が行われない場合においては、当該家屋が新築された日から 2 年を経過した日において家屋の取得がなされたものとみなし、当該家屋の所有者を取得者とみなして、これに対して不動産取得税を課する。

全問○を
目そう！

1回目	2回目	3回目	4回目	5回目
手応え	手応え	手応え	手応え	手応え

◎：完全に分かってきた
○：だいたい分かってきた
△：少し分かってきた
×：全く分からなかった

肢別テーマ	❶ 不動産取得税	コース 1 ポイント ❷ 7	
テキスト 第4編	❷ 不動産取得税	コース 1 ポイント ❷ 9	正解 1
	❸ 不動産取得税	コース 1 ポイント ❷ 9	
	❹ 不動産取得税	コース 1 ポイント ❷ 3	

不動産取得税

❶ ○ **一定の金額に満たない場合は非課税**

不動産取得税の課税標準となるべき額が、土地の取得については 10 万円、家屋の取得のうち建築に係るものについては 1 戸につき 23 万円、その他のもの（売買等）については 1 戸につき 12 万円に満たない場合には、不動産取得税は課税されません。

❷ × **50 〜 240㎡**

床面積 50㎡（一戸建て以外の賃貸住宅の場合は 40㎡）以上 240㎡以下の場合、一定の要件を満たせば、不動産取得税の課税標準の算定にあたり、一戸につき 1,200 万円を控除できます。本肢の場合、250㎡のため、この特例の対象外となります。

❸ × **宅地は 2 分の 1**

宅地評価土地（＝宅地）の課税標準は、固定資産課税台帳に登録されている宅地の価格の 2 分の 1 の額となります。

❹ × **「2 年」→「6 カ月」**

家屋の新築後 6 カ月（ただし、宅建業者が令和 8 年 3 月 31 日までに新築した場合には 1 年）を経過しても最初の使用または譲渡が行われない場合、その時の当該家屋の所有者を取得者とみなして、これに対して不動産取得税が課されます。2 年ではなく 6 カ月です。

固定資産税に関する次の記述のうち、正しいものはどれか。

❶ 年度の途中において土地の売買があった場合の当該年度の固定資産税は、売主と買主がそれぞれその所有していた日数に応じて納付しなければならない。

❷ 固定資産税における土地の価格は、地目の変換がない限り、必ず基準年度の価格を3年間据え置くこととされている。

❸ 固定資産税の納税義務者は、常に固定資産課税台帳に記載されている当該納税義務者の固定資産に係る事項の証明を求めることができる。

❹ 固定資産税の徴収方法は、申告納付によるので、納税義務者は、固定資産を登記した際に、その事実を市町村長に申告又は報告しなければならない。

1回目	/	2回目	/	3回目	/	4回目	/	5回目	/
手応え		手応え		手応え		手応え		手応え	

◎：完全に分かってきた
○：だいたい分かってきた
△：少し分かってきた
×：全く分からなかった

肢別テーマ	❶ 固定資産税	コース 1 ポイント ❸ ❸	
テキスト 第4編	❷ 固定資産税	コース 1 ポイント ❸ ❹	正解 **3**
	❸ 固定資産税	コース 1 ポイント ❸ ❹	
	❹ 固定資産税	コース 1 ポイント ❸ ❽	

❶ ✕ **日割り計算はしない**

　固定資産税の納税義務者は、原則として、当該年度の初日の属する年の1月1日の所有者となります。年度の途中で譲渡等があったとしても、1月1日の所有者がその年度分の全額を納付する義務を負います。日割り計算はしません。

❷ ✕ **地目の変換だけではない**

　地目の変換のほか、市町村の統合などでも土地の価格が変わることがあるので、地目の変換がない限り据え置くというわけではありません。

❸ 〇 **納税義務者は求めることができる**

　市町村長は、固定資産税の納税義務者のほか、土地や家屋の賃借人等の請求があったときは、これらの者に係る固定資産課税台帳に記載されている一定の事項についての証明書を交付しなければなりません。したがって、納税義務者は証明書の発行を求めることができます。

❹ ✕ **申告納付ではなく普通徴収**

　固定資産税の納付方法は普通徴収によります。申告納付ではありません。

固定資産税に関する次の記述のうち、正しいものはどれか。

❶ 質権者は、その土地についての使用収益の実質を有していることから、登記簿にその質権が登記されている場合には、固定資産税が課される。

❷ 納税義務者又はその同意を受けた者以外の者は、固定資産課税台帳の記載事項の証明書の交付を受けることはできない。

❸ 固定資産税を既に全納した者が、年度の途中において土地の譲渡を行った場合には、その所有の月数に応じて税額の還付を受けることができる。

❹ 新築された住宅に対して課される固定資産税については、新たに課されることとなった年度から 4 年度分に限り、2 分の 1 相当額を固定資産税額から減額される。

1回目	/	2回目	/	3回目	/	4回目	/	5回目	/
手応え		手応え		手応え		手応え		手応え	

◎：完全に分かってきた
○：だいたい分かってきた
△：少し分かってきた
×：全く分からなかった

❶	固定資産税	コース 1	ポイント❸ ❸		
❷	固定資産税	コース 1	ポイント❸ ❹	正解	1
❸	固定資産税	コース 1	ポイント❸ ❸		
❹	固定資産税	コース 1	ポイント❸ ⑩		

❶　○　**質権者・100 年より永い地上権者は納税義務者**

所有者が納税するのが原則ですが、質権や 100 年より永い期間の地上権を設定
している場合には、その人が納税することになります。

❷　×　**賃借人なども可**

市町村長は、固定資産税の納税義務者のほか、土地や家屋の賃借人等の請求が
あったときは、これらの者に係る固定資産課税台帳に記載されている一定の事
項についての証明書を交付しなければなりません。したがって、納税義務者や
その同意を得た者以外であっても、賃借人などは交付を受けることができます。

❸　×　**月割り計算はしない**

固定資産税の納税義務者は、原則として、当該年度の初日の属する年の 1 月 1
日の所有者となります。年度の途中で譲渡等があったとしても、1 月 1 日の所
有者がその年度分の全額を納付する義務を負います。月割り計算はしません。

❹　×　**4 年度分→3 年度分または 5 年度分**

新築された住宅に対して課される固定資産税については、中高層耐火住宅は 5
年度分、その他の住宅は 3 年度分、税額が 2 分の 1 減額されます。

固定資産税に関する次の記述のうち、正しいものはどれか。

❶ 家屋に係る固定資産税は、建物登記簿に登記されている所有者に対して課税されるので、家屋を建築したとしても、登記をするまでの間は課税されない。

❷ 固定資産税の納税通知書は、遅くとも、納期限前10日までに納税者に交付しなければならない。

❸ 新築住宅に対しては、その課税標準を、中高層耐火住宅にあっては5年間、その他の住宅にあっては3年間その価格の3分の1の額とする特例が講じられている。

❹ 年の途中において、土地の売買があった場合には、当該土地に対して課税される固定資産税は、売主と買主でその所有の月数に応じて月割りで納付しなければならない。

1回目	/	2回目	/	3回目	/	4回目	/	5回目	/
手応え		手応え		手応え		手応え		手応え	

◎：完全に分かってきた
○：だいたい分かってきた
△：少し分かってきた
×：全く分からなかった

 肢別テーマ

テキスト
第4編

❶ 固定資産税
❷ 固定資産税
❸ 固定資産税
❹ 固定資産税

該当なし
コース 1 ポイント ❸ 8
コース 1 ポイント ❸ 10
コース 1 ポイント ❸ 3

正解 2

❶ ✕ 未登記の間も課税される

登記されるまでの間も課税はされます。

❷ ◯ 10日前までに

納税通知書は遅くともその納期限の10日前までに納税者に交付しなければなりません。

❸ ✕ 「課税標準・3分の1」→「税額・2分の1」

新築された住宅に対して課される固定資産税については、中高層耐火住宅は5年度分、その他の住宅は3年度分、税額が2分の1減額されます。課税標準ではなく税額が減額されます。また、減額されるのは3分の1ではなく2分の1です。

❹ ✕ 月割り計算はしない

固定資産税の納税義務者は、原則として、当該年度の初日の属する年の1月1日の所有者となります。年度の途中で譲渡等があったとしても、1月1日の所有者がその年度分の全額を納付する義務を負います。月割り計算はしません。

固定資産税

固定資産税に関する次の記述のうち、正しいものはどれか。

❶ 令和 7 年 1 月 15 日に新築された家屋に対する今年度分の固定資産税は、新築住宅に係る特例措置により税額の 2 分の 1 が減額される。

❷ 固定資産税の税率は、1.7%を超えることができない。

❸ 区分所有家屋の土地に対して課される固定資産税は、各区分所有者が連帯して納税義務を負う。

❹ 市町村は、財政上その他特別の必要がある場合を除き、当該市町村の区域内において同一の者が所有する土地に係る固定資産税の課税標準額が 30 万円未満の場合には課税できない。

全問◎を
目指そう!

1回目	2回目	3回目	4回目	5回目
手応え	手応え	手応え	手応え	手応え

◎：完全に分かってきた
○：だいたい分かってきた
△：少し分かってきた
×：全く分からなかった

❶	固定資産税	コース 1 ポイント ❸ ❸	
❷	固定資産税	コース 1 ポイント ❸ ❺	正解 **4**
❸	固定資産税	該当なし	
❹	固定資産税	コース 1 ポイント ❸ ❼	

❶ **✕ 今年度分の固定資産税は課されない**

固定資産税の納税義務者は、原則として、当該年度の初日の属する年の1月1日の所有者となります。年度の途中で譲渡等があったとしても、1月1日の所有者がその年度分の全額を納付する義務を負います。1月15日に新築ということは、1月1日時点では所有者ではないので、今年度分の固定資産税はかかりません。そもそも税金がかからないのですから、「減額される」ということもありえません。

❷ **✕ 標準税率1.4%**

固定資産税の標準税率は1.4%です。しかし、あくまで「標準」であり、1.4%でなければならないというわけではありません。特に上限や下限は決められていません。

❸ **✕ 連帯ではない**

自己の持分に応じた税額を各自が納税します。連帯ではありません。

❹ **〇 土地は30万円未満が免税**

課税標準となるべき額が土地にあっては30万円、家屋にあっては20万円に満たない場合、原則として固定資産税を課することができません。

固定資産税

固定資産税に関する次の記述のうち、正しいものはどれか。

❶ 固定資産の評価の基準並びに評価の実施の方法及び手続（固定資産評価基準）は、総務大臣が定めることとされている。

❷ 200㎡以下の住宅用地に対して課する固定資産税の課税標準は、価格の２分の１の額とする特例措置が講じられている。

❸ 固定資産税の納税者は、固定資産課税台帳に登録された事項に不服がある場合には、固定資産評価審査委員会に対し登録事項のすべてについて審査の申出をすることができる。

❹ 固定資産税の納期は、４月、７月、12月及び２月のそれぞれ末日であり、市町村がこれと異なる納期を定めることはできない。

1回目	/	2回目	/	3回目	/	4回目	/	5回目	/
手応え		手応え		手応え		手応え		手応え	

◎：完全に分かってきた
○：だいたい分かってきた
△：少し分かってきた
×：全く分からなかった

❶ ○

固定資産評価基準は総務大臣が定めることとされています。

❷ × 6分の1

住宅用地のうち、小規模住宅用地（200㎡以下）に対して課する固定資産税の課税標準は、当該小規模住宅用地に係る固定資産税の課税標準となるべき価格の6分の1の額となります。なお、一般住宅用地（200㎡超）に対して課する固定資産税の課税標準は、当該小規模住宅用地に係る固定資産税の課税標準となるべき価格の3分の1の額となります。

❸ × すべてについて審査申出できるわけではない

固定資産税の納税者は、固定資産課税台帳に登録された価格について不服がある場合においては、固定資産評価審査会に審査の申出をすることができます。したがって、登録事項のすべてについて審査の申出ができるわけではありません。

❹ × 異なる定めも可

固定資産税の納期は4月・7月・12月・2月中において、市町村の条例で定められますが、市町村でこれと異なる定めをすることも可能です。

固定資産税

令和7年中に、個人が居住用財産を譲渡した場合における譲渡所得の課税に関する次の記述のうち、正しいものはどれか。

❶ 令和7年1月1日において所有期間が10年以下の居住用財産については、居住用財産の譲渡所得の3,000万円特別控除（租税特別措置法第35条第1項）を適用することができない。

❷ 令和7年1月1日において所有期間が10年を超える居住用財産について、収用交換等の場合の譲渡所得等の5,000万円特別控除（租税特別措置法第33条の4第1項）の適用を受ける場合であっても、特別控除後の譲渡益について、居住用財産を譲渡した場合の軽減税率の特例（同法第31条の3第1項）を適用することができる。

❸ 令和7年1月1日において所有期間が10年を超える居住用財産について、その譲渡した時にその居住用財産を自己の居住の用に供していなければ、居住用財産を譲渡した場合の軽減税率の特例を適用することができない。

❹ 令和7年1月1日において所有期間が10年を超える居住用財産について、その者と生計を一にしていない孫に譲渡した場合には、居住用財産の譲渡所得の3,000万円特別控除を適用することができる。

1回目	/	2回目	/	3回目	/	4回目	/	5回目	/
手応え		手応え		手応え		手応え		手応え	

◎：完全に分かってきた
◯：だいたい分かってきた
△：少し分かってきた
×：全く分からなかった

肢別テーマ	❶ 所得税（譲渡所得）	コース 1 ポイント ❹ 4	正解 2
テキスト第4編	❷ 所得税（譲渡所得）	コース 1 ポイント ❹ 8	
	❸ 所得税（譲渡所得）	コース 1 ポイント ❹ 7	
	❹ 所得税（譲渡所得）	コース 1 ポイント ❹ 4	

❶ ✕ **所有期間は問わない**
3,000万円特別控除は、所有期間を問わずに適用できます。

❷ 〇 **重複適用可**
居住用財産を譲渡した場合の軽減税率の特例と5,000万円特別控除は、重複適用が可能です。

❸ ✕ **譲渡時に自己の居住の用に供している必要はない**
居住用財産を譲渡した場合の軽減税率の特例は、所有期間が10年超であり、自己の居住の用に供されなくなった日から3年を経過する日の属する年の12月31日までに譲渡することが適用要件です。したがって、譲渡する直前まで住んでいる必要はありません。

❹ ✕ **親族等への譲渡では不可**
3,000万円特別控除は、直系血族（子や孫など）への譲渡では適用されません。

所得税（譲渡所得）

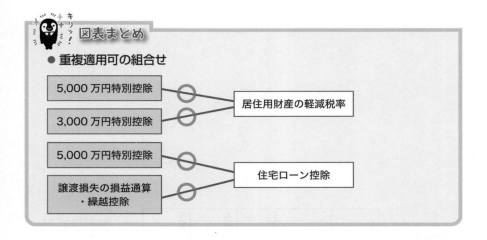

図表まとめ

● **重複適用可の組合せ**

| 5,000万円特別控除 | ○ | |
| 3,000万円特別控除 | ○ | 居住用財産の軽減税率 |

| 5,000万円特別控除 | ○ | |
| 譲渡損失の損益通算・繰越控除 | ○ | 住宅ローン控除 |

居住用財産を譲渡した場合における譲渡所得の所得税の課税に関する次の記述のうち、正しいものはどれか。

❶ 居住の用に供している家屋をその者の長男に譲渡した場合には、その長男がその者と生計を一にしているか否かに関係なく、その譲渡について、居住用財産の譲渡所得の特別控除の適用を受けることができない。

❷ 居住の用に供していた家屋をその者が居住の用に供さなくなった日から2年を経過する日の翌日に譲渡した場合には、その譲渡について、居住用財産の譲渡所得の特別控除の適用を受けることができない。

❸ 譲渡した年の1月1日における所有期間が7年である居住用財産を国に譲渡した場合には、その譲渡について、居住用財産を譲渡した場合の軽減税率の特例の適用を受けることができる。

❹ 譲渡した年の1月1日における居住期間が11年である居住用財産を譲渡した場合には、所有期間に関係なく、その譲渡について、居住用財産を譲渡した場合の軽減税率の特例の適用を受けることができる。

全問◎を
目指そう!

1回目	2回目	3回目	4回目	5回目
/	/	/	/	/
手応え	手応え	手応え	手応え	手応え

◎：完全に分かってきた
○：だいたい分かってきた
△：少し分かってきた
×：全く分からなかった

❶ 所得税（譲渡所得）	コース 1 ポイント ❹ 4	
❷ 所得税（譲渡所得）	コース 1 ポイント ❹ 4	
❸ 所得税（譲渡所得）	コース 1 ポイント ❹ 7	**正解 1**
❹ 所得税（譲渡所得）	コース 1 ポイント ❹ 7	

❶ ○　親族等への譲渡では不可

3,000万円特別控除は、直系血族（子や孫など）への譲渡では適用されません。

❷ ✕　3年経過する日の年末までは可

居住用財産の譲渡所得の特別控除は、自己の居住の用に供されなくなった日から3年を経過する日の年末までの間に譲渡すれば適用されます。

❸ ✕　所有期間10年超であることが要件

居住用財産を譲渡した場合の軽減税率の特例の適用を受けるためには、所有期間が、譲渡をした年の1月1日において10年を超えることが必要です。譲渡相手が国であっても変わりません。

❹ ✕　所有期間10年超であることが要件

居住用財産を譲渡した場合の軽減税率の特例を適用するためには、所有期間は10年を超えていることが必要です。居住期間が11年であっても、そのうち10年超は所有している必要があります。

所得税（譲渡所得）

ちょこっと よりみちトーク

❶は「3,000万円特別控除」というものです。試験ではこのように「居住用財産の譲渡所得の特別控除」といういい方で出ることがあります。

わかりました！

租税特別措置法第 36 条の 2 の特定の居住用財産の買換えの場合の長期譲渡所得の課税の特例に関する次の記述のうち、正しいものはどれか。

❶ 譲渡資産とされる家屋については、その譲渡に係る対価の額が 5,000 万円以下であることが、適用要件とされている。

❷ 買換資産とされる家屋については、譲渡資産の譲渡をした日からその譲渡をした日の属する年の 12 月 31 日までに取得をしたものであることが、適用要件とされている。

❸ 譲渡資産とされる家屋については、その譲渡をした日の属する年の 1 月 1 日における所有期間が 5 年を超えるものであることが、適用要件とされている。

❹ 買換資産とされる家屋については、その床面積のうち自己の居住の用に供する部分の床面積が 50 ㎡以上のものであることが、適用要件とされている。

全問○を
目指そう！

1回目	2回目	3回目	4回目	5回目
手応え	手応え	手応え	手応え	手応え

◎：完全に分かってきた
○：だいたい分かってきた
△：少し分かってきた
×：全く分からなかった

	❶ 所得税（譲渡所得）	コース 1	ポイント ❹ ❻	
肢別テーマ	❷ 所得税（譲渡所得）	コース 1	ポイント ❹ ❻	
テキスト 第4編	❸ 所得税（譲渡所得）	コース 1	ポイント ❹ ❻	正解 4
	❹ 所得税（譲渡所得）	コース 1	ポイント ❹ ❻	

❶ ✕ 5,000万円→1億円

買換え特例については、譲渡資産の譲渡に係る対価の額が1億円以下であることという適用要件が設けられています。

❷ ✕ 前年1月1日～翌年12月31日

買換え特例については、買換資産に関して、**譲渡する前年の1月1日から翌年の12月31日までに取得したものであること**という適用要件が設けられています。

❸ ✕ 5年→10年

買換え特例については、譲渡資産に関して、その譲渡をした日の1月1日における所有期間が10年を超えるものであることという適用要件が設けられています。

❹ ◯ **床面積50㎡以上**

買換え特例については、買換資産に関して、その床面積のうち、自己が居住の用に供する部分の床面積が**50㎡以上であること**という適用要件が設けられています。

所得税（譲渡所得）

個人が令和7年中に令和7年1月1日において所有期間が11年である土地を譲渡した場合の譲渡所得の課税に関する次の記述のうち、正しいものはどれか。

❶ 土地が収用事業のために買い取られた場合において、収用交換等の場合の5,000万円特別控除の適用を受けるときでも、特別控除後の譲渡益について優良住宅地の造成等のために土地等を譲渡した場合の軽減税率の特例の適用を受けることができる。

❷ 土地が収用事業のために買い取られた場合において、収用交換等の場合の5,000万円特別控除の適用を受けるときでも、その土地が居住用財産に該当するなど所定の要件を満たせば、特別控除後の譲渡益について居住用財産を譲渡した場合の軽減税率の特例の適用を受けることができる。

❸ その土地が居住用財産に該当するなど所定の要件を満たせば、前々年に特定の居住用財産の買換えの場合の課税の特例の適用を受けているときでも、居住用財産を譲渡した場合の3,000万円特別控除の適用を受けることができる。

❹ その土地が居住用財産に該当する場合であっても、居住用財産を譲渡した場合の3,000万円特別控除の適用を受けるときは、特別控除後の譲渡益について居住用財産を譲渡した場合の軽減税率の特例の適用を受けることができない。

全問◎を
目指そう！

1回目	/	2回目	/	3回目	/	4回目	/	5回目	/
手応え		手応え		手応え		手応え		手応え	

◎：完全に分かってきた
○：だいたい分かってきた
△：少し分かってきた
×：全く分からなかった

162

肢別テーマ	❶ 所得税（譲渡所得）	コース 1 ポイント ❹ 8	
テキスト 第4編	❷ 所得税（譲渡所得）	コース 1 ポイント ❹ 8	正解 2
	❸ 所得税（譲渡所得）	コース 1 ポイント ❹ 4	
	❹ 所得税（譲渡所得）	コース 1 ポイント ❹ 8	

❶ **×　重複適用不可**

優良住宅地の造成等のために土地等を譲渡した場合の軽減税率の特例と特別控除は重複適用できません。

❷ **○　重複適用可**

居住用財産を譲渡した場合の軽減税率の特例と 5,000 万円特別控除は重複適用ができます。

❸ **×　前年・前々年に買換え特例の適用を受けている場合は適用不可**

3,000 万円特別控除の適用は、前年または前々年において特定の買換え特例の適用を受けていないことが要件となっています。

❹ **×　重複適用可**

居住用財産を譲渡した場合の軽減税率の特例と 3,000 万円特別控除は重複適用ができます。

所得税（譲渡所得）

印紙税に関する次の記述のうち、正しいものはどれか。

❶ 印紙税の課税文書である不動産譲渡契約書を作成したが、印紙税を納付せず、その事実が税務調査により判明した場合は、納付しなかった印紙税額と納付しなかった印紙税額の10%に相当する金額の合計額が過怠税として徴収される。

❷ 「Aの所有する甲土地（価額3,000万円）とBの所有する乙土地（価額3,500万円）を交換する」旨の土地交換契約書を作成した場合、印紙税の課税標準となる当該契約書の記載金額は3,500万円である。

❸ 「Aの所有する甲土地（価額3,000万円）をBに贈与する」旨の贈与契約書を作成した場合、印紙税の課税標準となる当該契約書の記載金額は、3,000万円である。

❹ 売上代金に係る金銭の受取書（領収書）は記載された受取金額が3万円未満の場合、印紙税が課されないことから、不動産売買の仲介手数料として、現金49,500円（消費税及び地方消費税を含む。）を受け取り、それを受領した旨の領収書を作成した場合、受取金額に応じた印紙税が課される。

全問◯を
目指そう!

1回目	2回目	3回目	4回目	5回目
手応え	手応え	手応え	手応え	手応え

◎：完全に分かってきた
◯：だいたい分かってきた
△：少し分かってきた
×：全く分からなかった

164

肢別テーマ	❶ 印紙税	コース 1 ポイント ❺ ❺	
テキスト 第4編	❷ 印紙税	コース 1 ポイント ❺ ❹	正解 2
	❸ 印紙税	コース 1 ポイント ❺ ❹	
	❹ 印紙税	コース 1 ポイント ❺ ❷	

❶ ✕ 実質3倍の過怠税

印紙税を納付しなかった場合、実質3倍の過怠税が徴収されます。自己申告の場合は1.1倍ですが、今回は「税務調査により判明」とあるため、自己申告ではありません。

❷ ○ 高いほうが記載金額

交換契約書の場合には、双方の金額が記載されている場合、高いほうの金額を記載金額とします。

❸ ✕ 記載金額なしとして扱う

贈与契約書の場合、記載金額のない契約書（＝印紙税額200円）として扱います。

❹ ✕ 5万円未満は非課税

5万円未満の領収書は非課税となります。

印紙税

印紙税に関する次の記述のうち、正しいものはどれか。

❶ 建物の賃貸借契約に際して敷金を受け取り、「敷金として 20 万円を領収し、当該敷金は賃借人が退去する際に全額返還する」旨を記載した敷金の領収証を作成した場合、印紙税は課税されない。

❷ 土地譲渡契約書に課税される印紙税を納付するため当該契約書に印紙をはり付けた場合には、課税文書と印紙の彩紋とにかけて判明に消印しなければならないが、契約当事者の代理人又は従業者の印章又は署名で消印しても、消印をしたことにはならない。

❸ 当初作成の「土地を 1 億円で譲渡する」旨を記載した土地譲渡契約書の契約金額を変更するために作成する契約書で、「当初の契約書の契約金額を 2,000 万円減額し、8,000 万円とする」旨を記載した変更契約書は、契約金額を減額するものであることから、印紙税は課税されない。

❹ 国を売主、株式会社 A 社を買主とする土地の譲渡契約において、双方が署名押印して共同で土地譲渡契約書を 2 通作成し、国と A 社がそれぞれ 1 通ずつ保存することとした場合、A 社が保存する契約書には印紙税は課税されない。

全問◎を
目指そう！

1回目	/	2回目	/	3回目	/	4回目	/	5回目	/
手応え		手応え		手応え		手応え		手応え	

◎：完全に分かってきた
○：だいたい分かってきた
△：少し分かってきた
×：全く分からなかった

肢別テーマ	❶ 印紙税	コース 1 ポイント ❺ ❷	正解 4
テキスト 第4編	❷ 印紙税	コース 1 ポイント ❺ ❸	
	❸ 印紙税	コース 1 ポイント ❺ ❹	
	❹ 印紙税	コース 1 ポイント ❺ ❻	

❶ ✕ 課税文書

敷金の領収証は、金銭の受取書として課税文書に該当します。したがって、当該領収書には印紙税は課税されます。

❷ ✕ 納税義務者でなくてもよい

課税文書に印紙をはり、印章や署名によって消印することによって印紙税を納付したことになります。消印は納税義務者である必要はなく、代理人や使用人の印章や署名でもかまいません。

❸ ✕ 減額＝記載金額なし

変更契約書は、減額の場合、記載金額のない契約書（＝印紙税額 200 円）として扱います。ですから、200 円課税されます。

❹ ◯ 国が作成する文書は非課税

国が作成する文書（＝私人が保存する文書）は非課税文書となるため、課税されません。

印紙税

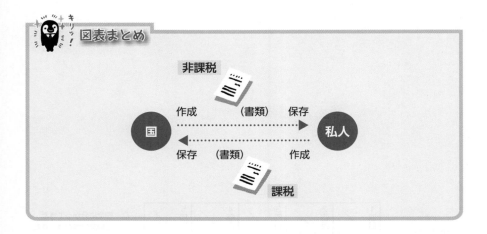

図表まとめ

167

印紙税に関する次の記述のうち、正しいものはどれか。

❶ 土地譲渡契約書に課税される印紙税を納付するため当該契約書に印紙をはり付けた場合には、課税文書と印紙の彩紋とにかけて判明に消印しなければならないが、契約当事者の従業者の印章又は署名で消印しても、消印したことにはならない。

❷ 土地の売買契約書（記載金額2,000万円）を3通作成し、売主A、買主B及び媒介した宅地建物取引業者Cがそれぞれ1通ずつ保存する場合、Cが保存する契約書には、印紙税は課されない。

❸ 一の契約書に土地の譲渡契約（譲渡金額4,000万円）と建物の建築請負契約（請負金額5,000万円）をそれぞれ区分して記載した場合、印紙税の課税標準となる当該契約書の記載金額は、5,000万円である。

❹ 「建物の電気工事に係る請負金額は2,200万円（うち消費税額及び地方消費税額が200万円）とする」旨を記載した工事請負契約書について、印紙税の課税標準となる当該契約書の記載金額は、2,200万円である。

全問◎を
目指そう！

| 1回目 | / | 2回目 | / | 3回目 | / | 4回目 | / | 5回目 | / |
| 手応え | | 手応え | | 手応え | | 手応え | | 手応え | |

◎：完全に分かってきた
○：だいたい分かってきた
△：少し分かってきた
×：全く分からなかった

		コース 1	ポイント 5 3	
❶	印紙税	コース 1	ポイント 5 2	
❷	印紙税	コース 1	ポイント 5 4	正解 3
❸	印紙税	コース 1	ポイント 5 4	
❹	印紙税			

❶ × **納税義務者でなくてもよい**

課税文書に印紙をはり、印章や署名によって消印することによって印紙税を納付したことになります。消印は納税義務者である必要はなく、**代理人や使用人の印章や署名でもかまいません。**

❷ × **3通とも課税文書**

媒介業者Cが保存する契約書であっても、契約書としての機能を有するのであれば課税文書となります。

❸ ○ **区分できる場合はいずれか大きい額が記載金額となる**

1つの契約書が不動産の譲渡契約書と請負契約書の両方に該当する場合、原則として総額が記載金額となりますが、記載金額が譲渡と請負のそれぞれに区分できる場合には、**いずれか大きい額が記載金額となります。**

❹ × **2,200万円→2,000万円**

区分記載された消費税分は記載金額には含みません。よって、2,000万円が記載金額となります。

印紙税

印紙税に関する次の記述のうち、正しいものはどれか。

❶ 地方公共団体であるＡ市を売主、株式会社であるＢ社を買主とする土地の譲渡契約書２通に双方が署名押印のうえ、１通ずつ保存することとした場合、Ｂ社が保存する契約書には印紙税が課されない。

❷ 「令和７年５月１日作成の土地譲渡契約書の契約金額を１億円から9,000万円に変更する」旨を記載した変更契約書は、契約金額を減額するものであるから、印紙税は課されない。

❸ 土地の賃貸借契約書で「賃借料は月額10万円、契約期間は10年間とし、権利金の額は100万円とする」旨が記載された契約書は、記載金額1,200万円の土地の賃借権の設定に関する契約書として印紙税が課される。

❹ 給与所得者である個人Ｃが生活の用に供している土地建物を株式会社であるＤ社に譲渡し、代金１億円を受け取った際に作成する領収書は、金銭の受取書として印紙税が課される。

全問◎を
目指そう!

| 1回目 | / | 2回目 | / | 3回目 | / | 4回目 | / | 5回目 | / |
| 手応え | | 手応え | | 手応え | | 手応え | | 手応え | |

◎：完全に分かってきた
○：だいたい分かってきた
△：少し分かってきた
×：全く分からなかった

	❶ 印紙税	コース 1 ポイント ❺ ❻
肢別テーマ テキスト 第4編	❷ 印紙税	コース 1 ポイント ❺ ❹
	❸ 印紙税	コース 1 ポイント ❺ ❹
	❹ 印紙税	コース 1 ポイント ❺ ❷

正解 1

❶ ○ **地方公共団体が作成する文書は非課税**

地方公共団体が作成する文書（＝私人が保存する文書）は非課税文書となるため、課税されません。

❷ × **減額＝記載金額なし**

変更契約書は、減額の場合、記載金額のない契約書（＝印紙税額200円）として扱います。ですから、200円課税されます。

❸ × **100万円が記載金額**

土地の賃貸借契約書は課税文書です。権利金の額100万円が記載金額となります。

❹ × **営業に関しない領収書は課税文書ではない**

営業に関しない領収書は課税文書ではありません。

印紙税に関する次の記述のうち、正しいものはどれか。

❶ 後日、本契約書を作成することを文書上で明らかにした、土地を 1 億円で譲渡することを証した仮契約書には、印紙税は課されない。

❷ 宅地建物取引業を営むA社が、「A社は、売主Bの代理人として、土地代金 5,000 万円を受領した」旨を記載した領収書を作成した場合、当該領収書の納税義務者はA社である。

❸ 建物の賃貸借契約に際して貸主であるC社が作成した、「敷金として 30 万円を受領した。当該敷金は賃借人が退去する際に全額返還する」旨を明らかにした敷金の領収書には、印紙税は課されない。

❹ 「甲土地を 5,000 万円、乙土地を 4,000 万円、丙建物を 3,000 万円で譲渡する」旨を記載した契約書を作成した場合、印紙税の課税標準となる当該契約書の記載金額は、9,000 万円である。

1回目	/	2回目	/	3回目	/	4回目	/	5回目	/
手応え		手応え		手応え		手応え		手応え	

◎：完全に分かってきた
○：だいたい分かってきた
△：少し分かってきた
×：全く分からなかった

肢別テーマ	❶ 印紙税	コース 1 ポイント ❺ ❷	
テキスト 第4編	❷ 印紙税	コース 1 ポイント ❺ ❶	正解 2
	❸ 印紙税	コース 1 ポイント ❺ ❷	
	❹ 印紙税	コース 1 ポイント ❺ ❹	

❶ ✕ **仮契約書にも課される**
　後日、本契約書を作成することを前提として作られる仮契約書も課税文書です。

❷ ○ **納税義務者はA社**
　印紙税の納付義務者は文書の作成者です。代理を行ったA社が作成したのであれば、その文書の納税義務者はA社となります。

❸ ✕ **課税文書**
　敷金の領収証は、金銭の受取書として課税文書に該当します。したがって、C社が作成した領収書には印紙税は課税されます。

❹ ✕ **9,000万円→1億2,000万円**
　譲渡の場合、土地も建物も課税文書扱いとなります。したがって、3つの合計である1億2,000万円が記載金額となります。

印紙税

登録免許税に関する次の記述のうち、誤っているものはどれか。

❶ 登録免許税の課税標準の金額を計算する場合において、その金額が1千円に満たないときは、その課税標準は1千円とされる。

❷ 納付した登録免許税に不足額があっても、その判明が登記の後である場合においては、その不足額の追徴はない。

❸ 建物の新築をした所有者が行う建物の表題登記については、登録免許税は課税されない。

❹ 登録免許税の納付は、納付すべき税額が3万円以下の場合においても、現金による納付が認められる。

全問◎を
目指そう！

| 1回目 | / | 2回目 | / | 3回目 | / | 4回目 | / | 5回目 | / |
| 手応え | | 手応え | | 手応え | | 手応え | | 手応え | |

◎：完全に分かってきた
○：だいたい分かってきた
△：少し分かってきた
×：全く分からなかった

174

❶ 登録免許税	コース 1　ポイント ❻ ❸
❷ 登録免許税	コース 1　ポイント ❻ ❶
❸ 登録免許税	コース 1　ポイント ❻ ❶
❹ 登録免許税	コース 1　ポイント ❻ ❻

正解 **2**

❶ ○　1,000 円として計算

課税標準が 1,000 円未満の場合、課税標準は 1,000 円として計算されます。

❷ ×　追徴されることもある

納付した登録免許税に不足額があれば、たとえその判明が登記の後であっても、追徴されることはあります。

❸ ○　表題登記は課税されない

建物の新築をした所有者が行う建物の表題登記には、登録免許税は課税されないこととなっています。

❹ ○　3 万円以下でも現金納付は可能

現金納付が原則ですが、3 万円以下であれば印紙納付も認められています。ですので、納付額が 3 万円以下であっても現金納付は可能です。

ちょこっと よりみちトーク

登録免許税って登記のときにかかるお金ってことですよね。

そうだよ。権利関係の不動産登記法で扱ったけれど、表題部は原則として登録免許税はかからないんだ。

登録免許税はあまり出題されていないって聞きました。

でも、勉強すれば正解できる問題も多いから、しっかり勉強しよう!

ファイト!

登録免許税

175

登録免許税

住宅用家屋の所有権の移転登記に係る登録免許税の税率の軽減措置に関する次の記述のうち、正しいものはどれか。

❶ この税率の軽減措置は、一定の要件を満たせばその住宅用家屋の敷地の用に供されている土地に係る所有権の移転の登記にも適用される。

❷ この税率の軽減措置は、個人が自己の経営する会社の従業員の社宅として取得した住宅用家屋に係る所有権の移転の登記にも適用される。

❸ この税率の軽減措置は、以前にこの措置の適用を受けたことがある者が新たに取得した住宅用家屋に係る所有権の移転の登記には適用されない。

❹ この税率の軽減措置は、所有権の移転の登記に係る住宅用家屋が、一定の地震に対する安全性に係る基準に適合する建築物に該当していても、床面積が50㎡未満の場合には適用されない。

全問○を
目指そう!

| 1回目 | / | 2回目 | / | 3回目 | / | 4回目 | / | 5回目 | / |
| 手応え | | 手応え | | 手応え | | 手応え | | 手応え | |

◎：完全に分かってきた
○：だいたい分かってきた
△：少し分かってきた
×：全く分からなかった

肢別テーマ テキスト 第4編	❶ 登録免許税	コース 1 ポイント ❻ ❺	
	❷ 登録免許税	コース 1 ポイント ❻ ❺	
	❸ 登録免許税	コース 1 ポイント ❻ ❺	正解 **4**
	❹ 登録免許税	コース 1 ポイント ❻ ❺	

❶ ✕ **土地には適用されない**

　住宅用家屋の所有権の移転登記に係る登録免許税の税率の軽減措置は、家屋のみであり、土地には適用されません。

❷ ✕ **個人の自己の居住用のみ**

　個人の自己の居住用の場合に適用されるので、社宅には適用されません。

❸ ✕ **以前適用を受けた者でも可**

　住宅用家屋の所有権の移転登記に係る登録免許税の税率の軽減措置は、以前にこの適用を受けたことがある者が新たに取得した住宅用家屋に係る所有権の移転の登記についても適用されます。

❹ ○ **床面積 50㎡以上に適用される**

　登録免許税の税率の軽減措置の適用を受けることができる住宅用家屋は、個人の住宅の用に供される家屋で、床面積の合計が 50㎡以上である場合に限られます。

登録免許税

住宅用家屋の所有権の移転登記に係る登録免許税の税率の軽減措置（以下この問において「軽減措置」という。）に関する次の記述のうち、正しいものはどれか。

❶ 軽減措置の適用対象となる住宅用家屋は、床面積が100㎡以上で、その住宅用家屋を取得した個人の居住の用に供されるものに限られる。

❷ 軽減措置は、贈与により取得した住宅用家屋に係る所有権の移転登記には適用されない。

❸ 軽減措置に係る登録免許税の課税標準となる不動産の価額は、売買契約書に記載された住宅用家屋の実際の取引価格である。

❹ 軽減措置の適用を受けるためには、その住宅用家屋の取得後6か月以内に所有権の移転登記をしなければならない。

1回目	/	2回目	/	3回目	/	4回目	/	5回目	/
手応え		手応え		手応え		手応え		手応え	

◎：完全に分かってきた
○：だいたい分かってきた
△：少し分かってきた
×：全く分からなかった

テキスト
第4編

❶ 登録免許税　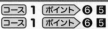コース 1　ポイント ❻ ❺
❷ 登録免許税　コース 1　ポイント ❻ ❺
❸ 登録免許税　コース 1　ポイント ❻ ❸
❹ 登録免許税　コース 1　ポイント ❻ ❺

正解 2

❶ × 「100㎡」→「50㎡」

登録免許税の税率の軽減措置の適用を受けることができる住宅用家屋は、個人の住宅の用に供される家屋で、床面積の合計が 50㎡以上である場合に限られます。

❷ ○ 贈与では適用されない

所有権移転登記は売買・競落のみが軽減措置の対象です。したがって、贈与の場合には適用されません。

❸ × 固定資産課税台帳の登録価格

売買などの場合、売買金額ではなく、固定資産課税台帳の登録価格を基準にして課税標準が決まります。

❹ × 6カ月以内→1年以内

登録免許税の税率の軽減措置の適用を受けるためには、適用対象となる住宅用家屋の取得後1年以内に所有権の移転登記を受ける必要があります。

登録免許税

「直系尊属から住宅取得等資金の贈与を受けた場合の贈与税の非課税」に関する次の記述のうち、正しいものはどれか。

❶ 直系尊属から住宅用の家屋の贈与を受けた場合でも、この特例の適用を受けることができる。

❷ 日本国外に住宅用の家屋を新築した場合でも、この特例の適用を受けることができる。

❸ 贈与者が住宅取得等資金の贈与をした年の1月1日において60歳未満の場合でも、この特例の適用を受けることができる。

❹ 受贈者について、住宅取得等資金の贈与を受けた年の所得税法に定める合計所得金額が2,000万円を超える場合でも、この特例の適用を受けることができる。

1回目	/	2回目	/	3回目	/	4回目	/	5回目	/
手応え		手応え		手応え		手応え		手応え	

◎：完全に分かってきた
○：だいたい分かってきた
△：少し分かってきた
×：全く分からなかった

肢別テーマ	❶ 贈与税	コース 1 ポイント ❼ ❸
テキスト 第4編	❷ 贈与税	該当なし
	❸ 贈与税	コース 1 ポイント ❼ ❸
	❹ 贈与税	コース 1 ポイント ❼ ❸

正解

❶ ✕ 資金の贈与のみ

直系尊属から住宅取得等資金の贈与を受けた場合の贈与税の非課税は、直系尊属（＝父母や祖父母）から資金の贈与を受けた場合に適用されます。家屋そのものの贈与では特例は適用されません。

❷ ✕ 国外の不動産は対象外

この特例の対象となるのは、日本国内にある住宅用家屋を取得する場合に限られます。そのため、日本国外に住宅用家屋を新築した場合、この特例の適用を受けることができません。

❸ ○ 贈与者の年齢制限なし

贈与者の年齢に制限はありません。ちなみに、受贈者は贈与年の1月1日において18歳以上である必要があります。

❹ ✕ 所得金額 2,000 万円以下が対象

贈与を受けた年の合計所得金額が 2,000 万円を超える受贈者は、この特例の適用を受けることができません。

贈与税

地価公示法に関する次の記述のうち、正しいものはどれか。

❶ 公示区域内の土地を対象とする鑑定評価においては、公示価格を規準とする必要があり、その際には、当該対象土地に最も近接する標準地との比較を行い、その結果に基づき、当該標準地の公示価格と当該対象土地の価格との間に均衡を保たせる必要がある。

❷ 標準地の鑑定評価は、近傍類地の取引価格から算定される推定の価格、近傍類地の地代等から算定される推定の価格及び同等の効用を有する土地の造成に要する推定の費用の額を勘案して行われる。

❸ 地価公示において判定を行う標準地の正常な価格とは、土地について、自由な取引が行われるとした場合において通常成立すると認められる価格をいい、当該土地に、当該土地の使用収益を制限する権利が存する場合には、これらの権利が存するものとして通常成立すると認められる価格をいう。

❹ 地価公示の標準地は、自然的及び社会的条件からみて類似の利用価値を有すると認められる地域において、土地の利用状況、環境等が最も優れていると認められる一団の土地について選定するものとする。

全問◎を
目指そう！

| 1回目 | / | 2回目 | / | 3回目 | / | 4回目 | / | 5回目 | / |
| 手応え | | 手応え | | 手応え | | 手応え | | 手応え | |

◎：完全に分かってきた
○：だいたい分かってきた
△：少し分かってきた
×：全く分からなかった

182

❶ 地価公示法
❷ 地価公示法
❸ 地価公示法
❹ 地価公示法

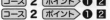
該当なし
コース 2 ポイント ❶ ❷
コース 2 ポイント ❶ ❷
コース 2 ポイント ❶ ❷

正解 2

❶ ✕ **類似する利用価値を有すると認められる標準地との比較**

類似する利用価値を有すると認められる標準地との比較を行います。最も近接する（＝距離の近い）標準地と比較するわけではありません。

❷ ○ **取引価格、地代、造成費用を勘案**

標準地の鑑定評価は、近傍類地の取引価格から算定される推定の価格、近傍類地の地代等から算定される推定の価格および同等の効用を有する土地の造成に要する推定の費用の額を勘案して行われます。

❸ ✕ **存する→存しない**

建物または土地の使用収益を制限する権利（＝借地権など）が存在したとしても、それは存在していないものとして算定します。

❹ ✕ **「最も優れている」→「通常」**

土地鑑定委員会は、自然的および社会的条件からみて類似の利用価値を有すると認められる地域において、土地の利用状況、環境等が通常と認められる一団の土地について標準地を選定します。最も優れている土地から選定するわけではありません。

地価公示法に関する次の記述のうち、誤っているものはどれか。

❶ 地価公示は、土地鑑定委員会が、公示区域内の標準地について、毎年1月1日における単位面積当たりの正常な価格を判定し、公示することにより行われる。

❷ 地価公示の標準地は、自然的及び社会的条件からみて類似の利用価値を有すると認められる地域において、土地の利用状況、環境等が通常と認められる一団の土地について選定される。

❸ 標準地の鑑定評価は、近傍類地の取引価格から算定される推定の価格、近傍類地の地代等から算定される推定の価格及び同等の効用を有する土地の造成に要する推定の費用の額を勘案して行われる。

❹ 都道府県知事は、土地鑑定委員会が公示した事項のうち、当該都道府県に存する標準地に係る部分を記載した書面及び当該標準地の所在を表示する図面を、当該都道府県の事務所において一般の閲覧に供しなければならない。

全問◎を
目指そう！

1回目	2回目	3回目	4回目	5回目
手応え	手応え	手応え	手応え	手応え

◎：完全に分かってきた
○：だいたい分かってきた
△：少し分かってきた
×：全く分からなかった

肢別テーマ ❶	地価公示法	コース 2	ポイント ❶ 2	
テキスト 第4編 ❷	地価公示法	コース 2	ポイント ❶ 1	正解 4
❸	地価公示法	コース 2	ポイント ❶ 2	
❹	地価公示法	コース 2	ポイント ❶ 2	

❶ ○ **毎年1回、2人以上の不動産鑑定士の鑑定評価**

土地鑑定委員会が、公示区域内の標準地について、毎年1回、2人以上の不動産鑑定士の鑑定評価を求めて行います。

❷ ○ **標準地→通常と認められる土地から選定**

土地鑑定委員会は、自然的および社会的条件からみて類似の利用価値を有すると認められる地域において、土地の利用状況、環境等が通常と認められる一団の土地について標準地を選定します。

❸ ○ **取引価格、地代、造成費用を勘案**

標準地の鑑定評価は、近傍類地の取引価格から算定される推定の価格、近傍類地の地代等から算定される推定の価格および同等の効用を有する土地の造成に要する推定の費用の額を勘案して行われます。

❹ × **都道府県知事→市町村長**

市町村長は、土地鑑定委員会が公示した事項のうち、当該市町村に属する都道府県に存する標準地に係る部分を記載した書面および当該標準地の所在を表示する図面を、当該市町村の事務所において一般の閲覧に供しなければなりません。都道府県知事ではなく市町村長が行います。

ちょこっと よりみちトーク

地価公示法に都道府県知事って登場しないよね。

確かに！　国土交通大臣が土地鑑定委員を任命して公示区域を定めたら、後は基本的には土地鑑定委員会が行うよな！

公示した後も市町村長に書類を送るもんね。

がんばる！

地価公示法に関する次の記述のうち、正しいものはどれか。

❶　土地鑑定委員会は、公示区域内の標準地について、毎年1回、一定の基準日における当該標準地の単位面積当たりの正常な価格を判定し、公示する。

❷　土地鑑定委員が、標準地の選定のために他人の占有する土地に立ち入ろうとする場合は、必ず土地の占有者の承諾を得なければならない。

❸　不動産鑑定士は、公示区域内の土地について鑑定評価を行う場合において、当該土地の正常な価格を求めるときは、公示価格と実際の取引価格のうちいずれか適切なものを規準としなければならない。

❹　公示価格を規準とするとは、対象土地の価格を求めるに際して、当該対象土地に最も近い位置に存する標準地との比較を行い、その結果に基づき、当該標準地の公示価格と当該対象土地の価格との間に均衡を保たせることをいう。

全問◎を
目指そう！

1回目	／	2回目	／	3回目	／	4回目	／	5回目	／
手応え		手応え		手応え		手応え		手応え	

◎：完全に分かってきた
○：だいたい分かってきた
△：少し分かってきた
×：全く分からなかった

肢別テーマ	❶ 地価公示法	コース 2 ポイント ❶ ❷	
テキスト 第4編	❷ 地価公示法	該当なし	正解 1
	❸ 地価公示法	コース 2 ポイント ❶ ❹	
	❹ 地価公示法	該当なし	

❶ ○ **毎年1回、2人以上の不動産鑑定士の鑑定評価**

土地鑑定委員会が、公示区域内の標準地について、毎年1回、2人以上の不動産鑑定士の鑑定評価を求めて行います。

❷ ✕

立ち入りの日の3日前までに通知する必要はありますが、承諾までは必要ありません。

❸ ✕ **公示価格を規準としなければならない**

公示価格を規準としなければなりません。公示価格と実際の取引価格のどちらかから選ぶわけではありません。

❹ ✕ **類似する標準地と比較**

類似する標準地と比較します。最も近い位置の標準地と比較するのではありません。

地価公示法に関する次の記述のうち、正しいものはどれか。

❶ 公示区域とは、土地鑑定委員会が都市計画法第4条第2項に規定する都市計画区域内において定める区域である。

❷ 土地収用法その他の法律によって土地を収用することができる事業を行う者は、公示区域内の土地を当該事業の用に供するため取得する場合において、当該土地の取得価格を定めるときは、公示価格を規準としなければならない。

❸ 土地の取引を行う者は、取引の対象土地に類似する利用価値を有すると認められる標準地について公示された価格を指標として取引を行わなければならない。

❹ 土地鑑定委員会が標準地の単位面積当たりの正常な価格を判定したときは、当該価格については官報で公示する必要があるが、標準地及びその周辺の土地の利用の現況については官報で公示しなくてもよい。

全問◎を
目指そう！

1回目	／	2回目	／	3回目	／	4回目	／	5回目	／
手応え		手応え		手応え		手応え		手応え	

◎：完全に分かってきた
○：だいたい分かってきた
△：少し分かってきた
×：全く分からなかった

肢別テーマ	❶ 地価公示法	コース 2 ポイント ❶ 2	
テキスト 第4編	❷ 地価公示法	コース 2 ポイント ❶ 4	正解 2
	❸ 地価公示法	コース 2 ポイント ❶ 4	
	❹ 地価公示法	コース 2 ポイント ❶ 3	

❶ ✕ **都市計画区域外も可・国土交通大臣が指定**

公示区域は都市計画区域外でも定めることができます。また、公示区域を定めるのは土地鑑定委員会ではなく国土交通大臣です。

❷ ○ **公示価格を規準としなければならない**

土地を収用することができる事業を行う者は、公示価格を規準としなければなりません。

❸ ✕ **取引＝指標（努力目標）**

土地取引の場合には、指標として取引するよう努めなければなりません。義務ではなく努力目標です。

❹ ✕ **官報での公示が必要**

標準地とその周辺の土地の利用の現況についても、官報で公示しなければなりません。

ちょこっと よりみちトーク

「土地を収用することができる事業」って何ですか？

簡単に言えば、公共事業のことだね。道路を作ったり図書館などを建設したりするんだよ。

ペコリ

地価公示法

地価公示法に関する次の記述のうち、正しいものはどれか。

❶ 土地鑑定委員会は、標準地の単位面積当たりの価格及び当該標準地の前回の公示価格からの変化率等一定の事項を官報により公示しなければならないとされている。

❷ 土地鑑定委員会は、公示区域内の標準地について、毎年2回、2人以上の不動産鑑定士の鑑定評価を求め、その結果を審査し、必要な調整を行って、一定の基準日における当該標準地の単位面積当たりの正常な価格を判定し、これを公示するものとされている。

❸ 標準地は、土地鑑定委員会が、自然的及び社会的条件からみて類似の利用価値を有すると認められる地域において、土地の利用状況、環境等が通常であると認められる一団の土地について選定するものとされている。

❹ 土地の取引を行なう者は、取引の対象となる土地が標準地である場合には、当該標準地について公示された価格により取引を行なう義務を有する。

全問◎を
目指そう!

| 1回目 | / | 2回目 | / | 3回目 | / | 4回目 | / | 5回目 | / |
| 手応え | | 手応え | | 手応え | | 手応え | | 手応え | |

◎：完全に分かってきた
○：だいたい分かってきた
△：少し分かってきた
×：全く分からなかった

肢別テーマ	❶ 地価公示法	コース 2 ポイント ❶ ❸	
テキスト 第4編	❷ 地価公示法	コース 2 ポイント ❶ ❷	正解 3
	❸ 地価公示法	コース 2 ポイント ❶ ❷	
	❹ 地価公示法	コース 2 ポイント ❶ ❹	

❶ **✕ 前回からの変化率は公示不要**

前回からの変化率を公示する必要はありません。

❷ **✕ 毎年1回、2人以上の不動産鑑定士の鑑定評価**

土地鑑定委員会が、公示区域内の標準地について、毎年1回、2人以上の不動産鑑定士の鑑定評価を求めて行います。

❸ **○ 標準地→通常と認められる土地から選定**

土地鑑定委員会は、自然的および社会的条件からみて類似の利用価値を有すると認められる地域において、土地の利用状況、環境等が通常と認められる一団の土地について標準地を選定します。

❹ **✕ 取引=指標(努力目標)**

土地取引の場合には、指標として取引するよう努めなければなりません。義務ではなく努力目標です。

地価公示法に関する次の記述のうち、誤っているものはどれか。

❶ 都市及びその周辺の地域等において、土地の取引を行う者は、取引の対象土地に類似する利用価値を有すると認められる標準地について公示された価格を指標として取引を行うよう努めなければならない。

❷ 地価公示は、土地鑑定委員会が、毎年1回、2人以上の不動産鑑定士の鑑定評価を求め、その結果を審査し、必要な調整を行って、標準地の正常な価格を判定し、これを公示するものである。

❸ 標準地の正常な価格とは、土地について、自由な取引が行われるとした場合に通常成立すると認められる価格をいい、当該土地に地上権がある場合には、その地上権が存するものとして通常成立すると認められる価格をいう。

❹ 標準地の鑑定評価は、近傍類地の取引価格から算定される推定の価格、近傍類地の地代等から算定される推定の価格及び同等の効用を有する土地の造成に要する推定の費用の額を勘案して行われる。

全問○を
目指そう！

1回目	/	2回目	/	3回目	/	4回目	/	5回目	/
手応え		手応え		手応え		手応え		手応え	

◎：完全に分かってきた
○：だいたい分かってきた
△：少し分かってきた
×：全く分からなかった

192

 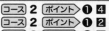
❶ ○ 取引＝指標（努力目標）

土地取引の場合には、指標として取引するよう努めなければなりません。義務ではなく努力目標です。

❷ ○ 毎年1回、2人以上の不動産鑑定士の鑑定評価

土地鑑定委員会が、公示区域内の標準地について、毎年1回、2人以上の不動産鑑定士の鑑定評価を求めて行います。

❸ ✕ 存する→存しない

建物または土地の使用収益を制限する権利（＝借地権など）が存在したとしても、それは存在していないものとして算定します。

❹ ○ 取引価格、地代、造成費用を勘案

標準地の鑑定評価は、近傍類地の取引価格から算定される推定の価格、近傍類地の地代等から算定される推定の価格および同等の効用を有する土地の造成に要する推定の費用の額を勘案して行われます。

不動産の鑑定評価に関する次の記述のうち、不動産鑑定評価基準によれば、正しいものはどれか。

❶ 不動産の価格を求める鑑定評価の手法は、原価法、取引事例比較法及び収益還元法に大別され、鑑定評価に当たっては、原則として案件に応じてこれらの手法のうちいずれか一つを選択して適用すべきこととされている。

❷ 土地についての原価法の適用において、宅地造成直後と価格時点とを比べ、公共施設等の整備等による環境の変化が価格水準に影響を与えていると客観的に認められる場合には、地域要因の変化の程度に応じた増加額を熟成度として加算できる。

❸ 特殊価格とは、市場性を有する不動産について、法令等による社会的要請を背景とする鑑定評価目的の下で、正常価格の前提となる諸条件を満たさないことにより正常価格と同一の市場概念の下において形成されるであろう市場価値と乖離することととなる場合における不動産の経済価値を適正に表示する価格をいう。

❹ 収益還元法は、対象不動産が将来生み出すであろうと期待される純収益の現在価値の総和を求めることにより対象不動産の試算価格を求める手法であることから、賃貸用不動産の価格を求める場合に有効であり、自用の住宅地には適用すべきでない。

全問◎を
目指そう!

1回目	/	2回目	/	3回目	/	4回目	/	5回目	/
手応え		手応え		手応え		手応え		手応え	

◎：完全に分かってきた
○：だいたい分かってきた
△：少し分かってきた
×：全く分からなかった

肢別テーマ テキスト第4編	❶ 不動産鑑定評価基準	コース 2 ポイント ❷ ❹	
	❷ 不動産鑑定評価基準	該当なし	**正解 2**
	❸ 不動産鑑定評価基準	コース 2 ポイント ❷ ❸	
	❹ 不動産鑑定評価基準	コース 2 ポイント ❷ ❹	

❶ ✕ **複数の手法を適用すべき**

不動産の鑑定評価の手法には原価法、取引事例比較法、収益還元法があり、案件に応じて複数の鑑定評価の手法を適用すべきであるとしています。

❷ ◯

公共施設の有無で価値が変わります。よって、その分増加したとして加算することができます。

❸ ✕ **特殊価格→特定価格**

特殊価格は、文化財等の一般的に市場性を有しない不動産について、その利用現況等を前提とした不動産の経済価値を適正に表示する価格をいいます。なお、本肢は特定価格についての説明です。

❹ ✕ **自用の不動産にも適用可**

収益還元法は、賃貸用不動産の価格を求める場合に有効ですが、自用の不動産でも、賃貸を想定することで適用することができます。

● **不動産の価格の種類**

正常価格	市場性を有する不動産・合理的と考えられる条件を満たす市場で形成
限定価格	市場性を有する不動産・市場が相対的に限定される場合
特定価格	市場性を有する不動産・諸条件を満たさない
特殊価格	文化財等の一般的に市場性を有しない不動産

不動産の鑑定評価に関する次の記述のうち、不動産鑑定評価基準によれば、誤っているものはどれか。

❶ 原価法は、求めた再調達原価について減価修正を行って対象物件の価格を求める手法であるが、建設費の把握が可能な建物のみに適用でき、土地には適用できない。

❷ 不動産の効用及び相対的稀少性並びに不動産に対する有効需要の三者に影響を与える要因を価格形成要因といい、一般的要因、地域要因及び個別的要因に分けられる。

❸ 正常価格とは、市場性を有する不動産について、現実の社会経済情勢の下で合理的と考えられる条件を満たす市場で形成されるであろう市場価値を表示する適正な価格をいう。

❹ 取引事例に係る取引が特殊な事情を含み、これが当該取引事例に係る価格等に影響を及ぼしているときは、適切に補正しなければならない。

全問◎を
目指そう！

1回目 /	2回目 /	3回目 /	4回目 /	5回目 /
手応え	手応え	手応え	手応え	手応え

◎：完全に分かってきた
○：だいたい分かってきた
△：少し分かってきた
×：全く分からなかった

肢別テーマ	❶ 不動産鑑定評価基準	コース 2 ポイント ❷ 4		
テキスト第4編	❷ 不動産鑑定評価基準	該当なし	正解	1
	❸ 不動産鑑定評価基準	コース 2 ポイント ❷ 3		
	❹ 不動産鑑定評価基準	コース 2 ポイント ❷ 4		

❶ ✕ **土地にも適用可**

原価法は、求めた再調達原価について減価修正を行って対象物件の価格を求める手法です。しかし、対象不動産が土地であっても、再調達原価を適切に求めることができるときは、原価法を適用できます。本肢は、前半部は正しいが、後半部が誤っています。

❷ ◯

不動産の効用および相対的稀少性ならびに不動産に対する有効需要の三者に影響を与える要因を価格形成要因といい、「一般的要因・地域要因・個別的要因」に分けられます。

❸ ◯ **正常価格の説明と合致**

正常価格とは、市場性を有する不動産について、現実の社会経済情勢の下で合理的と考えられる条件を満たす市場で形成されるであろう市場価値を表示する適正な価格のことです。

❹ ◯ **補正しなければならない**

取引事例に係る取引が特殊な事情を含み、これが当該取引事例に係る価格等に影響を及ぼしているときは、適切に補正しなければなりません。この補正のことを事情補正といいます。

不動産の鑑定評価に関する次の記述のうち、不動産鑑定評価基準によれば、正しいものはどれか。

❶ 不動産の価格は、その不動産の効用が最高度に発揮される可能性に最も富む使用を前提として把握される価格を標準として形成されるが、これを最有効使用の原則という。

❷ 収益還元法は、賃貸用不動産又は賃貸以外の事業の用に供する不動産の価格を求める場合に特に有効な手法であるが、事業の用に供さない自用の不動産の鑑定評価には適用すべきではない。

❸ 鑑定評価の基本的な手法は、原価法、取引事例比較法及び収益還元法に大別され、実際の鑑定評価に際しては、地域分析及び個別分析により把握した対象不動産に係る市場の特性等を適切に反映した手法をいずれか1つ選択して、適用すべきである。

❹ 限定価格とは、市場性を有する不動産について、法令等による社会的要請を背景とする鑑定評価目的の下で、正常価格の前提となる諸条件を満たさないことにより正常価格と同一の市場概念の下において形成されるであろう市場価値と乖離することとなる場合における不動産の経済価値を適正に表示する価格のことをいい、民事再生法に基づく鑑定評価目的の下で、早期売却を前提として求められる価格が例としてあげられる。

1回目	/	2回目	/	3回目	/	4回目	/	5回目	/
手応え		手応え		手応え		手応え		手応え	

◎：完全に分かってきた
○：だいたい分かってきた
△：少し分かってきた
×：全く分からなかった

肢別テーマ	❶ 不動産鑑定評価基準	コース 2 ポイント ❷ 2	
テキスト 第4編	❷ 不動産鑑定評価基準	コース 2 ポイント ❷ 4	正解
	❸ 不動産鑑定評価基準	コース 2 ポイント ❷ 4	1
	❹ 不動産鑑定評価基準	コース 2 ポイント ❷ 3	

不動産鑑定評価基準

❶ ○ 最有効使用の原則の説明と合致

不動産の価格は、その不動産の効用が最高度に発揮される可能性に最も富む使用（最有効使用）を前提として把握される価格を標準として形成されます。これを最有効使用の原則といいます。

❷ ✕ 自用の不動産にも適用可

収益還元法は、賃貸用不動産の価格を求める場合に有効ですが、自用の不動産でも、賃貸を想定することで適用することができます。

❸ ✕ 複数の手法を適用すべき

不動産の鑑定評価の手法には原価法、取引事例比較法、収益還元法があり、案件に応じて複数の鑑定評価の手法を適用すべきであるとしています。

❹ ✕ 「限定価格」 → 「特定価格」

限定価格とは、市場性を有する不動産について、不動産と取得する他の不動産との併合または不動産の一部を取得する際の分割等に基づき正常価格と同一の市場概念の下において形成されるであろう市場価値と乖離することにより、市場が相対的に限定される場合における取得部分の当該市場限定に基づく市場価値を適正に表示する価格をいいます。なお、本肢は特定価格に関する記述となっています。

不動産の鑑定評価に関する次の記述のうち、正しいものはどれか。

❶ 不動産の価格を求める鑑定評価の手法は、原価法、取引事例比較法及び収益還元法に大別されるが、鑑定評価に当たっては、案件に即してこれらの三手法のいずれか1つを適用することが原則である。

❷ 取引事例比較法とは、まず多数の取引事例を収集して適切な事例の選択を行い、これらに係る取引価格に必要に応じて事情補正及び時点修正を行い、かつ、地域要因の比較及び個別的要因の比較を行って求められた価格を比較考量し、これによって対象不動産の試算価格を求める手法である。

❸ 収益還元法は、文化財の指定を受けた建造物等の一般的に市場性を有しない不動産も含め基本的にすべての不動産に適用すべきものであり、自用の不動産といえども賃貸を想定することにより適用されるものである。

❹ 賃料の鑑定評価において、支払賃料とは、賃料の種類の如何を問わず賃貸人に支払われる賃料の算定の期間に対応する適正なすべての経済的対価をいい、純賃料及び不動産の賃貸借等を継続するために通常必要とされる諸経費等から成り立つものである。

1回目	/	2回目	/	3回目	/	4回目	/	5回目	/
手応え		手応え		手応え		手応え		手応え	

◎：完全に分かってきた
○：だいたい分かってきた
△：少し分かってきた
×：全く分からなかった

肢別テーマ	❶ 不動産鑑定評価基準	コース 2 ポイント ❷ 4	正解 2
テキスト 第4編	❷ 不動産鑑定評価基準	コース 2 ポイント ❷ 4	
	❸ 不動産鑑定評価基準	コース 2 ポイント ❷ 4	
	❹ 不動産鑑定評価基準	コース 2 ポイント ❷ 5	

不動産鑑定評価基準

❶ ✕ 複数の手法を適用すべき

不動産の鑑定評価の手法には原価法、取引事例比較法、収益還元法があり、案件に応じて複数の鑑定評価の手法を適用すべきであるとしています。

❷ ○ 取引事例比較法の記述として正しい

取引事例比較法は、まず多数の取引事例を収集して適切な事例の選択を行い、これらに係る取引価格に必要に応じて事情補正および時点修正を行い、かつ、地域要因および個別的要因の比較を行って求められた価格を比較考量し、これによって不動産の試算価格を求める手法です。

❸ ✕ 市場性を有しない不動産には適用不可

収益還元法は、賃料を想定するものなので、文化財などの市場性を有しないものには適用できません。なお、後半部の記述は正しいです。

❹ ✕ 支払賃料ではなく実質賃料の説明

たとえば、「賃料月額 20 万円で、権利金 96 万円を 2 年で償却」とあった場合で考えてみましょう。毎月払う賃料は 20 万円ですよね。これが支払賃料です。それに対して、権利金も払っているのだから、実質的には権利金の分（96 万円を 2 年ということは、毎月 4 万円分）を上乗せしていると考えることもできます。なので、実質的には毎月 24 万円払っているということになります。これが実質賃料です。本肢は、実質賃料の記述となっています。

不動産の鑑定評価に関する次の記述のうち、不動産鑑定評価基準によれば、誤っているものはどれか。

❶ 不動産の価格を求める鑑定評価の基本的な手法は、原価法、取引事例比較法及び収益還元法に大別され、原価法による試算価格を積算価格、取引事例比較法による試算価格を比準価格、収益還元法による試算価格を収益価格という。

❷ 取引事例比較法の適用に当たって必要な取引事例は、取引事例比較法に即応し、適切にして合理的な計画に基づき、豊富に秩序正しく収集し、選択すべきであり、投機的取引であると認められる事例等適正さを欠くものであってはならない。

❸ 再調達原価とは、対象不動産を価格時点において再調達することを想定した場合において必要とされる適正な原価の総額をいう。

❹ 収益還元法は、対象不動産が将来生み出すであろうと期待される純収益の現在価値の総和を求めることにより対象不動産の試算価格を求める手法であり、このうち、一期間の純収益を還元利回りによって還元する方法をDCF（Discounted Cash Flow）法という。

1回目	/	2回目	/	3回目	/	4回目	/	5回目	/
手応え		手応え		手応え		手応え		手応え	

◎：完全に分かってきた
○：だいたい分かってきた
△：少し分かってきた
×：全く分からなかった

肢別テーマ	❶ 不動産鑑定評価基準	コース 2 ポイント ❷ 4	
テキスト 第4編	❷ 不動産鑑定評価基準	コース 2 ポイント ❷ 4	正解 4
	❸ 不動産鑑定評価基準	コース 2 ポイント ❷ 4	
	❹ 不動産鑑定評価基準	コース 2 ポイント ❷ 4	

不動産鑑定評価基準

❶ ○ **原価法、取引事例比較法、収益還元法の3つがある**

不動産の価格を求める鑑定評価の基本的な手法は、原価法、取引事例比較法および収益還元法に大別され、原価法による試算価格を積算価格、取引事例比較法による試算価格を比準価格、収益還元法による試算価格を収益価格といいます。

❷ ○ **投機的取引の事例は不可**

取引事例比較法では、投機的取引の事例を用いることはできません。

❸ ○ **再調達原価の説明として正しい**

再調達原価とは、対象不動産を価格時点において再調達することを想定した場合において必要とされる適正な原価の総額をいいます。

❹ ✕ **DCF法→直接還元法**

一期間のもうけを考えるのは、直接還元法です。DCF法は複数の期間のもうけを考えます。

不動産の鑑定評価に関する次の記述のうち、不動産鑑定評価基準によれば、正しいものはどれか。

❶ 原価法は、価格時点における対象不動産の収益価格を求め、この収益価格について減価修正を行って対象不動産の比準価格を求める手法である。

❷ 原価法は、対象不動産が建物又は建物及びその敷地である場合には適用することができるが、対象不動産が土地のみである場合においては、いかなる場合も適用することができない。

❸ 取引事例比較法における取引事例が、特殊事情のある事例である場合、その具体的な状況が判明し、事情補正できるものであっても採用することは許されない。

❹ 取引事例比較法は、近隣地域若しくは同一需給圏内の類似地域等において対象不動産と類似の不動産の取引が行われている場合又は同一需給圏内の代替競争不動産の取引が行われている場合に有効である。

全問◎を
目指そう！

1回目	／	2回目	／	3回目	／	4回目	／	5回目	／
手応え		手応え		手応え		手応え		手応え	

◎：完全に分かってきた
○：だいたい分かってきた
△：少し分かってきた
×：全く分からなかった

肢別テーマ			
テキスト 第4編	❶ 不動産鑑定評価基準	コース 2 ポイント ❷ ❹	
	❷ 不動産鑑定評価基準	コース 2 ポイント ❷ ❹	正解 4
	❸ 不動産鑑定評価基準	コース 2 ポイント ❷ ❹	
	❹ 不動産鑑定評価基準	該当なし	

不動産鑑定評価基準

❶ ✕ 原価法は積算価格を求める

原価法は、価格時点における対象不動産の再調達原価を求め、この再調達原価について減価修正を行って対象不動産の積算価格を求める手法です。なお、「収益価格」は収益還元法による試算価格であり、「比準価格」は取引事例比較法による試算価格です。

❷ ✕ 土地にも適用可

原価法は、求めた再調達原価について減価修正を行って対象物件の価格を求める手法です。しかし、対象不動産が土地であっても、再調達原価を適切に求めることができるときは、原価法を適用できます。

❸ ✕ 補正できるものであれば採用可

取引事例等に係る取引等が特殊な事情を含み、これが当該取引事例等に係る価格等に影響を及ぼしているときは適切に補正しなければなりません。そして、取引事例等に係る取引等の事情が正常なものに補正することができるものであれば、採用することができます。

❹ ○

取引事例比較法は、近隣地域もしくは同一需給圏内の類似地域等において対象不動産と類似の不動産の取引が行われている場合または同一需給圏内の代替競争不動産の取引が行われている場合に有効です。

おっかれさま

次からは免除科目。
5問免除を持っている人は
ここで終了だね！

住宅金融支援機構法

独立行政法人住宅金融支援機構（以下この問において「機構」という。）に関する次の記述のうち、誤っているものはどれか。

❶ 機構は、バリアフリー性、省エネルギー性、耐震性、耐久性・可変性に優れた住宅において、優良住宅取得支援制度を設けている。

❷ 機構は、証券化支援事業（保証型）において、高齢者が自ら居住する住宅に対してバリアフリー工事又は耐震改修工事を行う場合に、債務者本人の死亡時に一括して借入金の元金を返済する制度を設けている。

❸ 機構は、証券化支援事業（買取型）において、民間金融機関が貸し付ける長期・固定金利の住宅ローン債権を買取りの対象としている。

❹ 機構は、経済情勢の著しい変動に伴い、住宅ローンの元利金の支払いが著しく困難となった場合に、償還期間の延長等の貸付条件の変更を行っている。

1回目	/	2回目	/	3回目	/	4回目	/	5回目	/
手応え		手応え		手応え		手応え		手応え	

◎：完全に分かってきた
○：だいたい分かってきた
△：少し分かってきた
×：全く分からなかった

肢別テーマ テキスト 第4編	❶ 住宅金融支援機構法	該当なし	正解 2
	❷ 住宅金融支援機構法	該当なし	
	❸ 住宅金融支援機構法	コース 3 ポイント ❶ ②	
	❹ 住宅金融支援機構法	コース 3 ポイント ❶ ③	

❶ ○ **優良住宅取得支援制度を設けている**

機構は、バリアフリー性、省エネルギー性、耐震性、耐久性・可変性に優れた住宅において、優良住宅取得支援制度を設けています。

❷ × **直接融資のみ**

この制度は直接融資の場合のみで、証券化支援事業では行っていません。

❸ ○ **民間金融機関の住宅ローン債権を買取り**

民間金融機関が貸し付ける長期・固定金利の住宅ローン債権を買取りの対象としています。

❹ ○ **貸付条件の変更も可**

償還期間の延長等の貸付条件の変更を行っています。

住宅金融支援機構法

独立行政法人住宅金融支援機構（以下、この問において「機構」という。）に関する次の記述のうち、誤っているものはどれか。

❶ 機構は、地震に対する安全性の向上を主たる目的とする住宅の改良に必要な資金の貸付けを業務として行っている。

❷ 機構は、証券化支援事業（買取型）において、住宅の改良に必要な資金の貸付けに係る貸付債権について譲受けの対象としている。

❸ 機構は、高齢者の家庭に適した良好な居住性能及び居住環境を有する住宅とすることを主たる目的とする住宅の改良（高齢者が自ら居住する住宅について行うものに限る。）に必要な資金の貸付けを業務として行っている。

❹ 機構は、市街地の土地の合理的な利用に寄与する一定の建築物の建設に必要な資金の貸付けを業務として行っている。

全問◯を
目指そう！

| 1回目 | / | 2回目 | / | 3回目 | / | 4回目 | / | 5回目 | / |

手応え

◎：完全に分かってきた
◯：だいたい分かってきた
△：少し分かってきた
×：全く分からなかった

肢別テーマ	❶ 住宅金融支援機構法	コース 3 ポイント ❶ ❸	
テキスト 第4編	❷ 住宅金融支援機構法	コース 3 ポイント ❶ ❷	正解 2
	❸ 住宅金融支援機構法	コース 3 ポイント ❶ ❸	
	❹ 住宅金融支援機構法	該当なし	

❶ ○ **直接融資も行う**

地震に対する安全性の向上を主たる目的とする住宅の改良に必要な資金の貸付けを業務として行っています。

❷ × **建設・購入が対象であり、改良は対象ではない**

証券化支援事業（買取型）において、譲受けの対象となるのは、住宅の建設・購入の場合であって、改良は対象としていません。

❸ ○ **直接融資も行う**

高齢者のために住宅の改良を行う際の資金について、直接融資の対象としています。

❹ ○ **直接融資の対象としている**

合理的土地利用建築物の建設に必要な資金について、直接融資の対象としています。

ちょこっと **よりみちトーク**

「合理的土地利用建築物の建設」って何のことですか？

住宅密集地があったとして、それを解消するための建替えなどを指すよ。

独立行政法人住宅金融支援機構（以下この問において「機構」という。）に関する次の記述のうち、誤っているものはどれか。

❶ 機構は、団体信用生命保険業務として、貸付けを受けた者が死亡した場合のみならず、重度障害となった場合においても、支払われる生命保険の保険金を当該貸付けに係る債務の弁済に充当することができる。

❷ 機構は、直接融資業務において、高齢者の死亡時に一括償還をする方法により貸付金の償還を受けるときは、当該貸付金の貸付けのために設定された抵当権の効力の及ぶ範囲を超えて、弁済の請求をしないことができる。

❸ 証券化支援業務（買取型）に係る貸付金の利率は、貸付けに必要な資金の調達に係る金利その他の事情を勘案して機構が定めるため、どの金融機関においても同一の利率が適用される。

❹ 証券化支援業務（買取型）において、機構による譲受けの対象となる住宅の購入に必要な資金の貸付けに係る金融機関の貸付債権には、当該住宅の購入に付随する改良に必要な資金も含まれる。

全問◎を
目指そう！

1回目	2回目	3回目	4回目	5回目
／	／	／	／	／
手応え	手応え	手応え	手応え	手応え

◎：完全に分かってきた
○：だいたい分かってきた
△：少し分かってきた
×：全く分からなかった

肢別テーマ	❶ 住宅金融支援機構法	コース 3 ポイント ❶ 4	正解 **3**
テキスト 第4編	❷ 住宅金融支援機構法	該当なし	
	❸ 住宅金融支援機構法	コース 3 ポイント ❶ 2	
	❹ 住宅金融支援機構法	コース 3 ポイント ❶ 2	

❶ ○ 死亡の場合のみならず、重度障害となった場合も充当可能

団体信用生命保険業務において、死亡の場合のみならず、重度障害の状態となった場合も、支払われる生命保険の保険金を当該貸付けに係る債務の弁済に充当することができます。

❷ ○ このような方法も可能

抵当権の範囲を超えて弁済の請求をしないということもできます。たとえば、貸付金が 2,000 万円であって、抵当権を実行しても 1,500 万円にしかならない場合、その 1,500 万円までしか請求をしないということができるということです。

❸ ✕ 金融機関によって異なる

利率は金融機関が定めるため、金融機関により利率は異なります。

❹ ○ 住宅の購入に付随する改良は対象となる

証券化支援事業（買取型）において、住宅の購入に付随する土地もしくは借地権の取得または当該住宅の改良に必要な資金も含まれます。住宅購入と同時にリフォームを行う場合などです。

住宅金融支援機構法

独立行政法人住宅金融支援機構（以下この問において「機構」という。）に関する次の記述のうち、誤っているものはどれか。

❶ 機構は、証券化支援事業（買取型）において、民間金融機関から買い取った住宅ローン債権を担保としてMBS（資産担保証券）を発行している。

❷ 証券化支援事業（買取型）における民間金融機関の住宅ローン金利は、金融機関によって異なる場合がある。

❸ 機構は、証券化支援事業（買取型）における民間金融機関の住宅ローンについて、借入金の元金の返済を債務者本人の死亡時に一括して行う高齢者向け返済特例制度を設けている。

❹ 機構は、証券化支援事業（買取型）において、住宅の建設や新築住宅の購入に係る貸付債権のほか、中古住宅を購入するための貸付債権も買取りの対象としている。

全問◎を
目指そう！

1回目	/	2回目	/	3回目	/	4回目	/	5回目	/
手応え		手応え		手応え		手応え		手応え	

◎：完全に分かってきた
○：だいたい分かってきた
△：少し分かってきた
×：全く分からなかった

肢別テーマ	❶ 住宅金融支援機構法	コース 3 ポイント ❶ ❷	正解 3
テキスト 第4編	❷ 住宅金融支援機構法	コース 3 ポイント ❶ ❷	
	❸ 住宅金融支援機構法	該当なし	
	❹ 住宅金融支援機構法	コース 3 ポイント ❶ ❷	

❶ ○ 機構はMBSを発行している

機構は、証券化支援事業（買取型）において、金融機関から買い取った住宅ローン債権を担保としてMBS（資産担保証券）を発行しています。

❷ ○ 金融機関によって異なる

利率は金融機関が定めるため、金融機関により利率は異なります。

❸ ✕ 証券化支援業務では設けられていない

機構は、高齢者に直接貸し付ける場合、元金の返済を債務者本人の死亡時に一括して行う高齢者向け返済特例が認められています。これは、直接融資のみであり、証券化支援業務ではこのような特例は認められていません。

❹ ○ 中古住宅も買い取り対象

証券化支援事業（買取型）の対象となる住宅ローン債権には新築住宅に係る貸付債権だけでなく、中古住宅を購入するための貸付債権も含まれます。

住宅金融支援機構法

独立行政法人住宅金融支援機構（以下この問において「機構」という。）に関する次の記述のうち、誤っているものはどれか。

❶　機構は、証券化支援事業（買取型）において、金融機関から買い取った住宅ローン債権を担保としてMBS（資産担保証券）を発行している。

❷　機構は、災害により住宅が滅失した場合におけるその住宅に代わるべき住宅の建設又は購入に係る貸付金については、元金据置期間を設けることができない。

❸　機構は、証券化支援事業（買取型）において、賃貸住宅の建設又は購入に必要な資金の貸付けに係る金融機関の貸付債権については譲受けの対象としていない。

❹　機構は、貸付けを受けた者とあらかじめ契約を締結して、その者が死亡した場合に支払われる生命保険の保険金を当該貸付けに係る債務の弁済に充当する団体信用生命保険を業務として行っている。

全問◎を
目指そう!

214

1回目	2回目	3回目	4回目	5回目
手応え	手応え	手応え	手応え	手応え

◎：完全に分かってきた
○：だいたい分かってきた
△：少し分かってきた
×：全く分からなかった

肢別テーマ テキスト 第4編	❶ 住宅金融支援機構法	コース 3 ポイント ❶ ❷		
	❷ 住宅金融支援機構法	コース 3 ポイント ❶ ❸		
	❸ 住宅金融支援機構法	コース 3 ポイント ❶ ❷	正解	2
	❹ 住宅金融支援機構法	コース 3 ポイント ❶ ❹		

❶ ○ **証券化支援事業（買取型）の説明として正しい**

機構は、証券化支援事業（買取型）において、金融機関から買い取った住宅ロー
ン債権を担保としてMBS（資産担保証券）を発行しています。

❷ × **据置期間を設けることができる**

災害により住宅が滅失した場合におけるその住宅に代わるべき住宅の建設また
は購入に係る貸付金について、元金据置期間を設けることができます。

❸ ○ **賃貸住宅については買取対象ではない**

賃貸住宅の建設または購入に必要な資金の貸付けに係る金融機関の貸付債権に
ついては、買取りの対象とはしていません。

❹ ○ **機構は団体信用生命保険の業務を行っている**

機構は、貸付けを受けた者が死亡した場合や重度障害になった場合に支払われ
る生命保険の保険金などを、その貸付けに係る債務の返済に充てる、団体信用
生命保険の業務を行っています。

住宅金融支援機構法

宅地建物取引業者が行う広告に関する次の記述のうち、不当景品類及び不当表示防止法（不動産の表示に関する公正競争規約を含む。）の規定によれば、正しいものはどれか。

❶ 建築基準法第28条（居室の採光及び換気）の規定に適合した採光及び換気のための窓等がなくても、居室として利用できる程度の広さがあれば、広告において居室として表示できる。

❷ 新築分譲マンションの販売広告において、住戸により修繕積立金の額が異なる場合であって、全ての住戸の修繕積立金を示すことが困難であるときは、全住戸の平均額のみ表示すればよい。

❸ 私道負担部分が含まれている新築住宅を販売する際、私道負担の面積が全体の5％以下であれば、私道負担部分がある旨を表示すれば足り、その面積までは表示する必要はない。

❹ 建築工事に着手した後に、その工事を相当の期間にわたり中断していた新築分譲マンションについては、建築工事に着手した時期及び中断していた期間を明瞭に表示しなければならない。

全問◎を
目指そう!

1回目	/	2回目	/	3回目	/	4回目	/	5回目	/
手応え		手応え		手応え		手応え		手応え	

◎：完全に分かってきた
○：だいたい分かってきた
△：少し分かってきた
×：全く分からなかった

肢別テーマ	❶ 景品表示法	該当なし	
	❷ 景品表示法	コース 3 ポイント ❷ 5	
テキスト 第4編	❸ 景品表示法	コース 3 ポイント ❷ 2	正解 4
	❹ 景品表示法	コース 3 ポイント ❷ 6	

❶ ✕ **居室として表示できない**

建築基準法の規定に適合した採光や換気のための窓等がないと居室として扱われません。ですので、居室という表示をすることはできません。「納戸」等と表示しなければなりません。

❷ ✕ **最低額と最高額を表示**

最低額および最高額のみで表示することができます。平均額のみの表示ではありません。

❸ ✕ **面積も表示しなければならない**

私道負担部分がある場合、その旨と私道負担部分の面積も表示しなければなりません。

❹ ○ **中断していた期間も表示しなければならない**

建築工事に着手した後に、同工事を相当の期間にわたり中断していた新築住宅または新築分譲マンションについては、建築工事に着手した時期および中断していた期間を明示しなければなりません。

 図表まとめ

● <価格・賃料・管理費等>

→全てを表示することが困難な場合

A 売買価格＝最低価格＆最高価格

→物件数が 10 以上なら最多価格帯＆その数

B 賃料＝最低賃料＆最高賃料

C 管理費等＝最低額＆最高額

景品表示法

宅地建物取引業者が行う広告に関する次の記述のうち、不当景品類及び不当表示防止法（不動産の表示に関する公正競争規約を含む。）の規定によれば、正しいものはどれか。

❶ 　新築分譲マンションを数期に分けて販売する場合に、第1期の販売分に売れ残りがあるにもかかわらず、第2期販売の広告に「第1期完売御礼！いよいよ第2期販売開始！」と表示しても、結果として第2期販売期間中に第1期の売れ残り分を売り切っていれば、不当表示にはならない。

❷ 　新築分譲マンションの広告に住宅ローンについても記載する場合、返済例を表示すれば、当該ローンを扱っている金融機関について表示する必要はない。

❸ 　販売しようとしている土地が、都市計画法に基づく告示が行われた都市計画施設の区域に含まれている場合は、都市計画施設の工事が未着手であっても、広告においてその旨を明示しなければならない。

❹ 　築15年の企業の社宅を買い取って改修し、分譲マンションとして販売する場合、一般消費者に販売することは初めてであるため、「新発売」と表示して広告を出すことができる。

全問◎を
目指そう！

| 1回目 | / | 2回目 | / | 3回目 | / | 4回目 | / | 5回目 | / |
| 手応え | | 手応え | | 手応え | | 手応え | | 手応え | |

◎：完全に分かってきた
○：だいたい分かってきた
△：少し分かってきた
×：全く分からなかった

218

肢別テーマ	❶ 景品表示法	コース 3 ポイント ❷ ❸	
テキスト 第4編	❷ 景品表示法	該当なし	正解
	❸ 景品表示法	該当なし	
	❹ 景品表示法	コース 3 ポイント ❷ ❸	

❶ ✕ 完売と嘘をついてはならない

結果的に売り切ったとしても、当該期の販売分に売れ残りがある場合には、完売と嘘をついてはいけません。

❷ ✕ 金融機関を明示する必要がある

どの金融機関であるかも明示する必要があります。

❸ ◯ 工事未着手であっても明示が必要

都市計画施設の区域に含まれているのであれば、きちんと明示しなければなりません。

❹ ✕ 本肢の場合、新発売と表示することはできない

マンションで「新発売」という表示ができるのは、新築住宅または一棟リノベーションマンションの場合のみです。

景品表示法

宅地建物取引業者が行う広告に関する次の記述のうち、不当景品類及び不当表示防止法（不動産の表示に関する公正競争規約を含む。）の規定によれば、正しいものはどれか。

❶ 新築分譲マンションの販売広告で完成予想図により周囲の状況を表示する場合、完成予想図である旨及び周囲の状況はイメージであり実際とは異なる旨を表示すれば、実際に所在しない箇所に商業施設を表示するなど現況と異なる表示をしてもよい。

❷ 宅地の販売広告における地目の表示は、登記簿に記載されている地目と現況の地目が異なる場合には、登記簿上の地目のみを表示すればよい。

❸ 住戸により管理費が異なる分譲マンションの販売広告を行う場合、全ての住戸の管理費を示すことが広告スペースの関係で困難なときには、1住戸当たりの月額の最低額及び最高額を表示すればよい。

❹ 建築工事完了後8か月しか経過していない分譲住宅については、入居の有無にかかわらず新築分譲住宅と表示してもよい。

1回目	/	2回目	/	3回目	/	4回目	/	5回目	/
手応え		手応え		手応え		手応え		手応え	

◎：完全に分かってきた
○：だいたい分かってきた
△：少し分かってきた
×：全く分からなかった

肢別テーマ	❶ 景品表示法	該当なし	
テキスト第4編	❷ 景品表示法	該当なし	
	❸ 景品表示法	コース 3 ポイント ❷ ⑤	正解 3
	❹ 景品表示法	コース 3 ポイント ❷ ❸	

❶ ✕ **誤解を与えるような表示をしてはならない**

お客様に誤解を与えるような表示をしてはなりません。

❷ ✕ **現況も表示必要**

現況も表示することが必要です。

❸ 〇 **最低額と最高額を表示**

すべての住戸について表示することが困難なときは、最低額および最高額の表示で構いません。

❹ ✕ **「入居の有無にかかわらず」ではない**

新築というのは未入居であって建築工事完了後1年未満のものです。入居者がいた場合、たとえ1年未満であっても新築とはいえません。

景品表示法

ちょこっと **よりみちトーク**

広告でよく「築浅！」って見かけるけど、「新築」とは違うんですか？

建ててまだ月日が経過していないけれど、入居者がいた場合とか、1年を少し過ぎてしまって「新築」と言えなくなった場合に「築浅」と使うことが多いよ。

ファイト！

景品表示法

宅地建物取引業者が行う広告等に関する次の記述のうち、不当景品類及び不当表示防止法（不動産の表示に関する公正競争規約を含む。）の規定によれば、正しいものはどれか。

❶ 分譲宅地（50区画）の販売広告を新聞折込チラシに掲載する場合、1区画当たりの最低価格、最高価格及び最多価格帯並びにその価格帯に属する販売区画数を表示すれば足りる。

❷ 新築分譲マンションの販売において、モデル・ルームは、不当景品類及び不当表示防止法の規制対象となる「表示」には当たらないため、実際の居室には付属しない豪華な設備や家具等を設置した場合であっても、当該家具等は実際の居室には付属しない旨を明示する必要はない。

❸ 建売住宅の販売広告において、実際に当該物件から最寄駅まで歩いたときの所要時間が15分であれば、物件から最寄駅までの道路距離にかかわらず、広告中に「最寄駅まで徒歩15分」と表示することができる。

❹ 分譲住宅の販売広告において、当該物件周辺の地元住民が鉄道会社に駅の新設を要請している事実が報道されていれば、広告中に地元住民が要請している新設予定時期を明示して、新駅として表示することができる。

全問◎を
目指そう！

1回目	/	2回目	/	3回目	/	4回目	/	5回目	/
手応え		手応え		手応え		手応え		手応え	

◎：完全に分かってきた
○：だいたい分かってきた
△：少し分かってきた
×：全く分からなかった

肢別テーマ	❶ 景品表示法	コース 3 ポイント ❷ 5
	❷ 景品表示法	該当なし
テキスト 第4編	❸ 景品表示法	コース 3 ポイント ❷ 5
	❹ 景品表示法	コース 3 ポイント ❷ 4

正解 1

❶ ○ **パンフレット等の媒体を除き、表示可**

分譲宅地（10区画以上）の価格については、パンフレット等の媒体を除き、1区画当たりの最低価格、最高価格および最多価格帯ならびにその価格帯に属する販売区画数を表示すればよいです。

❷ × **モデルルームも表示に含まれる**

モデルルームも「表示」に含まれます。

❸ × **実際に歩いた時間ではなく道路距離で表示**

徒歩による所要時間は、道路距離80mにつき1分間を要するものとして算出した数値を表示します。なお、この場合において、1分未満の端数が生じたときは、1分として算出します。

❹ × **運行主体が公表したものに限る**

新設予定の駅等またはバスの停留所は、当該路線の運行主体が公表したものに限り、その新設予定時期を明示して表示することができます。したがって、周辺住民の設置要望が報道されただけでは、新駅として表示することはできません。

景品表示法

宅地建物取引業者が行う広告に関する次の記述のうち、不当景品類及び不当表示防止法（不動産の表示に関する公正競争規約を含む。）の規定によれば、正しいものはどれか。

❶ 新築分譲マンションの名称に、公園、庭園、旧跡その他の施設又は海（海岸）、湖沼若しくは河川の岸若しくは堤防の名称を使用する場合には、当該物件がこれらの施設から最短の道路距離で 300 m 以内に所在していなければならない。

❷ 市街化調整区域内に所在する土地を販売する際の新聞折込チラシにおいては、市街化調整区域に所在する旨を 16 ポイント以上の大きさの文字で表示すれば、宅地の造成や建物の建築ができない旨を表示する必要はない。

❸ 新築分譲住宅の広告において物件及びその周辺を写した写真を掲載する際に、当該物件の至近に所在する高圧電線の鉄塔を消去する加工を施した場合には、不当表示に該当する。

❹ 分譲マンションを販売するに当たり、当該マンションが、何らかの事情により数年間工事が中断された経緯があったとしても、住居として未使用の状態で販売する場合は、着工時期及び中断していた期間を明示することなく、新築分譲マンションとして広告することができる。

1回目	2回目	3回目	4回目	5回目
／	／	／	／	／
手応え	手応え	手応え	手応え	手応え

◎：完全に分かってきた
○：だいたい分かってきた
△：少し分かってきた
×：全く分からなかった

肢別テーマ	❶ 景品表示法	コース 3 ポイント ❷ 4
テキスト 第4編	❷ 景品表示法	コース 3 ポイント ❷ 2
	❸ 景品表示法	該当なし
	❹ 景品表示法	コース 3 ポイント ❷ 6

正解 3

❶ × 　道路距離→直線距離

その施設が直線距離で 300 m以内に所在していなければなりません。

❷ × 　造成・建築ができない旨も文字で明示

市街化調整区域に所在する土地について新聞折込チラシで広告する場合、「市街化調整区域。宅地の造成及び建物の建築はできません。」と 16 ポイント以上の文字で明示しなければなりません。ただし、開発許可を受けているもの等についてはこの限りではありません。

❸ ○ 　不当表示に該当する

実物よりも良く見せるために写真を加工してはなりません。

❹ × 　着手時期と中断時期を明示

建築工事に着手した後に、同工事を相当の期間にわたり中断していた新築住宅または新築分譲マンションについては、建築工事に着手した時期および中断していた期間を明示しなければなりません。

景品表示法

宅地建物取引業者が行う広告に関する次の記述のうち、不当景品類及び不当表示防止法（不動産の表示に関する公正競争規約を含む。）の規定によれば、正しいものはどれか。

❶ 実際には取引する意思がない物件であっても実在するものであれば、当該物件を広告に掲載しても不当表示に問われることはない。

❷ 直線距離で 50 m 以内に街道が存在する場合、物件名に当該街道の名称を用いることができる。

❸ 物件の近隣に所在するスーパーマーケットを表示する場合は、物件からの自転車による所要時間を明示しておくことで、徒歩による所要時間を明示する必要がなくなる。

❹ 一棟リノベーションマンションについては、一般消費者に対し、初めて購入の申込みの勧誘を行う場合であっても、「新発売」との表示を行うことはできない。

1回目	2回目	3回目	4回目	5回目
／	／	／	／	／
手応え	手応え	手応え	手応え	手応え

◎：完全に分かってきた
○：だいたい分かってきた
△：少し分かってきた
×：全く分からなかった

肢別テーマ	❶ 景品表示法	該当なし
テキスト第4編	❷ 景品表示法	コース 3 ポイント ❷ 4
	❸ 景品表示法	コース 3 ポイント ❷ 5
	❹ 景品表示法	コース 3 ポイント ❷ 3

正解

❶ ✕ 取引する意思のない物件を掲載してはならない

物件は存在していても、実際には取引する意思がない物件を広告に掲載すれば不当表示となります。

❷ ○ 直線距離 50 m以内であれば名称を用いることができる

物件から直線距離で 50 m以内に所在する街道であれば、その街道の名称を用いることができます。

❸ ✕ 徒歩所要時間を明示

デパート、スーパーマーケット、コンビニエンスストア、商店等の商業施設は、現に利用できるものを物件からの道路距離または徒歩所要時間を明示して表示しなければなりません。自転車による所要時間を明示したからといって、徒歩による所要時間を明示する必要がなくなるということはありません。

❹ ✕ 初めての購入申込み勧誘であれば表示可能

マンションで「新発売」という表示ができるのは、新築住宅または一棟リノベーションマンションの場合のみです。一棟リノベーションマンションについて、一般消費者に対し、初めて購入の申込みの勧誘を行う場合は、「新発売」と表示することができます。

景品表示法

土地に関する次の記述のうち、最も不適当なものはどれか。

❶ 台地は、一般的に地盤が安定しており、低地に比べ自然災害に対して安全度は高い。

❷ 台地や段丘上の浅い谷に見られる小さな池沼を埋め立てた所では、地震の際に液状化が生じる可能性がある。

❸ 丘陵地帯で地下水位が深く、砂質土で形成された地盤では、地震の際に液状化する可能性が高い。

❹ 崖崩れは降雨や豪雨などで発生することが多いので、崖に近い住宅では梅雨や台風の時期には注意が必要である。

全問◎を
目指そう！

1回目	/	2回目	/	3回目	/	4回目	/	5回目	/
手応え		手応え		手応え		手応え		手応え	

◎：完全に分かってきた
○：だいたい分かってきた
△：少し分かってきた
×：全く分からなかった

肢別テーマ	❶ 土地	コース 3	ポイント ❸ ❶	
テキスト 第4編	❷ 土地	コース 3	ポイント ❸ ❶	
	❸ 土地	コース 3	ポイント ❸ ❶	正解 3
	❹ 土地	コース 3	ポイント ❸ ❶	

❶ ○ **台地は安全度が高い**

台地は、一般的に地盤が安定していますから、低地に比べ自然災害に対して安全度は高いです。

❷ ○ **安全ではない**

池沼を埋め立てたのであれば、地下水が比較的浅い所にあり、砂を多く含む地盤なので、液状化の危険があり安全とはいえません。

❸ ✕ **液状化する可能性は高くない**

地下水位が深いのであれば、液状化の可能性は高くありません。

❹ ○ **崖崩れの注意が必要**

崖崩れや土砂崩れは、雨の日やその翌日、つまり土に水分が含まれている状態のときに発生しやすいのです。

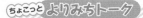

土に水分があれば液状化しやすいってことか！

池を埋め立てたなら、池の水がしみ込んでいるだろうからね。

土地

造成された宅地及び擁壁に関する次の記述のうち、誤っているものはどれか。

❶ 盛土をする場合には、地表水の浸透により、地盤にゆるみ、沈下、崩壊又は滑りが生じないように締め固める。

❷ 切土又は盛土したがけ面の擁壁は、原則として、鉄筋コンクリート造、無筋コンクリート造又は間知石練積み造その他の練積み造とする。

❸ 擁壁の裏面の排水をよくするために、耐水材料での水抜き穴を設け、その周辺には砂利等の透水層を設ける。

❹ 造成して平坦にした宅地では、一般に盛土部分に比べて切土部分で地盤沈下量が大きくなる。

全問◎を
目指そう！

| 1回目 | / | 2回目 | / | 3回目 | / | 4回目 | / | 5回目 | / |
| 手応え | | 手応え | | 手応え | | 手応え | | 手応え | |

◎：完全に分かってきた
○：だいたい分かってきた
△：少し分かってきた
×：全く分からなかった

❶ ○ 締め固めなければならない

盛土をする場合には、しっかりと固めなければなりません。

❷ ○ 擁壁は固くなければならない

切土や盛土をしたがけ面の擁壁は、固くなければなりません。

❸ ○ 排水をよくするための措置をする

本肢のようにして土の水分を減らす措置をします。

❹ ✕ 盛土部分のほうが沈下量が大きい

盛土部分よりも切土部分のほうが地盤は固いので、沈下量は盛土部分のほうが大きくなります。

土地

土地に関する次の記述のうち、最も不適当なものはどれか。

❶ 扇状地は、山地から河川により運ばれてきた砂礫等が堆積して形成された地盤である。

❷ 三角州は、河川の河口付近に見られる軟弱な地盤である。

❸ 台地は、一般に地盤が安定しており、低地に比べ、自然災害に対して安全度は高い。

❹ 埋立地は、一般に海面に対して比高を持ち、干拓地に比べ、水害に対して危険である。

全問◯を
目指そう!

1 回目	/	2 回目	/	3 回目	/	4 回目	/	5 回目	/
手応え		手応え		手応え		手応え		手応え	

◎：完全に分かってきた
◯：だいたい分かってきた
△：少し分かってきた
×：全く分からなかった

肢別テーマ		❶ 土地	コース 3 ポイント ❸ ❶	
テキスト 第4編		❷ 土地	コース 3 ポイント ❸ ❶	正解 ❹
		❸ 土地	コース 3 ポイント ❸ ❶	
		❹ 土地	コース 3 ポイント ❸ ❶	

❶ ○ 扇状地＝山地から河川

扇状地とは、山地から河川により運ばれてきた砂礫等が谷の出口等に扇状に堆積し、広がった微高地です。

❷ ○ 三角州は軟弱な地盤

三角州は河口付近に形成されます。砂泥質であるため水はけが悪く、地盤が軟弱であるという特徴があります。

❸ ○ 台地は地盤が安定している

台地は一般に地盤が安定していて、低地に比べ、自然災害に対しての安全度は高くなります。

❹ × 埋立地より干拓地のほうが水害に対して危険

埋立地は海面よりも高いため、工事がしっかりと行われていれば、海面よりも低い干拓地よりは危険が少ないです。

土地

● ＜扇状地と三角州＞

　　扇状地＝山地→平野

　　　　　　（急な流れが緩やかな流れに変わることで流速低下）

　　三角州＝河川→海

　　　　　　（海に流入することで流速低下／海面とほぼ同じ高さ）

土地の形質に関する次の記述のうち、誤っているものはどれか。

❶ 　地表面の傾斜は、等高線の密度で読み取ることができ、等高線の密度が高い所は傾斜が急である。

❷ 　扇状地は山地から平野部の出口で、勾配が急に緩やかになる所に見られ、等高線が同心円状になるのが特徴的である。

❸ 　等高線が山頂に向かって高い方に弧を描いている部分は尾根で、山頂から見て等高線が張り出している部分は谷である。

❹ 　等高線の間隔の大きい河口付近では、河川の氾濫により河川より離れた場所でも浸水する可能性が高くなる。

全問◎を
目指そう!

1回目	/	2回目	/	3回目	/	4回目	/	5回目	/
手応え		手応え		手応え		手応え		手応え	

◎：完全に分かってきた
○：だいたい分かってきた
△：少し分かってきた
×：全く分からなかった

肢別テーマ	❶ 土地	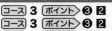 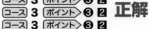
テキスト 第4編	❷ 土地	コース 3 ポイント ❸ ❷
	❸ 土地	コース 3 ポイント ❸ ❷
	❹ 土地	コース 3 ポイント ❸ ❷

正解 ③

❶ ○ **密度が高いと傾斜は急**

　等高線の密度が高い所は、傾斜が急です。

❷ ○ **扇状地では等高線が同心円状になる**

　扇状地では、等高線が同心円状になります。

❸ ✕ **尾根と谷の記述が逆**

　山頂に向かって高いほうに弧を描いている部分は谷で、山頂から見て等高線が張り出している部分は尾根です。

❹ ○ **等高線の間隔が大きい→緩やかな傾斜**

　等高線の間隔が大きいということは、平坦か緩やかな傾斜なので、氾濫した水は広範囲にわたって流れ込みやすくなります。

土地

日本の土地に関する次の記述のうち、最も不適当なものはどれか。

❶ 国土を山地と平地に大別すると、山地の占める比率は、国土面積の約 75％である。

❷ 火山地は、国土面積の約 7％を占め、山林や原野のままの所も多く、水利に乏しい。

❸ 台地・段丘は、国土面積の約 12％で、地盤も安定し、土地利用に適した土地である。

❹ 低地は、国土面積の約 25％であり、洪水や地震による液状化などの災害危険度は低い。

全問◎を
目指そう!

1回目	/		2回目	/		3回目	/		4回目	/		5回目	/	
手応え			手応え			手応え			手応え			手応え		

◎：完全に分かってきた
○：だいたい分かってきた
△：少し分かってきた
×：全く分からなかった

肢別テーマ	❶ 土地	該当なし	
テキスト 第4編	❷ 土地	該当なし	
	❸ 土地	コース 3 ポイント ❸ ❶	正解 4
	❹ 土地	コース 3 ポイント ❸ ❶	

❶ ○ **山地は約75%**

国土を山地と平地に大別すると、山地の占める比率は、国土面積の約75%です。

❷ ○ **火山地は約7％**

火山地は、国土面積の約7％を占め、山林や原野のままの所も多く、水利に乏しいです。

❸ ○ **台地・段丘は約12%**

台地・段丘は、国土面積の約12%で、地盤も安定し、土地利用に適した土地です。

❹ ✕ **低地は液状化のリスクは高い**

低地は約13%です。また、低地は液状化などの災害の危険度は高くなっています。したがって、災害危険度は低いとする本肢は誤りとなります。

土地

細かい数字を覚えていなくても、低地は宅地として適さないことを理解していれば正解はできるでしょう。

建築の構造に関する次の記述のうち、最も不適当なものはどれか。

❶ 耐震構造は、建物の柱、はり、耐震壁などで剛性を高め、地震に対して十分耐えられるようにした構造である。

❷ 免震構造は、建物の下部構造と上部構造との間に積層ゴムなどを設置し、揺れを減らす構造である。

❸ 制震構造は、制震ダンパーなどを設置し、揺れを制御する構造である。

❹ 既存不適格建築物の耐震補強として、制震構造や免震構造を用いることは適していない。

全問◎を
目指そう!

1回目	/	2回目	/	3回目	/	4回目	/	5回目	/
手応え		手応え		手応え		手応え		手応え	

◎：完全に分かってきた
○：だいたい分かってきた
△：少し分かってきた
×：全く分からなかった

❶ 建物	コース 3 ポイント ❹ ❻		
❷ 建物	コース 3 ポイント ❹ ❻		
❸ 建物	コース 3 ポイント ❹ ❻	正解	4
❹ 建物	コース 3 ポイント ❹ ❻		

❶ ○ 耐震構造は剛性を強化

耐震構造は、建物自体の剛性を高めることで、強い揺れを受けても建物が倒壊するのを防ぐ構造です。

❷ ○ 免震構造は積層ゴムを活用

免震構造は、建物の基礎と上部構造との間に積層ゴムや免震装置を設置して地震力を一部吸収して揺れを減らします。

❸ ○ 制震構造は制震ダンパーを活用

制震構造は、建物骨組みに取り付けた制震ダンパーなどの制震装置で揺れを吸収します。制震構造は工事費も安く、改修に向いています。

❹ ✕ 耐震補強に制震化・免震化は適している

既存不適格建築物の耐震補強として、制震構造や免震構造を用いることは適しています。

建
物

建築物の材料に関する次の記述のうち、誤っているものはどれか。

❶ 集成材は、単板等を積層したもので、伸縮・変形・割れなどが生じにくくなるため、大規模な木造建築物の骨組みにも使用される。

❷ 木材の強度は、含水率が大きい状態の方が大きくなるため、建築物に使用する際には、その含水率を確認することが好ましい。

❸ 鉄筋コンクリート造に使用される骨材、水及び混和材料は、鉄筋をさびさせ、又はコンクリートの凝結及び硬化を妨げるような酸、塩、有機物又は泥土を含んではならない。

❹ 鉄は、炭素含有量が多いほど、引張強さ及び硬さが増大し、伸びが減少するため、鉄骨造には、一般に炭素含有量が少ない鋼が用いられる。

1回目	2回目	3回目	4回目	5回目
/	/	/	/	/
手応え	手応え	手応え	手応え	手応え

◎：完全に分かってきた
○：だいたい分かってきた
△：少し分かってきた
×：全く分からなかった

❶ ○ **集成材は大規模な木造建築物にも使用される**

集成材は、単板などを、繊維方向を平行に組み合わせ、接着剤により集成したものです。柱や梁などにも用いられます。大規模な木造建築物にも使用されます。

❷ × **含水率が大きいほうが強度が弱くなる**

木材の強度は、含水率が大きい状態のほうが小さくなります。

❸ ○ **さびを防止する必要あり**

鉄筋コンクリート造の場合、鉄筋が錆びないようにしなければなりません。

❹ ○ **鉄骨造には一般に炭素含有量が少ない鋼が用いられる**

鉄は、炭素含有量が多いほど、引張強さおよび硬さが増大し、伸びが減少します。鉄骨造の鉄骨は揺れに対して柔軟性が必要なため、一般的に炭素含有量が少ない鋼が用いられます。

建物

建築物の構造と材料に関する次の記述のうち、不適当なものはどれか。

1 常温において鉄筋と普通コンクリートの熱膨張率は、ほぼ等しい。

2 コンクリートの引張強度は、圧縮強度より大きい。

3 木材の強度は、含水率が大きい状態のほうが小さくなる。

4 集成材は、単板などを積層したもので、大規模な木造建築物に使用される。

全問◎を
目指そう!

1回目	2回目	3回目	4回目	5回目
手応え	手応え	手応え	手応え	手応え

◎：完全に分かってきた
○：だいたい分かってきた
△：少し分かってきた
×：全く分からなかった

242

肢別テーマ　テキスト第4編

❶ 建物　　コース 3　ポイント ❹ 4
❷ 建物　　コース 3　ポイント ❹ 4
❸ 建物　　コース 3　ポイント ❹ 2
❹ 建物　　コース 3　ポイント ❹ 2

正解 2

❶ ○　**熱膨張率はほぼ等しい**

コンクリートと鉄の熱膨張率はほぼ等しいです。

❷ ×　**コンクリートは圧縮に強い**

コンクリートは圧縮に強く、引っ張りに弱いです。

❸ ○　**水分が多いほど弱くなる**

木材の強度は、含水率が大きい状態のほうが小さくなります。

❹ ○　**集成材は大規模な木造建築物にも使用される**

集成材は、単板などを、繊維方向を平行に組み合わせ、接着剤により集成したものです。柱や梁などにも用いられます。大規模な木造建築物にも使用されます。

建物

建築物の構造に関する次の記述のうち、最も不適当なものはどれか。

❶ ラーメン構造は、柱とはりを組み合わせた直方体で構成する骨組である。

❷ トラス式構造は、細長い部材を三角形に組み合わせた構成の構造である。

❸ アーチ式構造は、スポーツ施設のような大空間を構成するには適していない構造である。

❹ 壁式構造は、柱とはりではなく、壁板により構成する構造である。

全問◎を
目指そう!

1回目	/	2回目	/	3回目	/	4回目	/	5回目	/
手応え		手応え		手応え		手応え		手応え	

◎：完全に分かってきた
○：だいたい分かってきた
△：少し分かってきた
×：全く分からなかった

肢別テーマ			
テキスト 第4編	❶ 建物	コース 3 ポイント ❹ ❺	
	❷ 建物	該当なし	
	❸ 建物	該当なし	正解 3
	❹ 建物	コース 3 ポイント ❹ ❺	

❶ ○　**ラーメン構造は柱とはりを組み合わせる**

　　ラーメン構造は、柱とはりといった部材の各接点が剛に接合されて一体となった骨組みによる構造をいいます。その形は直方体となります。

❷ ○　**トラス式構造は部材を三角形に組み合わせる**

　　トラス式構造は、細長い部材を三角形に組み合わせた構成の構造です。

❸ ×　**アーチ式構造は大空間を構成できる**

　　アーチ式構造は、スポーツ施設のような大空間を構成するのに適しています。

❹ ○　**壁式構造は壁板により構成される**

　　壁式構造は、柱とはりではなく、壁板により構成する構造です。

建
物

ラーメン構造はジャングルジムのようなイメージ、壁式構造はティッシュの箱のようなイメージで捉えてください。

建築物の構造と材料に関する次の記述のうち、最も不適当なものはどれか。

❶ 鉄筋コンクリート構造におけるコンクリートのひび割れは、鉄筋の腐食に関係する。

❷ モルタルは、一般に水、セメント及び砂利を練り混ぜたものである。

❸ 骨材とは、砂と砂利をいい、砂を細骨材、砂利を粗骨材と呼んでいる。

❹ コンクリートは、水、セメント、砂及び砂利を混練したものである。

1回目 /	2回目 /	3回目 /	4回目 /	5回目 /
手応え	手応え	手応え	手応え	手応え

◎：完全に分かってきた
○：だいたい分かってきた
△：少し分かってきた
×：全く分からなかった

肢別テーマ	❶ 建物	該当なし	
テキスト 第4編	❷ 建物	コース 3 ポイント ❹ 4	正解 2
	❸ 建物	コース 3 ポイント ❹ 4	
	❹ 建物	コース 3 ポイント ❹ 4	

❶ ○ **腐食によりひび割れが発生する**

鉄筋が腐食すると内部の体積が増加します。そのため、内部から力が加わるため、コンクリートにひび割れが発生します。

❷ × **モルタルは砂利ではなく砂**

モルタルは、「セメント＋水＋砂」であり、砂利ではありません。

❸ ○ **骨材は砂と砂利**

骨材とは、砂と砂利をいい、砂を細骨材、砂利を粗骨材と呼んでいます。

❹ ○ **コンクリートには砂利も混ぜる**

コンクリートは「セメント＋水＋砂＋砂利」です。

建
物

〈執筆者〉

友次 正浩（ともつぐ まさひろ）

國學院大學文学部日本文学科卒業・國學院大學大学院文学研究科修了（修士）。
大学受験予備校講師として教壇に立ち、複数の予備校で講義を行うなど異色の経歴を持つ。
現在はLEC東京リーガルマインド専任講師として、その経歴を活かした過去問分析力と講義テクニックを武器に、初心者からリベンジを目指す人まで、幅広い層の受講生を合格に導き、『講義のスペシャリスト』として受講生の絶大な支持を受け、圧倒的な実績を作り続けている。
（講師ブログ）「TOM★CAT～友次正浩の合格ブログ～」
https://ameblo.jp/tomotsugu331/

2025年版 宅建士 合格のトリセツ 厳選分野別過去問題集

2018年10月25日　第1版　第1刷発行
2024年10月25日　第7版　第1刷発行

　執　筆●友次 正浩
　編著者●株式会社　東京リーガルマインド
　　　　　LEC総合研究所　宅建士試験部

　発行所●株式会社　東京リーガルマインド
　　　　　〒164-0001　東京都中野区中野4-11-10
　　　　　　　　　　　アーバンネット中野ビル
　　　　　LECコールセンター　☎ 0570-064-464
　　　　　　　　受付時間　平日9：30～19：30／土・日・祝10：00～18：00
　　　　　　　　※このナビダイヤルは通話料お客様ご負担となります。
　　　　　書店様専用受注センター　TEL 048-999-7581 ／ FAX 048-999-7591
　　　　　　　　受付時間　平日9：00～17：00／土・日・祝休み
　　　　　www.lec-jp.com/

　　　　　カバー・本文イラスト●矢寿 ひろお
　　　　　本文デザイン●株式会社 桂樹社グループ
　　　　　印刷・製本●情報印刷株式会社

LEC宅建士 受験対策書籍のご案内

受験対策書籍の全ラインナップです。
学習進度に合わせてぜひご活用ください。

基礎からよくわかる！ 宅建士 合格のトリセツ シリーズ

法律初学者タイプ

・イチから始める方向け
・難しい法律用語が苦手

↓

★イラスト図解
★やさしい文章
★無料動画多数

基本テキスト

A5判 好評発売中

●フルカラー
●分野別3分冊
　＋別冊重要論点集
●インデックスシール
●無料講義動画45回分
●スマホ学習一問一答
　ちょこっとトレーニング

試験範囲を全網羅！ 出る順宅建士 シリーズ

万全合格タイプ

・学習の精度を上げたい
・完璧な試験対策をしたい

↓

★試験で重要な条文・
　判例を掲載
★LEC宅建士講座
　公式テキスト

合格テキスト
（全3巻）

❶権利関係
❷宅建業法
❸法令上の制限・税・その他

A5判 2024年12月発刊

超速合格タイプ

・短期間で合格したい
・法改正に万全に備えたい

どこでも宅建士
とらの巻

A5判 2025年5月発刊

●暗記集『とらの子』付録

↓合格は問題集で決まる↓

──────── OUTPUT ────────

過去問題集
分野別なので弱点補強に最適

一問一答問題集
学習効果が高く効率学習ができる

直前対策
本試験の臨場感を自宅で体感

厳選分野別
過去問題集

A5判 好評発売中
- ●分野別3冊
- ●無料解説動画30回分
- ●全問収録本格アプリ
- ●最新過去問DL

頻出一問一答式
過去問題集

A5判 好評発売中
- ●分野別3冊
- ●過去問を元にした一問一答
- ●全問収録本格アプリ
- ●最新過去問DL

当たる！
直前予想模試

B5判 2025年6月発刊
- ●無料解説動画4回分
- ●最新過去問DL
- ●WEB無料成績診断

ウォーク問
過去問題集（全3巻）

B6判 2024年12月発刊
- ●令和6年度試験問題・
  解説を全問収録
- ●過去の受験者の正解率付

一問一答○×
1000肢問題集

新書判 2025年1月発刊
- ●LECオリジナルの一問一答
- ●赤シート対応
- ●全問収録本格アプリ

過去30年良問厳選
模試 6回分 &
　　最新過去問

A5判 2025年2月発刊
- ●セパレート問題冊子
- ●最新過去問全問収録
- ●WEB無料成績診断

要点整理本
読み上げ音声でいつでもどこでも
要点をスイスイ暗記

逆解き式！
最重要ポイント555
B6判 2025年5月発刊
- ●赤シート対応
- ●読み上げ音声DL
- ●重要過去問選択肢も掲載

※デザイン・内容・発刊予定等は、変更になる場合がございます。予めご了承ください。

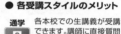
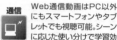

学習経験者専用のインプットと圧倒的な演習量を備えるリベンジコース

再チャレンジ合格フルコース

学習経験者専用コース

全58回

合格ステップ完成講座 （10回×3h）	総合実戦答練 （3回×4h）	全日本宅建公開模試 ファイナル模試 （6回）
ハイレベル合格講座 （25回×3h）	直前バックアップ 総まとめ講座 （3回×3h）	免除科目スッキリ 対策講座 （2回×3h）
分野別ベーシック答練 （6回×3h）	過去問対策 ナビゲート講座 （2回×3h）	ラスト1週間の 重要ポイント見直し講座 （1回×3h）

※講座名称は変更となる場合がございます。予めご了承ください。

受講形態

通学クラス

通信クラス

● 各受講スタイルのメリット

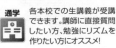

通学 各本校での生講義が受講できます。講師に直接質問したい方、勉強にリズムを作りたい方にオススメ！

通信 Web通信動画はPC以外にもスマートフォンやタブレットでも視聴可能。シーンに応じた使い分けで学習効率UP。

内容 「合格ステップ完成講座」で基本的なインプット事項をテンポよく短時間で確認します。さらに、「ハイレベル合格講座」と2種類の答練を並行学習することで最新の出題パターンと解法テクニックを習得します。さらに4肢択一600問（模試6回＋答練9回）という業界トップクラスの演習量があなたを合格に導きます。

対象者 ・基礎から学びなおしてリベンジしたい方
・テキストの内容は覚えたのに過去問が解けない方

● 受講料

受講形態	一般価格(税込)
通信・Web動画＋スマホ＋音声DL	159,500円
通信・DVD	181,500円
通学・フォロー（Web動画＋スマホ＋音声DL）付	176,000円

詳細はLEC宅建サイトをご覧ください
⇒ https://www.lec-jp.com/takken/

あなたの実力・弱点が明確にわかる！

公開模試・ファイナル模試成績表

ご希望の方のみ模試の成績表を送付します（有料）。

LECの成績表はココがすごい！

その① 正解率データが一目で分かる「総合成績表」で効率的に復習できる！
その② 自己分析ツールとしての「個人成績表」で弱点の発見ができる！
その③ 復習重要度が一目で分かる「個人成績表」で重要問題を重点的に復習できる！

■総合成績表

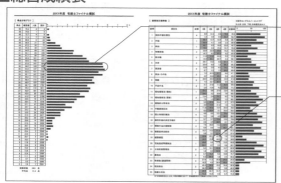

宅建士試験は競争試験です。
最も人数が多く分布している点数のおよそ2〜3点上が合格ラインとなります。
復習必要度aランクの肢はもちろん、合否を分けるbランクの肢も確実にしましょう。

ひっかけの肢である選択肢3を正解と判断した人が半数近くもいます。
ひっかけは正解肢よりも前にあることが多いです。早合点に注意しましょう。

■個人成績表

分野別の得点率が一目でわかるようにレーダーチャートになっています。

現時点での評価と、それを踏まえての今後の学習指針が示されます。

全受験生の6割以上が正解している肢です。
合否に影響するので復習が必要です。

全受験生のほとんどが間違った肢です。
合否には直接影響しません。深入りは禁物です。

講座及び受講料に関するお問い合わせは下記ナビダイヤルへ

LECコールセンター
☎0570-064-464 （平日9:30〜19:30 土・日・祝10:00〜18:00）

※このナビダイヤルは通話料お客様ご負担となります。
※固定電話・携帯電話共通（一部のPHS・IP電話からもご利用可能）。

2025 宅建実力診断模試

高い的中率を誇るLECの「宅建実力診断模試」を、お試し価格でご提供します。まだ学習の進んでいないこの時期の模試は、たくさん間違うことが目的。弱点を知り、夏以降の学習の指針にしてください。

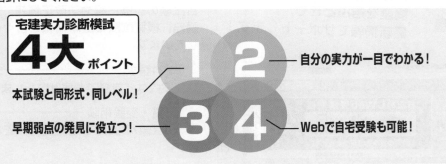

宅建実力診断模試 **4大** ポイント

1 2 3 4

- 本試験と同形式・同レベル！
- 自分の実力が一目でわかる！
- 早期弱点の発見に役立つ！
- Webで自宅受験も可能！

ねらい 本試験で自分の力を十分に発揮するためには、本試験の雰囲気や時間配分に慣れる必要があります。LECの実力診断模試は、本試験と全く同じ形式で行われるだけでなく、その内容も本試験レベルのものとなっています。早い時期に本試験レベルの問題に触れることで弱点を発見し、自分の弱点を効率よく克服しましょう。

試験時間 **2時間**（50問）
本試験と同様に50問の問題を2時間で解いていただきます。試験終了後、詳細な解説冊子をお配り致します（Web解説の方はWeb上での閲覧のみとなります）。また、ご自宅でWeb解説（1時間）をご覧いただけます。

対象者 **2025年宅建士試験受験予定の全ての方**
早期に力試しをしたい方

● **実施スケジュール（予定）**
6/11（水）〜6/22（日）

● **実施校（予定）**

スケジュール・受講料・実施校など
詳細はLEC宅建ホームページをご覧下さい。

LEC宅建 検索

新宿エルタワー・渋谷駅前・池袋・水道橋・立川・町田・横浜・千葉・大宮・梅田駅前・京都駅前・四条烏丸・神戸・難波駅前・福井南・札幌・仙台・静岡・名古屋駅前・富山・金沢・岡山・広島・福岡・長崎駅前・佐世保駅前・那覇

※現時点で実施が予定されているものです。実施校については変更の可能性がございます。
※実施曜日、実施時間については学校によって異なります。お申込み前に必ずお問合せください。

● **出題例**

実力診断模試

> 【問 31】 宅地建物取引業者Aが、Bの所有する宅地の売却の媒介の依頼を受け、Bと専属専任媒介契約（以下この問において「媒介契約」という。）を締結した場合に関する次の特約のうち、宅地建物取引業法の規定によれば、無効となるものはいくつあるか。
> ア 媒介契約の有効期間を6週間とする旨の特約
> イ Aがその業務の処理状況を毎日定時に報告する旨の特約
> ウ 媒介契約の有効期間が満了した場合、Bの更新拒絶の申出がなければ、媒介契約は自動的に更新したものとみなされるとする旨の特約
> エ 当該宅地を国土交通大臣が指定する流通機構に登録しないこととする旨の特約
> 1 一つ
> 2 二つ
> 3 三つ
> 4 四つ

解答 2 （ア：有効、イ：有効、ウ：無効、エ：無効）

LEC Webサイト ▷▷▷ **www.lec-jp.com/**

🖱 情報盛りだくさん！

 資格を選ぶときも，
講座を選ぶときも，
最新情報でサポートします！

≫最新情報
各試験の試験日程や法改正情報，対策講座，模擬試験の最新情報を日々更新しています。

≫資料請求
講座案内など無料でお届けいたします。

≫受講・受験相談
メールでのご質問を随時受付けております。

≫よくある質問
LECのシステムから，資格試験についてまで，よくある質問をまとめました。疑問を今すぐ解決したいなら，まずチェック！

≫書籍・問題集（LEC書籍部）
LECが出版している書籍・問題集・レジュメをこちらで紹介しています。

🖱 充実の動画コンテンツ！

 ガイダンスや講演会動画，
講義の無料試聴まで
Webで今すぐCheck！

≫動画視聴OK
パンフレットやWebサイトを見てもわかりづらいところを動画で説明。いつでもすぐに問題解決！

≫Web無料試聴
講座の第1回目を動画で無料試聴！気になる講義内容をすぐに確認できます。

LEC 全国学校案内

＊講座のお問合せ，受講相談は最寄りのLEC各校へ

LEC本校

■ 北海道・東北

札　幌本校　　☎011(210)5002
〒060-0004 北海道札幌市中央区北4条西5-1　アスティ45ビル

仙　台本校　　☎022(380)7001
〒980-0022 宮城県仙台市青葉区五橋1-1-10　第二河北ビル

■ 関東

渋谷駅前本校　　☎03(3464)5001
〒150-0043 東京都渋谷区道玄坂2-6-17　渋東シネタワー

池　袋本校　　☎03(3984)5001
〒171-0022 東京都豊島区南池袋1-25-11　第15野萩ビル

水道橋本校　　☎03(3265)5001
〒101-0061 東京都千代田区神田三崎町2-2-15　Daiwa三崎町ビル

新宿エルタワー本校　　☎03(5325)6001
〒163-1518 東京都新宿区西新宿1-6-1　新宿エルタワー

早稲田本校　　☎03(5155)5501
〒162-0045 東京都新宿区馬場下町62　三朝庵ビル

中　野本校　　☎03(5913)6005
〒164-0001 東京都中野区中野4-11-10　アーバンネット中野ビル

立　川本校　　☎042(524)5001
〒190-0012 東京都立川市曙町1-14-13　立川MKビル

町　田本校　　☎042(709)0581
〒194-0013 東京都町田市原町田4-5-8　MIキューブ町田イースト

横　浜本校　　☎045(311)5001
〒220-0004 神奈川県横浜市西区北幸2-4-3　北幸GM21ビル

千　葉本校　　☎043(222)5009
〒260-0015 千葉県千葉市中央区富士見2-3-1　塚本大千葉ビル

大　宮本校　　☎048(740)5501
〒330-0802 埼玉県さいたま市大宮区宮町1-24　大宮GSビル

■ 東海

名古屋駅前本校　　☎052(586)5001
〒450-0002 愛知県名古屋市中村区名駅4-6-23　第三堀内ビル

静　岡本校　　☎054(255)5001
〒420-0857 静岡県静岡市葵区御幸町3-21　ペガサート

■ 北陸

富　山本校　　☎076(443)5810
〒930-0002 富山県富山市新富町2-4-25　カーニープレイス富山

■ 関西

梅田駅前本校　　☎06(6374)5001
〒530-0013 大阪府大阪市北区茶屋町1-27　ABC-MART梅田ビル

難波駅前本校　　☎06(6646)6911
〒556-0017 大阪府大阪市浪速区湊町1-4-1
大阪シティエアターミナルビル

京都駅前本校　　☎075(353)9531
〒600-8216 京都府京都市下京区東洞院通七条下ル2丁目
東塩小路町680-2　木村食品ビル

四条烏丸本校　　☎075(353)2531
〒600-8413　京都府京都市下京区烏丸通仏光寺下ル
大政所町680-1　第八長谷ビル

神　戸本校　　☎078(325)0511
〒650-0021 兵庫県神戸市中央区三宮町1-1-2　三宮セントラルビル

■ 中国・四国

岡　山本校　　☎086(227)5001
〒700-0901 岡山県岡山市北区本町10-22　本町ビル

広　島本校　　☎082(511)7001
〒730-0011 広島県広島市中区基町11-13　合人社広島紙屋町アネクス

山　口本校　　☎083(921)8911
〒753-0814 山口県山口市吉敷下東 3-4-7　リアライズⅢ

高　松本校　　☎087(851)3411
〒760-0023 香川県高松市寿町2-4-20　高松センタービル

松　山本校　　☎089(961)1333
〒790-0003 愛媛県松山市三番町7-13-13　ミツネビルディング

■ 九州・沖縄

福　岡本校　　☎092(715)5001
〒810-0001 福岡県福岡市中央区天神4-4-11　天神ショッパーズ
福岡

那　覇本校　　☎098(867)5001
〒902-0067 沖縄県那覇市安里2-9-10　丸姫産業第2ビル

■ EYE関西

EYE 大阪本校　　☎06(7222)3655
〒530-0013　大阪府大阪市北区茶屋町1-27　ABC-MART梅田ビル

EYE 京都本校　　☎075(353)2531
〒600-8413　京都府京都市下京区烏丸通仏光寺下ル
大政所町680-1　第八長谷ビル

LEC提携校

＊提携校はLECとは別の経営母体が運営をしております。
＊提携校は実施講座およびサービスにおいてLECと異なる部分がございます。

■ 北海道・東北

八戸中央校【提携校】　☎0178(47)5011
〒031-0035　青森県八戸市寺横町13　第1朋友ビル　新教育センター内

弘前校【提携校】　☎0172(55)8831
〒036-8093　青森県弘前市城東中央1-5-2
まなびの森　弘前城東予備校内

秋田校【提携校】　☎018(863)9341
〒010-0964　秋田県秋田市八橋鯲沼町1-60
株式会社アキタシステムマネジメント内

■ 関東

水戸校【提携校】　☎029(297)6611
〒310-0912　茨城県水戸市見川2-3079-5

所沢校【提携校】　☎050(6865)6996
〒359-0037　埼玉県所沢市くすのき台3-18-4　所沢K・Sビル
合同会社LPエデュケーション内

日本橋校【提携校】　☎03(6661)1188
〒103-0025　東京都中央区日本橋茅場町2-5-6　日本橋大江戸ビル
株式会社大江戸コンサルタント内

■ 東海

沼津校【提携校】　☎055(928)4621
〒410-0048　静岡県沼津市新宿町3-15　萩原ビル
M-netパソコンスクール沼津校内

■ 北陸

新潟校【提携校】　☎025(240)7781
〒950-0901　新潟県新潟市中央区弁天3-2-20　弁天501ビル
株式会社大江戸コンサルタント内

金沢校【提携校】　☎076(237)3925
〒920-8217　石川県金沢市近岡町845-1　株式会社アイ・アイ・ピー金沢内

福井南校【提携校】　☎0776(35)8230
〒918-8114　福井県福井市羽水2-701　株式会社ヒューマン・デザイン内

■ 関西

和歌山駅前校【提携校】　☎073(402)2888
〒640-8342　和歌山県和歌山市友田町2-145
KEG教育センタービル　株式会社KEGキャリア・アカデミー内

■ 中国・四国

松江殿町校【提携校】　☎0852(31)1661
〒690-0887　島根県松江市殿町517　アルファステイツ殿町
山路イングリッシュスクール内

岩国駅前校【提携校】　☎0827(23)7424
〒740-0018　山口県岩国市麻里布町1-3-3　岡村ビル　英光学院内

新居浜駅前校【提携校】　☎0897(32)5356
〒792-0812　愛媛県新居浜市坂井町2-3-8　パルティフジ新居浜駅前店内

■ 九州・沖縄

佐世保駅前校【提携校】　☎0956(22)8623
〒857-0862　長崎県佐世保市白南風町5-15　智翔館内

日野校【提携校】　☎0956(48)2239
〒858-0925　長崎県佐世保市椎木町336-1　智翔館日野校内

長崎駅前校【提携校】　☎095(895)5917
〒850-0057　長崎県長崎市大黒町10-10　KoKoRoビル
minatoコワーキングスペース内

高原校【提携校】　☎098(989)8009
〒904-2163　沖縄県沖縄市大里2-24-1
有限会社スキップヒューマンワーク内

※上記は2024年8月1日現在のものです。

書籍の訂正情報について

このたびは，弊社発行書籍をご購入いただき，誠にありがとうございます。
万が一誤りの箇所がございましたら，以下の方法にてご確認ください。

1 訂正情報の確認方法

書籍発行後に判明した訂正情報を順次掲載しております。
下記Webサイトよりご確認ください。

www.lec-jp.com/system/correct/

2 ご連絡方法

上記Webサイトに訂正情報の掲載がない場合は，下記Webサイトの
入力フォームよりご連絡ください。

lec.jp/system/soudan/web.html

フォームのご入力にあたりましては，「Web教材・サービスのご利用について」の
最下部の「ご質問内容」に下記事項をご記載ください。

> ・対象書籍名（○○年版，第○版の記載がある書籍は併せてご記載ください）
> ・ご指摘箇所（具体的にページ数と内容の記載をお願いいたします）

ご連絡期限は，次の改訂版の発行日までとさせていただきます。
また，改訂版を発行しない書籍は，販売終了日までとさせていただきます。

※上記「2 ご連絡方法」のフォームをご利用になれない場合は，①書籍名，②発行年月日，③ご指摘箇所，を記載の上，郵送
にて下記送付先にご送付ください。確認した上で，内容理解の妨げとなる誤りについては，訂正情報として掲載させてい
ただきます。なお，郵送でご連絡いただいた場合は個別に返信しておりません。

　送付先：〒164-0001 東京都中野区中野4-11-10 アーバンネット中野ビル
　　　　　株式会社東京リーガルマインド 出版部 訂正情報係

> ・誤りの箇所のご連絡以外の書籍の内容に関する質問は受け付けておりません。
> 　また，書籍の内容に関する解説，受験指導等は一切行っておりませんので，あらかじめ
> 　ご了承ください。
> ・お電話でのお問合せは受け付けておりません。

講座・資料のお問合せ・お申込み

LECコールセンター 🕾 0570-064-464

受付時間：平日9：30～19：30／土・日・祝10：00～18：00

※このナビダイヤルの通話料はお客様のご負担となります。
※このナビダイヤルは講座のお申込みや資料のご請求に関するお問合せ専用ですので，書籍の正誤に関
　するご質問をいただいた場合，上記「2 ご連絡方法」のフォームをご案内させていただきます。